症例を通して学ぶ

年代別

食物アレルギーのすべて

改訂3版

国立病院機構相模原病院
臨床研究センターセンター長
海老澤 元宏 編

南山堂

執筆者一覧（執筆順）

海老澤元宏　国立病院機構相模原病院臨床研究センターセンター長

今井　孝成　昭和大学医学部小児科学講座教授

山田　佳之　東海大学医学部総合診療学系小児科学教授

伊藤　浩明　あいち小児保健医療総合センターセンター長

福家　辰樹　国立成育医療研究センターアレルギーセンター総合アレルギー科診療部長

長尾みづほ　国立病院機構三重病院臨床研究部臨床研究部長

柳田　紀之　国立病院機構相模原病院小児科部長

髙橋　亨平　国立病院機構相模原病院小児科

三浦　陽子　国立病院機構相模原病院小児科

小池　由美　長野県立こども病院アレルギー科部長

林　　典子　十文字学園女子大学人間生活学部健康栄養学科准教授

房安　直子　国立病院機構相模原病院臨床研究センターアレルギー性疾患研究部

江尻　勇樹　国立病院機構相模原病院小児科

坂　　牧子　国立病院機構相模原病院臨床研究センターアレルギー性疾患研究部

杉崎千鶴子　国立病院機構相模原病院臨床研究センターアレルギー性疾患研究部

緒方　美佳　国立病院機構熊本医療センター小児科副部長

稲垣真一郎　いながきクリニック院長

野村伊知郎　国立成育医療研究センター好酸球性消化管疾患研究室

清水真理子　群馬県立小児医療センターアレルギー・リウマチ科部長

西野　　誠　牛久愛和総合病院小児科

糸永　宇慧　国立病院機構相模原病院小児科

河合　　慧　国立病院機構相模原病院小児科

小倉　聖剛　国立病院機構相模原病院小児科医長

原　　周平　国立病院機構相模原病院小児科

江村　重仁　新潟県立新発田病院小児科

朴　　善美　川村学園女子大学生活創造学部生活文化学科専任講師

谷口　裕章　甲南医療センター小児科医長

宮林　広樹　宮城県立こども病院アレルギー科

真部　哲治　まなべ小児科クリニック院長

德永　　舞　長野県立こども病院総合小児科・アレルギー科

髙橋　研斗　国立病院機構相模原病院小児科
石橋誠二郎　国立病院機構相模原病院小児科
伊藤　　環　国立病院機構相模原病院小児科
牧田　英士　自治医科大学附属さいたま医療センター小児科学内講師
千葉　友揮　国立病院機構相模原病院小児科
千代反田雅子　東京医科大学小児科・思春期科学分野
浅海　智之　さがみこどもアレルギークリニック院長
小太刀　豪　国立病院機構相模原病院小児科
佐藤さくら　国立病院機構相模原病院臨床研究センターアレルギー性疾患研究部部長
坂口　裕紀　国立病院機構相模原病院小児科
本間　瑶子　聖マリアンナ医科大学医学部小児科学講座
久保田　慧　福岡大学医学部小児科学講座
近藤　康人　藤田医科大学ばんたね病院総合アレルギーセンター小児科教授
竹井　真理　竹井クリニック小児科
永倉　顕一　国立病院機構相模原病院小児科
伊藤　　悠　国立病院機構相模原病院小児科
福冨　友馬　国立病院機構相模原病院臨床研究センター臨床研究推進部部長
中村　陽一　横浜市立みなと赤十字病院アレルギーセンター・センター長
橋場　容子　横浜市立みなと赤十字病院アレルギーセンターアレルギー内科部長
鈴木慎太郎　昭和大学医学部内科学講座呼吸器・アレルギー内科学部門准教授
能條　　眞　昭和大学医学部内科学講座呼吸器・アレルギー内科学部門
森田　栄伸　島根大学名誉教授
猪又　直子　昭和大学医学部皮膚科学講座主任教授
矢上　晶子　藤田医科大学ばんたね病院総合アレルギー科教授
清水　裕希　かじもと皮膚科医院院長
片岡　葉子　大阪はびきの医療センター副院長・皮膚科主任部長
千貫　祐子　島根大学医学部皮膚科学講座准教授
戸田　雅子　東北大学大学院農学研究科教授
穐山　　浩　星薬科大学薬学部教授

改訂３版の 序

2013 年にこの本を世に出してから早いもので 10 年が経過しました．大変嬉しいことに医学書として記録的に多くの方に初版，改訂 2 版を手に取っていただくことができました．

改訂 2 版を発刊後の最近の 5 年間の大きな出来事として，2020 年初頭からのコロナ禍（未だに続いていますが）が挙げられます．今までに経験したことがないほど医療の世界に大きな影響を与えました．日本では緊急事態宣言こそ発出されましたが，欧米のようなロックダウンは行われませんでした．しかし，食物アレルギーの患者さんにも多大な影響を与えたと言えるでしょう．食物経口負荷試験などの待機検査はコロナ禍では後回しにされる事態に遭遇し，患者さんの方でも感染対策として受診控えが起きました．それらが食物アレルギーの患者さん達の日常生活や予後にどのような影響を与えたのか後から検証する必要があります．

そのような状況でも医学研究は絶えず進歩を遂げています．2019 年には日本から牛乳アレルギーに関する非常にインパクトのある研究成果（生後 3 日以内の調整乳の使用が 2 歳時の牛乳タンパクの IgE レベルの感作を誘導）が JAMA Pediatrics に出されましたし，さらに SPADE study（混合栄養の中断が牛乳アレルギーの発症リスク）が続きました．

2020 年には「食物経口負荷試験の手引き 2020」が出され，さらに「食物アレルギーの診療の手引き 2020」の改訂が行われました．2022 年には「アナフィラキシーガイドライン 2022」と「食物アレルギーの栄養指導の手引き 2022」の改訂が行われました．2022 年には 9 年ぶりに日本学校保健会が 3 回目のアレルギー疾患に関する全国調査を行い，食物アレルギー 6.3％，アナフィラキシー 0.62％というデータが公表されました．2020 年の即時型食物アレルギー全国モニタリング調査でも木の実類が小麦を追い越して 4 番目に浮上し，クルミの義務表示に繋がりました．学童期の木の実類アレルギーの増加・花粉関連の果物アレルギーが学童期・思春期の食物アレルギーの有症率の増加に繋がっているようです．

20 年前の乳児期に発症した鶏卵・牛乳・小麦アレルギーの患者さんの一部は成人まで遷延している方もおられ，治りにくいピーナッツ・木の実類アレルギーの増加と相まって成人期の食物アレルギー対策も求められるようになりました．

初版，改訂 2 版に続いて本書では小児～成人までの幅広い食物アレルギーの症例を網羅し解説しています．本書を読むことで症例の経験を積みながら小児～成人の食物アレルギー診療のレベルアップを図ることが可能になると思います．

改訂 3 版を出版するにあたり，国立病院機構相模原病院柳田紀之小児科部長，臨床研究センター佐藤さくらアレルギー性疾患研究部長のフルサポートに深謝します．

2023 年 11 月

海老澤　元宏

初版の序

わが国では食物アレルギーに関する“食物アレルギーの診療の手引き”や“食物アレルギー診療ガイドライン”は2005年に公開され，その後も改訂され提示されていますが，食物アレルギーはほかのアレルギー疾患と異なり，画一的な治療プランなどでは対処できず，まさに個別化医療を実践しなくてはならない疾患です．食物アレルギーの診療はもの凄い勢いで進化し，昔の常識は非常識になり，5年前，10年前の知識・経験でもあっという間に時代遅れになります．食物アレルギーに関する個別化医療を進めていくためには多くの症例を通してさまざまな経験を積むのが一番重要なことですが，症例が豊富にある施設以外では症例の経験を積むには時間を要します．症例数が10倍違えば，勉強できるスピードも10倍違いますし，経験した症例数に応じて食物アレルギーの診療のレベルが上がることは間違いない事実です．食物アレルギーの“診療の手引き”や“ガイドライン”，既存の食物アレルギーに関する成書を読んでも診療の進め方の細部を理解するのは困難なことも多いと思います．本書の中で，国立病院機構相模原病院に2週間勉強に来られた青森県の先生のご経験を書いていただいています．彼女は対応の難しい患者さんとともに当院に来られました．その症例と先生の解説を読んでいただくとわかりますが，食物アレルギーの実地の勉強はまさに「百聞は一見にしかず」だと思います．

南山堂から「食物アレルギーに関する本を出版したい」と提案された際に，手引きやガイドラインでは理解し得ない点をどのように埋めていくかを考慮し，本書を企画しました．その結果，この本のコンセプトに辿り着き，“症例を通して食物アレルギーを学ぶこと”が個別化医療を実践する最も手っ取り早い方法と思いつきました．食物アレルギーは小児から成人まで幅広く認められ，年代別に大きな変化や違いのある疾患です．そこで，乳児期，幼児期，学童・思春期，成人期に分けて考え得る症例を想定し，国立病院機構相模原病院小児科・内科の現役・OBの医師を中心に，食物アレルギーの症例を豊富に経験されている先生方に執筆していただくことにしました．

2013年10月19, 20日に開催する第50回日本小児アレルギー学会に合わせて本書を刊行できたことに，執筆いただいた多くの先生方，出版をお誘いいただいた南山堂，長い間辛抱強くお付き合いいただいた担当の高見沢恵さんに心より感謝します．

本書が，学術論文やガイドライン等と医療現場の間の埋められないギャップに対する解決策を，食物アレルギーの診療に携わる多くの領域の先生方，そしてコメディカルの方に提供できることを祈念しています．

2013年10月

海老澤　元宏

目次

基本編

症例編

学童・思春期

移行期

成人期

巻末資料

基本編

1 歴史的背景と概念の変化
(最近の自分の経験を踏まえて)

私も還暦を過ぎて現在孫が二人おり，一人目（長女の長男）は 3 歳で乳児期の湿疹も食物アレルギーも無縁であったが，二人目の孫（長男の長男）は生後 1ヵ月目から顔面や体幹に湿疹が出始めた．長男も幼少期からアトピー性皮膚炎や気管支喘息があり，アレルギー素因があるので懸念していたことが現実となった．二人目の孫は現在 1 歳 6ヵ月で今までにアレルギー専門医である祖父としてアレルギー発症予防に取り組んだ経験を紹介する．

長男の妻には生後 3 日間は調製乳を与えないように病院に依頼するように伝えておいたが，気がついたら母乳を補う目的ですでに与えられていたそうで，それならと母乳が十分出るようになっても混合栄養を継続するように伝えた．3 月生まれで初夏から汗をかくようになると湿疹はなかなかよくならず，1 日 2 回のスキンケアとステロイド外用療法を続けるように長男夫婦に指示した．生後 3ヵ月から皮膚プリックテストを 1ヵ月ごとに行っていたら，卵白に対する陽性反応（膨疹）が 3 回目の 5ヵ月目で認められた．そこで調製乳に加熱全卵 1/32 個のパウダーを入れて毎日与えるように指示した．混合栄養を継続したお陰で離乳食開始後はヨーグルトなども問題なく摂取でき，鶏卵も問題なく摂れるようになった（長男の話では卵そのものは好きではないらしく，与えても摂らないそうだ）．私からの 1 歳の誕生日プレゼントとして採血を行い特異的 IgE 抗体価を調べたところ，卵白は 11.2，牛乳は 0.53，イクラが 2.28 であった．湿疹は 1 歳を過ぎて徐々にステロイド軟膏を使う頻度が減り，現在，ステロイド軟膏は湿疹が出たときだけの使用に留まり，必要に応じて保湿をする程度である．今のところ食物アレルギー反応は経験していないが，今後何らかの方法で木の実アレルギーの発症予防に取り組むつもりである．

話は自分のことに戻るが，1960 年に生を受けた自分は乳児期に湿疹がひどく，母は私を皮膚科に連れて行き茶色の軟膏療法を受けていた．姉から聞かされた話ではいつも『包帯でぐるぐる巻きのミイラ』のようであったそうだ. 石坂公成先生が IgE 抗体を発見する約 6 年前のことである. 当時の自分が卵に対して IgE 抗体を持っていたのかは不明であるが，小さい頃から生卵を食べることが大嫌いで，合宿などで民宿で出される卵かけご飯を無理に食べるとよく気持ち悪くなった．幼児期には顔面の湿疹はなくなり，肘窩・膝窩の湿疹が汗などで誘発され風呂に入るとかゆみが増し，掻いていると両親から注意された．乳幼児期を通して食物を制限していたというようなことはなかったが，幼児期にはしばしば喘息発作を起こし苦しかったことを覚えている．発作になると苦しくて横になれず主治医にお尻に注射（アドレナリン）を打ってもらい，スーッと楽になったことを覚えている．幼稚園にはたぶん半分程度しか通えなかったと思うが，そのせいで幼稚園の先生からは自閉傾向とも連絡帳に書かれていた．自分が小学生の時に学校給食が食べられない生徒はいなかったし，中学・高校時代にも食物アレルギーの友達はいなかった．中学・高校・大学時代は硬式テニス部に所属し，合宿に行くと民宿の布団でよく喘息発作を起こしたが，自分と同じような友人も何名かいた．当時は無知で発作を起こしても胸苦しさを感じながら朝のランニングにも参加し，昼はテニスに励んだ．

1985 年に医師国家試験に合格し，臨床研修を始めた頃になると『卵アレルギーで乳児が救急外来に搬送されて…』というようなことが日本小児科学会の地方会で症例報告されていた記憶がある．さらに 1988 年に国立小児病院のアレルギー外来の診療を目の当たりにしてとても驚いたことは，先輩達が IgE 抗体陽性というだけで患者さん達に食物の完全除去を指導していたことであった．抗原特異的 IgE 抗体がコマーシャルベースで測定できるようになるとさまざまな食物が陽性になり，その結果『除去しなさい』と指導することがアレルギーを専門とする医師の間で当たり前の時代だったのである．当時のアレルギー科の医長だった

1	Ebisawa M, Bochner BS, Georas S, and Schleimer RP.
	Eosinophil transendothelial migration induced by cytokines. Ⅰ. The role of endothelial and eosinophil adhesion molecules in IL-1β-induced transendothelial migration.
	J Immunol, 149 : 4021-4028, 1992.
2	Ebisawa M, Liu MC, Yamada T, Kato M, Lichtenstein LM, Bochner BS, and Schleimer RP.
	Eosinophil transendothelial migration Ⅱ. The potentiation of eosinophil transendothelial migration by eosinophil-active cytokines.
	J Immunol, 152 : 4590-4596, 1994.
3	Ebisawa M, Yamada T, Bickel C, Klunk D, and Schleimer RP.
	Eosinophil Transendothelial migration induced by cytokines. Ⅲ. The effect of the chemokine RANTES.
	J Immunol, 153 : 2153-2160, 1994.

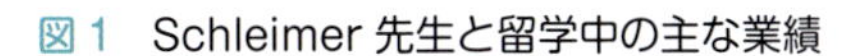

図1　Schleimer 先生と留学中の主な業績

恩師のＩ先生は研究室で食物特異的 IgG や IgG4 抗体を測定し，それらも陽性だとさらに除去の指導が行われていた．Ｉ先生に『食物アレルギーのことを系統立てて教えてください』とお願いしたところ，『俺の診療を見ていろ』と言われた．妊娠中・授乳中の食物除去の指導なども当時アレルギー発症予防対策として流行っていた頃である．その頃，アメリカでは Sampson 先生がアトピー性皮膚炎と食物アレルギーの関連性[1]やダブルブラインドプラセボコントロール食物経口負荷試験（以下，負荷試験）[2]などの論文を J Allergy Clin Immunol に発表していた頃で，抄読会で『どんな風にやるのかな？』と思っていた．

国立小児病院勤務時代には金曜～日曜日にかけて不眠不休の 2 泊 3 日のアルバイトの当直に行っていたことがある．その当直明けにフラフラになって自宅に戻った時に新婚の妻が作ってくれた加熱不十分なスクランブルエッグを食べてアナフィラキシーになった経験がある．その後に，自らのアレルギー診断のために卵白に対する IgE 抗体を測定したが陰性で，皮膚プリックテストをしたところ小さな膨疹を認めた．そこから遡って類推するに自分は乳児期に卵白に対する IgE 抗体を持っていたのであろう．疲労・睡眠不足などの体調によってもアレルギー症状が増悪することがあるということも身をもって経験した．

1991 年にアメリカの Johns Hopkins 大学の内科臨床免疫学教室に留学するチャンスが巡ってきた．喘息における気道炎症局所への好酸球浸潤のメカニズムを研究するのが主目的であったが（図 1），ある時，水曜日の昼休みの内科と小児科の合同のリサーチカンファレンスに前述の Sampson 先生が来ていた．勇気を振り絞って『ダブルブラインドプラセボコントロール負荷試験を見学したいのですけれど？』と聞いてみたところ，簡単に『良いヨ，いつから来る？』，『負荷試験は火曜日と木曜日に行っているので，どちらでも良いヨ』と言ってくださった．自分のボスの Schleimer 教授に『土曜日に代わりに働くので木曜日に小児科の負荷試験を見学に行って良いですか？』と聞いたところ，『構わないヨ』と許可が出た．それから 1 年間にわたり毎週木曜日は小児科に負荷試験の見学に行くこととなった（図 2）．留学中にアメリカアレルギー免疫学会に参加することができたが，“Food Allergy” のセッションを聞きに行くと Sampson 先生のほか，数名程度しか聴衆がいなかった．当時は喘息，炎症のメカニズムの研究が花形で，食物アレルギーなどに目を向ける人は少なかったのである．

1993 年に国立小児病院アレルギー科に戻り，負荷試験を最初に行った経験は今でも鮮明に覚えている．その患者さんは実姉の友人の 13 歳のお嬢さんで，『小さいときに微量の牛乳でアナフィラキシーになり，現在中学生になったのでその後どうなっているのか調べて欲しい』と依頼されたのである．ミルクの特異的 IgE 抗体が強陽性の患者に負荷試験をするのでＩ医長から『勝手にしろ』と言われたが，負荷試験をしたところ，蕁麻疹，喘鳴が出現し，明らかな陽性反応で，それらに対して抗ヒスタミン薬の内服，$β_2$ 刺激薬の

Food Allergy:
Adverse Reactions to Foods
and Food Additives

3/22/93

Eli,
I look forward to seeing you often in the future. It has been a real pleasure working with you. I will look for work from you in the area of food allergy. Best of luck
Hugh

図2　Sampson 先生からのお言葉

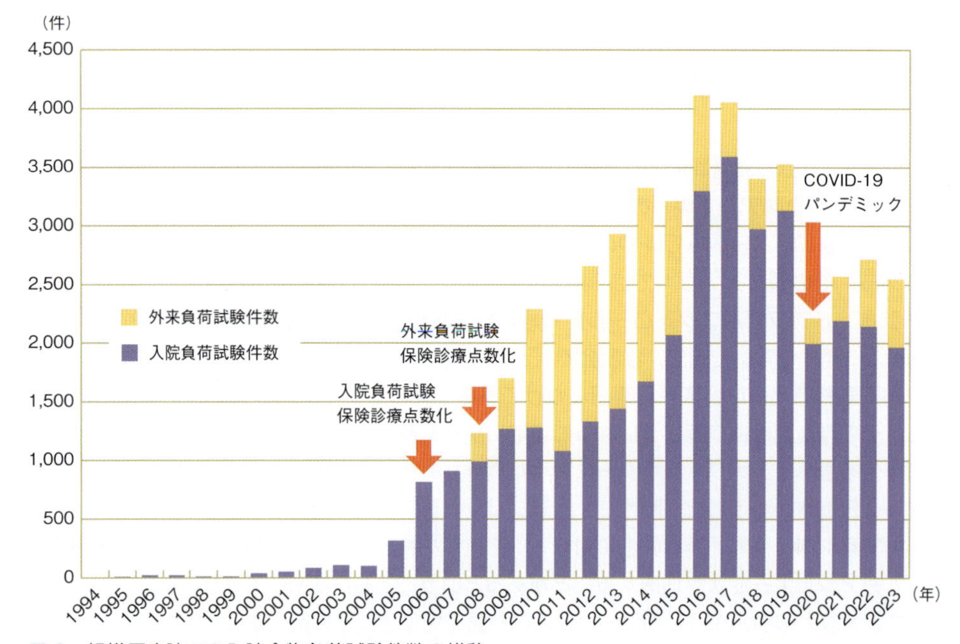

図3　相模原病院での入院食物負荷試験件数の推移

吸入で乗り切った．それ以降，負荷試験を基準に“食べる”“食べない”の判断を患者さんに対して指導するようにしたところ，いつの間にかI先生も負荷試験に興味を示してくれるようになった．ある研究会でI先生の昔の弟子が食物除去をIgE抗体の結果で指導したことを発表していたら，『おまえ，まだそんなことをしているのかヨ，古いなあ！』とコメントされ，先生の変わり身の早さに驚いた．しかし，1995年にI先生の命で国立相模原病院に左遷となった．

1995年からの国立相模原病院での年間の入院負荷試験の推移を示す（図3）．一人で負荷試験をしていた頃は一般診療の傍らで夏休みや春休みを中心に行っていたので，実施件数が増えなかったが，マンパワーの増加，システムとして行うようになり，実施件数も増加していった．改訂2版では2017年までのデータを示していたが，4,000件近くまで大きく増えていた件数が2020年から

子どもの食物アレルギー検査

血液陽性の半数
食事制限は不要

厚労省の研究班が調査

子どもが食物アレルギーの血液検査や皮膚テストで陽性になっても、本当に食物制限が要るのは半分以下にすぎない。そんな調査結果を厚生労働省の研究班がまとめた。

アレルギーの診断を確定するには、原因と疑われる物を食べて症状をみる負荷試験が必要だ。しかし、手間がかかって保険が適用されないことから医療現場では、アレルギー抗体を見つける血液検査や皮膚テストだけで「卵を食べてはいけない」など制限する例が少なくない。

主任研究者の海老澤元宏・国立相模原病院小児科医長らは、鶏卵、牛乳、小麦、大豆を乾燥粉末にしてイチゴピューレに混ぜる負荷試験方法を、キユーピー研究所とともに開発。小児患者99人に試した。血液検査と皮膚テストで9割は陽性だったが、負荷試験で陽性反応が出たのは4割にとどまった。品目ごとの率は鶏卵62%、牛乳37%、小麦28%、大豆5%。

海老澤さんは「乳児期に発症しても小学校入学までに9割が良くなるが、不必要な食事制限を続けているケースが少なくない」と話す。

研究班は診断治療の新しい指針を作るため、全国29病院で乾燥食品粉末を使った負荷試験をして症例を集める。

図4　2001年4月20日「朝日新聞」1面掲載記事

表 1　食物アレルギー・アナフィラキシーの社会的対応の歩み

年	内容	主体
2002 年	アレルギー物質を含む食品表示開始	（厚生労働省・研究班）
2004 年	アレルギーを有する児の全国調査	（文部科学省・日本学校保健会）
2005 年	エピペン®の食物アレルギーおよび小児への適応拡大	（厚生労働省）
	「食物アレルギーの診療の手引き 2005」	（厚生労働省研究班）
	「食物アレルギー診療ガイドライン 2005」	（日本小児アレルギー学会）
2006 年	食物アレルギー関連（入院での食物負荷試験・栄養指導）の診療報酬化	（厚生労働省）
2007 年	アレルギー疾患への対応の現状報告（食物アレルギー有病率 2.6%，アナフィラキシー 0.1%との報告）	（文部科学省）
2008 年	学校のアレルギー疾患に対する取り組みガイドラインおよび管理指導表	（日本学校保健会）
	外来での食物負荷試験の診療報酬化	（厚生労働省）
	「診療の手引き 2008」改訂，「栄養指導の手引き 2008」公開	（厚生労働省研究班）
2009 年	「食物経口負荷試験ガイドライン 2009」	（日本小児アレルギー学会）
	業務としての救急救命士へのエピペン®の使用解禁	（厚生労働省・総務省）
	食物負荷試験実施施設公開	（厚生労働省研究班・食物アレルギー研究会）
2011 年	「保育所におけるアレルギー対応ガイドライン」	（厚生労働省）
	エピペン®保険診療の適応	（厚生労働省）
	「食物アレルギー診療ガイドライン 2012」	（日本小児アレルギー学会）
	「診療の手引き 2011」改訂，「栄養指導の手引き 2011」改訂	（厚生労働省研究班）
2012 年	12 月 20 日　調布市での給食（チーズ入チヂミ）によるアナフィラキシーが疑われた死亡例	
2013 年	9 年ぶりのアレルギーを有する児の全国調査（食物アレルギー有病率 4.5%，アナフィラキシー 0.48%との報告）	（文部科学省・日本学校保健会）
2014 年	文部科学省有識者会議の最終報告	（文部科学省）
	追跡調査	（文部科学省）
2015 年	ガイドラインを補完する資料＋エピペン®トレーナー	（日本学校保健会・文部科学省）
	「診療の手引き 2014」改訂	（厚生労働省研究班）
2016 年	保育所（園）全国調査	（厚生労働省研究班）
	「食物アレルギー診療ガイドライン 2016」	（日本小児アレルギー学会）
2018 年	「栄養食事指導の手引き 2017」改訂	（厚生労働省研究班）
	「診療の手引き 2017」改訂	（AMED 研究班）
2019 年	保育所でのアレルギー対応ガイドライン（マイナー改訂）	（厚生労働省）
2020 年	学校のアレルギー疾患に対する取り組みガイドラインおよび管理指導表（マイナー改訂）	（日本学校保健会・文部科学省）
2021 年	「食物アレルギー診療ガイドライン 2021」	（日本小児アレルギー学会）
2022 年	食物経口負荷試験の適用拡大・管理指導表の保険収載	（厚生労働省研究班）
	9 年ぶりのアレルギーを有する児の全国調査（食物アレルギー有病率 6.3%，アナフィラキシー 0.62%との報告）	（日本学校保健会・文部科学省）

のコロナ禍で大幅に減少し最近やや回復傾向にある．また，負荷試験の方法も工夫され安全性も高まってきている．朝日新聞の 1 面に IgE 抗体が陽性でも食物除去をしなくてすむ子が半数に上るという記事が出たのは 22 年前の 2001 年のことである（図 4）．2002 年には即時型食物アレルギーの全国調査のデータを元に世界に先駆けてアレルギー物質を含む食品表示制度が始まり，表 1 に示すようにガイドラインの整備，エピペン®の導入，負荷試験の診療報酬化など厚生労働科学研究班，日本小児アレルギー学会，官公庁による食物アレルギー・アナフィラキシー対策が過去 20 年間で大変なスピードで進んだ．さらに，1908 年に初めて症例報告された後，ほとんど日の目を見なかった経口免疫療法というアプローチが 2000 年代半ばより再び脚光を浴びるようになった．“食物除去を指導する食物アレルギー診療”から“食べさせることを指導する食物アレルギー診療”にこの 20 ～ 30 年の間で大きく変化した．2021 年に日本小児アレルギー学会から「食物アレルギー診療ガイドライン 2021」が発刊されたが[3]，まさに“食べさせるためにはどうしたらよいか”を追求し，成人の食物アレルギーに関しても記述を広げている．負荷試験をすることで“過去の常識”は“現在の非常識”に変わっていった．表 2 に示す『食物アレルギー診療の昔の常識・今の常識』の質問の答えはこの本の中に見つけることができると思う．負荷試験に基づいた管理のフローとしては図 5 に示すように少量，中等量，日常摂取量と進めていくことが「食物アレルギー診療ガイ

表 2　食物アレルギー診療の昔の常識・今の常識

1. 鶏卵と鶏肉，牛乳と牛肉の関係は？　鶏卵と魚卵は？
2. 魚の種類は関係あるの（青魚・赤身・白身）？
3. 油でアレルギーを起こすの（大豆油，ゴマ油，ピーナッツ油）？
4. 香料・添加物でアレルギーを起こすの？乳糖は？
5. 大豆，小麦アレルギーで醤油・調味料・麦茶は？
6. 検査（IgE 抗体）結果と食物アレルギーの関係は？
7. 食物除去はいい加減なほうがよい？それとも完全に除去したほうがよいか？
8. 予防のための除去は必要？

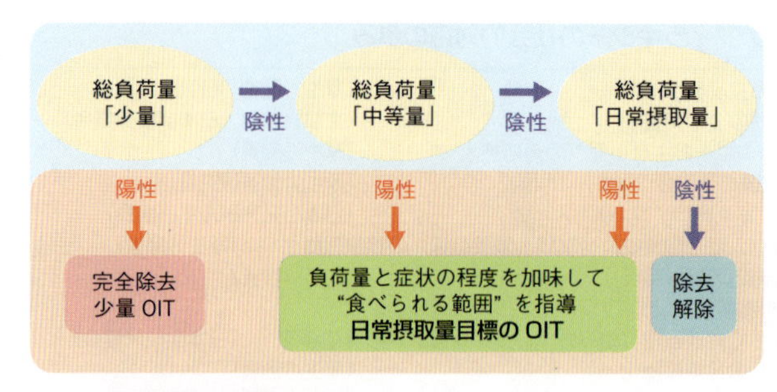

図 5　症状誘発の閾値と OIT

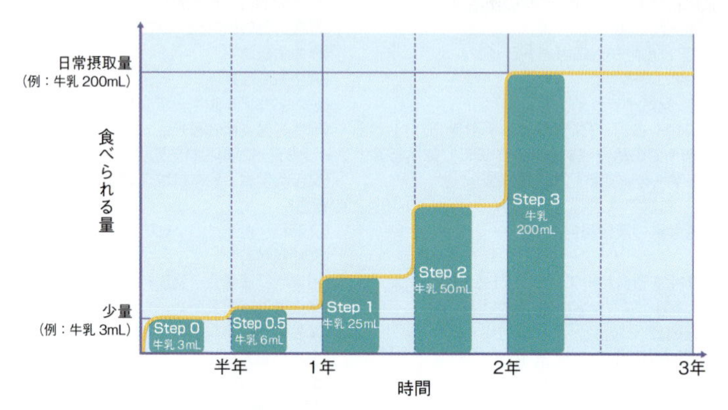

図 6　OFC に基づいた解除の進め方

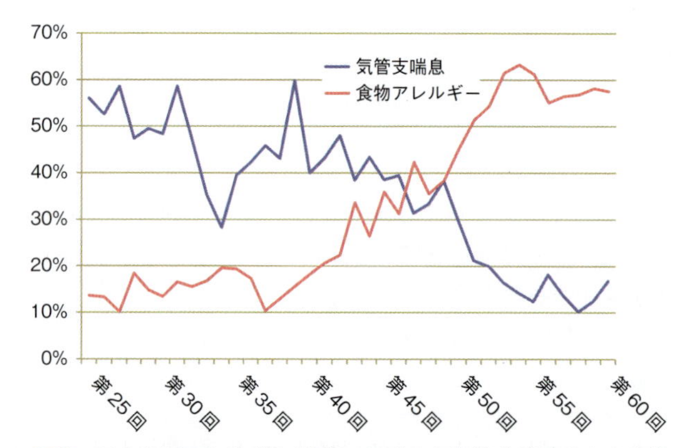

図 7　日本小児アレルギー学会における " 気管支喘息 " と " 食物アレルギー " の一般演題中の比率の推移

ドライン 2021」で推奨されている．相模原病院で実施している具体的な進め方として牛乳を例に示すと図 6 のようになる．

食物アレルギーに関する発症予防に関する研究成果は 2015 年の LEAP 研究[4]，2016 年の LEAP on[5]，2017 年の PETIT 研究[6] など初版を出してから大きく進んだ分野である．改訂 2 版後の 5 年間で牛乳アレルギーに関する研究の進展があり，2 つの RCT が日本から発表された（私の孫の話はそれに関連する）[7, 8]．今後の課題は即時型の食物アレルギーの早期介入，安全性の高い経皮免疫療法や生物学的製剤などの導入に注目が集まることであろう．現在それらの臨床試験が国内外で進行中である．

1966 年の発足以来日本小児アレルギー学会では " 気管支喘息 " が長らく学会員の興味の中心であったが，図 7 に示すようにこの 10 年で食物アレルギーがすっかり中心テーマとなっている．1993 年に留学から帰

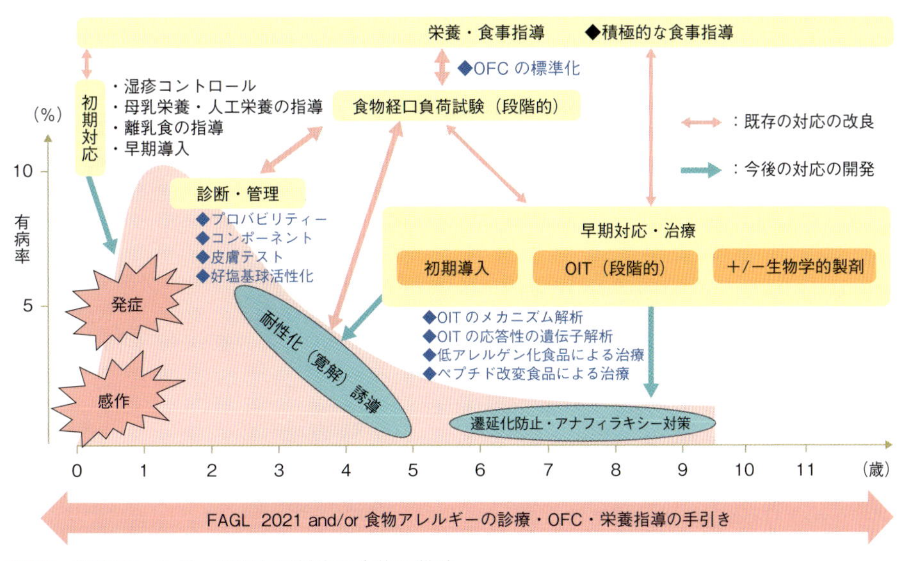

図 8　食物アレルギーの現在の対応と今後の戦略

国した際に「気管支喘息は将来学会の主テーマでなくなり食物アレルギーが中心になる」と予測したことが現実となり，負荷試験の診療報酬化を実現していなければ現在のような日本小児アレルギー学会の隆盛はなかったかもしれない.

初版，改訂 2 版でも示した食物アレルギーの現在の対応と今後の対応の進展の可能性を若干手を加えて図 8 にまとめた．初版を出してから 10 年経過した改訂 3 版において乳児期発症の食物アレルギーは 5 歳くらいまでは自然寛解し有症率が低下するが，学童期・成人期に食物アレルギーの有症率が下がらず問題が広がっていることである．その背景にはクルミを中心とした木の実類アレルギーの増加や花粉症の増加に伴い花粉-食物アレルギー症候群の増加がベースにあると考えられる.

時代は変わりさまざまな企業が食物アレルギーの管理・治療に興味を示してくれるようになった．最近，私が監修している「paqupa（パクパ）」という商品が株式会社 fufumu から発売された．卵や木の実類を与えることができるフリーズドライの離乳食である（https://fufumu.com/pages/paqupa/）.

1) Sampson HA, et al.：Comparison of results of skin tests, RAST, and double-blind, placebo-controlled food challenges in children with atopic dermatitis. J Allergy Clin Immunol, 74：26-33, 1984.
2) Burks AW, et al.：Double-blind placebo-controlled trial of oral cromolyn in children with atopic dermatitis and documented food hypersensitivity. J Allergy Clin Immunol, 81：417-423, 1988.
3) 日本小児アレルギー学会食物アレルギー委員会：食物アレルギー診療ガイドライン 2021．協和企画，2021.
4) Du Toit G, et al.：Randomized trial of peanut consumption in infants at risk for peanut allergy. N Engl J Med, 372：803-813, 2015.
5) Du Toit G, et al.：Effect of Avoidance on Peanut Allergy after Early Peanut Consumption. N Engl J Med, 374：1435-1443, 2016.
6) Natsume O, et al.：Two-step egg introduction for prevention of egg allergy in high-risk infants with eczema（PETIT）：a randomised, double-blind, placebo-controlled trial. Lancet, 389：276-286, 2017.
7) Urashima M, et al.：Primary Prevention of Cow's Milk Sensitization and Food Allergy by Avoiding Supplementation With Cow's Milk Formula at Birth：A Randomized Clinical Trial. JAMA Pediatr, 173：1137-1145, 2019.
8) Sakihara T, et al.：Randomized trial of early infant formula introduction to prevent cow's milk allergy. J Allergy Clin Immunol, 147：224-232, 2021.

2 定義・臨床型分類・疫学

定義（図 1）[1]

食物による有害反応という疾患概念があり，この範疇で食物アレルギーは，「食物によって引き起こされる抗原特異的な免疫学的機序を介して生体にとって不利益な症状が惹起される現象」と定義される[2]．

一方で免疫学的機序を介さない場合，食物不耐症と定義される．食物不耐症には種々の疾病が含まれ，乳糖不耐症やヒスタミン中毒，カフェイン中毒などが該当し，これら疾病は食物アレルギーの鑑別に重要である．

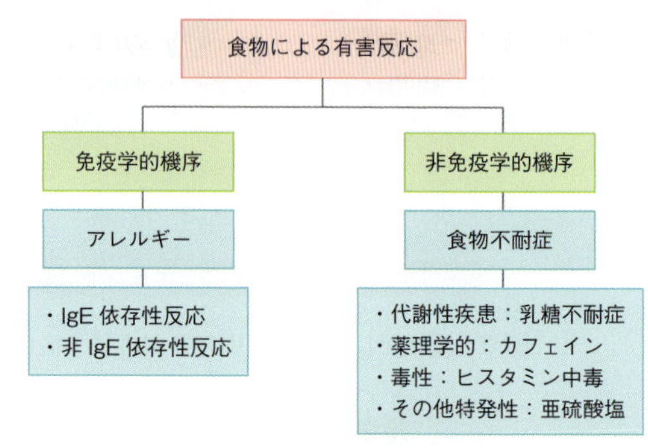

図 1　食物による不利益な反応のタイプ[1]

臨床型分類

食物アレルギーはさらに IgE 依存性反応と非 IgE 依存性反応に分けられる．非 IgE 依存性反応には食物蛋白誘発胃腸症や好酸球性胃腸症が含まれ，別項で詳説されている．IgE 依存性反応は表 1[3] のように 4 つの代表的な臨床病型に分類される．

表 1　IgE 依存性食物アレルギーの臨床型分類[3]

臨床型	発症年齢	頻度の高い食物	耐性獲得（寛解）	アナフィラキシーショックの可能性	食物アレルギーの機序
食物アレルギーの関与する乳児アトピー性皮膚炎	乳児期	鶏卵，牛乳，小麦など	多くは寛解	(＋)	主に IgE 依存性
即時型症状（蕁麻疹，アナフィラキシーなど）	乳児期〜成人期	乳児〜幼児：鶏卵，牛乳，小麦，ピーナッツ，木の実類，魚卵など 学童〜成人：甲殻類，魚類，小麦，果物類，木の実類など	鶏卵，牛乳，小麦などは寛解しやすい その他は寛解しにくい	(＋＋)	IgE 依存性
食物依存性運動誘発アナフィラキシー（FDEIA）	学童期〜成人期	小麦，エビ，果物など	寛解しにくい	(＋＋＋)	IgE 依存性
口腔アレルギー症候群（OAS）	幼児期〜成人期	果物・野菜・大豆など	寛解しにくい	(±)	IgE 依存性

即時型

食物アレルギーといえば即時型のことを指すほどに，頻度が高い．原因食物に曝露されて 2 時間以内，多くは 30 分以内に何らかの症状が誘発される．アナフィラキシーショックを呈するリスクが高く，リスク管理が大事である．

食物アレルギーの関与する乳児アトピー性皮膚炎

乳児早期にアトピー性皮膚炎として発症し，その原因が食物である場合が本病型である．多くが離乳食開始前に慢性に皮疹を認め，そのコントロールがつかない．推測される食物の除去試験および負荷試験を行うことで診断が確定する．また経過中に即時型症状を合併してくることが多い．

原因食物は，即時型と同様に鶏卵，牛乳，小麦が多く，幼児期に耐性を獲得していく．かつては乳児食物アレルギーの発症病型として多かったが，昨今はスキンケアや乳児期早期からの丁寧な外用療法の普及に伴って，減少している．

食物依存性運動誘発アナフィラキシー　food-dependent exercise-induced anaphylaxis（FDEIA）

原因食物を摂取して2～4時間以内に一定の運動を行った場合に誘発されることが特徴である．アナフィラキシー誘発リスクが高く，運動量の増える学童期から発症が増え，成人期にかけて多い．運動は一つの誘発因子にすぎず，感冒や睡眠不足，ストレス，薬剤，アルコールや入浴により誘発される食物アレルギーも同じ範疇で捉えるべきとする考え方がある．

口腔アレルギー症候群　oral allergy syndrome（OAS）

口唇・口腔・咽頭粘膜を中心に症状が誘発される食物アレルギーであり，原因食物は果物，野菜，魚類など様々な食物で誘発される．花粉-食物アレルギー症候群 pollen-food allergy syndrome（PFAS）は，特定の花粉症の患者が，花粉抗原と交差抗原性がある食物抗原によって症状が誘発されるものを指すが，多く症状がOASと似通った症状を呈する．PFASはOASにおおよそが包含される概念ともいえる．

疫学

わが国の食物アレルギーの疫学

1996（平成8）年に厚生省食物アレルギー対策検討委員会（委員長 飯倉洋治）により食物アレルギーの全国調査が初めて行われ，わが国の実態が把握されるようになった．その後，わが国の食物アレルギーの臨床は目覚ましい進歩を遂げることになるが，疫学情報はその進歩に大きく寄与している．

有症率

食物アレルギーは自然耐性を獲得する傾向があるので，その有症率は年齢によって異なる．また食物アレルギーの定義によっても大きく有症率は異なってくる．従来の報告から，最も有症率が高くなるのは特異的IgE抗体検査陽性に基づく食物アレルギーの定義である．以下自己申告，食物経口負荷試験 oral food challenge（OFC）の結果に基づく場合で高くなる[4]．

わが国の乳幼児の有症率調査は，出生コホートで5～10%，厚生労働省の保育所調査（105,853人対象）で4.9%[5]などがあり，いずれも自己申告による．学童期になると文部科学省の2022（令和4）年の大規模調査で小学生が6.1%，中学生が6.7%[6]，日本学校保健会の横断調査（19,219人）で2.3%[7]と報告される．成人の有症率は学童期の3～5%前後と，さほど変わらないと考えられる．総合するとわが国の小児は乳児の5～10万人，幼児期の30万人，学童以降の60万人の合計約100万人が食物アレルギー人口と推察される．

即時型食物アレルギー以外の臨床病型の有症率調査としては，新生児消化器症状型は宮沢らによってハイリスク施設を対象にした調査で約0.2%[8]，FDEIAは中学生で0.017%と報告されている[9]が，極めて限られた調査結果しかない．

即時型食物アレルギーの実態

定期的に実施されている即時型食物アレルギーの全国モニタリング調査は，全国の日本アレルギー学会専門医か日本小児アレルギー学会会員を調査協力者として行い，毎回約1,000人を調査協力者としている．調査対象は「食物を摂取後何らかの症状が60分以内に出現し，かつ医療機関を受診したもの」で，負荷試験や経口免疫療法で出現した症状は組み入れない．以下，最新の本調査結果を抜粋してわが国の即時型食物アレルギーの実態を紹介する．

① 年齢分布（図2）

年齢分布は対数正規分布しており，発症のピークは0歳児（全体の30.9%），中央値が2歳である．0歳以降急激に発症数は漸減し，2歳以下が54.5%，6歳までに79.5%，11歳までに計89.3%を占める．即時型食物アレルギーは極めて多くが学童前に発症することがわかるが，成人発症もまれではない．

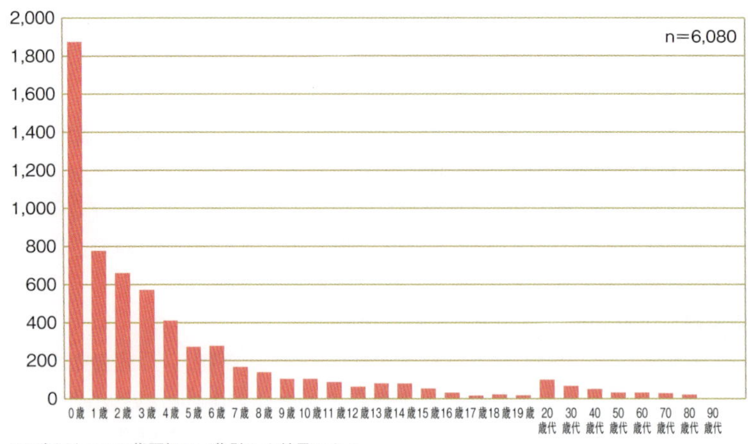

20歳以上は10代区切りで集計した結果である．

図2　年齢分布[10)]

② 原因食物（図3）

長年わが国の即時型食物アレルギーの3大原因食物は鶏卵，牛乳，小麦であったが，今回の調査で初めて3番目が小麦から木の実類に変わった．劇的な変化であり，また疫学データを継続的に評価することの重要性がわかる．

しかし，実際は木の実類を個別種ごとに集計すると，いまだ3番目に多い食品は小麦であり，クルミが4番目に多い原因食物となる．クルミのこうした増加傾向を受けて，食品表示において，2023年4月からクルミは特定原材料（義務表示）に格上げとなった．

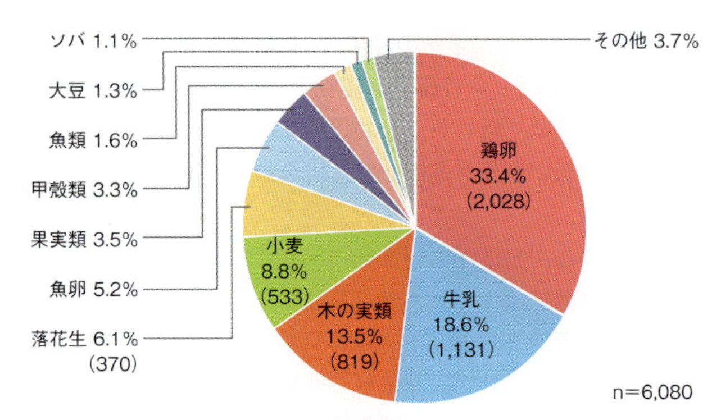

図3　即時型食物アレルギーの原因食物

以降は，落花生，魚卵，果実類，甲殻類，魚類，大豆，ソバと続く．魚卵はイクラがほとんどを占め，果実類はキウイフルーツ，バナナ，バラ科果物（モモ，リンゴ，さくらんぼなど）が多い．ソバまでの11品目種で全体の96.3%を占めるが，これは即時型の原因食物は，特定の食物種でほとんどが説明できることを意味する．これはとても重要なポイントである．すなわち，多くの日本人の食物アレルギーは特定の食物が原因であり，広範囲の食物除去は不要であることを示唆する．

新規発症の原因食物（表2）

新規発症の原因食物は世代ごとに特徴がある．0歳群は鶏卵，牛乳，小麦が上位を占めるが，1～2歳群になると，2位は木の実類，3位に魚卵，4位に落花生が登場する．3～6歳群では木の実類が4割を占め，続いて魚卵，落花生と続き，これが幼児期の3大原因食物と言える．7～17歳群になると甲殻類，木の実類，果実類が三つ巴となり学童期の3大原因食物と言える．学童期の果実類はPFASに関連して，急激にこの世代で増加しているものと考えられる．18歳以上群は学童期の傾向に続き，小麦，魚類が増加傾向となる．このように食物アレルギー全体では，鶏卵，牛乳，小麦が多いが，世代別の新規原因食物の上位はまったく異なり，注意の方向性もそれぞれに意識して対応する必要がある．

誤食発症の原因食物（表3）

新規発症の原因食物に比べ，誤食発症の原因食物は年齢群による特徴が少ない．

0歳群から全年齢を通して，鶏卵，牛乳，小麦，落花生，甲殻類，木の実類が多い．これらはすなわち食

表 2　年齢群別原因食物（新規発症例）*[10)]

	0 歳 (1,736)	1～2 歳 (848)	3～6 歳 (782)	7～17 歳 (356)	≧18 歳 (183)
1	鶏卵 61.1%	鶏卵 31.7%	木の実類 41.7%	甲殻類 20.2%	小麦 19.7%
2	牛乳 24.0%	木の実類 24.3%	魚卵 19.1%	木の実類 19.7%	甲殻類 15.8%
3	小麦 11.1%	魚卵 13.0%	落花生 12.5%	果実類 16.0%	果実類 12.6%
4		落花生 9.3%		魚卵 7.3%	魚類 9.8%
5		牛乳 5.9%		小麦 5.3%	大豆 6.6%
6					木の実類 5.5%
小計	96.1%	84.2%	73.3%	68.5%	69.9%

*：各年齢群で 5%以上の頻度の原因食物を示した．また，小計は各年齢群で表記されている原因食物の頻度の集計である．
原因食物の頻度（%）は小数第 2 位を四捨五入したものであるため，その和は小計と差異を生じる．

表 3　年齢群別原因食物（誤食発症例）*[10)]

	0 歳 (140)	1～2 歳 (587)	3～6 歳 (743)	7～17 歳 (550)	≧18 歳 (155)
1	鶏卵 54.3%	鶏卵 42.9%	牛乳 30.8%	牛乳 25.8%	小麦 25.8%
2	牛乳 35.0%	牛乳 34.4%	鶏卵 25.3%	鶏卵 21.6%	甲殻類 18.1%
3	小麦 7.1%	小麦 11.4%	木の実類 13.2%	木の実類 14.9%	鶏卵， 果実類， 牛乳， 木の実類 6.5%
4			小麦 12.4%	落花生 12.7%	
5			落花生 11.4%	小麦 9.1%	
6					
7					落花生，魚類 5.2%
小計	96.4%	88.8%	93.1%	84.2%	80.0%

*：各年齢群で 5%以上の頻度の原因食物を示した．また，小計は各年齢群で表記されている原因食物の頻度の集計である．
原因食物の頻度（%）は小数第 2 位を四捨五入したものであるため，その和は小計と差異を生じる．

品表示法のアレルギー表示に規定される特定原材料の 8 品目に含まれる．

疫学研究は得てして軽んじられる傾向にあるが，疫学データを把握しておくことは診療において大変有効に活用することができる．例えば年齢群ごとの新規発症食物を知っていれば，頻度の低い食物を訴えてきた場合，それが原因である可能性を事前に評価でき，効率的な診断が可能となる．また疫学データは，アレルギー診療の施策を考える上でも重要である．現に食品表示法の特定原材料は今回紹介した即時型食物アレルギーモニタリング調査結果に基づいている．さらに有症率から考えると，すべての食物アレルギー患者が，アレルギーを専門とする医師を受診することは不可能であることも容易にわかり，食物アレルギー診療が専門の医師ばかりでなく，小児科医の common disease としての認識と医学生や研修生に対する教育体制が求められることが指摘できる．今後も時々刻々と変化する食物アレルギーの最新の疫学情報を常に捉え，臨床の場に活かしていただきたい．

1) 日本小児アレルギー学会食物アレルギー委員会：食物アレルギー診療ガイドライン 2021．p.17，協和企画，2021．
2) Boyce JA, et al.：Guidelines for the diagnosis and management of food allergy in the United States：summary of the NIAID sponsored Expert Panel Report. J Allergy Clin Immunol, 126：1105-1118, 2010.
3) 食物アレルギーの診療の手引き 2020．
4) Nwaru BI, et al.：The epidemiology of food allergy in Europe：a systematic review and meta-analysis. Allergy, 69：62-75, 2014.
5) 野田龍哉：保育園における食物アレルギー対応　全国調査より．食物アレルギー研会誌，10：5-9，2010．
6) 学校生活における健康管理に関する事業報告書（令和 4 年度）．日本学校保健会，2023．
7) 児童生徒の健康状態サーベイランス事業報告書（平成 26 年度）．日本学校保健会，2014．
8) Miyazawa T, et al.：Retrospective multicenter survey on food-related symptoms suggestive of cow's milk allergy in NICU Neonates. Allergol Int, 62：85-90, 2013.
9) Manabe T, et al.：Food-dependent exercise-induced anaphylaxis among junior high school students：a 14-year epidemiological comparison. Allergol Int, 64：285-286, 2015.
10) 消費者庁：令和 3 年度「食物アレルギーに関連する食品表示に関する調査研究事業報告書」2022．

基本編

消化管アレルギーとその関連疾患

「食物アレルギー診療ガイドライン 2021」では新生児・乳児食物蛋白誘発胃腸症と好酸球性消化管疾患さらにグルテン過敏性腸症が消化管アレルギーとその関連疾患として紹介されている．食物アレルギーは一般には IgE 依存性反応であるが，広義には 1970 年代頃から非 IgE 依存性食物アレルギーの概念は存在していた．2000 年頃から新生児・乳児で牛乳由来のミルクが原因とされ，特異的 IgE が検出されにくく，非即時型反応として嘔吐や血便を示す症例が増加し，food protein-induced enterocolitis syndrome（FPIES）と類似点はあるが，これまでの報告と異なる特徴的な部分があり，「新生児・乳児消化管アレルギー」と呼ばれる疾患群として扱われるようになった[1]．また欧米では同時期に好酸球性食道炎 eosinophilic esophagitis（EoE）が急増し，好酸球性消化管疾患 eosiniophilic gastrointestinal disorders（EGIDs）が広義の消化管食物アレルギーとして認識されるようになった．その後，認知が広がり，現在では成人診療科でも消化管アレルギーという概念が使用されている[2]．消化管アレルギーは特異的 IgE との関連の強さで，IgE 依存性，非 IgE 依存性と両方の性質を持つ混合性の 3 つに分類され，IgE 依存性は通常の食物アレルギーの中で扱われ，一般に消化管アレルギーとしては新生児・乳児消化管アレルギーから再定義された新生児・乳児食物蛋白誘発胃腸症〔国際的には non-IgE-mediated gastrointestinal food allergies（non-IgE-GI-FAs）〕[1] と EGIDs をさすことが多い．グルテン過敏性腸症も非 IgE 依存性食物アレルギーに分類されることがあり，時に一緒に記載される．ここでは成人例も考慮した非 IgE 依存性食物蛋白誘発胃腸症と EGIDs について国内外のガイドラインと最近の概念を加えて概説する．

非 IgE 依存性食物蛋白誘発胃腸症

厚生労働省ガイドラインでは 2 歳未満を対象としたことから，（非 IgE 依存性）新生児・乳児食物蛋白誘発胃腸症という病名（新生児・乳児の non-IgE-GIFAs と同義）で定義されたが，最近では成人 FPIES の報告も増えており，本項では非 IgE 依存性食物蛋白誘発胃腸症と記載した[1]．分類を表 1 に示す．FPIES（食

表 1　非 IgE 依存性食物蛋白誘発胃腸症の分類と特徴

<table>
<tr><th colspan="2" rowspan="2"></th><th rowspan="2">摂取後の
発症時間</th><th rowspan="2">症状</th><th colspan="2">発症時期</th><th>特異的 IgE
の検出</th><th colspan="2" rowspan="2">食物の種類</th><th rowspan="2">重症度</th><th rowspan="2">耐性獲得
（寛解）</th><th rowspan="2">頻度</th></tr>
<tr><th colspan="2">早発（9ヵ月未満）*
遅発（9ヵ月以降）*</th><th>陽性（非典型）*
陰性（典型）*</th></tr>
<tr><td rowspan="5">non-IgE
-GIFAs</td><td rowspan="3">FPIES</td><td rowspan="2">急性
（1～4 時間）</td><td rowspan="2">嘔吐，下痢
（時に血便も）</td><td>非固形</td><td>新生児
乳児期早期</td><td rowspan="3">陰性
（70%）</td><td>非固形</td><td>牛乳・大豆由来
調製粉乳</td><td rowspan="2">軽症から
重症</td><td rowspan="2">多くは
耐性獲得</td><td rowspan="2">固形は
しばしば</td></tr>
<tr><td>固形</td><td>離乳食期以降，
成人例も</td><td>固形</td><td>鶏卵（卵黄），
小麦，大豆，コメ</td></tr>
<tr><td>慢性
（連日摂取）</td><td>体重増加不良，
下痢，血便，嘔吐</td><td colspan="2">非固形：新生児，
乳児期早期</td><td colspan="2">牛乳由来調製粉乳</td><td>比較的軽症
から重症</td><td>多くは
耐性獲得</td><td>時に</td></tr>
<tr><td>FPIAP</td><td>数時間から
連日摂取</td><td>血便</td><td colspan="2">乳児期前期</td><td>陰性が
多い</td><td colspan="2">牛乳，母乳</td><td>多くは軽症</td><td>多くは
耐性獲得</td><td>しばしば</td></tr>
<tr><td>FPE</td><td>数日から
数週間</td><td>体重増加不良，
下痢</td><td colspan="2">乳児期中後期以降</td><td>陰性が
多い</td><td colspan="2">牛乳由来調製粉乳</td><td>中等症から
重症持続</td><td>多くは
耐性獲得</td><td>まれ</td></tr>
</table>

non-IgE-GIFAs：non-IgE-mediated gastrointestinal food allergies, FPIES：food protein-induced enterocolitis syndrome,
FPIAP：food-protein induced allergic proctocolitis, FPE：food-protein induced enteropathy
なお non-IgE-GIFAs は非 IgE 依存性食物蛋白誘発胃腸症と同義.
*国際ガイドラインでの分数

（文献 3），4）を元に作成）

物蛋白誘発胃腸炎（症候群），Food-protein induced allergic proctocolitis（FPIAP）（食物蛋白誘発アレルギー性直腸結腸炎），Food-protein induced enteropathy（FPE）（食物蛋白誘発胃腸症）の3つからなる疾患群である（日本語名はあまり統一されていないので，以下，欧文名を使用）．しかし，血便と嘔吐の両方を伴うFPIESとFPIAPの混合型や，発熱とCRP上昇を伴う敗血症様群など，特にわが国の症例では明確に分類できない場合がある．2000年代は新生児期から乳児期早期に発症し，主として牛乳由来調製粉乳（普通ミルク）を原因とする非即時型（数時間から24時間での発症）アレルギーであり，嘔吐，血便，下痢を示す疾患群として認識されており，クラスター分類でわが国の症例の特徴が示されていた．また好酸球性炎症を認める例が多いこともあり，EGIDs関連疾患としても注目された．ところが2010年代後半からは卵黄を中心に離乳食の固形食物で発症するFPIESが急増し，現在では，固形食物FPIESが注目を集めている[2]．本来，アレルギーの診断にはアレルゲン感作の確認が重要であるが，本症では特異的IgEがあまり検出されないためアレルゲン特異性を確認することは難しい．そのため，わが国ではアレルゲン特異的リンパ球刺激試験（ALST）が行われており，わが国のガイドラインではその重要性が言われている[1]．

Food-protein induced enterocolitis syndrome（FPIES）

最もよく認知されているnon-IgE-GIFAsであり，2017年に国際ガイドラインが示された[3]．典型例は原因食物摂取後1～4時間（遅くても6時間以内）に頻回嘔吐を認め，その後，しばしば下痢を認め，時に血便を伴う．acute FPIESとして定義された．一方で，連日摂取で発症し，除去後の原因食物摂取でacute FPIES症状を示すものとしてchronic FPIESが定義され，日本や韓国で多い患者像とされた．また，発症時期，特異的IgEの有無による分類も示された（表1）．acute FPIESの急性期症状にアドレナリン筋肉注射が奏効せず，経口あるいは点滴による輸液が有効であることが日常診療では重要な点である．なお，国際ガイドラインでは，アレルゲン感作の証明は必須とはされていない．牛乳FPIESを中心に重症例も多く，危険な例もあり，わが国のガイドライン（厚労省）では，OFCは強くは推奨されておらず，まずは除去試験による症状改善の確認が強く推奨されている．特にchronic FPIESのOFCでは症状の判定，食物の再導入は慎重に行う必要がある．

・固形食物FPIES

乳抗原以外の固形食物のFPIESが存在する．原因食物は食文化等により異なる．離乳食に関連し，わが国ではコメ，大豆，小麦，鶏卵などが原因となる．原因は不明であるが，ごく最近は卵白ではなく卵黄FPIESが全国的に増加している．典型例は本症を知っていれば診断は難しくない[2]．EGIDsとの関連はあまりないと考えられている．最近，成人FPIESの基準も示されたが，小児と同じ病態かどうかは明らかでない．

Food-protein induced allergic proctocolitis（FPIAP）

血便のみの軽症例が多い．多くは病理学的には好酸球浸潤を認め乳児の好酸球性大腸炎eosinophilic colitis（EoC）である．原因は牛乳由来ミルクが多いが，母乳での発症もある．原因食物の除去で改善し，耐性獲得も早く予後良好な疾患であるが，わが国ではFPIESとFPIAPの病態が混在する重症例も存在し注意が必要である[1,2]．

Food-protein induced enteropathy（FPE）

2週間以上続く下痢を認め，消化・吸収不良から体重増加不良や発育障害を認める．比較的まれな疾患である．原因食物を除去しても改善には1～2週間かかることもある．OFCでの判断は難しく，診断には病理所見が重要で小腸粘膜絨毛の萎縮，陰窩の過形成，リンパ球浸潤を認めた場合に診断となる[1,2]．

好酸球性消化管疾患

好酸球性消化管疾患eosiniophilic gastrointestinal disorders（EGIDs）は好酸球の消化管局所の異常に高度な好酸球浸潤により機能不全を起こす疾患の総称である．わが国の指定難病でもある．さまざまな疾患にも続発するが（広義のEGIDs），一般に一次性EGIDはアレルギー性炎症性疾患である．2022年の国際分類では，好酸球性食道炎（EoE）とそれ以外の部位のEGIDsであるnon-EoE EGIDsに大別された．わが国ではこれまで好酸球性胃腸炎 eosinophilic gastroenteritis（EGE）をnon-EoE EGIDsにあたる包括病名として用いていた．さらに新しい分類では，消化管の罹患部位に合わせた名称はEoEに準じて「Eo」をつけて表し，好酸球性胃炎 eosinophilic gastritis（EoG），好酸球性腸炎 eosinophilic enteritis（EoN），および好酸球性大腸炎 eosinophilic colitis（EoC）と表現されることになった[2]．なお，欧米のEoEガイドライン，わが国の厚生労働省研究班による「幼児・成人好酸球性消化管疾患診療ガイドライン」[4]が公開されている．

表2　EoEとnon-EoE EGIDsの比較

			EoE（全年齢）	Non-EoE-EGIDs	
				小児（18歳未満）	成人
年齢（ピーク）			30代後半～40代	14歳以下	40～50代
性別			男性に多い	性差なし	性差なし
症状（%）	嚥下障害		82	13	22
	嘔吐		20	38	31
	腹痛		24	68	80
	下痢		6	38	49
	血便		0	30	6
	腹水		0	13	14
	日常生活活動の制限		12	65	43
重篤な合併症（%）	成長障害・体重減少		0.7	13	2
	外科手術		0.7	10	2
好酸球増多（%）	末梢血（500以上/μL）		22	64	60
	消化管（HPF）	食道	100	20	23
		胃	—	42	56
		小腸	—	53	66
		大腸	—	27	33
治療（%）	制酸薬（PPI等）		84	35	44
	LTRA・H1		7	55	38
	ステロイド嚥下		24	—	—
	食物除去		3	48	0
	全身性ステロイド		7	28	48
自然歴（%）	間欠型		14	5	9
	単発型		14	12	24
	持続型		66	58	65

EoE, eosinophilic esophagitis；non-EoE EGIDs, non-EoE EGIDs, non-eosinophilic esophagitis eosiniophilic gastrointestinal disorders；PPI, proton pump inhibitor；HPF, high-power field；LTRA, leukotriene receptor antagonist；H1, histamine H1 receptor

（文献5）を元に作表）

好酸球性食道炎

好酸球性食道炎 eosinophilic esophagitis（EoE）は欧米で先行して増加し，研究が進んだ．2007年に最初のガイドラインの公開後，更新され，以前は胃食道逆流症（GERD）やプロトンポンプ阻害薬（PPI）が奏功する例とEoEを鑑別していたが，現在ではEoEとGERDは重複し得る疾患とされ，PPIに良好な反応を示すPPI responsive esophageal eosinophilia（PPI-REE）もEoEに包含されることになった．EoEでは一般に末梢血好酸球増多を認めないことも多く，臨床症状も成人のEoEでは食道の通過不良に伴う症状（つかえ感や胸焼け）を認めるが，小児では哺乳障害や嘔吐，腹痛など非特異的な症状が多い．消化管内視鏡検査・組織病理検査が診断に必須である．内視鏡所見が特異的（縦走溝，輪状襞，白斑）であり，診断的価値が高いが，内視鏡所見がない場合も必ず複数箇所（上部，中部，下部食道）の生検を行うことが強く推奨され，組織好酸球数15個/HPF以上が診断基準となる．EGIDsの家族歴，アレルギー疾患の既往も参考所見である（表2）．わが国ではEoEに保険適用のある薬剤はないが，治療は一般に食道の線維性狭窄が強い例など重篤な場合を除き，プロトンポンプ阻害薬（PPI）が第一選択薬となる．わが国では標準量で8週間程度加療し，改善不良時は倍量やボノプラザンへの変更を行っている．食道の線維性狭窄が強い場合にはバルーン拡張術が行われ，全身性ステロイド療法は重症例でのみ考慮される．PPIで改善が不十分な場合は，局所ステロイド療法，あるいは食事療法が考慮される．局所ステロイド嚥下療法は吸入ステロイドの口腔内噴霧後の嚥下，あるいはステロイド吸入液の内服である（欧州では口腔内崩壊錠が承認されている）．食事療法は原因食物を除去するが，原因同定が困難なため，しばしば，原因として多い4種（鶏卵，牛乳，小麦，豆類）あるいは6種（鶏卵，牛乳，小麦，大豆，ピーナッツ/種実類/木の実類，甲殻魚介類/貝類）の食物の除去（経験的食物除去 empiric elimination diet）を行うか，成分栄養が選択される．改善後に食物の再導入を行う．その過程で症状を認めた食物は原因食物として除去を続ける．さらにアメリカでは抗IL-4受容体α抗体製剤が承認され，使用されている[2, 4]．

Non-EoE EGIDs（広義の好酸球性胃腸炎）

欧米では比較的まれな疾患であるが，わが国では全年齢を通じて non-EoE EGID の報告が EoE よりも多いとされていた．最近の全国調査でも小児では，いまだ EoE の 7.5 倍であった[5]．また同調査で，EoE に比して，non-EoE EGID は重症持続例が多く，QOL が悪く成長障害を認める例があるなど，その傾向は小児でより顕著であることが示された．診断では，一般に末梢血好酸球増多を認めることが多く，消化器症状があり，末梢血好酸球増多を認めている場合に消化管内視鏡検査・組織病理検査の施行を考慮する（表 2）．また消化管壁内の好酸球浸潤の程度により粘膜浸潤型，筋層主体型，漿膜下主体型の 3 つに分けられ，それによって症状が異なるが，一般にこれらは混在することが多い．消化管内視鏡検査・組織病理検査が診断に必須であるが，内視鏡所見がない場合でも必ず各部位で複数箇所の生検を行うことが推奨される．また食道以外の消化管では生理的好酸球が存在するので，消化管好酸球数のカウントが必須である．20 個以上 / HPF で疑うが，上行結腸では健常でも 50 個 /HPF 程度になることもあり，最近では胃 30/HPF 以上，小腸 50/HPF 以上，大腸 60/HPF 以上など部位に特化した基準がいくつかあり，臨床症状を加味して慎重に診断する[2, 4, 5]．「幼児・成人好酸球性消化管疾患診療ガイドライン」では治療についてエビデンスに基づいた推奨が示された．保険適用薬は存在しない．一時的な絶食や無治療での改善例もあるが，第一選択薬として全身性副腎皮質ステロイド薬が使用されることが多い．しかし，約 60％程度で再燃がみられ，全身性ステロイドの使用が比較的長期になり副作用が問題になることも多い．そこで状態が許せば，まず行ってみる治療として，ランダム化比較試験の結果からロイコトリエン受容体拮抗薬が推奨されている．ただ重症例では全身性ステロイドの使用を躊躇するべきではない．EoE と同様に食事療法も考慮されるが十分なエビデンスがなく弱い推奨とされている．Non-EoE EGIDs の生物学的製剤治療についてのシステマティックレビューでは 8 つの報告で 5 剤の生物学的製剤が使用されており，好酸球の発現する Siglec-8 を標的とした強いエビデンスの研究も含まれていたが，その後の治験では期待していた結果が得られていない．また一例ではあるがデュピルマブ投与により原因食物を症状なく摂取できたことが報告されており，今後の検討が期待される．

非 IgE 依存性食物蛋白誘発胃腸症は FPIES 中心にこの疾患概念を知っていて，疑わしい場合に，遅れることなく，まず除去をして改善するかどうか確認することが重要である．

EGIDs についても認知がまず重要であり，診断には生検が必須であり，内視鏡検査と粘膜所見がない場合でも必ず生検し，組織病理検査，消化管好酸球数のカウントを行う必要がある．治療については疾患特異的な治療と食物アレルギーやアレルギー性炎症疾患としての治療を状態に合わせて選択する．

1) 厚生労働省好酸球性消化管疾患研究班：新生児・乳児食物蛋白胃腸症診療ガイドライン．2018.
2) Yamada Y：Recent topics on gastrointestinal allergic disorders. Clin Exp Pediatr, 66：240-249, 2023.
3) 食物アレルギーの診療の手引き 2020.
4) Nowak-Wegrzyn A, et al.：International consensus guidelines for the diagnosis and management of food protein-induced enterocolitis syndrome：Executive summary-Workgroup Report of the Adverse Reactions to Foods Committee, American Academy of Allergy, Asthma & Immunology. J Allergy Clin Immunol, 139：1111-1126. e4, 2017.
5) 厚生労働省好酸球性消化管疾患研究班：幼児・成人好酸球性消化管疾患診療ガイドライン．2020.
6) Yamamoto M, et al.：Comparison of Nonesophageal Eosinophilic Gastrointestinal Disorders with Eosinophilic Esophagitis：A Nationwide Survey. J Allergy Clin Immunol Pract, 9：3339-3349. e8, 2021.

4 アレルゲンと免疫学的機序

アレルゲンとアレルゲンコンポーネント

アレルゲンとは，アレルギー反応を起こす原因となる物質のことで，その大部分は食物に含まれるタンパク質である[1]．タンパク質は遺伝子（DNA）の設計図に基づいてつくられるアミノ酸の鎖で，生物の形をつくり，酵素活性などさまざまな機能をもたらしている．IgE 抗体が結合してアレルギー反応に関与するそれぞれのタンパク質のことを，アレルゲンコンポーネントという（図 1）．

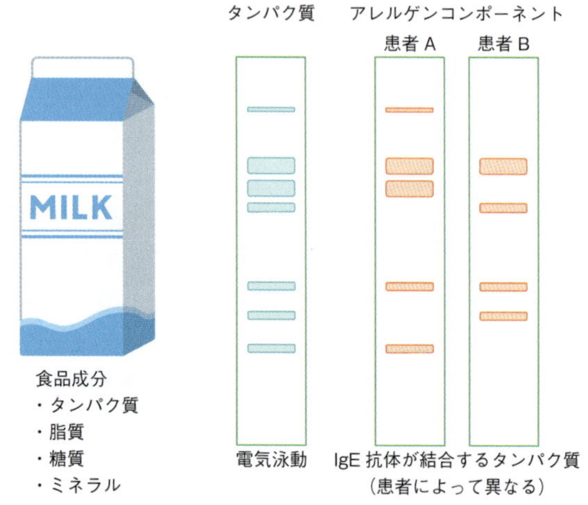

図 1　食物中のタンパク質とアレルゲンコンポーネント（概念図）
食物に含まれる成分の中でタンパク質がアレルゲンとなる．IgE 抗体が結合するそれぞれのタンパク質をアレルゲンコンポーネントというが，患者によって反応するアレルゲンコンポーネントが異なる場合もある．

卵白や牛乳では，数種類の代表的なアレルゲンコンポーネントが，ほぼすべての患者に対してアレルギー反応をもたらす．卵白ではオボアルブミンやオボムコイド，牛乳ではカゼインやβ-ラクトグロブリンがそれにあたり，そのコンポーネントの性質が食物全体のアレルゲンとしての性質を規定している．

小麦では，グルテンの一部であるω5-グリアジンが成人の小麦依存性運動誘発アナフィラキシーを起こすが，水溶性タンパク質は吸入性アレルゲンとして喘息を起こす．一方，子どもの即時型小麦アレルギーでは，グリアジン，グルテニン，水溶性タンパク質を含む多数のコンポーネントに IgE 抗体が反応している．

果物のアレルギーにおいて，Bet v 1 ホモログやプロフィリンは主に口腔アレルギー症候群をもたらす（p.226 参照）が，ジベレリン制御タンパクはアナフィラキシーを起こす（p.228 参照）．

このように，同じ食物であっても，原因となるアレルゲンコンポーネントによって臨床病型が異なることがある．これを科学的に理解するためには，そこに含まれる個々のアレルゲンコンポーネントの性質を考えることが必要である．

アレルギーになる仕組み（感作）

アレルギーは，体内に入ってきたアレルゲンに対して IgE 抗体がつくられること（感作）から始まる[2]．タンパク質は，食物として腸管から吸収されるだけでなく，目や鼻の粘膜からの吸収，呼吸による気道粘膜からの吸入，皮膚からの侵入など，さまざまな経路で体内に入ってくる．

腸管は，本来は体にとって異物である食物を栄養素として体に取り込むと同時に，腸内で大量に生息している腸内微生物叢（腸内フローラ）と共生するために，さまざまな仕組みをもっている．粘液や粘膜，腸管上皮細胞によって異物の侵入を防ぐバリア機能，食物を分解して栄養素として取り込む消化・吸収機能，そして侵入してきた異物に対して不要な免疫応答を起こさない経口免疫寛容などがそれにあたる．

食物中のタンパク質は，大部分がペプチドやアミノ酸まで消化されて吸収されるため，人体にとって「異物」とは認識されない．さらに，ごくわずかに吸収される大きなタンパク質に対しては，経口免疫寛容が働いて，よけいな免疫応答が起こらない．ここで免疫応答にブレーキをかけるために働いている細胞を，「制御性T細胞」という（図2左側）．

一方，皮膚から体内に侵入してくる異物は，動物にとってほぼ例外なく「敵」である．皮膚のバリア（角化細胞）が何らかの障害（掻き傷なども含む）を受けて傷むと，角化細胞は危険信号（デンジャーシグナル）を出し，それとともに侵入してくる異物を「敵」として排除しようとする．そこでは，異物を捕まえる樹状細胞（抗原提示細胞）や，それを受けて指令を出すヘルパーT細胞や自然リンパ球，抗体をつくるB細胞などの免疫応答が引き起こされ，その異物に対するIgE抗体がつくられる（図2右側）．

最近の研究により，IgE抗体がつくられる主な原因は，食物として摂取したアレルゲンではなく，皮膚から侵入したアレルゲンにあることがわかってきた．これを「経皮感作」という．

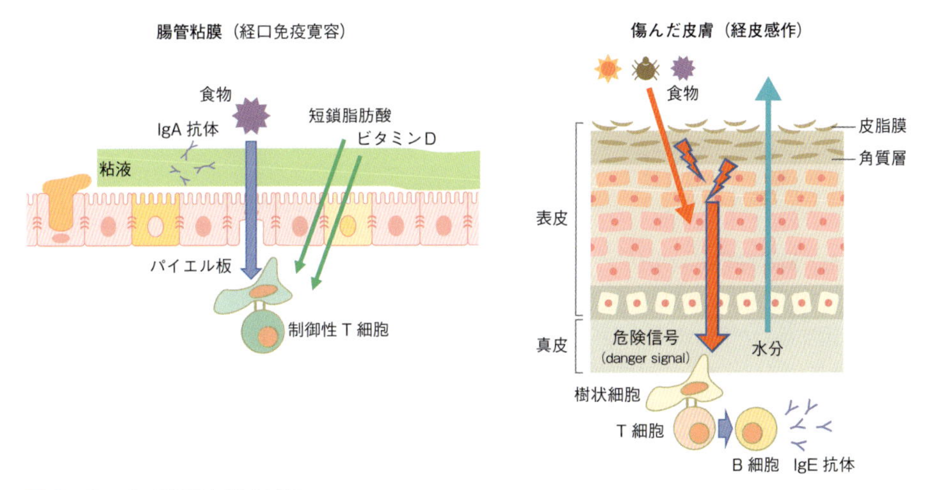

図2　経口免疫寛容と経皮感作
腸管から吸収される食物は経口免疫寛容を誘導する．一方，傷んだ皮膚から入る食物は経皮感作を起こす．

アレルゲンとIgE抗体の結合

あるタンパク質（アレルゲンコンポーネント）に対してつくられた特異的IgE抗体は，その特定のアミノ酸配列を認識して結合する．タンパク質の中で，IgE抗体が結合する場所（アミノ酸配列）を，エピトープという．1つのエピトープは，10個程度のアミノ酸配列で構成される．

エピトープの中には，一連のアミノ酸配列が認識される連続性エピトープと，タンパク質の立体構造によって近接したアミノ酸を認識する構造的エピトープがある．構造的エピトープは，加熱や調理の過程でタンパク質全体の形が変わる（変性）と構造が変化して，IgE抗体が反応しなくなることがある．一方，連続性エピトープは，一般的には加熱だけで変化することはないが，その構造が切断（消化）されるとIgE抗体が反応しなくなる（図3）．また，同じ構造をしたエピトープが別のタンパク質にも存在すると，IgE抗体はそちらにも結合する．これを交差抗原性という．

摂取されたアレルゲンがIgE抗体と反応するためには，エピトープの構造が残った状態で体内に吸収される必要がある．したがって，消化酵素であるペプシンやトリプシンで容易に切断されるアミノ酸配列は，アレルギー反応を起こしにくい．また，一般的にアレルゲンになりやすいタンパク質は，水に溶けやすいと言われている．ゆで卵のようにタンパク質が凝固して不溶化したものは，水溶性の高い状態（生卵）よりもアレルギー反応が起きにくくなる[3]．なお，例外的なエピトープとして，糖タンパク質に存在する糖鎖構造が

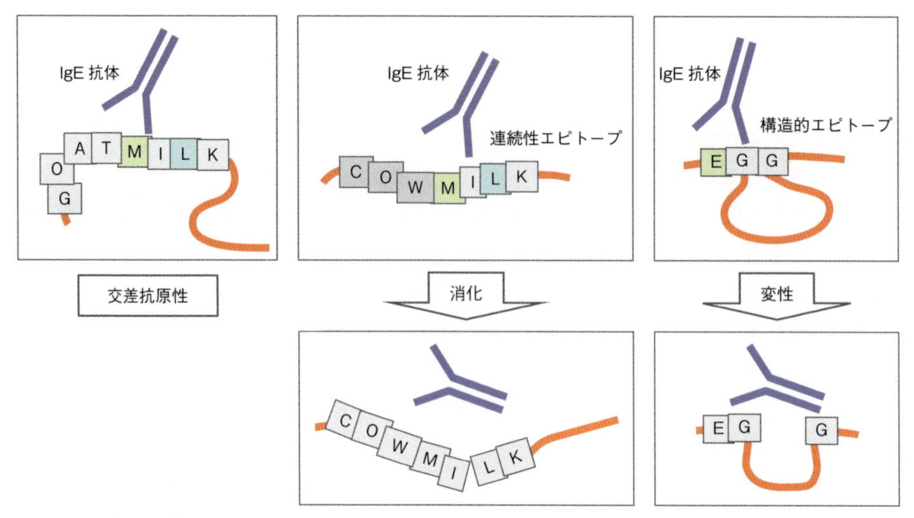

図 3　エピトープと IgE 抗体の結合
一連のアミノ酸配列（中央図：COWMILK）に IgE 抗体が結合するものを連続性エピトープという．消化酵素によってそれが切断されると，IgE 抗体は結合できなくなる．また，別のタンパク質（左図：GOATMILK）でも，共通の配列（MILK）が存在して同じ IgE 抗体が結合することがあり，交差抗原性と言われる．立体構造によって近接したアミノ酸配列に IgE 抗体が結合するものを構造的エピトープ（右図：EGG）という．加熱などにより立体構造が変化すると，IgE 抗体が結合できなくなる．

ある．その中でも，植物性のアレルゲン（穀物，豆類，木の実類など）には，構造の類似した糖鎖が存在し，cross-reactive carbohydrate determinant（CCD）と言われる．ここには IgE 抗体が結合するが，アレルギー症状を惹起する力が弱いため，IgE 抗体検査で陽性だが食べても症状が誘発されない，という現象の理由の一つとなっている．一方，マダニ咬傷で感作されて獣肉摂取によってアナフィラキシーを発症するα-gal 症候群では，両者に共通して存在する小さい糖鎖構造がエピトープとなっている（p.238 参照）．

アレルギー反応の仕組み

IgE 抗体は，皮膚・粘膜といった体の表面に近い組織内にいるマスト細胞や，血液中の好塩基球の膜上にある高親和性 IgE 受容体に結合して，アレルゲンの侵入に備えている．そこにアレルゲンが来ると，複数の IgE 抗体がアレルゲンに結合することによって IgE 受容体が近づき合い（架橋），それを引き金としてマスト細胞や好塩基球が活性化する．

活性化したマスト細胞からは，ヒスタミンやロイコトリエンといった化学伝達物質が放出され，これらが血管や平滑筋，神経に働きかけてアレルギー反応が引き起こされる．この細胞の反応は数分で進むほど速く，摂取したアレルゲンが吸収される時間を含めても多くは 15 分以内，遅くとも 2 時間以内に症状が出現する．これを即時型反応という（図 4）．

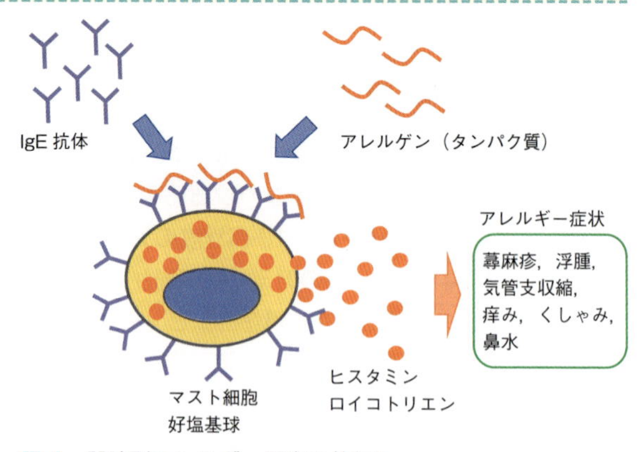

図 4　即時型アレルギー反応の仕組み
マスト細胞や好塩基球の膜上にある IgE 抗体にアレルゲンが結合すると，細胞が活性化してヒスタミンやロイコトリエンを放出し，アレルギー症状が引き起こされる．

アレルギー反応を起こさなくする仕組み

前述したように，人（動物）の本来の免疫力は，自分にとって無害な異物（食物や花粉など）に対して，よけいな免疫反応を起こさない仕組みをもっている．

特に，経口摂取されて腸管から吸収される異物に対しては，制御性T細胞の働きによってつくられる抑制性のサイトカイン（IL-10やTGF-βなど），腸管から異物を排除するためのIgA抗体，免疫応答を止める働きをするIgG4抗体など，経口免疫寛容と呼ばれる仕組みが働いている（図2左側，p.17参照）．

いったん発症したアレルギー疾患も，その後うまくアレルゲンを体に取り込んで，それが「敵ではない」という教育をすると，アレルギー反応が起きにくくなる．これを，「アレルゲン免疫療法」という．アレルゲン免疫療法には，アレルゲンを皮下注射する「皮下免疫療法」，舌下から吸収させる「舌下免疫療法」，経口摂取して腸管から吸収させる「経口免疫療法」などの種類がある．皮下・舌下免疫療法は，スギ花粉やダニによるアレルギー性鼻炎の治療として行われている．ダニの皮下免疫療法は，気管支喘息の治療にも適用がある．食物アレルギーに対しては，主に経口免疫療法（一部の研究では舌下免疫療法や経皮免疫療法）が行われている（p.48参照）．

これらアレルゲン免疫療法が効果を発揮する仕組みは，経口免疫寛容と共通の制御性T細胞や抗原特異的IgG4抗体によるものと考えられている．しかし，アレルゲン免疫療法によってアレルギー症状が抑制されている状態（脱感作状態）は，もともとアレルギーがない正常の状態や，アレルギーが完全に治った状態（耐性獲得）とは異なる．花粉症で舌下免疫療法を受けて症状が軽くなっても，完全に症状が消えるとは限らない．食物アレルギーの経口免疫療法を受けて食べられる量が増えても，体調不良時や摂取後の運動などで症状が誘発される可能性が残る場合がある．

例えて言えば，本来の免疫寛容は車のアクセルを踏んでいない状態と言える．一方，アレルゲン免疫療法によって症状が抑制されているのは，アクセルとブレーキを同時に踏んで止まっている状態であり，ブレーキが緩むと動き出す可能性を残している．

アレルゲンや免疫学的機序の概要を知ることは，さまざまな情報や知識を整理して理解するための基本となる．患者や保護者から出されるちょっとした質問にわかりやすく答えると同時に，世の中に飛び交っているさまざまな情報の真偽を冷静に判断する力にもなる．何よりも，こうした思考を通してアレルギーの奥深さ，面白さを感じることが，これに関わる専門家としてのやり甲斐になることを期待したい．

1）伊藤浩明編著：食物アレルギーのすべて 改訂第2版．p.76-85，診断と治療社，2022．
2）日本小児アレルギー学会食物アレルギー委員会：食物アレルギー診療ガイドライン2021．p.40-47，協和企画，2021．
3）和泉秀彦：食物アレルギーの基礎と対応．p.68-77，みらい，2023．

5 発症予防

アレルギー疾患は20世紀後半から先進国で急増し[1]，わが国でも3歳までに食物アレルギー food allergy（FA）と診断される児は14.9%[2]などと報告され，現在も重大な健康問題の一つである．その発症要因や予防に対する社会的期待は大きく，またそれを伝える医療者側の責務も大きい．

アレルギー疾患の予防を考慮した離乳食の歴史を遡ると，すでに20世紀初頭にはある特定の食品を除去することで湿疹が改善する報告[3]がなされ，アトピー性皮膚炎 atopic dermatitis（AD）の発症予防や治療としての「食物除去療法」が存在した．1980年代にアトピー性皮膚炎患者で食物摂取後のIgE依存性反応が起こりうることが報告され[4]，1990年代にはアトピー性皮膚炎児の約1/3が食物アレルギーであると報告[5]され，その因果関係が議論される中2000年に発刊されたアメリカの標準的な成書[6]では「アトピー性皮膚炎の小児では代表的な原因食物について皮膚テストを行うこと」と記載された．それらエビデンスレベルの決して高くない臨床研究をもとにアメリカ小児科学会は，乳，卵，ピーナッツ・ナッツ類の摂取開始を遅らせる推奨[7]を行ったものの，その8年後には，種々の疫学調査の解析結果により遅らせることはアレルギー疾患発症予防に有効ではないと発表[8]されている．

そして近年，発症メカニズムは現在も十分に解明されているとは言えないものの，リスクや予防に関する重要な知見が次々と報告されつつあり，この領域におけるパラダイムシフトが起こったと言っても過言ではない．特筆すべきは，発症予防に関する離乳指導の考え方，つまり2019年に改訂された厚生労働省「授乳・離乳の支援ガイド」[9]に反映されたように，かつて「予防」につながることを期待し指導されていたことの中に，かえって逆効果となり食物アレルギーを発症させやすくするものもあると判明したことである．常に最新で質の高いエビデンスを日常診療でも取り入れていきたい．

食物アレルギーの発症リスク（図）[10]

家族歴と遺伝的素因

食物アレルギーの発症リスクは家族歴が存在する場合に高くなることが知られる[11]．ゲノムワイド関連解析（GWAS）などによって多くの関連遺伝子が同定されており，ほとんどは異なる2型免疫反応あるいは上皮バリア機能に関連するものとされるが，一方で，その多くがオッズ比1前後の弱い効果を認めるのみということも特徴である．近年は，polygenic risk scoreといった，GWAS結果から機械学習などを用いて複数のバリアントの組み合わせから高精度にアレルギー疾患の発症リスクを予測するモデルも登場している[12]．ただし現在のところ，発症の予知に遺伝子検査が勧められる状況には至っていない．

アトピー性皮膚炎は食物アレルギーの最大のリスク

食物アレルギーとアトピー性皮膚炎の因果関係が議論される中，2003年にLackらは出生コホート研究において，特に重症のアトピー性皮膚炎やピーナッツオイルを含むスキンケアを行うことがピーナッツアレルギー発症のリスクであると報告し[13]，これらの観察研究から経皮的な感作ルートの存在が示唆された．さらに2008年には，乳児期にピーナッツを摂取することを控えているイギリスでは，乳児の8割以上がピーナッツを摂取するイスラエルと比較し，ピーナッツアレルギーの発症率が約10倍高いことが報告[14]され，“dual-allergen exposure hypothesis（二重アレルゲン曝露仮説）”の概念が発表された[15]．時期を同じくして，*FLG*変異を代表とするバリア機能が破壊された皮膚からの経皮的なアレルゲン感作が注目される

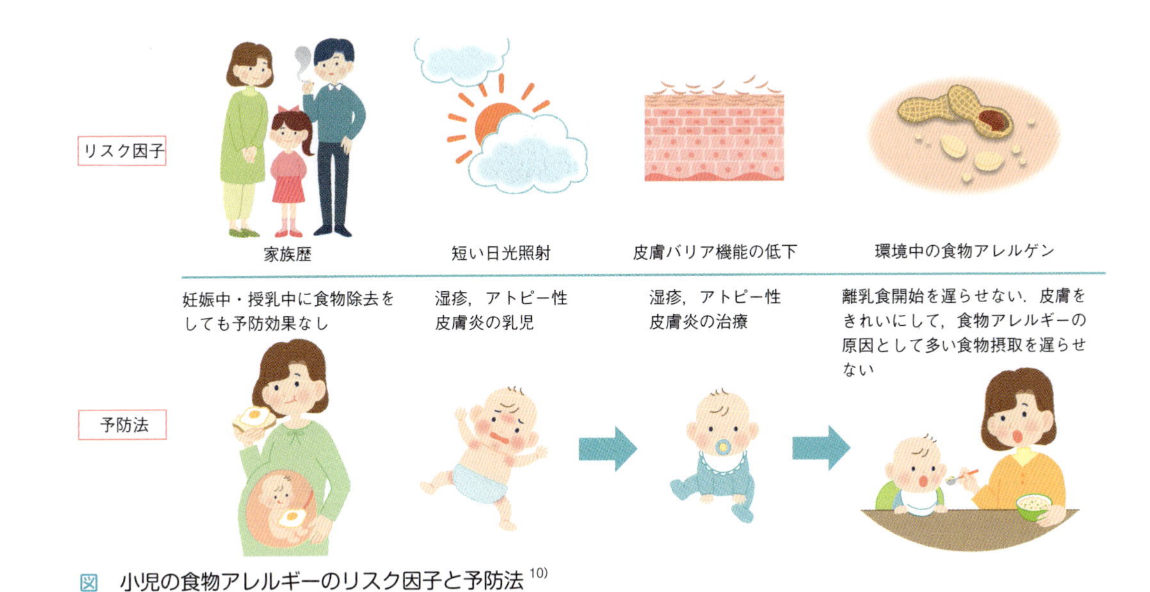

図　小児の食物アレルギーのリスク因子と予防法[10)]

時代が到来した．*FLG* 変異を有すると，ピーナッツアレルギーの発症率はオッズ比 5.3 で有意に増加すると症例対照研究[16)]で報告され，皮膚炎を通して経皮的に新たなアレルゲン感作を生み出す可能性が示唆された．あるシステマティックレビュー[17)]では鶏卵への感作はアトピー性皮膚炎が先行すると 4.73～12.76 倍にリスクが増すことや，大規模コホート研究[18)]において 3ヵ月乳児における湿疹の重症度が食物への感作のリスクを増大させると報告されるなど，皮膚の炎症，つまり皮膚のバリア機能障害に加え，皮膚炎の存在が食物への感作リスクを顕著に増加させると考えられている．

屋内塵埃中に食物抗原

屋内環境の，ベビーベッドやテーブル，保護者の体表，塵埃などには食物抗原が存在しており，わが国の調査でも，鶏卵アレルゲンは測定した家庭の子どもの寝具 100%から検出され，鶏卵たんぱくの中央値は 43.7 μg/g dust とダニアレルゲン Der 1 の 7.8 μg/g dust と比較し高濃度であることが示されている[19)]．また家庭内におけるピーナッツの消費量が埃中のピーナッツ抗原量と相関し[20)]，埃中のピーナッツ抗原量と乳児のピーナッツ感作に正の相関が認められることが報告され[21)]，家庭環境中の食物抗原量と食物アレルギー発症の関与が示されている[22)]．

出生季節・日光照射

わが国や世界各国で出生季節や日光照射が食物アレルギーの感作や発症リスクになる報告がなされ，その疫学的なエビデンスが確立されており，日光が食物アレルギー発症に保護的な効果をもたらす理由の一つとしてビタミン D の関与が考えられている．臍帯血中の 25- ヒドロキシビタミン D 濃度がその後の喘鳴症状出現と逆相関するというメタ解析[23)]がある一方，コホート研究による出生時や乳児期のビタミン D 欠乏状態と 1 歳時点における食物アレルギー発症に有意な関連性を認めず[24)]，また予防的介入としての妊娠中の母体ビタミン D 摂取は食物アレルギー発症予防の証拠は乏しいことが示され[25)]，さらなる検討が必要とされる．

食物アレルギーの予防はどこまで検討されているか[10)]

妊娠中や授乳中の母親の食物除去

現在，妊娠・授乳中の母親の食物除去による食物アレルギー発症予防効果は明確に否定されており[26)]，さらに食物除去により母体と児は有害な栄養障害をきたす恐れがあるため[27)]，食物アレルギー発症予防の

表　食物アレルギー発症予防のまとめ[10)]

項目	日本小児アレルギー学会 食物アレルギー委員会のコメント
妊娠中や授乳中の母親の食事制限	食物アレルギーの発症予防のために妊娠中と授乳中の母親の食事制限を行うことを推奨しない.
母乳栄養	母乳には多くの有益性があるものの，食物アレルギー予防という点で母乳栄養が混合栄養に比べて優れているという十分なエビデンスはない.
人工乳	普通ミルクを避けて加水分解乳や大豆乳を用いることで，食物アレルギー発症が予防される十分なエビデンスはない. 生後３日間の間だけ１日 5mL 以上の人工乳を追加した児では，１歳時点の牛乳アレルギーが多かったという報告がある. 生後 1ヵ月以降に普通ミルクを１日 10mL 以上追加すると，その後の牛乳アレルギー発症が抑制されたという報告がある.
離乳食の開始時期	生後５～６ヵ月ごろが適当〔授乳・離乳の支援ガイド（2019 年改訂版）〕であり，離乳食の開始を遅らせることは推奨されない.
鶏卵の早期摂取	生後５～６ヵ月から加熱卵黄を摂取開始してよい.
乳児期発症早期からの湿疹の治療	乳児期早期の湿疹が食物アレルギーのリスク因子となることは多くの疫学研究から明らかであり，離乳食開始前には，湿疹発症早期から治療を開始し，速やかに湿疹を十分にコントロールしておくことは推奨される.
腸内フローラ	乳児期早期の腸内フローラがその後のアレルギー発症に関連するという疫学研究はあるが，妊娠中や授乳中のプロバイオティクス，プレバイオティクス，シンバイオティクスの使用が食物アレルギーを予防する十分なエビデンスはない.
ビタミン・魚油	ビタミン・魚油の摂取が食物アレルギーを予防する十分なエビデンスはない.

ために妊娠中や授乳中に母親が食物除去を行うことは推奨されない．日本小児アレルギー学会食物アレルギー委員会から発表されている発症予防に関するコメントを表に示す．

（完全）母乳栄養と加水分解乳

母乳は乳児の栄養として最適かつ有益であることは疑う余地もない．ただし，現時点で完全母乳栄養に関してことさら「アレルギーの発症予防を目的に」という観点では統一した見解は得られていない．ハイリスク乳児において，普通ミルクよりも加水分解乳を継続することがアレルギー疾患，特に湿疹の発症を減じるという報告[28)]がなされたが近年は，（部分および完全）加水分解乳が標準調整粉乳または母乳と比較し湿疹や牛乳アレルギーの発症リスクを減じるエビデンスはないとしている[29)]．加えて Sakihara らは 491 人の乳児に対するランダム化比較試験を実施し，生後 1 ～ 2ヵ月の間に 10mL 以上の普通調製粉乳を毎日摂取することにより牛乳アレルギーの発症を 0.12 倍へ減ずる効果を示した[30)]．一方で，Urashima らによる 312 人の新生児に対するランダム化比較試験では，生後 3 日間に普通調製粉乳を哺乳した群と比較し，母乳（＋アミノ酸乳）のみであった児では 2 歳時点における感作のリスクが 0.52 であったと報告された[31)]．以上より普通調整粉乳を利用するのであれば，生後数ヵ月の時期において継続的に補食することが，牛乳アレルギーの発症リスクを低減することが示唆されている．

腸内細菌叢，プロバイオティクス・プレバイオティクス，食の多様性

乳児期早期は腸内微生物と食物アレルギーの関連する介入の鍵となる時期として報告されている．生後3ヵ月における腸内細菌叢の豊富さは 1 歳時点の食物感作に関連するが，生後 1 歳のものは関連がない[32)]ことや，牛乳アレルギーの予後は 7ヵ月以降よりも 6ヵ月以前の腸内微生物叢が関連[33)]するなどの報告がある．このように，乳児期早期の免疫システムと腸内微生物叢の相互作用が，食物などアレルゲンへの耐性獲得にとって重要な役割を果たすと考えられている．プロバイオティクス・プレバイオティクスに関しては，妊娠中や授乳中の使用が児の湿疹を減ずるとする報告はあるものの，食物アレルギーの発症を予防するというエビデンスは現在のところ十分ではない．

一方で，food diversity（食事の多様性）という考え方があり，アレルギー以外の疾患でも健康によい影響を与えることが知られている．これまで複数の出生コホート研究で乳児期に摂取する食物のカテゴリーが多いほどその後のアレルギー疾患の発症リスクが低下することが示され[34)]，特に酪酸産生菌の増加に伴う影響などが寄与すると考えられており，離乳食を遅らせないことに加えて，食の幅を広げることがアレルギー疾患の発症予防につながる可能性が示唆されている．

乳児期のアトピー性皮膚炎への治療

乳児期のアトピー性皮膚炎や痒みを伴う湿疹が食物アレルゲンの感作リスクを増すことから，皮膚炎症状出現後に早期に積極的な外用療法による介入，つまり寛解導入に加え寛解維持状態を継続することで食物アレルギーの発症リスクを下げる可能性が示された．アトピー性皮膚炎を主訴に受診した 1 歳未満の児を対象とした後方視的検討[35]では，湿疹出現後 4ヵ月以内に受診しプロアクティブ療法による積極的治療を開始した群では，5ヵ月以降に受診し積極的治療を開始した群と比較し 2 歳時点での食物アレルギーの割合が有意に低いことを報告した．また，生後 7～13 週のアトピー性皮膚炎 650 人を対象とした多施設共同大規模ランダム化比較試験（PACI study)[36]では，強力なステロイド外用療法（顔Ⅳ群，その他の全身Ⅲ群の 2 週間連日塗布に続く週 2 回プロアクティブ療法）を行った群では，標準治療群（ステロイド外用薬を湿疹が出現した部位のみに診療ガイドラインに基づいて使用）と比較し，生後 28 週における食物経口負荷試験（生卵パウダーを使用）で定義される鶏卵アレルギーの有病率が有意に低く抑えられた．ただし，同試験では強力治療群における成長障害が有意に認められたため，ステロイド外用薬の使用期間や減量スケジュールは個々の症例によって慎重に検討し副作用を回避することが重要である．これらの結果から抗炎症薬による介入は，程度によっては食物アレルギーの発症を抑えることが示されている．

離乳食の開始時期

わが国の「授乳・離乳の支援ガイド 2019」に準拠し，生後 5～6ヵ月頃が適当であり，食物アレルギーの発症を心配して離乳食の開始を遅らせることは推奨されない．

かつて「離乳食の開始を遅らせることには食物アレルギー発症予防効果がない」ことを積極的に証明する臨床研究に乏しかったため，多くのガイドラインで「遅らせることは推奨しない」という程度の立場で記載されていた．しかし 2015 年，LEAP スタディ[37]において生後 4ヵ月以上 11ヵ月未満のハイリスク乳児（アトピー性皮膚炎や鶏卵アレルギーがあり発症リスクが高い乳児）を対象に，ピーナッツ摂取と回避のいずれがピーナッツアレルギー発症予防に有効かをランダム化比較試験で検討したところ，5 歳における発症率は摂取群で有意に減少し，さらに効果は 5 歳から 1 年間完全除去の期間を経た後も継続することが報告された[38]．この報告から「ピーナッツアレルギーの発症リスクが高い国では，乳児の離乳時期においては“遅く”ではなく，むしろなるべく“早く”ピーナッツの摂取を開始するほうが有益である」との国際的なコンセンサスステートメント[39]とともに，アレルギーの原因となりやすい食品についても，乳児期に完全除去することの不利益性が認識された．

鶏卵に関しても，早期摂取による発症予防を検証するいくつかのランダム化比較試験が報告され，わが国で実施されたアトピー性皮膚炎乳児を対象としたランダム化比較試験（PETIT スタディ)[40]では，12ヵ月まで鶏卵を完全除去した群では 37.7%に鶏卵アレルギーを発症した一方で，生後 6ヵ月から微量（50mg）の加熱全卵粉末を開始し，生後 9ヵ月から少量（250mg）の加熱全卵粉末を毎日摂取した介入群では，1 歳における鶏卵アレルギーの発症率は 8.3%と，有意に減少させることを示した．この結果より 2017 年，日本小児アレルギー学会食物アレルギー委員会により「鶏卵アレルギー発症予防に関する提言」[41]を公表し，一般に向けた情報発信を行っている．さらに近年のシステマティック・レビュー[42]では，「離乳期早期（4～6ヵ月）からの摂取は食物アレルギーの発症リスクを低下させる」という結論を得ており，このような経緯から 2019 年に改訂された厚生労働省「授乳・離乳の支援ガイド」や，アジアを含むさまざまな国，地域における離乳ガイドラインにおいても，これに準ずる記載がなされている．

鶏卵アレルギー発症予防研究のまとめ

早期摂取による鶏卵アレルギー発症予防効果を検証するいくつかのランダム化比較試験が報告されている．2013 年の STAR スタディ[43]では，アトピー性皮膚炎の既往をもつ乳児に生後 4ヵ月から生卵粉末（週に約 1 個相当）を摂取させた．結果，12ヵ月時点における鶏卵アレルギーの発症は除去群よりも少ない傾向が示されたが（統計学的有意差はなし），3 人に 1 人が生卵の摂取によりアレルギー症状を発症した．同じオーストラリアで，アトピー性皮膚炎やアレルギー既往のない一般乳児 820 人を対象とした大規模ランダム化比較試験（STEP スタディ)[44]が行われ，生卵粉末の摂取により 1 人もアナフィラキシーを起こさなかったものの，鶏卵アレルギーの予防効果は証明されなかった．ドイツのHEAPスタディ[45]では，鶏卵への感作がない一般集団に対して生卵1/3個を週3回与えたが，予防効果が示されなかったばかりかアレルギー症状が頻発し，試験が途中で中止された．

一般の乳児1,303人を対象としたイギリスのEATスタディ[46]では，早期導入群として加熱鶏卵を週に1個相当，生後3ヵ月から開始した．その結果，プロトコールを遵守できた参加者だけで解析したper-protocol解析では有意差をもって鶏卵アレルギーの発症が少なかったものの，6割以上の参加者が脱落した．しかしその中で，わが国におけるアトピー性皮膚炎の乳児を対象としたランダム化比較試験（PETITスタディ）[47]では，生後6ヵ月からごく少量の加熱鶏卵を段階的に導入した群では，12ヵ月まで完全除去した群と比較し有意に鶏卵アレルギーの発症を減少させることが示された．このとき明らかな有害事象は報告されず，加えて対象者はプロアクティブ療法を含めた積極的な湿疹コントロールによる寛解状態を維持していた．

近年の食物アレルギーに関する臨床研究で得られた新たな知見のうち，特に重要なことは「アトピー性皮膚炎を有するなどのハイリスク乳児では，その地域で普段消費される食物を，乳児期に不自然に完全除去を行うとかえって食物アレルギーになりやすい」という確固たるコンセンサスを得られたことであろう．しかし，抗炎症外用薬としてステロイド外用薬を強力に使用することは有意に副作用を増やす懸念が残り，早期摂取に関しては摂取量や摂取頻度，食開始時期と継続期間，さらに乳児が食べやすく安全な食形態など，離乳食の具体的な導入方法に多くの問題がある．このように食物アレルギーの予防という観点において，最も有効で安全な方法については研究段階であり，その見直しはこれからの大きな課題である．

1) Prescott SL, et al.：A global survey of changing patterns of food allergy burden in children. World Allergy Organ J, 6：21, 2013.
2) 東京都健康安全研究センター：アレルギー疾患に関する3歳児全都調査報告書（令和元年度）．2019.
3) Atherton DJ, et al.：A double-blind controlled crossover trial of an antigen-avoidance diet in atopic eczema. Lancet, 1：401-403, 1978.
4) Sampson HA：Role of immediate food hypersensitivity in the pathogenesis of atopic dermatitis. J Allergy Clin Immunol, 71：473-480, 1983.
5) Sicherer SH, et al.：Food hypersensitivity and atopic dermatitis：pathophysiology, epidemiology, diagnosis, and management. J Allergy Clin Immunol, 104：S114-122, 1999.
6) Ong PY, et al.：Atopic dermatitis. Patterson's Allergic Diseases 6th ed. Lippincott Williams & Wilkins, p.279-288, 2002.
7) American Academy of Pediatrics. Committee on Nutrition. Hypoallergenic infant formulas. Pediatrics, 106：346-349, 2000.
8) Bath-Hextall F, et al.：Dietary exclusions for improving established atopic eczema in adults and children：systematic review. Allergy, 64：258-264, 2009.
9) 「授乳・離乳の支援ガイド（2019年改定版）」．厚生労働省，平成31年3月.
10) 日本小児アレルギー学会食物アレルギー委員会：食物アレルギー診療ガイドライン2021．協和企画，2021.
11) Tsai HJ, et al.：Familial aggregation of food allergy and sensitization to food allergens：a family-based study. Clin Exp Allergy, 39：101-109, 2009.
12) Baloh CH, et al.：Recent progress in the genetic and epigenetic underpinnings of atopy. J Allergy Clin Immunol,151：60-69, 2023.
13) Lack G,et al.：Factors associated with the development of peanut allergy in childhood. N Engl J Med, 348：977-985, 2003.
14) Du Toit G, et al.：Early consumption of peanuts in infancy is associated with a low prevalence of peanut allergy. J Allergy Clin Immunol, 122：984-991, 2008.
15) Lack G：Epidemiologic risks for food allergy. J Allergy Clin Immunol, 121：1331-1336, 2008.
16) Brown SJ, et al.：Loss-of-function variants in the filaggrin gene are a significant risk factor for peanut allergy. J Allergy Clin Immunol, 127：661-667, 2011.
17) Tsakok T：Does atopic dermatitis cause food allergy?：a systematic review. J Allergy Clin Immunol, 137：1071-1078, 2016.
18) Flohr C,et al.：Atopic dermatitis and disease severity are the main risk factors for food sensitization in exclusively breastfed infants. J Invest Dermatol, 134：345-350, 2014.
19) Kitazawa H, et al.：Egg antigen was more abundant than mite antigen in children's bedding：findings

of the pilot study of the Japan Environment and Children's Study (JECS). Allergol Int, 68 : 391-393, 2019.
20) Brough HA, et al. : Atopic dermatitis increases the effect of exposure to peanut antigen in dust on peanut sensitization and likely peanut allergy. J Allergy Clin Immunol, 132 : 623-629, 2013.
21) Fox AT, et al. : Household peanut consumption as a risk factor for the development of peanut allergy. J Allergy Clin Immunol, 123 : 417-423, 2009.
22) Brough HA, et al. : Atopic dermatitis increases the effect of exposure to peanut antigen in dust on peanut sensitization and likely peanut allergy. J Allergy Clin Immunol, 135 : 164-170, 2015.
23) Feng H, et al. : In utero exposure to 25-hydroxyvitamin D and risk of childhood asthma, wheeze, and respiratory tract infections : a meta-analysis of birth cohort studies. J Allergy Clin Immunol, 139 : 1508-1517, 2017.
24) Molloy J, et al. : Vitamin D insufficiency in the first 6 months of infancy and challenge-proven IgE-mediated food allergy at 1 year of age : a case-cohort study. Allergy, 72 : 1222-1231, 2017.
25) Beckhaus AA, et al. : Maternal nutrition during pregnancy and risk of asthma, wheeze, and atopic diseases during childhood : a systematic review and meta-analysis. Allergy, 70 : 1588-1604, 2015.
26) Kramer MS, et al. : Maternal dietary antigen avoidance during pregnancy or lactation, or both, for preventing or treating atopic disease in the child. Evid Based Child Health, 9 : 447-483, 2014.
27) Muraro A, et al. : Dietary prevention of allergic diseases in infants and small children. Part Ⅲ : Critical review of published peer-reviewed observational and interventional studies and final recommendations. Pediatr Allergy Immunol, 15 : 291-307, 2004.
28) von Berg A, et al. : The effect of hydrolyzed cow's milk formula for allergy prevention in the first year of life : the German Infant Nutritional Intervention Study, a randomized double-blind trial. J Allergy Clin Immunol, 111 : 533-540, 2003.
29) Boyle RJ, et al. : Hydrolysed formula and risk of allergic or autoimmune disease : systematic review and meta-analysis. BMJ, 352 : i 974, 2016.
30) Sakihara T, et al. : Randomized trial of early infant formula introduction to prevent cow's milk allergy. J Allergy Clin Immunol, 147 : 224-232, e8, 2021.
31) Urashima M, et al. : Primary prevention of cow's milk sensitization and food allergy by avoiding supplementation with cow's milk formula at birth : a randomized clinical trial. JAMA Pediatr, 173 : 1137-1145, 2019.
32) Azad MB, et al. : Infant gut microbiota and food sensitization : associations in the first year of life. Clin Exp Allergy, 45 : 632-643, 2015.
33) Bunyavanich S, et al. : Early-life gut microbiome composition and milk allergy resolution. J Allergy Clin Immunol, 138 : 1122-1130, 2016.
34) Roduit C, et al. : Increased food diversity in the first year of life is inversely associated with allergic diseases. J Allergy Clin Immunol, 133 : 1056-1064, 2014.
35) Miyaji Y, et al. : Earlier aggressive treatment to shorten the duration of eczema in infants resulted in fewer food allergies at 2 years of age. J Allergy Clin Immunol Pract, 8 : 1721-1724. e6, 2020.
36) Yamamoto-Hanada K, et al. : Enhanced early skin treatment for atopic dermatitis in infants reduces food allergy. J Allergy Clin Immunol, S0091-6749 (23) 00331-7, 2023.
37) Du Toit G, et al. : Randomized trial of peanut consumption in infants at risk for peanut allergy. N Engl J Med, 372 : 803-813, 2015.
38) Du Toit G, et al. : Effect of Avoidance on Peanut Allergy after Early Peanut Consumption. N Engl J Med, 374 : 1435-1443, 2016.
39) Fleischer DM, et al. : Consensus communication on early peanut introduction and the prevention of peanut allergy in high-risk infants. J Allergy Clin Immunol, 136 : 258-261, 2015.
40) Natsume O, et al. : Two-step egg introduction for prevention of egg allergy in high-risk infants with eczema (PETIT) : a randomised, double-blind, placebo-controlled trial. Lancet, 389 : 276-286, 2017.
41) 福家辰樹，ほか：鶏卵アレルギー発症予防に関する提言．日小児アレルギー会誌，32：i-x，2017.
42) Scarpone R, et al. : Timing of allergenic food introduction and risk of immunoglobulin E-mediated food allergy : a systematic review and meta-analysis. JAMA Pediatr, 177 : 489-497, 2023.
43) Palmer DJ, et al. : Early regular egg exposure in infants with eczema : A randomized controlled trial. J Allergy Clin Immunol, 132 : 387-392, 2013.
44) Palmer DJ, et al. : Randomized controlled trial of early regular egg intake to prevent egg allergy. J Allergy Clin Immunol, 139 : 1600-1607, 2017.
45) Bellach J, et al. : Randomized placebo-controlled trial of hen's egg consumption for primary prevention in infants. J Allergy Clin Immunol, 139 : 1591-1599, 2017.
46) Perkin MR, et al. : Randomized Trial of Introduction of Allergenic Foods in Breast-Fed Infants. N Engl J Med, 374 : 1733-1743, 2016.
47) Natsume O, et al. : Two-step egg introduction for prevention of egg allergy in high-risk infants with eczema (PETIT) : a randomised, double-blind, placebo-controlled trial. Lancet, 389 : 276-286, 2017.

基本編

特異的 IgE 抗体検査，皮膚テスト

特異的 IgE 抗体検査と皮膚テストは，即時型アレルギーにおけるアレルゲン診断に最もよく使用され，詳細な問診と併せるならば，食物アレルギーの診断に大変有用である．可能性と限界をよく理解して使いこなすことが大切である．

特異的 IgE 抗体検査の種類と特徴

特異的 IgE 検査は固相化したアレルゲンに血清を反応させ，結合した血清中の IgE を標識抗 IgE 抗体で検出するという基本原理にもとづく．初めて特異的 IgE 測定を可能とした Radioallergosolvent test (RAST) 法[1]（放射性同位元素による標識）にちなんで，現在の改良された方法も RAST と呼ばれることがある．大きくは，定量的検査法と半定量的な多抗原検査法に分けられるが，前者で頻用されるのがサーモフィッシャーサイエンティフィック社のイムノキャップ®（Fluorescence-Enzyme Immunoassay：FEIA）とシーメンス社のアラスタット 3gAllergy である．ほぼ同等の精度で，それぞれの測定値の対数変換値は直線回帰するが，異なる測定値を示すことには留意する（特異的 IgE 抗体分子そのものの定量ではなく，固相化アレルゲンに結合する IgE 分子の相対的定量という測定原理による）[2,3]．後者には，マストイムノシステムズⅣ（日立化成），View アレルギー 39（サーモフィッシャーサイエンティフィック社），ドロップスクリーン特異的 IgE 測定キット ST-1（日本ケミファ社）などがある．スクリーニングとして，原因不明の食物アレルゲン検索や，吸入アレルゲン感作を同時に検出したい場合[4]に有用であるが，食物アレルギーの診断や臨床経過の評価に用いることは推奨できない（表 1）[5]．これらの検査は，定量的検査法のクラス 0-6 と判定量

表 1　現在わが国で利用できる血中アレルゲン特異的 IgE 抗体検査[5]

	単一アレルゲン測定			マルチパネルスクリーニング		臨床現場即時検査（マルチパネルスクリーニング）		
商品名	イムノキャップ	シーメンス・イムライズアラスタット IgE Ⅱ 2000	オリトン IgE「ケミファ」	View アレルギー 39	マストイムノシステムズⅣ・Ⅴ	イムノキャップラピッド鼻炎ぜんそくⅠ	イムファストチェック J1（吸入系）・J2（食物系）	ドロップスクリーン A-1
製造元	サーモフィッシャーダイアグノスティックス（株）	シーメンスヘルスケア・ダイアグノスティクス（株）	日本ケミファ（株）	サーモフィッシャーダイアグノスティックス（株）	日立化成（株）	サーモフィッシャーダイアグノスティックス（株）	（株）LSI メディエンス	日本ケミファ（株）
アレルゲン固相	多孔質セルローススポンジ	ポリスチレンビーズ	多孔性ガラスフィルター	多孔質セルローススポンジ	ポリスチレンウェル	ニトロセルロース膜	—	プラスチック製の基板
アレルゲン数	191	190	60	39	36	8	3・3	41
抗体価単位	UA/mL	IUA/mL	IU/mL	Index 値	ルミカウント	陰性 / 陽性 / 強陽性	クラス判定	IU/mL
特徴	最も頻用されている．プロバビリティーカーブの報告がある．	測定範囲が <0.1～>500IUA/mL であり定量性に優れる．	測定に要する時間が短い．	必要血清量 0.7mL	必要血清量 0.5mL	免疫クロマト法 必要血液量 110μL 測定時間 20 分	免疫クロマト法 必要血液量 20μL 測定時間 20 分	CLEIA*法 必要血清量 20μL 測定時間 30 分
				スクリーニングに有用				

*：化学発光酵素免疫測定法

的検査のクラスを比較して一致率を算出しているが，イムノキャップ®のクラス 4 は 17.5 〜 49.9UA/mL，クラス 5 は 50.0 〜 99.9UA/mL と幅広い値をとっているにもかかわらず同じカテゴリーとしている．アレルゲンによっても一致率は異なるとされており，その点にも注意する[6〜8]．

アレルゲンコンポーネント特異的 IgE 抗体

食物を構成している多種類のタンパク質のうち，アレルゲン性を有する（IgE 抗体結合能がある）タンパク質分子をアレルゲンコンポーネントという[9]．アレルギー疾患患者の 50%以上において特異的 IgE 抗体が認識し，誘発症状を引き起こすことが確認されているアレルゲンコンポーネントを主要アレルゲンという．食物アレルギーでは，粗抗原の検査のみではしばしば偽陽性結果を引き起こしたり，粗抗原が陰性であるにもかかわらず陽性症状を呈することがある．コンポーネントと粗抗原の検査を組み合わせることにより，診断性能が向上し，不要な除去を減らし，リスクが高い食物経口負荷試験（OFC）を避けることができる．表 2 に保険収載されているアレルゲンコンポーネントを示す[10]．加熱卵の摂取可否の診断にはオボムコイドが優れている[11〜14]．オボムコイド特異的 IgE 高値は，遷延する鶏卵アレルギーの指標となる[15]報告もあり，鶏卵アレルギーが疑われる場合には，卵白に加えてオボムコイドを測定することで診断性能が向上する．カゼインは牛乳の主要なアレルゲンである．加熱による変性を受けにくく，多くの IgE エピトープをもつなどの性質のために，強い抗原性をもつ[16]．カゼイン特異的 IgE 抗体価は牛乳と同等，もしくはそれよりも優れた感度と特異度をもつが，β- ラクトグロブリン，α- ラクトアルブミン特異的 IgE 抗体は感度，特異度ともに劣る[17]．小麦アレルギーの診断には，小麦特異的 IgE 抗体価の診断性能はあまり高くない[18]が，コンポーネントであるω-5 グリアジン特異的 IgE 抗体価は良好な診断性能を有しており，特に特異度が高い．しかし，感度は必ずしも高くなく，陰性であっても小麦アレルギーを否定しにくい[19]のに注意が必要である．大豆の粗抗原での特異的 IgE 抗体価は大豆アレルギーの診断に対する感度･特異度は低いが，[18]花粉感作に伴う成人の大豆アレルギーでは，Gly m 4（PR-10）が診断的な指標になることが報告されている[20, 21]．小児では，その他のコンポーネントである Gly m 5，Gly m 6，Gly m 8 などのほうが診断に有用であるが保険収載はされていない．ピーナッツアレルギーの診断は，アナフィラキシーのリスクも高いため注意が必要である．ピーナッツ粗抗原よりもコンポーネントである Ara h 2 特異的 IgE の診断性能が高く，ピーナッツ特異的 IgE 抗体価と組み合わせることで OFC のリスクを減らせるとの報告がある[22, 23]．ただし，Ara h 2 が陰性であっても OFC 陽性のこともある．ピーナッツと同様にクルミのコンポーネントである Jug r 1[24]，カシューナッツのコンポーネントである Ana o 3[25]もそれぞれコンポーネントの特異度が高く OFC のリスクを減らすことが期待される．

表 2　保険収載されている食物アレルゲンコンポーネント特異的 IgE 抗体検査[10]

粗抗原	コンポーネント
卵白	Gal d 1（オボムコイド）
牛乳	Bos d 4（α- ラクトアルブミン）
	Bos d 5（β- ラクトグロブリン）
	Bos d 8（カゼイン）
小麦	Tri a 19（ω-5 グリアジン）
大豆	Gly m 4（PR-10）
ピーナッツ	Ara h 2（2S アルブミン）
クルミ	Jug r 1（2S アルブミン）
カシューナッツ	Ana o 3（2S アルブミン）

PR-10：pathogenesis-related protein-10

特異的 IgE 検査の解釈

① 感作≠食物アレルギー

特異的 IgE 抗体が陽性であることは，その患者が当該アレルゲンに感作されていることを示すが，必ずしも食物アレルゲン感作が食物アレルギーであることを示すものではない．症状が誘発されるかどうかは，IgE 抗体だけでなく，さまざまな他の生体因子（阻止抗体とされる IgG4 抗体，制御性 T 細胞，消化管機能など）や，摂取する食物アレルゲン量（調理形態も含む）に左右されるからである．

② プロバビリティカーブ

特異的 IgE 抗体値の解釈を補助するツールとして，主な食物アレルゲンについて症状誘発を予測するプロバビリティカーブが報告されている．プロバビリティカーブとは，測定値に対する症状誘発の確率（OFC に基づく）をロジスティック回帰法により算出してプロットしたものである．このカーブをみると，ある測定値を示す患者が特定の食物を特定の量で食べると，どのくらいの確率で症状が誘発されるかが予測できる．もちろん，患者の年齢，負荷食品の種類や量などによって，得られるカーブは異なるので，参照するプロバビリティカーブが検討された背景をよくみることが必要である（表 3）．鶏卵，牛乳，小麦，ピーナッツなどで報告され，食物アレルギー診療ガイドラインにまとめられている[10]．それ

表 3　プロバビリティーカーブ解釈の際に留意すること

1. **負荷食品の種類**
   鶏卵，牛乳，小麦，ピーナッツ，その他
2. **負荷食品の調理形態**
   鶏卵は加熱の有無と程度で抗原性は大きく異なる
3. **負荷食品の量**
   鶏卵 1 個で症状が誘発されても，少量ならば誘発されない
4. **アウトカムの決定方法**
   OFC 結果に基づくか，誘発症状の既往に基づくか
5. **患者の年齢**
   年齢別のプロバビリティーカーブが報告されている
6. **患者の経過**
   初回の診断か，経過中の診断か

表 4　プロバビリティカーブ報告のまとめ：鶏卵[10]

文献（報告年）	対象			食物経口負荷試験		特異的 IgE 抗体		
	n	年齢	適用	負荷食品	負荷量	測定法	アレルゲン	90%予測値*1
16 (2017)	436	平均 2.4 歳	診断 / 経過	カップケーキ	全卵半分	CAP	卵白	N.E.
						アラスタット	卵白	466.1
17 (2007)	764	中央値 1.3 歳 (0.2-14.6)	診断 / 経過	記載なし	記載なし	CAP	卵白	0 歳：6 1 歳：10 ≧2 歳：15
18 (2016)	433	中央値 1.9 歳 (1-5)	診断 / 経過	加熱卵粉末	1 歳：1/2 個 2-5 歳：1 個	CAP	卵白	N.E.
							OVM	1 歳：N.E. 2-5 歳：50.0
						アラスタット	卵白	1 歳：N.E. 2-5 歳：355
							OVM	1 歳：N.E 2-5 歳：211
				非加熱卵粉末	1/4 個	CAP	卵白	1 歳：18.7 2-5 歳：11.5
							OVM	1 歳：5.7 2-5 歳：6.1
						アラスタット	卵白	1 歳：63.2 2-5 歳：37.7
							OVM	1 歳：20.6 2-5 歳：24.5
19 (2012)	100	1 歳	診断	ゆで卵白	18g	CAP	卵白	50
							OVM	22
20 (2015)	337	中央値 3.6 歳 (1-8)	診断 / 経過	ゆで卵白	3.5g	CAP	OVM	血清総 IgE 値区分 (IU/mL) ：50%予測値 ＜193：9 193-1068：16 ＞1068：42
21 (2014)	156	中央値 1 歳 (0-6)	診断 / 経過	ゆで卵白	31g	CAP	OVM	*2 グレード 1：17.9 グレード 2：60 グレード 3：N.E.

*1：数値の一部は著者に確認して，元データから算出した
*2：グレードは「食物アレルギー診療ガイドライン 2012」による
N.E.：not estimated, OVM：オボムコイド，CAP：イムノキャップ®（UA/mL），アラスタット：アラスタット® 3gAllergy（IUA/mL）

ぞれの表 4 ～ 7 に示す．OFC は単なる診断ではなく，必要最小限の除去で食べていくことをめざすために，目標負荷量を少量，中等量，標準摂取量など段階的に設定することが推奨されており，負荷量別のプロバビリティーカーブが参考になる[26]．

③ 検査の種類と診断性能

特異的 IgE 抗体検査の種類は巻末資料にまとめてある（p.256 参照）．診断性能は感度，特異度などで表されるが，アレルゲンによってそれぞれ異なることに留意する．前述したように，ある食品全体をアレルゲ

表 5　プロバビリティカーブ報告のまとめ：牛乳[10]

文献（報告年）	対象			食物経口負荷試験	特異的 IgE 抗体			
	n	年齢	適用	負荷食品・量	測定法	アレルゲン	90%予測値*1	50%予測値*1
15 (2007)	764	中央値 1.3 歳 (0.2 ～ 14.6)	診断 / 経過	記載なし	CAP	牛乳	0 歳：3 1 歳：20 ≧2 歳：30	0 歳：0.8 1 歳：3 ≧2 歳：6
16 (2015)	266	中央値 4.4 歳 (1.0 ～ 8.8)	診断 / 経過	生牛乳 3.1mL	CAP	牛乳	N.E.	血清総 IgE 値区分 (IU/mL) ＜ 269：9 269 ～ 1.149：20 ＞ 1.149：42
17 (2015)	153	0 ～ 2 歳	診断 / 経過	生牛乳 38mL	CAP	牛乳	*2 グレード 1：138.6 グレード 2：42 グレード 3：N.E.	グレード 1：N.E. グレード 2：15 グレード 3：72
18 (2016)	217	中央値 6.0 歳 (95% CI：3.8-9.3)	診断 / 経過	牛乳 3mL 入り かぼちゃケーキ	CAP	牛乳	N.E.	16.9
						カゼイン	N.E.	15.5
19 (2016)	68	中央値 3.9 歳 (IQR：2.1-7.2)	経過のみ	牛乳 25ml 入り かぼちゃケーキ	CAP	牛乳	62.2	8.5
20 (2017)	499	平均 1.8 歳	診断 / 経過	牛乳 25mL 入り カップケーキ または ヨーグルト 48g	CAP	牛乳	27.7	4.2
					アラスタット	牛乳	53.1	5.4

*1：数値の一部は著者に確認して，元データから算出した
*2：グレードは「食物アレルギー診療ガイドライン 2012」による
IQR：四分位範囲（Interquartile range), N.E.：not estimated, CAP：イムノキャップ®（UA/mL)，アラスタット：アラスタット® 3gAllergy（IUA/mL)

表 6　プロバビリティカーブ報告のまとめ：小麦[10]

文献（報告年）	対象			食物経口負荷試験	特異的 IgE 抗体			
	n	年齢	適用	負荷食品・量	測定法	アレルゲン	90%予測値	50%予測値
16 (2009)	301	平均 1.3 歳 (0.5 ～ 14.6)	診断 / 経過	うどん 100g	CAP	小麦	0 歳：7 ≧1 歳：N.E.	0 歳：1.4 ≧1 歳：19
17 (2011)	233	中央値 3.6 歳 (0.5 ～ 17.5)	診断 / 経過	うどん 38g	CAP	小麦	N.E.	18.5
						ω-5 グリアジン	3.3	1
18 (2012)	331	中央値 2.3 歳 (0 ～ 20.4)	診断 / 経過	記載なし	CAP	ω-5 グリアジン	＜ 2 歳：2.2 ≧2 歳：3.5	＜ 2 歳：0.35 ≧2 歳：0.6
19 (2017)	626	平均 1.1 歳	診断 / 経過	うどん 15 ～ 100g	CAP	小麦	N.E.	10.4
					アラスタット		50.6	4.7
20 (2016)	68	中央値 6.8 歳 (95% CI：3.3 ～ 9.3)	経過	うどん 2g	CAP	小麦	N.E.	42.5
						ω-5 グリアジン	88.1	3.9

数値の一部は著者に確認して，元データから算出した
CAP：イムノキャップ®（UA/mL)，アラスタット：アラスタット® 3gAllergy（IUA/mL)，N.E.：not estimated

表7　ピーナッツアレルギーに対する特異的 IgE 抗体検査の診断精度[10)]

文献	国（年）	n	年齢	アレルゲン	診断精度		
					カット値 (KUA/L)	感度 (%)	特異度 (%)
11	日本 (2012)	57	中央値6歳 (2～13歳)	ピーナッツ	0.35	100	23
					4.3	69	84
				Ara h 2	0.35	88	84
					0.66	88	90
13	日本 (2015)	165	中央値6歳 (1～16歳)	Ara h 2	1.2	90.4	95.7
					4	95.7	60.0
25	オーストラリア (2013)	5,276	平均1歳	ピーナッツ	34	14	99
26	ドイツ (2015)	210	寛解群：中央値 4.3 歳 (2.1～7.7 歳) アレルギー群：中央値 4.8 歳 (2.4～7.3 歳)	ピーナッツ	0.35	95	26
					10	65	86
				Ara h 2	0.1	93	67
					0.35	86	86
29	フランス (2011)	237	アレルギー群：平均9歳, 健常群：平均10歳	Ara h 2	0.23	96	93
30	アメリカ (2013)	60	中央値7歳（3～19歳）	Ara h 2	60.1	96	54

表8　さまざまなカットオフ値における Jug r 1 およびクルミ特異的 IgE の診断能[24)]

検　査	カットオフ値	感　度		特異度		陽性的中率		陰性的中率	
Walnut	＞0.10	100.0	(93.9-100.0)	10.6	(3.5-23.1)	58.4	(48.2-68.1)	100.0	(47.8-100.0)
	＞0.35	98.3	(90.9-100.0)	17.0	(7.6-30.8)	59.8	(49.3-69.6)	88.9	(51.8-99.7)
	＞2.58*	72.9	(59.7-83.6)	70.2	(55.1-82.7)	75.4	(62.2-85.9)	67.3	(52.5-80.1)
Jug r 1	＞0.1	88.3	(77.4-95.2)	41.7	(27.6-56.8)	65.4	(54.0-75.7)	74.1	(53.7-88.9)
	＞0.35	88.3	(77.4-95.2)	77.1	(62.7-88.0)	82.8	(71.3-91.1)	84.1	(69.9-93.4)
	＞0.423*	85.0	(73.4-92.9)	79.2	(65.0-89.5)	83.6	(71.9-91.8)	80.9	(66.7-90.9)

表9　さまざまなカットオフ値における Ana o 3- およびカシューナッツ特異的 IgE の診断能[25)]

検　査	カットオフ値	感度，%（95% CI）	特異度，%（95% CI）	尤度比
Ana o 3	＞0.10	100.0（86.8e100.0）	49.3（37.0e61.6）	1.97
	＞0.35	84.6（65.1e95.6）	76.8（65.1e86.1）	3.65
	＞0.70*	84.6（65.1e95.6）	88.4（78.4e94.9）	7.30
	＞2.20†	69.3（48.2e85.7）	95.6（87.8-99.1）	15.9
Cashew	＞0.10	すべて陽性	すべて陽性	該当なし
	＞0.35	すべて陽性	すべて陽性	該当なし
	＞2.62*	80.8（60.6e93.4）	75.4（63.5-85.0）	3.28
	＞14.20	26.9（11.6e47.8）	95.6（87.8e99.1）	6.19

*最適カットオフ（ROC から推定）

ン（粗抗原）とした検査（例：卵白など）に加えて，アレルゲンコンポーネントの検査を行うと診断性能が向上することが多い．クルミとカシューナッツの粗抗原とコンポーネントである Jug r 1，Ana o 3 の感度，特異度についてそれぞれ表 8，9 に示す．ゴマ[27)]，ソバ[28)] など診断性能がよくない粗抗原特異的 IgE 検査ではコンポーネントの検査が早く利用可能になることが望まれる[29)]．

遅延型アレルギー検査について

特定の IgG 抗体を検査し，遅延型アレルギーを診断できると主張する商品やサービスが存在するが，これらは食物アレルギーの診断に不適切な手法とされている．この検査は，特定のアレルゲンに対する IgG 抗体を検出するものだが，これは健康な人や他の免疫療法を受けた人でも見つかることがあり，必ずしも疾病を示す指標とはならない．

アレルゲン摂取後，症状が遅れて現れるものもある．例えば，クラゲに刺された後の納豆摂取によるアナフィラキシー反応や，ダニに刺された後の獣肉摂取によるアナフィラキシー反応などがあげられる．だが，これらは「遅延型食物アレルギー」とは異なり，IgG 抗体検査はこれらの状況の診断には有用性が認められていない．

根拠のない食物の除去は，食事制限につながり，栄養バランスが乱れる可能性がある．健康被害が生じる可能性があり，日本小児アレルギー学会，日本アレルギー学会からも，この検査に対する警告が提示されている[30]．

皮膚テストと特異的 IgE 抗体検査のメリットとデメリット

皮膚テストの利点はその迅速性，経済性，感度の高さで，15 ～ 20 分で結果が得られること，さらに決まったアレルゲンの項目しか測定できない血液検査と異なり，市販されていないアレルゲンについても評価可能であるのは便利である．また，皮膚テストは，マスト細胞上に結合した IgE 抗体がアレルゲンによって架橋され，ヒスタミンが遊離した結果生じるアレルギー反応を直接的に捉えることができる．

しかし，皮膚テストの短所としては，全身性の副反応が誘発されるリスクが存在し，一部の患者（コントロール不良の喘息患者，ごく少量のアレルゲン曝露でアナフィラキシーなど重篤な反応をきたした病歴を有する患者，重大な心血管疾患を有する患者）では，採血での検査のほうが適している．また，結果の定量性が低いため，結果の国際比較には向かない．

特異的 IgE 抗体検査は再現性と定量性が高いため，同一の患者に関して IgE 抗体感作の経時的変化を評価する場合には優れている．ただし，血液検査では血液中に遊離している IgE 抗体の反応性を見るだけで，実際にマスト細胞 / 好塩基球上に結合した IgE 抗体がアレルゲンによって架橋されるアレルギー反応を直接的に捉えることはできない．

① 皮膚テストの種類

皮膚テストとして，皮膚プリックテスト（SPT）が即時型食物アレルギーの原因診断のために推奨される[5]．SPT は，IgE 抗体を介する即時型アレルギー反応に対する検査として，その安全性，有用性，簡便さから，全年齢の患者に適している．特に，欧米で高く評価されており，手技や結果の解釈が正しく行うことが大切である[31]．

スクラッチテストも皮膚テストの 1 つであるが，手技による結果のばらつきが生じやすい欠点がある．また，皮内テストは偽陽性を引き起こしやすく，アナフィラキシーの誘発リスクが高いため行わない．食物抗原を皮膚に貼付するアトピーパッチテストは非即時型反応の推定に有用であるとの報告もあるが[32]，その方法や評価法についてはまだコンセンサスが得られていない[33]．

② 皮膚プリックテストの手順[5]

患者への説明と同意

SPT の目的と方法を患者に説明し，文書による同意を得ることが勧められる．

検査に際して準備するもの

1）アレルゲン

- 市販試薬（アレルゲンエキス）：診断用スクラッチエキス〔鳥居薬品㈱〕：国内では鳥居薬品㈱から保険適用があるアレルゲンエキスが販売されている．
- 即時型アレルギーを誘発し得る食物

・粉類（小麦粉など）：0.1g の粉を 10mL の食塩水で溶かすと 1％の溶液ができる．重症の場合は，その溶液をさらに 10 倍に薄め（1％溶液 1mL＋食塩水 9mL）して 0.1％の溶液を作成する．
・新鮮な野菜や果物：そのままの状態で使用する（魚や貝は生のままでもテストするが，生肉はテストしない）．
・ナッツ類：乳鉢と乳棒などでナッツ類を粉砕する．それに生理食塩水を加えてプリック針に付く程度に希釈する．

2）対照液

ヒスタミン H1 受容体拮抗薬など，SPT の結果に影響を与える可能性のある薬の服用がある場合や，施行する部位などの要因で偽陰性が生じる可能性があるため，陽性コントロール液の使用が推奨される．また，機械的な要因による蕁麻疹でないかを確認する目的で，陰性コントロール液も同時に用いるようにする．

・陽性対照液：アレルゲンスクラッチエキス陽性対照液「トリイ」ヒスタミン二塩酸塩〔鳥居薬品㈱〕
・陰性対照液：
・滅菌生理食塩水〔大塚製薬㈱〕
・アレルゲンスクラッチエキス対照液「トリイ」

3）プリックテスト専用針

・バイファケイテッドニードル®〔製造販売企業：㈱東京エム・アイ商会｜製造企業：ALO 社（アメリカ）〕
・先端は左右非対称の 2 本の刃先を持ち，長さは φ1×65.5mm×1.8mm
・材質：ステンレス
・未滅菌（各施設で使用前に滅菌処理が必要）
・単回使用（1 つの試料に使用したら廃棄する）
・SmartPractice®プリックランセット（SmartPractice 社）
・1 つの刃先から成り，先端の長さは 0.9mm
・材質：ステンレス
・ガンマ線滅菌済
・単回使用（1 つの試料に使用したら廃棄する）

4）判定用紙

判定用紙には必要な患者情報を記入する．

5）救急処置セット

まれであるが，検査中や判定後に気分不良などになることがあるため，アドレナリン，抗ヒスタミン薬などアレルギー症状が誘発されたときの対応ができるようにしておく．

6）その他の準備品

・アルコール綿もしくはクロルヘキシジングルコン酸塩含浸綿：皮膚面の消毒・洗浄として
・タイマー
・ツベルクリン用判定板，電子ノギスなどのものさし：膨疹径を測定する際に使用
・希釈用生理食塩水
・プラスチック製容器
・ピペット，チップまたはディスポシリンジおよび 18 G 針：水溶性試薬を皮膚に滴下する際に使用
・マーキング用のペンもしくはシール：品名を記載
・カメラ：記録用
・保冷剤：強い反応が生じた際に冷やす

検査前に中止する薬剤

SPT に影響を及ぼす可能性のある薬剤は検査施行前に中止する必要がある[31]．

・ヒスタミン H1 受容体拮抗薬：SPT の最低 4 ～ 5 日前，可能であれば 7 日前に中止．化学伝達物質遊離抑制薬についても同様．
・ヒスタミン H2 受容体拮抗薬（H2 ブロッカー）：SPT の 24 時間前に中止．

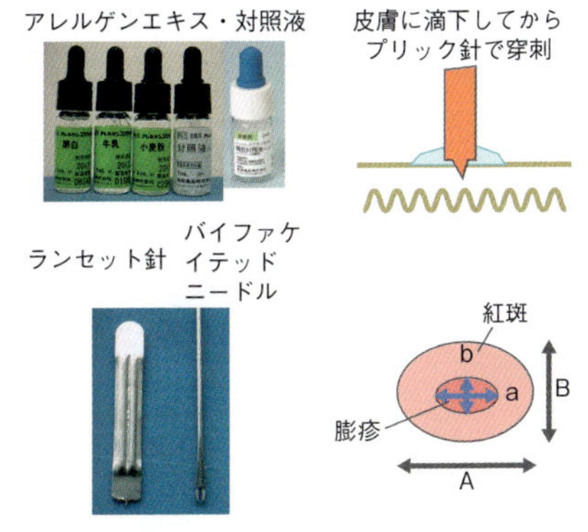

図 1　皮膚プリックテストの方法　　（文献 10）より一部改変）

・ヒスタミン H1 受容体拮抗作用を有する抗うつ薬：SPT の 7 日前に中止．
・ロイコトリエン受容体拮抗薬：中止する必要はない．
・検査が実施される部位への強力なステロイド外用薬：SPT の 3 週間前に中止．

③ 検査の実際 5)（図 1）

検査は前腕屈側または背部（特に乳幼児）の健常な皮膚面で実施し，手首から 5cm 以内，肘前窩から 3cm 以内の位置での検査は避けるようにする．肘側の反応性が最も高く，手首側は反応性が低く，腕の尺骨側は橈骨領域よりも反応性が高いとされる．試薬の間隔は最低でも 2cm 開ける必要がある．

試薬，抽出液，リコンビナントアレルゲン

検査を始める前に，検査部位の皮膚面をアルコール綿もしくはクロルヘキシジングルコン酸塩含浸綿で消毒し，乾燥させる．次に，検査部位をペンでマークするか，検査試薬を記載したシールを貼り付ける．その後，アレルゲン液を健常な皮膚面に一滴落とす．プリックテスト専用針を用いて，皮膚面に対して直角にアレルゲン液を静かに刺す．余分なアレルゲン液はすばやくティッシュペーパーやガーゼで拭き取る．最後に，15 ～ 20 分後に結果を判定する．

prick-to-prick test

検査を行う前に，検査部位の皮膚面を上記と同様に消毒して検査部位をマークする．野菜や果物のプリックテストを行う場合は，直接プリックテスト専用針を野菜や果物に刺し，そのまま皮膚面に対して直角に静かに刺す．刺し終わったら，余分なアレルゲン液はすばやくティッシュペーパーやガーゼで拭き取る．15 ～ 20 分後に結果を判定する．

④ 判定とその解釈 5)

皮膚プリックテストの判定

SPT を実施した後，15 ～ 20 分経過した時点で膨疹の大きさを mm 単位で測定し，最長径とその中点に垂直な径の平均値を反応の大きさとする．膨疹の径が 3mm 以上または陽性コントロールの膨疹の半分以上の反応を陽性と判断する．判定には主に膨疹の大きさを用いるが，小児や試薬によっては膨疹が誘発されず，紅斑のみが誘発される場合もある．そのような際は紅斑の径により評価する．

また，陽性コントロール（ヒスタミン二塩酸塩 10 mg/mL）と陰性コントロール（生理食塩水）を使用する場合，以下のスコアを利用することもできる．

陽性コントロールの膨疹の 2 倍：4＋
陽性コントロールと同等の膨疹：3＋
陽性コントロールの 2 分の 1 の膨疹：2＋
2 分の 1 より小さく，陰性コントロールより大きい膨疹：1＋
陰性コントロールと同等：－

陽性コントロールの膨疹径の半分以上（つまり，スコアの判定結果が 2＋以上）を陽性と評価する．

結果の解釈

臨床症状を有し，SPT で陽性反応が得られた場合は，IgE 抗体を介した即時型アレルギーと判断される．一方，臨床症状が関連していない場合でも，陽性反応は感作を示唆する．また，市販の試薬などに患者の原因アレルゲンが含まれていない場合は，偽陰性の結果となる．臨床症状を有するが，SPT が陰性の場合は，血清学的なより詳細な検討（*in vitro* テスト）あるいはスクラッチテスト，皮内テスト，OFC の実施が検討される．

特異的 IgE 検査，皮膚テストで知っておくべき基本をまとめた．陽性であることが必ずしも食物アレルギーを示すものではないが，特異的 IgE 検査は定量的な意義はあり，高値であれば，原因アレルゲンである可能性が高くなることがプロバビリティカーブで提示されている．皮膚テストは，その簡便性からも解釈のポイントを理解した上で，日常臨床に応用したい．

1) Wide L, et al.：Diagnosis of allergy by an in-vitro test for allergen antibodies. Lancet, 2：1105-1107, 1967.
2) Furuya K, et al.：Predictive values of egg specific IgE by two commonly used assay systems for the diagnosis of egg allergy in young children：a prospective multicenter study. Allergy, 71：1435-1443, 2016.
3) 長尾みづほ，ほか：アラスタット 3gAllergy とイムノキャップ®によるアレルゲン特異的 IgE 抗体測定値の比較：反復喘鳴を呈した乳幼児における検討．日小児アレルギー会誌，27：170-178，2013.
4) 長尾みづほ，ほか：特異的 IgE 抗体の多項目同時測定システムを応用した小児アレルギー疾患の感作パターン解析 マストイムノシステムズの新しい利用法．日小児アレルギー会誌，31：253-261，2017.
5) 日本アレルギー学会監修：皮膚テストの手引き．2021.
6) 小野智裕：多項目同時測定特異的 IgE 抗体検査キット「ドロップスクリーン特異的 IgE 測定キット ST-1」と「View アレルギー 39」における基礎的性能の比較検討．医学と薬学，80：83-91，2022.
7) 長尾みづほ，ほか：新しいアレルゲン特異的 IgE 同時多項目測定検査 View アレルギー 39 の特性に関する検討：MAST IV と ImmunoCAP との比較．アレルギー・免疫，24：796-801，2017.
8) 長尾みづほ，ほか：新しいアレルゲン特異的 IgE 同時多項目測定検査 View アレルギー 39 の特性に関する検討（第 2 報）：アレルゲンコンポーネント特異的 IgE との関連．アレルギー・免疫，24：962-970，2017.
9) Matricardi PM, et al.：EAACI Molecular Allergology User's Guide. Pediatr Allergy Immunol, 23：1-250, 2016.
10) 日本小児アレルギー学会食物アレルギー委員会：食物アレルギー診療ガイドライン 2021．協和企画，2021.
11) Ando H, et al.：Utility of ovomucoid-specific IgE concentrations in predicting symptomatic egg allergy. J Allergy Clin Immunol, 122：583-588, 2008.
12) Haneda Y, et al.：Ovomucoids IgE is a better marker than egg white-specific IgE to diagnose boiled egg allergy. J Allergy Clin Immunol, 129：1681-1682, 2012.
13) Nomura T, et al.：Probability curves focusing on symptom severity during an oral food challenge. Ann Allergy Asthma Immunol, 112：556-557. e2, 2014.
14) Horimukai K, et al.：Total serum IgE level influences oral food challenge tests for IgE-mediated food allergies. Allergy, 70：334-337, 2015.
15) Caubet JC, et al.：Molecular diagnosis of egg allergy. Curr Opin Allergy Clin Immunol, 11：210-215, 2011.
16) Chatchatee P, et al.：Identification of IgE- and IgG-binding epitopes on alpha（s1）-casein：differences in patients with persistent and transient cow's milk allergy. J Allergy Clin Immunol, 107：379-383, 2001.
17) Ito K, et al.：The usefulness of casein-specific IgE and IgG4 antibodies in cow's milk allergic children. Clin Mol Allergy, 10：1, 2012.
18) Komata T, et al.：Usefulness of wheat and soybean specific IgE antibody titers for the diagnosis of food allergy. Allergol Int, 58：599-603, 2009.
19) Ito K, et al.：IgE antibodies to omega-5 gliadin associate with immediate symptoms on oral wheat challenge in Japanese children. Allergy, 63：1536-1542, 2008.
20) Yagami A, et al.：Two cases of pollen-food allergy syndrome to soy milk diagnosed by skin prick test, specific serum immunoglobulin E and microarray analysis. J Dermatol, 36：50-55, 2009.
21) Kleine-Tebbe J, et al.：Severe oral allergy syndrome and anaphylactic reactions caused by a Bet v 1-related PR-10 protein in soybean, SAM22. J Allergy Clin Immunol, 110：797-804, 2002.
22) 海老澤元宏，ほか：ピーナッツアレルギー診断における Ara h2 特異的 IgE 抗体測定の意義．日小児アレルギー会誌，27：621-628，2013.

23) Ebisawa M, et al.：The predictive relationship between peanut- and Ara h 2-specific serum IgE concentrations and peanut allergy. J Allergy Clin Immunol Pract, 3：131-132. e1, 2015.
24) Sato S, et al.：Jug r 1 sensitization is important in walnut-allergic children and youth. J Allergy Clin Immunol Pract, 5：1784-1786. e1, 2017.
25) Sato S, et al.：Ana o 3-specific IgE is a predictive marker for cashew oral food challenge failure. J Allergy Clin Immunol Pract, 7：2909-2911. e4, 2019.
26) Yanagida N, et al.：A three-level stepwise oral food challenge for egg, milk, and wheat allergy. J Allergy Clin Immunol Pract, 6：658-660. e10, 2018.
27) Yanagida N, et al.：Ses i 1-specific IgE and sesame oral food challenge results. J Allergy Clin Immunol Pract, 7：2084-2086. e4, 2019.
28) Yanagida N, et al.：Reactions of Buckwheat-Hypersensitive Patients during Oral Food Challenge Are Rare, but Often Anaphylactic. Int arch Allergy Immunol, 172：116-122, 2017.
29) Maruyama N, et al.：Clinical utility of recombinant allergen components in diagnosing buckwheat allergy. J Allergy Clin Immunol Pract, 4：322-323. e3, 2016.
30) 日本アレルギー学会：血中食物抗原特異的 IgG 抗体検査（IgG4 などのサブクラス抗体を含む）に関する注意喚起. 令和元年 12 月 13 日（更新）. https://www.jsaweb.jp/uploads/files/kenkai_IgG4.pdf
31) Ansotegui IJ, et al.：IgE allergy diagnostics and other relevant tests in allergy, a World Allergy Organization position paper. World Allergy Organ J, 13：100080, 2020.
32) Heine RG, et al.：Proposal for a standardized interpretation of the atopy patch test in children with atopic dermatitis and suspected food allergy. Pediatr Allergy Immunol, 17：213-217, 2006.
33) Devillers AC, et al.：Delayed- and immediate-type reactions in the atopy patch test with food allergens in young children with atopic dermatitis. Pediatric allergy and immunology：official publication of the European Society of Pediatr Allergy Immunol, 20：53-58, 2009.

7 食物経口負荷試験

食物経口負荷試験 oral food challenge（OFC）は，食物アレルギー診療ガイドライン（以下，JPGFA）2021の第7章では「アレルギーが確定しているか疑われる食品を単回または複数回に分割して摂取させ，症状の有無を確認する検査」と定義されている．また，鶏卵または牛乳アレルギー患者もしくはその疑いのある患者の完全除去回避目的にOFCを行うことが推奨されている．本項ではJPGFA2021に沿って，定義や目的，リスク評価，再現性の確認，体制の整備などについて解説する．

OFCの定義

OFCとは，アレルギーが確定しているか疑われる食品を単回または複数回に分割して摂取させ，誘発症状の有無を確認する検査である．安全摂取可能量がすでに明らかな場合や，少量を安全に摂取できるか確認する場合，単回投与でOFCを行うことも考慮する[1)]．

OFCの目的（表1）

OFCは，食物アレルギーの最も確実な診断法であり，確定診断および耐性獲得の確認を主な目的として実施する．

① 食物アレルギーの確定診断（原因アレルゲンの同定）

（1）食物アレルギーの関与を疑うアトピー性皮膚炎の病型で除去試験により原因と疑われた食物の診断

食物アレルギーの関与を疑うアトピー性皮膚炎の病型において，除去試験に引き続き確定診断のために行う．誘発症状は湿疹の悪化だけでなく，蕁麻疹や呼吸器・消化器症状など即時型症状が出現する可能性があることに留意する．早期に適切なスキンケアによる介入が行われることにより，食物アレルギーの関与を疑うアトピー性皮膚炎の病型は激減しており，近年はこの病型のOFCを行う機会はほとんどない．

（2）即時型反応を起こした原因として疑われる食物の診断

即時型反応を起こした原因として疑われる食物を確定診断するために行う．疑わしい食物が絞られたら，免疫学的検査で感作の有無を確認した上で，診断確定のためのOFCを行う．

（3）感作されているが未摂取の食物の診断

感作が確認されている食物がアレルゲンであるのかを確認するために行う．感作が確認されている食物

表1　OFCの目的

① 食物アレルギーの確定診断（原因アレルゲンの同定）
（1）食物アレルギーの関与を疑うアトピー性皮膚炎の病型で除去試験により原因と疑われた食物の診断
（2）即時型反応を起こした原因として疑われる食物の診断
（3）感作されているが未摂取の食物の診断
② 安全摂取可能量の決定および耐性獲得の診断
（1）安全摂取可能量の決定（少量～中等量）
（2）耐性獲得の確認（日常摂取量）

新生児消化管アレルギーのOFCに関しては，新生児消化管アレルギーのガイドラインを参照．

を母乳以外で直接的に初めて摂取する場合には，初回摂取を医療機関での OFC として行うことを考慮する[1]．この対象においては，多くの患者が完全除去を解除できる[2]．

（4）症状誘発閾値の評価

症状を誘発する閾値および誘発症状を評価するために行う．例えば入園・入学の際などに，安全管理の指標として微量の誤食時のリスクを評価する．

② 耐性獲得の診断

小児食物アレルギーは自然に耐性獲得する可能性が高いので，安全に食べられる量の確認や耐性獲得しているかどうかを確認する目的で行う．

（1）安全摂取可能量の決定

「必要最小限の除去」を指導するために，総負荷量が多ければ，誘発される可能性が高いと思われる食物でも少量を総負荷量とし，安全に摂取できる量を確認することを目的とする[1]．陽性となった場合でも症状を誘発する閾値および誘発症状を評価することができる[2,3]．

（2）耐性獲得の確認

当該の食品に対して，完全に耐性を獲得しているかどうかを確認するための OFC を行う．総負荷量はおおむね年齢に応じた 1 回の食事量（full dose）を目安とする[4]（例：鶏卵 1 個，牛乳 200mL，うどん 200g，ピーナッツ・ナッツ類 10g，豆乳 200mL）．

OFC 前のリスク評価

OFC の適応判断では病歴，基礎疾患，免疫学的検査の結果と負荷予定の食物の種類とをリスク因子として評価し，施行時期，負荷食品，総負荷量の選択を行う．重篤な症状を誘発しやすい要因について表 2 に示す．

① 摂取に関する病歴

アレルゲンを含む加工食品の最近の摂取状況や，偶然の摂取（誤食）によって誘発症状を認めなかった病歴は，負荷開始量や総負荷量の決定に重要な情報となる．逆に，少量で症状が誘発された病歴やアナフィラキシーなどの重篤な症状の既往歴がある場合には，慎重に OFC を行う．症状なく摂取できた食品の量や加工状態を具体的に把握し，OFC のプランを決定する．

② 食物の種類

牛乳，小麦，ピーナッツ，ソバなどは重篤な症状をきたしやすいため，注意を要する[6]．特にソバの OFC は陽性率は 12％と低いが，重篤な症状の誘発リスクは極めて高い[7]．逆に鶏卵は消化器症状が多く，重篤な症状は牛乳，小麦，ピーナッツなどに比べると少ない[6,8]．

表 2　重篤な症状を誘発しやすい要因

① 食物摂取に関連した病歴
（1）アナフィラキシー，アナフィラキシーショック，呼吸器症状など重篤な症状の既往
（2）重篤な誘発症状を経験してからの期間が短い
（3）微量での誘発症状の既往
② 食物の種類
（1）牛乳，小麦，ピーナッツ，カシューナッツ，ソバなどの食物
③ 免疫学的検査
（1）特異的 IgE 抗体高値
（2）皮膚プリックテスト強陽性
④ 基礎疾患・合併症
（1）喘息
（2）喘息，アレルギー性鼻炎，アトピー性皮膚炎の増悪時
（3）心疾患，呼吸器疾患，精神疾患などの基礎疾患

③ 免疫学的検査

鶏卵，牛乳，小麦，ω-5 グリアジン（小麦コンポーネント），ピーナッツ Ara h 2（ピーナッツコンポーネント）では，OFC 陽性的中率が 95％を超える特異的 IgE 抗体価が報告されている．大豆，ナッツ類，魚，ゴマなどは 95％を超える値は得られていないが，特異的 IgE 抗体価が高値だと陽性的中率が高くなるとされる．ただし，病院の方がクリニックより OFC の陽性率が高くなるなど，対象集団により OFC の陽性率は大きく異なるため，これらの結果がすべての医療機関に当てはまるとは限らないことに十分留意すべきである．特異的 IgE 値が高いほど，より少ない量で反応することが多い[5]．

④ 基礎疾患・合併症

気管支喘息，アレルギー性鼻炎，アトピー性皮膚炎の増悪時には陽性になりやすい．心疾患，呼吸器疾患，精神疾患などの基礎疾患の合併は重篤な症状のリスク因子である．

以上を参考として，施設の事情も考慮した上で OFC の適応や目的，方法を検討し，必要に応じて専門施設へ紹介する．

OFC の方法

① OFC を行う準備

安全対策

●人員配置と体制

医師，看護師，栄養士，医療事務職員が連携して試験を行い，症状出現時に迅速に対応できる体制にあることが必須である．一度に実施する人数がおよそ 3 名以上の場合，複数または専任の医師と看護師が配置されていることが望ましい．

● OFC を実施する場所

OFC は，食物アレルギーの診療やアナフィラキシーの対応に十分な経験をもった医師が行うべきであり，特に外来や診療所で実施する場合は，ただちに入院治療に移行できる条件を備えておく必要がある．OFC のリスクに応じて医療機関ごとに行う OFC を選択するのがよいとされる（図 1）[9]．

リスクに応じて，OFC を実施する場所を外来，入院から選択する[10]．入院で行う場合でも多くは日帰り検査が可能である．

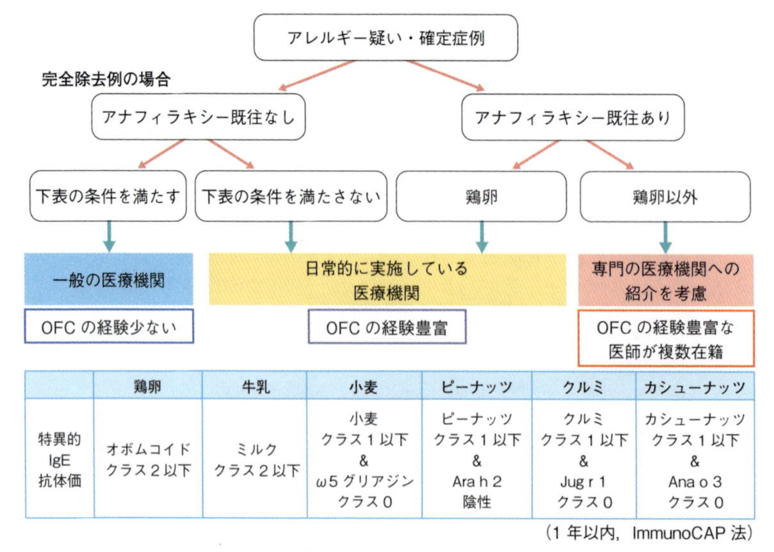

	鶏卵	牛乳	小麦	ピーナッツ	クルミ	カシューナッツ
特異的 IgE 抗体価	オボムコイド クラス 2 以下	ミルク クラス 2 以下	小麦 クラス 1 以下 & ω5 グリアジン クラス 0	ピーナッツ クラス 1 以下 & Ara h 2 陰性	クルミ クラス 1 以下 & Jug r 1 クラス 0	カシューナッツ クラス 1 以下 & Ana o 3 クラス 0

（1 年以内，ImmunoCAP 法）

図 1　医療機関の分類と実施可能な OFC　（文献 9）より改変）

●薬剤および医療備品の準備

症状が出現した際に対応するための薬剤および医療備品の準備を行う（p.44 参照）.

● OFC 食の準備

栄養管理室が OFC 食を準備できる場合はレシピなどを整備し[11]，負荷食物の均一化を図るとよい．定型の代替食メニューなどを活用することで，入院中の給食の誤配膳が起きないように工夫することができる（p.276 参照）.

事前に中止する薬剤

OFC の結果に影響すると考えられる薬剤は OFC 前に一定期間中止する.

基礎疾患のコントロール

気管支喘息やアトピー性皮膚炎の管理を十分に行う．増悪時は OFC の結果の判断が難しく，症状もより重篤になりやすいためである.

OFC 食の準備

栄養管理室で OFC 食を作成できる体制を整えることが望ましいが[11]，家族が調理する場合，事前に調理方法などを十分に説明しておく．また, 市販の OFC 用食品は水で溶くだけなど簡便である（p.276 参照）.

家族への説明

患者および家族に症状の誘発リスクを十分に説明の上で文書での同意を得る．本人にもイラストなどを用いてできるだけ説明するように心がける[11]．OFC 前に中止する薬剤および中止期間について説明する．家族が調理する場合には，調理方法などを事前に文書で十分に説明する.

② OFC の方法

盲検法の有無

OFC には，オープン法とブラインド法（盲検法）があり，対象年齢，誘発症状の既往，心因反応の関与などによって選択する.

●オープン法 open food challenge

検者も被検者も負荷食品がわかっている方法である．未就学児の場合には心因反応が関与する可能性は小さいので，オープン法でよいとされている．わが国では，オープン法が一般に行われている．オープン法の利点は日常利用している食品を負荷食品に用いることができ，児の嗜好に合った OFC ができたり，その結果を食生活の参考にしやすい点である.

●ブラインド法 blind food challenge

学童や成人で心因反応が関与していると疑われる場合や主観的な症状（口腔内違和感，瘙痒感，腹痛，頭痛など）のみを訴えている場合に，被検者が負荷食品が何かわからない状態で行う OFC をブラインド法と呼ぶ．ジュース，ピューレ，オートミール，ハンバーグ，カレーなどのマスキング媒体に混ぜて負荷する．プラセボ（媒体だけまたは負荷食品と異なる食品を媒体に混ぜたもの）による OFC を，日を変えて行う.

単盲検法 single blind food challenge（SBFC）と二重盲検法 double-blind placebo-controlled food challenge（DBPCFC）がある.

総負荷量

単回摂取，または分割摂取させる総量を総負荷量という．一般的な食品の総負荷量の例を表 3 に示す．微量誘発の可能性があるようなハイリスク例の場合は少量（low dose）を目標量とした OFC を行い[4]，それが陰性であれば中等量（medium dose）や日常摂取量の OFC（full dose）に進むステップを設定するとよい[4]（図 2）．判断に迷うときには少量から OFC を行うとよい．少量の OFC の総負荷量は誤食などで混入するレベルの量を想定し，日常摂取量（full dose）は小学生の 1 回の食事量を想定している．最終的な総負荷量はおおむね年齢に応じた 1 回の食事量を目安とする．症状誘発閾値と安全摂取可能量を 1 回の OFC で正確に判定することはできない．より安全に両者を評価するためには総負荷量を変えて複数回 OFC を行うことが望ましい[4, 10, 11]．また，OFC 陽性的中率が 95％を超える特異的 IgE 値であっても総負荷量を減じた OFC での陽性率は低いため，総負荷量を減量して行うことを考慮する[12]．図 3 に具体的

表 3　OFC（オープン法）の総負荷量の例

摂取量	鶏卵	牛乳	小麦	ピーナッツ・クルミ・カシューナッツ・アーモンド
少量 (low dose)	加熱全卵※ 1/32 ～ 1/25 個相当 加熱卵白 1 ～ 1.5g	1 ～ 3mL 相当	うどん 1 ～ 3g	0.1 ～ 0.5g
中等量 (medium dose)	加熱全卵※ 1/8 ～ 1/2 個相当 加熱卵白 4 ～ 18g	10 ～ 50mL 相当	うどん 10 ～ 50g	1 ～ 5g
日常摂取量 (full dose)	加熱全卵※ 30 ～ 50g（2/3 ～ 1 個） 加熱卵白 25 ～ 35g	100 ～ 200mL	うどん 100 ～ 200g 6 枚切り食パン 1/2 ～ 1 枚	10g

（文献 9）より改変）

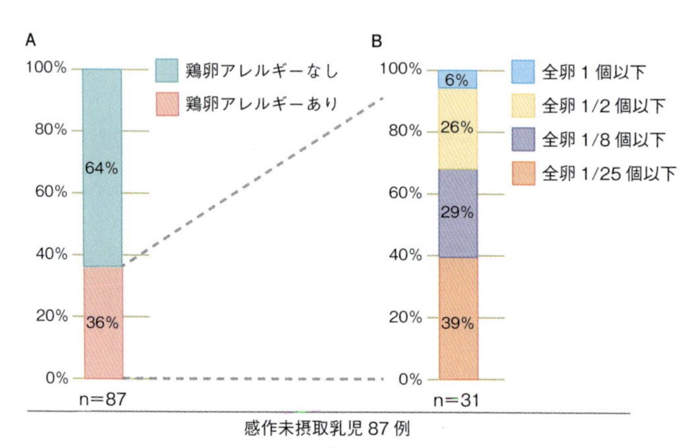

図 2　少量からの段階的な OFC[2)]

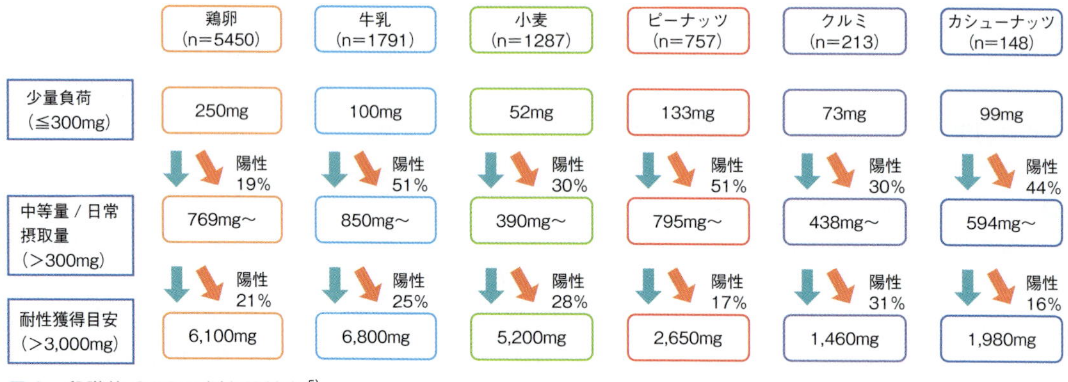

図 3　段階的 OFC の例と陽性率[5)]

な例を示す．特に牛乳とカシューナッツは症状誘発閾値が低いことが多いため，即時型症状の既往が明らかな症例などリスクが高い症例には少量から OFC を実施することが望ましい[5)]．

摂取間隔と分割方法

摂取間隔および分割方法の例を図 4 に示す．摂取間隔は 30 分以上が推奨されている．単回投与の OFC において，症状が出現する時間の中央値は牛乳で 20 ～ 30 分，鶏卵で 50 ～ 60 分とされており[13, 14)]（図 5），摂取間隔は十分に空けることが望ましい．安全摂取可能量がすでに明らかな場合や，少量を安全に摂取できるか確認する場合，単回投与で OFC を行うことも考慮する．最終摂取から最低 2 時間は経過を観察する．

③ 症状誘発時の対応

OFC により症状誘発が見られた場合は，すぐに OFC を中止して症状に応じた治療を開始する．食物アレルギーの誘発症状の治療に準じて行い，症状がおさまるまで観察する（p.44 参照）．アドレナリンを要す

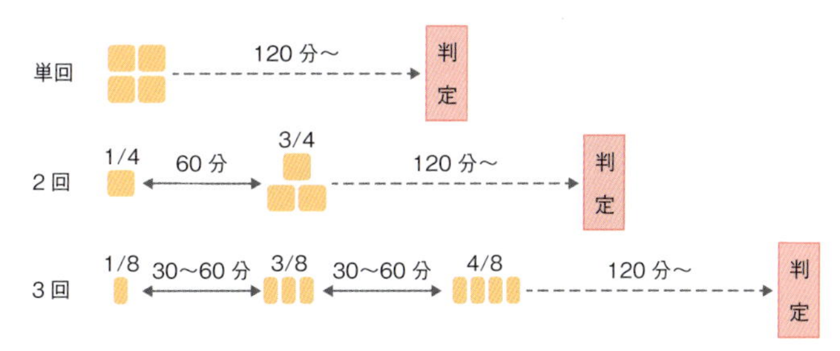

図 4　OFC の摂取間隔および分割方法の例 [9]

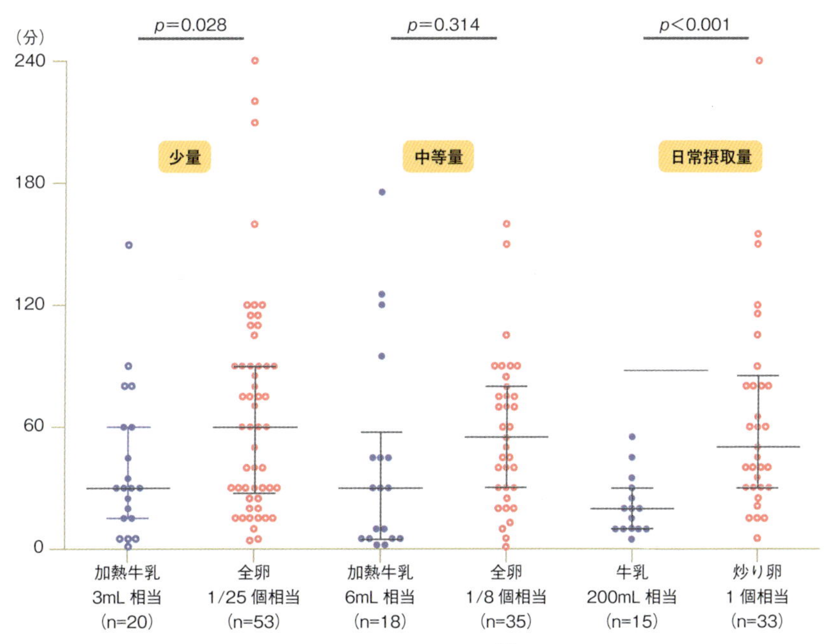

図 5　単回投与の OFC における症状出現時間の違い [13]

るなど症状が重篤な場合には，翌日まで入院の上，院内で経過を観察する．

④ OFC の結果判定と指導

陽性の判断

OFC で摂取直後から数時間までに明らかな症状が誘発された場合，OFC の結果を陽性と判定する．

判定保留の判断

アナフィラキシーガイドラインの症状 [1, 4, 15] のグレード 1 に相当するような軽微な症状や主観的な症状の場合は，1 回の OFC で判定できないことがある（図 6）[16]．このため，判定保留として再度の OFC または，自宅での反復摂取で症状の再現性を確認する．

陰性例の判断

OFC で陰性であっても，自宅でも OFC で摂取した量を繰り返し摂取し，確実に摂取できることを確認する．OFC を行う対象および方法により，反復摂取による症状の出現率は異なると考えられる．

OFC 後の患者指導

OFC 結果に基づき，具体的に食べられる食品を示し，生活の質の改善に努める [10, 11]．OFC で摂取した総摂取量を上限に摂取を許可する．OFC の結果および OFC 後の指導票には，負荷食品名，負荷量，結果判定を記入し，家族に渡し，その後の食生活への理解を促す．

陰性の場合，OFC 後の注意点を記載した指導票を利用するとよい．栄養食事指導の詳細は p.62 を参照

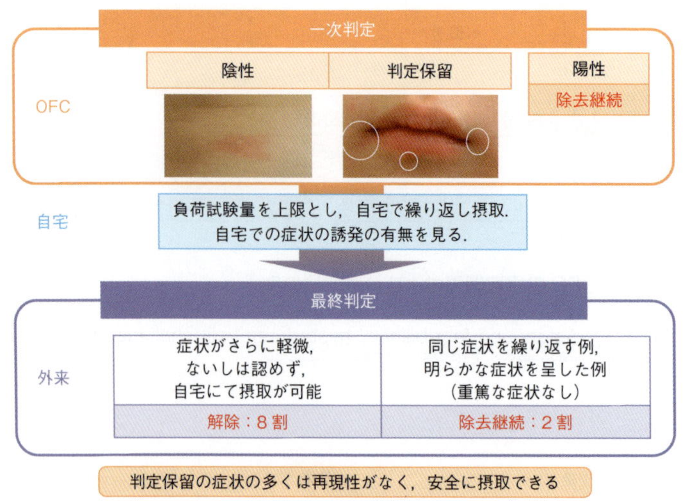

図 6　判定保留（はっきりしない軽微な症状）の転帰[16)]

されたい.

陽性の場合は，誘発症状・治療経過を記載する．OFC での誘発症状の重症度，症状誘発閾値などを参考にし，おおむね 6ヵ月から 1 年以上間隔を空けて再試験を考慮する．日常摂取量を複数回自宅で症状なく摂取できることを確認した後に，耐性獲得と判断する.

JPGFA2021 に基づき，OFC について解説した．OFC は食物アレルギー診療で必須である．日本は世界で初めて OFC が保険収載され，広く普及したが，今後は地域差なく低年齢から安全に OFC を行うことができる環境整備が望まれる.

1) 日本小児アレルギー学会食物アレルギー委員会：食物アレルギー診療ガイドライン 2021．協和企画，2021.
2) Mitomori M, et al.：Threshold and safe ingestion dose among infants sensitized to hen's egg. Pediatr Allergy Immunol, 33：e13830, 2022.
3) Yanagida N, et al.：Stepwise single-dose oral egg challenge：a multicenter prospective study. J Allergy Clin Immunol Pract, 7：716-718. e716, 2019.
4) Yanagida N, et al.：New approach for food allergy management using low-dose oral food challenges and low-dose oral immunotherapies. Allergol Int, 65：135-140, 2016.
5) Yanagida N, et al.：Relationship between serum allergen-specific immunoglobulin E and threshold dose in an oral food challenge. Pediatr Allergy Immunol, 34：e13926, 2023.
6) Yanagida N, et al.：Risk Factors for Severe Reactions during Double-Blind Placebo-Controlled Food Challenges. Int Arch Allergy Immunol, 172：173-182, 2017.
7) Yanagida N, et al.：Reactions of Buckwheat-Hypersensitive Patients during Oral Food Challenge Are Rare, but Often Anaphylactic. Int Arch Allergy Immunol, 172：116-122, 2017.
8) Yanagida N, et al.：Safety and feasibility of heated egg yolk challenge for children with egg allergies. Pediatr Allergy Immunol, 28：348-354, 2017.
9) 厚生労働科学研究班による食物経口負荷試験の手引き 2020.
10) 柳田 紀之，ほか：食物経口負荷試験の理論と実践．日小児アレルギー会誌，28：320-328，2014.
11) 柳田 紀之，ほか：食物経口負荷試験（即時型）手技編．日小児アレルギー会誌，28：835-845，2014.
12) Yanagida N, et al.：Butter Tolerance in Children Allergic to Cow's Milk. Allergy asthma immunol res, 7：186-189, 2015.
13) Yanagida N, et al.：Allergic reactions to milk appear sooner than reactions to hen's eggs：a retrospective study. World Allergy Organ J, 9：12, 2016.
14) Yanagida N, et al.：Timing of onset of allergic symptoms following low-dose milk and egg challenges. Pediatr Allergy Immunol, 32：612-615, 2021.
15) Anaphylaxis 対策委員会 日本アレルギー学会：アナフィラキシーガイドライン 2022．メディカルレビュー社，2022.
16) Miura T, et al.：Follow-up patients with uncertain symptoms during an oral food challenge is useful for diagnosis. Pediatr Allergy Immunol, 29：66-71, 2018.

8 食物経口負荷試験の判定と誘発症状への対応方法

即時型症状と重症度の評価

即時型症状は食物アレルギーによる最も典型的な症状で，原因食物摂取後に数分～通常２時間以内に症状を示すことが多い[1, 2]．出現する症状は皮膚・呼吸器・消化器・循環器・神経症状など多彩である．Sampson ら食物アレルギーの即時型症状の重症度を５段階に分類した[3]が，「アナフィラキシーガイドライン 2022」ではそれを改変した３段階の重症度分類を記載しており，これを症状の評価に用いることができる[4]（表１）[5, 6]．

食物アレルギーによる即時型症状では，下記のような症状が出現する．

・**皮膚症状**：瘙痒感，発赤，蕁麻疹，血管性浮腫などが出現する．重症度評価は皮膚の症状は瘙痒の強い全身性のものでもグレード２（中等症）に位置づけられる．

・**消化器症状**：口腔違和感と口唇腫脹などの粘膜症状と，腹痛・嘔吐・下痢などの症状に分けられる．口腔や咽頭の違和感などの粘膜症状は食物アレルギーの症状のうち最も残りやすいものの一つであり，弱い症状のみであれば，保護者と本人に説明の上，摂取を継続させる場合も多い．口腔アレルギー症候群では唯一の症状となることもある．腹痛は主観的症状であり，症状が継続する場合は陽性と判定する場合もあるが，正確な診断のためにはブラインド法を用いた食物経口負荷試験 oral food challenge（OFC）が必要となる．

表１　アレルギー症状の重症度評価[5, 6]

		グレード１（軽症）	グレード２（中等症）	グレード３（重症）
皮膚・粘膜症状	紅斑・蕁麻疹・膨疹	部分的	全身性	←
	瘙痒	軽い瘙痒（自制内）	強い瘙痒（自制外）	←
	口唇，眼瞼腫脹	部分的	顔全体の腫れ	←
消化器症状	口腔内，咽頭違和感	口，のどのかゆみ，違和感	咽頭痛	←
	腹痛	弱い腹痛	強い腹痛（自制内）	持続する強い腹痛（自制外）
	嘔吐・下痢	嘔気，単回の嘔吐・下痢	複数回の嘔吐・下痢	繰り返す嘔吐・便失禁
呼吸器症状	咳嗽，鼻汁，鼻閉，くしゃみ	間欠的な咳嗽，鼻汁，鼻閉，くしゃみ	断続的な咳嗽	持続する強い咳き込み，犬吠様咳嗽
	喘鳴，呼吸困難	—	聴診上の喘鳴，軽い息苦しさ	明らかな喘鳴，呼吸困難，チアノーゼ，呼吸停止，SpO_2≦92％，締めつけられる感覚，嗄声，嚥下困難
循環器症状	脈拍，血圧	—	頻脈（＋15 回／分），血圧軽度低下，蒼白	不整脈，血圧低下，重度徐脈，心停止
神経症状	意識状態	元気がない	眠気，軽度頭痛，恐怖感	ぐったり，不穏，失禁，意識消失

血圧低下　　：１歳未満＜70mmHg，１～10 歳＜［70mmHg＋（2×年齢）］，11 歳～成人＜90mmHg
血圧軽度低下：１歳未満＜80mmHg，１～10 歳＜［80mmHg＋（2×年齢）］，11 歳～成人＜100mmHg

・**呼吸器症状**：鼻閉・くしゃみ・咳嗽・喘鳴・呼吸困難などが出現する．咳嗽は喘鳴や呼吸困難などの前駆症状として出現することが多く，出現時には頻回の聴診や酸素飽和度の測定を行い，咳嗽の頻度が増えてきた場合は速やかに治療介入を行う．
・**循環器症状**：頻脈・血圧低下のほか，進行すると心停止を引き起こす．症状の出現時には早期のアドレナリン投与が考慮される．
・**神経症状**：活動性の低下から始まり，重症となると意識消失を引き起こす．循環器症状と同様，早期のアドレナリン投与が考慮される．

アナフィラキシーの診断

アナフィラキシーは，重篤な全身性の過敏反応であり，急速に進行し，時に致死的な経過をとる．アナフィラキシーに対する第一選択薬は，アドレナリンの筋肉注射であり，わが国では医療機関での投与のほかに，アドレナリン自己注射液（0.15mg および 0.3mg 製剤）の処方が可能である．

以下の 2 つの基準のいずれかを満たす場合，アナフィラキシーである可能性が非常に高い[4, 7]．

① 皮膚，粘膜，またはその両方の症状（全身性の蕁麻疹，瘙痒または紅潮，口唇・舌・口蓋垂の腫脹など）が急速に（数分～数時間で）発症した場合．さらに，少なくとも次の 1 つを伴う．
・**気道・呼吸**：重度の呼吸器症状（呼吸困難，呼気性喘鳴・気管支攣縮，吸気性喘鳴，PEF 低下，低酸素血症など）．
・**循環器**：血圧低下または臓器不全に伴う症状（筋緊張低下［虚脱］，失神，失禁など）．
・**その他**：重度の消化器症状〔重度の痙攣性腹痛，反復性嘔吐など（特に食物以外のアレルゲンへの曝露後）〕．

② 典型的な皮膚症状を伴わなくても，当該患者にとって既知のアレルゲンまたはアレルゲンの可能性が極めて高いものに曝露された後，血圧低下*または気管支攣縮または喉頭症状（吸気性喘鳴，変声，嚥下痛など）が急速に（数分～数時間で）発症した場合．

*：収縮期血圧のベースラインより 30%以上の低下または乳児および 10 歳以下の小児：[70＋(2×年齢)] mmHg 未満，成人：90mmHg 未満

一部の症例には，経過中（6 ～ 12 時間以内）に二相性反応がみられることがある．強い症状が出た場合，アドレナリン投与が遅れた場合，複数回のアドレナリン投与を要した場合は特に注意が必要であり，医療機関での経過観察が望ましい．

OFC の判定（判定保留と最終判定）

OFC で明らかな症状が誘発された場合，陽性と判定する．症状の出現まで時間がかかることも考慮し，試験翌日まで症状の有無を観察するように本人・保護者に伝える．

OFC 中に症状が誘発されなかった場合は陰性と判定する．OFC 中，グレード 1 に相当するような軽微な症状や，主観的な症状のみの出現の場合は，判定保留とする（図 1）．

陰性例・判定保留例は，OFC での摂取量を上限として自宅で繰り返し摂取し，症状の出現を確認する（図 2）．

自宅での摂取での症状誘発の有無を確認の上，最終判定とする．OFC での判定保留例の 80%，陰性例のほとんどは自宅で摂取可能である[8]が，あらかじめ症状出現の可能性とその際の対処方法（抗ヒスタミン薬の内服や受診の目安など）を説明しておく必要がある．

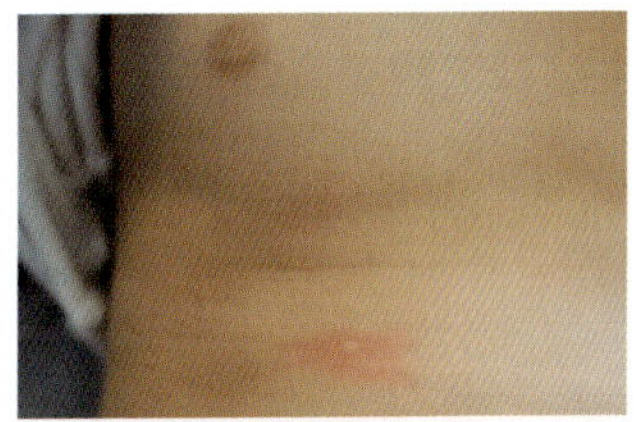

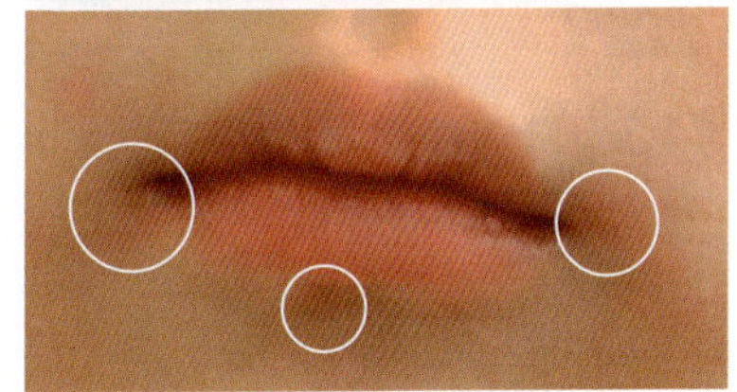

図 1　判定保留の臨床像

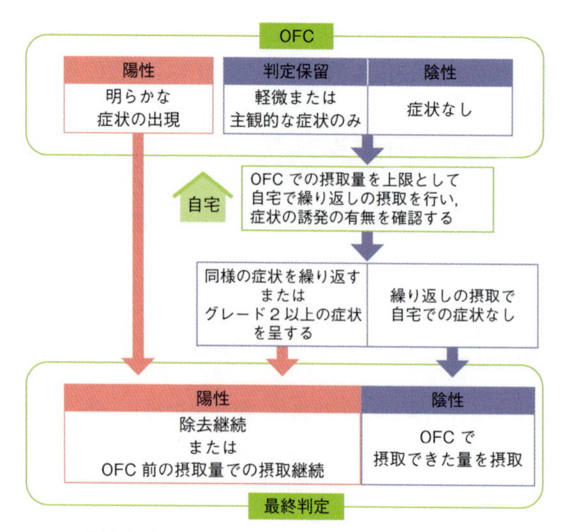

図 2　判定保留と最終判定

即時型症状への対応方法

症状の出現時は ABCDE アプローチ（airway，breathing，circulation，disability，exposure）を念頭に置き，心電図，パルスオキシメーター，血圧計などを装着する．重篤な状態と判断した場合は，必ず応援を呼び，複数人で対応する．臓器ごとに重症度を適切に判断し，速やかに治療を開始し，経時的に症状の変化を確認して重症度を再評価して，必要に応じて追加の治療を行う[9]．アナフィラキシー症状を呈している場合は，仰臥位にして下肢を挙上させることが望ましい．また，急激に患者を立位や座位にすると心拍出量の低下や心室細動を誘発させる可能性がある（empty vena cava）．ただし，呼吸困難などで仰臥位をとれない場合は座位とすることがある．

重症度に基づいた症状に対する治療

グレード 3（重症）の症状に対しては速やかにアドレナリン筋肉注射を行う．

グレード 2（中等症）でも，① 過去の重篤なアナフィラキシーの既往がある場合，② 症状の進行が激烈な場合，③ 循環器症状を認める場合，④ 呼吸器症状で気管支拡張薬の吸入でも効果がない場合にはアドレナリンの投与を考慮する（図 3）．グレード 2 以上の症状には原則として治療介入を考慮する．

グレード 1（軽症）の症状は原則として治療は不要であるが，悪化がないか慎重に経過を観察し，症状が遷延する場合は陽性と判定し，治療を考慮する．

即時型症状に対する薬物療法

アドレナリン　アナフィラキシーの治療に最も有効で第一選択薬である．アドレナリンの血中濃度は筋注後 10 分程度で最高となるが，効果は短時間で消失するため，症状が再燃する場合は，5 ～ 15 分ごとに繰り返し投与を行う．

抗ヒスタミン薬　皮膚粘膜症状に対してよく用いられるが，鎮静によって意識評価が困難にならないよう，第二世代の抗ヒスタミン薬を使用することが望ましい．静注・筋注で使用できるのは第一世代のみで，クロルフェニラミンマレイン酸塩注射液（ポララミン®）がよく用いられるが，アナフィラキシーへの効果には十分なエビデンスがない上に，血圧低下をきたした報告もあり[10]，ルーチンでの投与を行うべきかについては不明である．

ステロイド　二相性反応の予防に使用されるが，急性期への症状にはエビデンスがない[11]．有害な影響を及ぼす可能性も報告されており，ルーチンでの投与を行うべきかどうかについては定まっていない．内服ではプレドニゾロン 1 ～ 2mg/kg（60mg/ 日を超えない）またはデキサメタゾン 0.1mg/kg，静注および点滴静注

基本編

【重症度分類に基づくアドレナリン筋肉注射の適用】

▶グレード3
▶グレード2でも下記の場合は投与を考慮
・過去の重篤なアナフィラキシーの既往がある場合
・症状の進行が激烈な場合
・循環器症状を認める場合
・呼吸器症状で気管支拡張薬の吸入でも効果がない場合

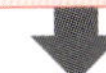
適用なし

▶各臓器の治療を行う
▶症状の増悪がみられたり，改善がみられない場合にはアドレナリンの投与を考慮する

各臓器の治療

【皮膚症状】
・ヒスタミン H_1 受容体拮抗薬の内服

【呼吸器症状】
・β_2 刺激薬の吸入
・必要により酸素投与
・効果が不十分であれば β_2 刺激薬の反復吸入

【消化器症状】
・経口摂取が困難な場合は補液

追加治療として，副腎皮質ステロイド（ステロイド薬）の内服・静脈注射を考慮する

（内服）
プレドニゾロン＊ 1mg/kg
デキサメタゾンエリキシル 0.1mg/kg（1mL/kg）

（静脈注射）
ヒドロコルチゾン 5～10mg/kg
プレドニゾロン＊，メチルプレドニゾロン 1mg/kg

＊：プレドニゾロンは最大量 60mg/ 日を超えない

適用あり

アドレナリン筋肉注射

注射部位：大腿部中央の前外側部
アドレナリン規格：1mg/mL
投与量：0.01mL/kg（0.01mg/kg）
1回最大量：12歳以上 0.5mL（0.5mg），
12歳未満 0.3mL（0.3mg）
もしくは
1～5歳：0.15mL（0.15mg）
6～12歳：0.3mL（0.3mg）
13歳以上および成人：0.5mL（0.5mg）

・高濃度酸素投与（リザーバー付マスクで 10L/ 分）
・臥位，両下肢を 30cm 程挙上させる
・急速補液（生食もしくはリンゲル液などの等張液）10mL/kg を 5～10 分の間に投与

再評価 5～15 分

・安定していれば各臓器の治療を行う
・症状が改善しない場合
アドレナリン筋肉注射
急速補液 同量を再投与

治療に反応せず，血圧上昇が得られない場合

・アドレナリン持続静注 0.1～1 μg/kg/ 分
・呼吸状態が不安定な場合は気管内挿管を考慮
《アドレナリン持続静注薬の調整方法》
体重（kg）×0.06mL を生理食塩水で計 20mL とすると 2mL/ 時で 0.1 μg/kg/ 分となる

図3　重症度に基づいた症状に対する治療

（文献 2）より一部改変）

ではハイドロコルチゾン 5～10mg/kg, プレドニゾロンまたはメチルプレドニゾロン 1～2mg/kg を用いる．

気管支拡張薬（β_2 刺激薬） 連続する咳嗽や聴診上の喘鳴などの呼吸器症状に対して，酸素投与に合わせて使用される．効果発現は早く，吸入のみで症状が軽快する場合は，そのまま経過観察を行う．吸入中に悪化する場合や吸入しても改善が不十分な場合はアドレナリンの筋肉注射を行う．プロカテロール 0.3mL（30 μg）またはサルブタモール 0.3mL（1.5mg）の吸入を行う．

グルカゴン アドレナリンに反応しない患者，特に β ブロッカーが投与されている患者にはグルカゴンが有効な可能性があり，1～5mg（小児 20～30 μg/kg，最大 1mg）を 5 分以上かけて緩徐に静注する．

1) 食物アレルギーの診療の手引き 2020.
2) 日本小児アレルギー学会食物アレルギー委員会：食物アレルギー診療ガイドライン 2021．協和企画，2021.
3) Sampson, HA：Pediatrics, 111：1601-1608, 2003.
4) Anaphylaxis 対策委員会編：アナフィラキシーガイドライン 2022．日本アレルギー学会，2022.
5) Yanagida N, et al.：Int Arch Allergy Immunol, 172：173-182, 2017.
6) 柳田紀之，ほか：日小児アレルギー会誌，28：201-210，2014.
7) Cardona V, et al.：World Allergy Organ J, 13：100472, 2020.
8) Miura T, et al.：Pediatr Allergy Immunol, 66-71, 2018.
9) 厚生労働科学研究班による食物経口負荷試験の手引き 2020.
10) Ellis BC, et al.：Emerg Med Australas, 25：92-93, 2013.
11) Matsui T, et al.：Allergy, 78：537-539, 2023.

9 経口免疫療法

食物アレルギー患者に対する経口免疫療法 oral immunotherapy（OIT）に関する報告は近年増加し，位置づけと指標に関する変化がみられている．日本の「食物アレルギー診療ガイドライン 2021」ではクリニカルクエスチョンに対してシステマティックレビューを行い，OIT の有効性と安全性が評価されている．また，世界アレルギー機構の Global Allergy and Asthma European Network（GA^{2}LEN）が 2022 年に提唱したガイドライン[1]では，重症な即時型食物アレルギー児に対する OIT の実施を推奨することが記載されるようになった．本項では，OIT の実施条件・対象・方法などに関して解説し，日本や世界のガイドラインに基づく OIT の変化と，新しい免疫療法に関して説明する．

OIT の定義

「食物アレルギー診療ガイドライン 2021」では，OIT とは「自然経過では早期に耐性獲得が期待できない症例に対して，事前の食物経口負荷試験 oral food challenge（OFC）で症状誘発閾値を確認した後に原因食物を医師の指導のもとで継続的に経口摂取させ，脱感作状態や持続的無反応の状態とした上で，究極的には耐性獲得を目指す治療」と定義している．また，現時点では，臨床研究として実施される治療法であり，一般的な治療法として推奨されていない．

実施する対象

乳幼児期に発症する鶏卵・牛乳・小麦アレルギーは自然経過で耐性獲得を期待しやすい[2〜4]．ピーナッツ・ナッツ類アレルギーでも一部の患者は自然に耐性を獲得する[5]．現時点の日本での OIT の対象は，① OFC で診断された即時型食物アレルギーで，② 自然経過で早期に耐性獲得が期待できない症例である．当院では，原則は 6 歳以上の就学児を対象に OIT を実施している．GA^{2}LEN は 4 歳以上の児に実施することを推奨している[1]．また，原因食物に対するアナフィラキシーの既往がある患者，特異的 IgE 抗体価が高値の患者，症状誘発閾値が低い患者は耐性獲得が困難であることが予測される[6]．OIT を実施する際には，OFC を実施することで症状誘発閾値や症状に対する評価を正確に行った上で，安全性に配慮した適切な OIT を選択する．

方法

OIT の多くは，導入期（数日程度）・増量期（数週間〜数ヵ月程度）・維持期（数ヵ月〜数年程度）で構成される．導入期〜増量期に維持量を目標として摂取量を増量し，維持量に到達した後は維持量を連日摂取する．当院で実施している少量を目標とした OIT のプロトコールを図に示す．当院では，導入期の前からロラタジンを内服した上で微量の食物抗原を導入する．退院後は自宅で維持量まで緩徐に増量する．食物抗原を連日摂取すると症状が現れない状態（脱感作状態）が維持される．この脱感作状態で OIT を中断すると，症状が出やすい．したがって，脱感作状態のまま OFC を実施しても症状が誘発されにくく，正確な評価ができない．OIT の効果を評価するために，OIT を一定期間（2 週間〜数ヵ月間）中断した後に OFC を実施し，OFC が陰性の場合を持続的無反応 sustained unresponsiveness（SU）と定義する．最近は，SU を評価している研究が散見される．

副反応に対する対応（安全性）

OIT中には，副反応を経験することがあり，アナフィラキシーが起こることも想定しなければならない．よって，副反応に迅速に対応できる食物アレルギー診療を熟知した専門医が実施する．当院では，患者および保護者には，抗ヒスタミン薬，経口ステロイド，β_2刺激吸入薬，アドレナリン自己注射液（エピペン®）を処方し，保護者が誘発症状に適切に対応できるように丁寧に指導をしている．症状を誘発しやすいリスク（体調不良，胃腸炎，発熱，運動，入浴，抜歯など）や，リスクがある状態でのOITの中断や再開方法，摂取後に安静を保つこと，医療機関を受診しにくい外出先では摂取はしないことに関して，患者用のマニュアルを作成して説明している．また，症状出現時の対応のため，近隣の救急医療施設と連携をとることが必須である．当院では，OITに関する相談を24時間365日受けられる体制をとっている．

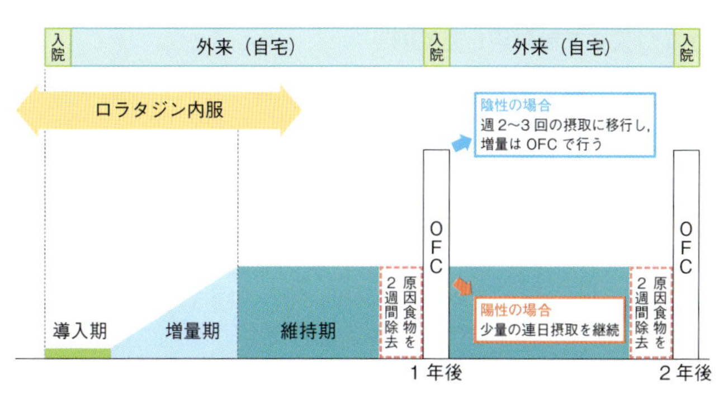

図　OITのプロトコール

治療効果と副反応に関する知見

食物アレルギー診療ガイドラインでは，鶏卵と牛乳について，OITの治療効果に関するクリニカルクエスチョンについてシステマティックレビューが実施された．治療効果に関しては，鶏卵と牛乳のいずれも，OITを実施した群（OIT群）はコントロール群（完全除去群）と比較して，OIT実施後に摂取可能量が増加した患者の人数割合や，日常摂取量まで増量した人数割合が高かった．

安全性に関しては，副反応の発症リスクは，OIT群はコントロール群と比較して有意に高かった．したがって，鶏卵や牛乳OITの治療効果は期待できるが，OITを実施することで副反応を経験するリスクは高いため，安全性に配慮した実施が必要である．

さまざまなOIT

少量を目標としたOIT

有効性：当院で実施した少量（牛乳3mL，鶏卵1/8個，うどん2g）を目標としたOITの3年経過では，2週間除去後の牛乳25mL，全卵1/2個，うどん15gのOFCが陰性（short-term unresponsiveness：STU）の3年後の達成率は牛乳で61%，鶏卵で55%，小麦で25%であり，3年間完全除去をしていたコントロール群と比較し有意に多かった（61% vs. 13%，$p=0.002$，55% vs. 5%，$p<0.001$，25% vs. 0%，$p=0.07$）[7～9]．このように，目標量を低く設定し，耐性獲得を目標としていないため，日常摂取量の摂取が可能となるかは証明できていない．しかしながら，牛乳25mL，全卵1/2個，うどん25g相当を摂取できると，OITでも日常的にさまざまな加工品を摂取することが可能になるため（p.62参照），患者の食生活を豊かにする．また，重症のアレルギー児に対して誤食による症状誘発を減少させる効果が期待できる．

安全性：当院では，牛乳・鶏卵・小麦の少量OITを実施した3年間で，摂取回数あたりの自宅での重症な副反応の頻度とアドレナリン筋肉内注射の使用頻度は0～0.03%と非常に少なかった[7～9]．他施設の報告では，目標量を20mLに設定したlow-dose群と100mLに設定したhigh-dose群にランダム化した牛乳OITを実施し，1年間の自宅での重症の副反応とアドレナリン筋肉内注射の使用頻度は，low-dose群で有意に低かった（$p=0.018$）[10]．よって，目標量を少量に設定することで，目標量がより高く設定されていた従来のOITに比べ安全性を改善できることが明らかになった．

オマリズマブを併用したOIT

有効性：牛乳アレルギー児57名にオマリズマブを28週間併用しOITを行う群とOITを単独で行う群にランダム化した研究では，目標量の牛乳タンパク10gに対し脱感作状態になった患児の割合はオマリズマブ併用群とOIT単独群で有意差は認めなかった（86% vs. 69%, p=0.18）[11]．また，ピーナッツアレルギー児13名を対象としたオマリズマブを12週間併用したOITの72ヵ月後までの経過報告では，患児の12名（92%）が治療期間内に維持量（ピーナッツタンパク0.5～3.5g）に到達したが，開始69ヵ月後にピーナッツの摂取を継続できていたのは7名（69%）のみであった[12]．

安全性：牛乳のオマリズマブ併用OITでは，患者ごとの摂取回数あたりの副反応の頻度は，オマリズマブ併用OIT群がOIT単独群と比較し有意に少なかった（0% vs. 3.4%，p＜0.001）[11]．一方で，ピーナッツのオマリズマブ併用OITでは，オマリズマブの使用終了後から72ヵ月間で1例（8%）に重症な副反応を認め，6例（50%）がアドレナリン筋肉内注射を12回投与した[12]．また，牛乳のOITの長期経過の報告では，オマリズマブ中止後に36%がピーナッツ摂取に伴いアナフィラキシーを認めていた[13]．

オマリズマブの併用は，OITの効果の向上は現時点では示されていない．オマリズマブ併用中はOITの安全性を高めるが，併用終了後には副反応を認める可能性があり，OITの継続には適切な指導が必要である．今後，食物アレルギーに対する生物学的製剤の使用が，日本でも検討されることを期待したい．

プロバイオティクスを併用したOIT

有効性：乳酸菌やビフィズス菌などのプロバイオティクスは食品として扱われており，これらは腸内細菌叢の構成や多様性に影響を与え，腸管の制御性T細胞を誘導する働きがあることが明らかとなっている．

ピーナッツアレルギー患者に対して，プロバイオティクス（*Lactobacillus rhamnosus*）を併用したOITとプラセボにランダム化した研究では，OIT開始から18ヵ月後に，ピーナッツを2～5週間除去後のピーナッツタンパク4gのOFCが陰性（SU）を達成した患者の割合はプロバイオティクス併用OIT群がプラセボ群よりも有意に高かった（82.1% vs. 3.6%，p＜0.001）[14]．さらに，ピーナッツ併用OIT群，OIT単独群，プラセボ群にランダム化した追試の結果では，ピーナッツ8週間完全除去後にピーナッツタンパク4,950mgのSUを達成した患者の割合は，ピーナッツ併用OIT群が46%，OIT単独群では51%であり有意差は認めなかった[15]．

安全性：ピーナッツ併用OIT群とOIT単独群の副反応の頻度を比較した結果，総症状回数はピーナッツ併用OIT群が有意に低かった〔オッズ比（OR）0.92，p=0.042〕．さらに，消化器症状も有意にピーナッツ併用OIT群が有意に低かった（腹痛：OR 0.80，p=0.0043，嘔吐：OR 0.50，p=0.032）．一方で，下痢の頻度はピーナッツ併用OIT群が有意に高かった（OR 3.99，p=0.021）．

プロバイオティクスの併用はOITの副反応の，特に消化器症状の誘発頻度を低下させる効果が期待できる．プロバイオティクスは食品であり摂取しやすく，今後はOITの安全性を高めるのには使用しやすい．今後は，プロバイオティクスのアレルギーに対するメカニズムの解明により，OITへの効果向上も期待したい．

製剤化したOIT

有効性：アメリカではピーナッツアレルギー患者にOITを実施するためのOIT製剤（Palforzia®）が，市場で販売されている．4～55歳のピーナッツアレルギー患者に対して，ピーナッツタンパク100mgのOIT製剤を使用したピーナッツOIT群とプラセボ群にランダム化した研究では，4～17歳のピーナッツOIT群では67%がピーナッツタンパク600mgの脱感作状態に到達したのに対し，プラセボ群では4%であった（p＜0.001）[16]．さらに2年後にピーナッツタンパク1,000mgの脱感作状態になった患者の割合は，OITを継続している患者がOITを中断した患者よりも有意に高かった（OIT継続群 72～96.2% vs. OIT中断群57.9～68.2%）[17]．当院では，加熱牛乳・加熱鶏卵粉末を使用したOITを実施した．加熱牛乳粉末を用いたOITと非加熱牛乳のOITのランダム化比較試験では，目標量を加熱牛乳3mL相当とし，1年後に加熱牛乳25mLのSTUを達成した患者の割合は加熱牛乳OIT群では18%，非加熱牛乳OIT群では31%だった（p=0.43）[18]．加熱鶏卵粉末を用いたOITでは，3年後に全卵1/2個のSTUを達成した患者は55%だった[8]．

安全性：重症な副反応を経験した患者の割合は，ピーナッツOIT群では4.3%，プラセボ群では0.8%であった[16]．2年間の経過フォロー中には，いずれかの副反応を経験した患者の割合は，OIT継続群では50%に対し，OIT 中断群では 86%であった[17]．加熱牛乳 OIT と非加熱牛乳 OIT の総摂取回数あたりの副反応の頻度は 8.8%と 9.6%，中等症～重症の副反応の頻度は 0.7%と 1.2%であり，加熱牛乳 OIT 群のほうが有意に低かった（p=0.01，0.002）[18]．加熱鶏卵 OIT3 年間の摂取回数あたりの副反応の頻度は 15.9%であり，重症な副反応は 0.04%だった[8]．

OIT 製剤の使用により正確な量を摂取することは可能となるが，長期継続している患者でも副反応は経験している．OIT 製剤の長期継続に関する指導は必要であり，ピーナッツ OIT でも目標量を低くするなどの安全性に配慮した方法が望ましいだろう．

経皮免疫療法

有効性：経皮免疫療法 epicutaneous immunotherapy（EPIT）はアレルゲン含有パッチを湿疹や傷のない正常な皮膚に貼付することにより，皮膚の免疫学的メカニズムを介して，全身性の制御性 T 細胞を誘導し特異的 IgE 抗体価を低下させることが報告されている．

ピーナッツタンパク 250μg または 100μg またはプラセボを含有した Viaskin peanut（VP）を用いたランダム化比較試験では，52 週間後に実施されたピーナッツタンパク 5,044mg の OFC が陰性の患者の割合は VP 250μg 群で 48%であった[19]．また，VP 250μg またはプラセボにランダム化した研究では，ピーナッツタンパク 3,444mg の OFC が陰性だった患者の割合は VP 250μg 群がプラセボ群よりも有意に多かった（35.3% vs. 13.4%，$p < 0.001$）[20]．さらに，VP 250μg を 3 年間継続した 141 名の患者では，2ヵ月間ピーナッツ除去後にピーナッツタンパク 1,000mg 以上の SU を達成したのは 10%であった[21]．

安全性：最も多い副反応は，パッチ貼付部の皮膚局所反応であり，中等症以上の全身症状は 1 例のみであった[19]．VP 250μg を 3 年間継続していた患者で局所の副反応を経験した割合は 1 年目で 96.5%，2 年目で 99%，3 年目で 29.9%であった．また，1 名が軽度のアナフィラキシー症状を認めたが，アドレナリン筋肉注射の使用はなかった[21]．

EPIT は比較的安全性が高く，症状誘発閾値の低い重症な患者などには適応しやすい可能性がある．一方で，有効性は OIT に劣るため，EPIT と OIT を組み合わせた方法により安全に有効性を高める治療方法が提案できるかもしれない[21]．

OIT の有効性と安全性を向上させるためにさまざまな研究結果が報告されている．これらの OIT を実施する対象と選択方法はまだ示されていない．安全性に十分に配慮しながら，今後はさらなる新しい治療法の提案とともに，エビデンスを集積することで個々の患者に適した OIT の方法を選択できることを期待したい．

1) Muraro A, et al.：World Allergy Organ J, 15：100687, 2022.
2) Koike Y, et al.：Int Arch Allergy Immunol, 175：177-180, 2018.
3) Koike Y, et al.：Int Arch Allergy Immunol, 176：249-254, 2018.
4) Ohtani K, et al.：Allergol Int, 65：153-157, 2016.
5) Savage J, et al.：J Allergy Clin Immunol Pract, 4：196-203, 2016.
6) Yanagida N, et al.：Pediatr Allergy Immunol, 29：417-424, 2018.
7) Miura Y, et al.：Pediatr Allergy Immunol, 32：734-741, 2021.
8) Sasamoto K, et al.：J Allergy Clin Immunol Global, 1：138-144, 2022.
9) Nagakura K, et al.：J Allergy Clin Immunol Pract, 10：1117-1119.e2, 2022.
10) Takaoka Y, et al.：Int Arch Allergy Immunol, 181：699-705, 2020.
11) Wood RA, et al.：J Allergy Clin Immunol, 137：1103-1110.e11, 2016.
12) Yee CSK, et al.：J Allergy Clin Immunol Pract, 7：451-461.e7, 2019.
13) Ibáñez-Sandín MD, et al.：Pediatr Allergy Immunol, 32：1287-1295, 2021.
14) Tang MLK, et al.：J Allergy Clin Immunol, 135：737-744.e8, 2015.
15) Loke P, et al.：Lancet Child Adolesc Heal, 6：171-184, 2022.
16) Group TP, Investigators C：N Engl J Med, 379：1991-2001, 2018.
17) Vickery BP, et al.：J Allergy Clin Immunol Pract, 9：1879-1889.e14, 2021.
18) Nagakura K, et al.：Pediatr Allergy Immunol, 32：1-9, 2021.
19) Jones SM, et al.：J Allergy Clin Immunol, 139：1242-1252. e9, 2017.
20) Fleischer DM, et al.：JAMA, 321：946-955, 2019.
21) Fleischer DM, et al.：J Allergy Clin Immunol, 146：863-874, 2020.

10 予後

食物アレルギーは小児期から成人期までさまざまな臨床型が存在し，発症パターン，主要原因抗原などが年齢によって変化する．食物アレルギーの自然経過についても，それらの臨床型や抗原の種類により異なる．本項では臨床型別の自然歴と，小児期発症の即時型食物アレルギーを中心とした原因抗原別の耐性獲得（寛解）について論ずる．

臨床型別の自然歴

① 耐性化しやすいタイプの臨床型

新生児・乳児食物蛋白誘発胃腸症

新生児期，乳児期早期に主に牛乳蛋白が原因となり発症する食物アレルギーである．治療には加水分解乳やアミノ酸調整乳を用いる．これらの治療導入など適切に対応すれば，多くの症例は 1 歳までに耐性を獲得するとされている．近年わが国でも増加している卵黄などを原因抗原とする固形食材による食物蛋白依存性胃腸炎の自然歴は，まだ不明な点が多い．

食物アレルギーの関与する乳児アトピー性皮膚炎

生後 3ヵ月以内に顔面の瘙痒感の強い湿疹で始まり，スキンケアやステロイド外用療法を行っても改善がみられないのが典型例である．即時型症状への移行例も多く，多抗原に感作されているような症例では不必要な除去を防ぐためにも専門施設での適切な診断・治療が必要である．即時型食物アレルギー発症のリスクを回避するためにも，また早期に耐性獲得させるためにも，早期に診断し対応することが重要である．

即時型症状

即時型反応は乳児から成人まですべての年齢で起こりうる．学童・成人発症の場合は自然に寛解していくことは少ないが，乳児期発症例では，抗原の種類によっては寛解しやすいことが多い．抗原別の自然歴については次項で述べる．

② 治りにくいタイプの臨床型

食物依存性運動誘発アナフィラキシー（FDEIA）

ある特定の食物摂取に運動負荷が加わることによってアナフィラキシー症状が誘発されるタイプのアレルギーである．症状が進行した場合はアナフィラキシーショックを呈し生命の危険もある．長期的な予後は不良である可能性が高いため，原因となる食物を特定し，原因食物を摂取して 2 ～ 4 時間以内に運動しないことを徹底することが重要である．

花粉-食物アレルギー症候群（PFAS）

口腔粘膜に限局した IgE 抗体を介した即時型アレルギー症状である．花粉によって経気道的に感作が成立し，花粉と交差抗原性がある果物・野菜が主要な原因食物となることが多い．症状は，口唇，舌，咽頭の急激な瘙痒・違和感など口腔内に限局したものが主である．予後に関する報告は少ないが，一度発症すると寛解は難しいと考えられている．

抗原別の自然歴

小児期発症の食物アレルギーの多くは加齢に伴い耐性が獲得されるが，近年耐性獲得遷延に関与する因子が明らかになってきている．また原因抗原，発症年齢などにより耐性獲得率が異なることも知られてきている．今井らは乳児期に鶏卵，牛乳，小麦のいずれか，もしくは複数の食物アレルギーがあるものを対象として検討し，6 歳以降も除去制限が遷延化する危険因子は，アナフィラキシーショック歴，アトピー性皮膚炎の遷延，特異的 IgE 抗体価高値，最大除去品目数が多いことであることがわかった[1]．原因抗原別では乳児期発症の大部分を占める鶏卵，牛乳，小麦の食物アレルギーはその 80 ～ 90％が耐性を獲得するとされ，大豆，小麦，鶏卵，牛乳の順に獲得しやすい．また耐性獲得しにくいものとしては，ソバ，ピーナッツ，ナッツ類，甲殻類，魚類がある．

鶏卵アレルギー

鶏卵アレルギーの経過についてはさまざまな報告がある．対象の重症度や診断法の違いなどで文献により耐性獲得の時期は異なるが，4 歳～ 4 歳半までに，約 50％が耐性を獲得するという報告が多い．食物経口負荷試験（OFC）を施行した 2005 年生まれの鶏卵アレルギー児の経過を追った Ohtani らの報告では，3 歳までに 30％，6 歳までに約 70％が耐性を獲得していた[2]．また，Taniguchi らは，アレルギー症状出現の既往のある鶏卵アレルギーを対象とした 6 ～ 12 歳までの経過を報告しており，7，9，12 歳までの耐性獲得率はそれぞれ 14.6％，40.8％，60.5％であった（図 1）[3]．耐性化に関わる因子としては，多くの報告で特異的 IgE 抗体価高値や食物アレルギー以外のアレルギー疾患の合併などが報告されている．Taniguchi らの報告では，6 歳までの鶏卵摂取によるアナフィラキシー歴や，オボムコイド特異的 IgE 抗体価が高値であることが遷延化に関与していた（図 2）[3]．

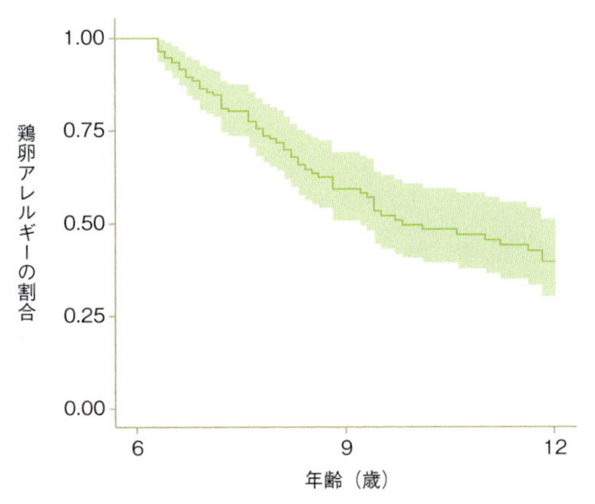

図 1　6～12 歳の鶏卵アレルギー寛解率のカプランマイヤー曲線[3]
陰影部は 95％信頼区間.

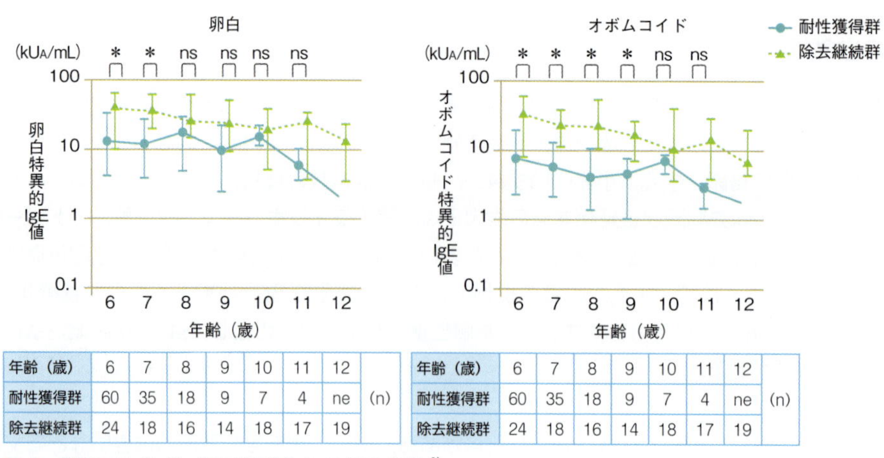

年齢（歳）	6	7	8	9	10	11	12	
耐性獲得群	60	35	18	9	7	4	ne	(n)
除去継続群	24	18	16	14	18	17	19	

年齢（歳）	6	7	8	9	10	11	12	
耐性獲得群	60	35	18	9	7	4	ne	(n)
除去継続群	24	18	16	14	18	17	19	

図 2　鶏卵アレルギー児の特異的 IgE 値の推移[3)]

牛乳アレルギー

牛乳アレルギーの自然経過についても多くの報告があり，特異的 IgE 抗体が関与する症例では 3 歳で 50%が耐性を獲得しているのがほとんどである．2012 年に報告されたイスラエルからのコホート研究では，4～6 歳での耐性化率は 57.4%である[4)]が，2007 年のアメリカからの報告では 4 歳で 5%，6 歳で 12%，16 歳で 55%であり[5)]，対象の背景や診断方法により数値にばらつきがみられる．わが国では，Koike らの 2018 年の報告によると，3 歳までに 33%，6 歳までに約 85%が耐性を獲得していた（図 3）[6)]．鶏卵と同様に，特異的 IgE 抗体価が高い場合は耐性が獲得されにくい傾向にあり，6 歳以降も牛乳アレルギーが遷延した群では，3 歳未満に寛解した群と比較して牛乳およびカゼイン特異的 IgE 抗体価が生後 6ヵ月時から有意に高く，それ以降も高く推移した（図 4）[6)]．

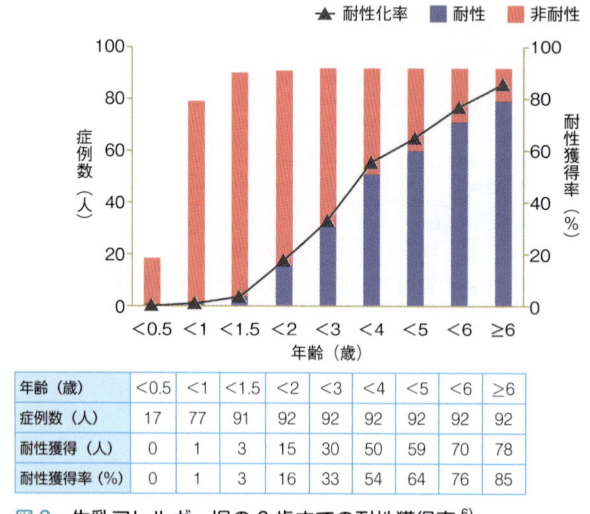

年齢（歳）	<0.5	<1	<1.5	<2	<3	<4	<5	<6	≥6
症例数（人）	17	77	91	92	92	92	92	92	92
耐性獲得（人）	0	1	3	15	30	50	59	70	78
耐性獲得率（%）	0	1	3	16	33	54	64	76	85

図 3　牛乳アレルギー児の 6 歳までの耐性獲得率[6)]

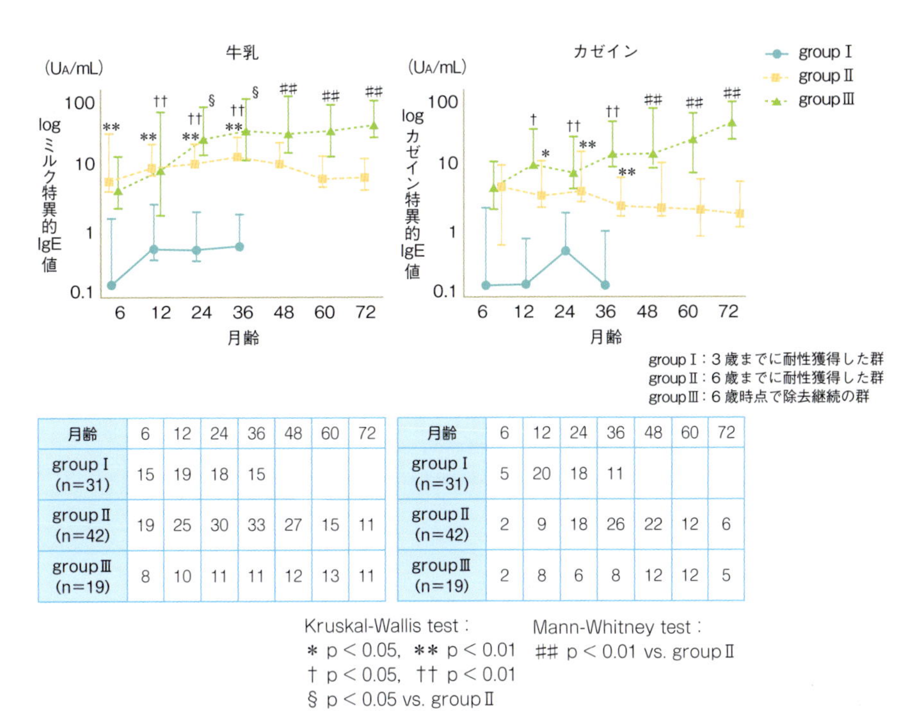

牛乳

月齢	6	12	24	36	48	60	72
group I (n=31)	15	19	18	15			
group II (n=42)	19	25	30	33	27	15	11
group III (n=19)	8	10	11	11	12	13	11

カゼイン

月齢	6	12	24	36	48	60	72
group I (n=31)	5	20	18	11			
group II (n=42)	2	9	18	26	22	12	6
group III (n=19)	2	8	6	8	12	12	5

Kruskal-Wallis test：
＊ $p < 0.05$, ＊＊ $p < 0.01$
† $p < 0.05$, †† $p < 0.01$
§ $p < 0.05$ vs. group II

Mann-Whitney test：
$p < 0.01$ vs. group II

図 4　牛乳アレルギー児の特異的 IgE 値の推移[6)]

小麦アレルギー

小麦アレルギーについては，報告により数値にばらつきはあるが，4 歳までに 3～6 割，8 歳までに 5 割～7 割が耐性獲得したとされている．わが国からの 2018 年の報告によると，OFC 結果または病歴から診断された 83 例の小麦アレルギー児では 3，5，6 歳までにそれぞれ 20.5%，54.2%，66.3%が耐性を獲得していた（図 5）[7)]．鶏卵や牛乳と同様に，特異的 IgE 抗体価が高い場合は耐性が獲得されにくい傾向にあった（図 6）[7)]．

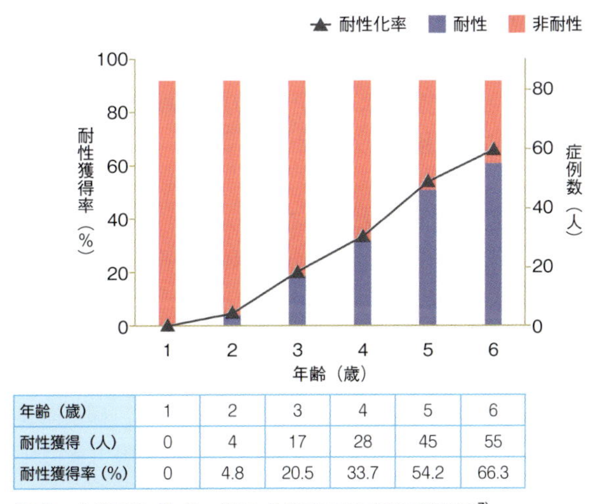

年齢（歳）	1	2	3	4	5	6
耐性獲得（人）	0	4	17	28	45	55
耐性獲得率（%）	0	4.8	20.5	33.7	54.2	66.3

図 5　小麦アレルギー児の 6 歳までの耐性獲得率[7)]

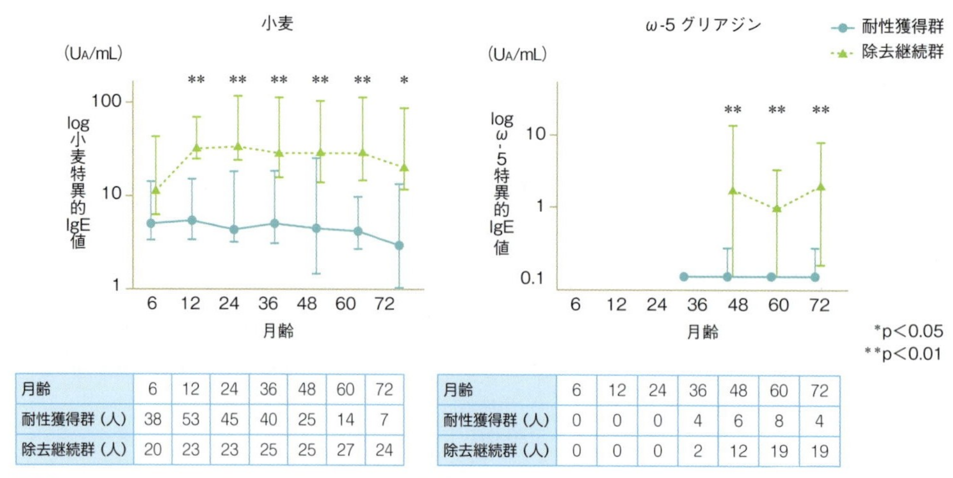

月齢	6	12	24	36	48	60	72
耐性獲得群（人）	38	53	45	40	25	14	7
除去継続群（人）	20	23	23	25	25	27	24

月齢	6	12	24	36	48	60	72
耐性獲得群（人）	0	0	0	4	6	8	4
除去継続群（人）	0	0	0	2	12	19	19

図6　小麦アレルギー児の特異的 IgE 値の推移[7)]

大豆アレルギー

乳幼児期に発症する大豆アレルギーは早期に耐性獲得すると考えられている．わが国の池松らの報告によると，耐性化率の経年的変化は生後半年～ 1 歳時に 30.4%，2 ～ 3 歳には 78.3%であった[8)]．アメリカの，即時型症状の出現歴のある症例を対象とした調査では，耐性化率が 4 歳までで 25%，6 歳までで 45%，10 歳時で 69%であった．大豆特異的 IgE 値のピークが高いことが，遷延化に関与していた[9)]．

ピーナッツアレルギー

ピーナッツは，耐性獲得しにくい食材に分類される．オーストラリアのコホート研究では，6 歳までの寛解率は 29%であった[10)]．イギリスの，ピーナッツへの即時歴および感作陽性者を対象とした研究では，4 歳時に診断された対象の 10 歳までの耐性化率が 17%であった[11)]．耐性獲得に影響する因子としては，乳児期早期の湿疹の有無，プリックテスト（SPT）の膨疹径などが報告されている[10)]．

木の実類アレルギー

木の実類アレルギーの予後に関する報告は多くないが，一般的には耐性化は低いと考えられている．アメリカからの，101 例の症例を対象とした後方視的検討では耐性獲得率は 9%，497 例への保護者への聞き取りによる調査では 14%，との報告がある[12)]．

ゴマアレルギー

イスラエルからの報告によると，即時型既往のあるゴマアレルギー 45 例のうち，6 年の観察期間で 20%が耐性を獲得していた[13)]．さらに同国による最近の後方視的検討では，190 例のゴマアレルギー児のうち，32.1%が約 4 年の観察期間に耐性獲得していた[14)]．

ソバアレルギー

ソバアレルギーの自然歴の報告は少ないが，わが国でのソバアナフィラキシーの既往のある 12 例に対する，平均 10 年間の除去期間後に OFC を施行したところ 8 例（75%）が陰性であったと報告されており[15)]，一定数は耐性獲得する可能性が示唆される．

魚類アレルギー

魚類は，自然歴に関する報告がほとんどなく，耐性獲得しにくいと考えられていた．ギリシャの小児における IgE 介在性魚類アレルギーの自然経過を検討した前向き研究では，観察期間中にタラに対する耐性が 22%と報告している[16)]．最近のシンガポールからの報告では，中央値 1 歳に発症した魚類アレルギーの 108 例の検討では，5 歳までに 25.9%が寛解していた[17)]．

その他（甲殻類，果物）

年長児発症の果物・野菜アレルギーなどの花粉-食物アレルギー症候群では，多くの患者は自然に誘発食物を摂取しなくなることもあり，自然歴に関してまだ不明な点が多いが，寛解率は低いと考えられる．また，成人型食物アレルギーの原因抗原として多いソバ，甲殻類，魚類は耐性獲得しにくいことがわかっている．

食物アレルギーの診療において，原因食物ごとの予後の特徴を把握しておくことは重要である．食物アレルギーの自然歴は原因食物によって大きく異なり，また同食材であっても研究の方法により結果のばらつきがみられるため，その解釈には注意が必要である．また近年わが国において罹患率が増加しているナッツ類を含む，主要原因食物以外の自然歴の報告は少ないため，実態解明のため今後の報告が待たれる．

1) 今井孝成，ほか：遷延する食物アレルギーの検討．アレルギー，56：1285-1292，2007.
2) Ohtani K, et al.：Natural history of immediate-type hen's egg allergy in Japanese children. Allegol Int, 65：153-157, 2016.
3) Taniguchi H, et al.：Natural history of hen's egg：a prospective study in children aged 6 to 12 years. Int Archi Allergy Immunol, 183：14-24, 2022.
4) Elizure A, et al.：Natural course and risk factors for persistence of IgE-mediated cow's milk allergy. J Pediatr,161：482-487, 2012.
5) Skripak JM, et al.：The natural history of IgE-mediated cow's milk allergy. J Allergy Clin Immunol, 120：1172-1177, 2007.
6) Koike Y, et al.：Predictors of persistent milk allergy in children：a retrospective cohort study. Int Arch Allergy Immunol, 175：177-180, 2018.
7) Koike Y, et al.：Predictors of persistent wheat allergy in children：a retrospective cohort study. Int Arch Allergy Immunol, 176：1-6, 2018.
8) 池松かおり，ほか：乳児期発症食物アレルギーに関する検討（第２報）―卵・牛乳・小麦・大豆アレルギーの３歳までの経年的変化．アレルギー，５：533-541，2006.
9) Savage JH, et al.：The natural history of soy allergy. J Allergy Clin Immunol, 125：683-686, 2010.
10) Peters RL, et al.：The natural history of peanut and egg allergy in children up to age 6 years in the HealthNuts population-based longitudinal study. J Allergy Clin Immunol, 150：657-665. e-13, 2022.
11) Arshad SH, et al.：The natural history of peanuts sensitization and allergy in a birth cohort. J Allergy Clin Immunol, 134：1462-1463.e6, 2014.
12) Mc William VL, et al.：Prevalence and natural history of tree nut allergy. Ann Allergy Asthma Immunol, 124：466-472, 2020.
13) Cohen A, et al.：Sesame food allergy and sensitization in children：the natural history and long-term follow-up. Pediatr Allergy Immunol, 18：217-223, 2007.
14) Mahlab-Guri K, et al.：Characteristics of patients with spontaneous resolution of sesame allergy. Ann Allergy Asthma Immunol, 128：206-212, 2022.
15) Yanagida N, et al.：Reaction of Buckwheat-hypersensitive patients during oral food challenge are rare, but often anaphylactic. Int Archi Allergy Immunol, 172：116-122, 2017.
16) Xepapadaki p, et al：Natural history of IgE-mediated fish allergy in children. J allergy Clin Immunol Prac, 9：3147-3156, 2021.
17) Tan LL, et al.：IgE-mediated fish allergy in Singaporean children. Asian Pac J Allery Immunol, 2023.

基本編

11 遷延する症例の管理・治療目標

背　景

食物アレルギーは小児期に発症することが多く小児科領域の疾患と捉えられてきたが，近年，思春期・成人領域においても対応が必要になってきている[1]．その背景の要因を表にまとめた．まず小児期発症の食物アレルギーが思春期，成人期まで遷延する症例が増加していることが挙げられる．乳児期発症の鶏卵，牛乳，小麦の食物アレルギーの7～8割は小学校入学前に自然寛解するが，2～3割は小学校まで持ち越す．さらに小学校，中学校，高校と寛解していく例もあるが，成人期まで持ち越す例が増えてきている．ピーナッツや木の実類の食物アレルギーは鶏卵，牛乳，小麦などと異なり自然寛解例が2～3割程度に留まり，7～8割程度は成人にまで持ち越すと考えられている．即時型食物アレルギー全国モニタリング調査を3年に一度，全国1,000名の医師をモニターに過去20年間行ってきたが，この10年でクルミ，カシューナッツなどの木の実類アレルギーの増加が顕著である[2]．

表　思春期・成人期に遷延する食物アレルギーの増加の背景

要　因	理　由
乳児期発症の食物アレルギーの難治化	一部の難治例の存在
小児期発症の木の実類アレルギー（クルミ，カシューナッツ）の急増	自然寛解する例は少ない
全年齢での花粉 - 食物アレルギー症候群の増加	花粉症の増加
学童期以降発症の食物依存性運動誘発アナフィラキシー	果物類の増加（GRPの関与？）

背景の第二の要因として思春期，成人期発症の食物アレルギーの増加があげられる．花粉–食物アレルギー症候群 pollen-food allergy syndrome（PFAS）や食物依存性運動誘発アナフィラキシー food-dependent exercise-induced anaphylaxis（FDEIA）は小児期から成人期までの幅広い年代で発症がみられる．花粉症はスギ・ヒノキが代表的であるが，本州ではその飛散時期に重なってハンノキ花粉が飛散している．北海道ではシラカバ花粉症が主であり，シラカバやハンノキ花粉と相同性を有するコンポーネントがリンゴ，モモ，梨などのバラ科の果物中に存在する．Bet v 1ホモログあるいはPR-10と呼ばれ，このような交差抗原性に基づいて発症するのがPFASである．イネ科の花粉，キク科の花粉のプロフィリンが交差抗原としてメロンやスイカなどのPFASが誘発される．これらの果物などを生で食する場合に口腔粘膜症状が中心に誘発され，全身症状が誘発されるのは稀である．その理由としてこれらのアレルゲンは加熱や消化により変性し失活してしまうからである．PR-10により豆乳アレルギーが誘発されるが，口腔粘膜に留まらないことも知られている．この20年余のスギ・ヒノキなどの花粉症の増加に伴い，PFASの増加も全年齢で認められている．FDEIAは原因食物摂取後2時間以内に運動することによって誘発される食物アレルギーで，小麦，エビなどが原因として多かったが，近年果物が原因として報告される症例が増えている．その背景にはスギ・ヒノキ花粉のGRP（gibberellin regulated protein）と呼ばれるコンポーネントがモモ，プラム，オレンジ，サクランボなどと交差し，運動がCo-factorとして作用しFDEIAで発症することが知られている[3]．GRPは加熱，消化によって変性されにくく，生ではなく缶詰などでも全身症状が誘発される．FDEIAは運動だけではなくホスト側の要因（疲れ・感冒・薬物・アルコールなど）が影響することも知ら

れており，再現性がないこともあるので診断に辿り着くのが難しい場合もある．

成人期にはマダニ刺傷と関連するαガルによる赤身肉アレルギー，クラゲ刺傷と関連するPGAによる納豆アレルギーなど遅発性のアレルギーなど，ペット飼育に関連する食物アレルギーもあるので幅広い知識をプライマリ・ケアの医師が有することが重要である[1]．成人の食物アレルギーの診療体制の確立も急務である．

管理治療目標

学童期まで遷延する例に対してこの15年程度，原因食物を誘発閾値未満の安全摂取量を連日摂らせながら徐々に脱感作を誘導し誤食による症状誘発を防ぐ経口免疫療法 oral immunotherapy（OIT）が研究段階の管理として取り組まれてきた．最終的には治療中断後も原因食物摂取で無反応状態が維持され，寛解誘導が目的である．長期経過の成績が徐々に明らかになってきているが，数年の経過を経ても自然寛解と同じレベルに必ずしも到達できないことも示されている．OITは小学校中学年くらいから始めることが多いが，高学年，中学生，高校生，大学生まで続いていくことも多い．年齢が上がるにつれてさまざまな制約（運動，受験，仕事など）がOITをやり難くすることも経験するので，プロトコールに固執しないで状況に応じた柔軟な対応が必要である．思春期から成人期にかけてそれらの症例の管理は成育医療として小児科ベースのアレルギー専門医が担っているが，今後，内科，皮膚科ベースのアレルギー専門医も全年齢をカバーできるようになることが求められる．背景の第2の要因のところで述べた主に学童期，思春期，成人期に発症するタイプの食物アレルギーは今のところ除去するしか対応方法はない．しかし，生物学的製剤など食物アレルギーに対する薬物の開発も漸く製薬会社が取り組み始めたので，5年後には違う世界が見えているかもしれない．日本アレルギー学会として診療体制の構築や専門医教育を進めていくために，小児〜成人までの食物アレルギー委員会を立ち上げ，今後対策を進めていく予定である．

1) 日本小児アレルギー学会食物アレルギー委員会：食物アレルギー診療ガイドライン 2021．協和企画，2021．
2) 杉崎千鶴子，ほか：消費者庁「食物アレルギーに関連する食品表示に関する調査研究事業」令和2（2020）年即時型食物アレルギー全国モニタリング調査結果報告．アレルギー，72：1032-1037，2023．
3) Iizuka T, et al.：Gibberellin-regulated protein sensitization in Japanese cedar（Cryptomeria japonica）pollen allergic Japanese cohorts. Allergy, 76：2297-2302. 2021.

12 終診時の注意点

食物アレルギーのために定期通院していた患者が，終診となるケースが増えている．ここでは，終診時の注意点について述べる．

終診の理由

終診の理由には大きく分けて２つあり，耐性獲得して終診する場合と，耐性獲得していないが終診となる場合である（表１）．

前者は，原因食物を制限なく摂取できるようになり終診となる場合で，後者は耐性獲得していないが症状がある程度固定化し，継続的に食物経口負荷試験（OFC）を行う必要が少なくなったときである．それぞれの場合について解説する．

表１　終診の理由

終診の理由	対応内容	詳細
耐性獲得	自由に摂取	ただし，表２の再燃の可能性を念頭に置いておく
ほぼ耐性獲得	安全な範囲の摂取を継続	従来通りの誤食時の対応を継続
定期的なOFC不要	安全な範囲の摂取を継続	食物の整理がついた状態
社会的事情	除去を継続	除去を継続し，誤食時の対応を継続

耐性獲得した場合

耐性獲得と判断されても表２のような症状再燃の増悪因子があり，フォロー終了時には患者に説明する必要がある．

表２　耐性獲得後の症状再燃の増悪因子

注意する内容	悪化要因	詳細
調理	不十分な加熱	鶏卵では生卵が解除できていない場合，加熱の程度に注意が必要
摂取量	過剰摂取	小麦は主食として食べるため，特に過剰摂取になりやすい
増悪因子	運動	牛乳・小麦で特に多い
	体調不良	特に胃腸炎の際に悪化しやすい

① 調理

特に鶏卵は全卵まで摂取できるようになっても，生卵まで摂取の可否を確認できていないことや，生卵には反応してしまうことがある．

生卵まで解除できていない状態でフォローを終了することもあるが，その際には炒り卵や卵焼きなどの加熱が不十分な際に症状が出現することを十分に注意喚起すべきである[1]．

② 摂取量

小麦は主食として食べるため，特に過量摂取になりやすい．牛乳では飲用牛乳とシチューなど複数の食品の摂取や多量に乳タンパクを含むチーズなどによる過量摂取により同様のことが起こりうるが，小麦と比較し味を忌避する患者が多く，小麦ほど過量摂取の頻度は多くない．

③ 運動

食物アレルギーの即時型症状の増悪因子として運動が知られており，特に牛乳，小麦で多いことがわかっている[2, 3]．日常的に牛乳，小麦を摂取している患者であっても，運動が加わってのアナフィラキシーはまれではないため，特にアナフィラキシーの既往がある患者には十分な注意を促すべきである．

④ 体調不良

これまで摂取できた食物でも体調不良時に症状が出る可能性が知られている[4]．食物アレルギーの症状が出た後に体調不良が明らかになることも多く，完全に予防することは困難である．そのため，症状が出た際に体調不良による増悪の可能性を念頭に，迅速に対応できるようにしておくとよいだろう．胃腸炎の際には，症状誘発閾値が低下し，特に症状が誘発されやすくなる．胃腸炎により消化管の透過性が亢進すると考えられている．そのため，胃腸炎症状がある際には，極力，原因食物の摂取量は減らしたほうがよい．また，胃腸炎に伴って症状が出た場合でも胃腸炎が完全に軽快した後には元通り摂取できるようになる．

耐性獲得していない場合

耐性獲得していない場合でも，終診となる場合がある（表 1）．大きく分けて，ある程度食物の整理がついて継続的に OFC を行う必要がなくなった場合，継続的な加療が必要であるが社会的な事情により終診となる場合である．耐性獲得していない抗原の終診時の注意点を表 3 にまとめた．

表 3　耐性獲得していない抗原の終診時の注意点

注意する内容	対応内容	詳細
必要最小限の除去	安全な範囲の摂取を継続	終診時までに OFC により完全除去を極力避ける
誤食時の対応	誤食時の対応を継続	従来通りの誤食時の対応を継続
定期通院	定期処方など	エピペン®などの誤食対応用の処方をかかりつけ医などで継続
学校などでの対応	管理指導表の記載	かかりつけ医などで管理指導表を記載

① 必要最小限の除去

終診時までに OFC を極力行っておき，摂取できる範囲を明確にし，完全除去を極力避ける．安全に摂取できる量と症状が出る量（症状誘発閾値）が明確にわかっているのが理想である．

② 誤食時の対応

耐性獲得していない場合には，症状誘発閾値を念頭に，従来通りの誤食時の対応を継続する必要がある．

③ 定期通院

誤食への対応が継続して必要な場合には，いずれかの医療機関に定期的な通院の継続が必要である．エピペン®などの誤食対応用の薬剤を定期的に処方してもらう必要がある．終診前に必要に応じて，紹介状などを準備する．

④ 学校などでの対応

学校生活が継続している場合には，学校の求めに応じて管理指導表の記載を定期的に行う必要がある．

終診に備えて

終診の準備のポイントを表 4 にまとめた．耐性獲得での終診ではなく，除去を継続する必要がある場合には，終診時期から逆算して OFC などを計画的に行っておく必要がある．成人期において小児科から成人科へ移行して継続加療が必要な場合にも注意すべき点は同様であるが，保護者が主体となった受診から本人が主体となった受診に移行しておく必要がある．さらに患者本人の疾患理解や誤食時への対応などへの理解を促す必要がある．

表 4　終診への準備

注意する内容	対応内容	目標
除去食物の整理	OFC	OFC を行い，必要最小限の除去へ
受診主体の移行	本人主体の受診へ	保護者主体から患者本人主体の医療
リテラシー向上	継続加療の必要性の理解	患者が疾患について重症度や予後などを含め理解
	誤食時の対応の理解	患者が誤食時の対応を理解し，緊急薬の使い方を習熟

1) Yanagida N, et al. : A three-level stepwise oral food challenge for egg, milk, and wheat allergy. J Allergy Clin Immunol Pract, 6 : 658-660. e10, 2018.
2) Makita E, et al. : Long-term prognosis after wheat oral immunotherapy. J Allergy Clin Immunol Pract, 8 : 371-374. e5, 2020.
3) Manabe T, et al. : Long-term outcomes after sustained unresponsiveness in patients who underwent oral immunotherapy for egg, cow's milk, or wheat allergy. Allergol Int, 68 : 527-528, 2019.
4) 日本アレルギー学会監修：アナフィラキシーガイドライン 2022.

13 栄養食事指導

食物アレルギーの栄養食事指導

食物アレルギーと診断された患者は，医師から指示された原因食物を除去して食生活を送ることになる．食物アレルギー患者と非食物アレルギー患者を対象とした食生活の QOL に関する調査の結果では，食物アレルギーがあると家庭内外の食生活の負担が大きく，またその負担は除去食物の数が多いほど大きくなることが明らかになっている[1]．食生活の負担を軽減するためにも患者は食物経口負荷試験（OFC）などで“食べて症状が出る”ことが明確となった必要最小限の食物のみを除去し，さらに原因となる食物であっても医師から指示された摂取可能な量は摂取することが望ましい．不必要な除去をしない，ということがとても大切である．そこで，管理栄養士は，患者が必要最小限の食物除去の考え方を理解し，実践することができるように栄養食事指導を行う必要がある[2]．

栄養食事指導の主なタイミングと指導ポイント

食物アレルギーの主な栄養食事指導のタイミングは，① 初めて食物アレルギーと診断されたとき（原因食物を除去するとき），② 摂取可能な量を医師から指示され，自宅で食べられる範囲を広げていくとき，③ 食物アレルギーが原因で食生活について悩みや疑問があるとき，などがある．

① 初めて食物アレルギーと診断されたとき

食物アレルギーと診断され，除去すべき食物が医師から指示された場合の食事の考え方を伝える．患者の原因食物別に，食品購入や調理上など食生活で気を付ける点を下記の栄養食事指導ポイントを参考に助言する．また，主な原因食物（鶏卵，牛乳，小麦）を除去する場合のポイントを図 1 に参考として示す．

原因となる食物を除去する場合のポイント

●除去する食品および不必要な除去の確認

・医師から指示された原因食物がどのような食品に含まれているかを示し，除去すべき食品を正確に把握してもらう．

・患者（の保護者）の思い込みなどによって不必要に除去をしたり，未摂取のままになったりしている食品はないかを確認する．魚類，肉類，野菜類，果物類など食品群ごとに確認する．

・完全除去の場合でも，調味料（醤油，味噌，油，ダシなど）が摂取可能かどうかを医師に確認した上で，適切に利用するように促す．

●安全性の確保

・食品表示のルールや用語を説明し，食品の購入時に原材料を確認する習慣をつけるよう指導する（p.78 参照）．

・重症な患者の場合は，兄弟や家族などの手や箸を介したアレルゲンの混入に注意し，患者専用の調理器具や食器を用意するように促す．

●食生活の指導および評価

・食物アレルギーがあっても主食（ごはん，パン，麺など），主菜（肉，魚，大豆製品など），副菜（野菜，芋類，きのこ類，果物類など）のバランスを重視した食事をすることで栄養状態を良好に保てることを

鶏卵除去の場合の食事

① 除去するもの：鶏卵が含まれている食品

鶏卵と鶏卵を含む加工食品，そのほかの鳥の卵（うずらの卵など）
★基本的に除去する必要のないもの：鶏肉，魚卵

鶏卵を含む加工食品の例：

マヨネーズ，練り製品（かまぼこ，はんぺんなど），肉類加工品（ハム，ウインナーなど），調理パン，菓子パン，鶏卵を使用している天ぷらやフライ，鶏卵をつなぎに利用しているハンバーグや肉団子，洋菓子類（クッキー，ケーキ，アイスクリームなど）など

② 鶏卵が利用できない場合の調理の工夫

●肉料理のつなぎ
片栗粉などのでんぷん，すりおろしたイモやレンコンをつなぎとして使う．
●揚げものの衣
水と小麦粉や片栗粉などのでんぷんをといて衣として使う．
●洋菓子の材料
・プリンなどはゼラチンや寒天で固める．
・ケーキなどは重曹やベーキングパウダーで膨らませる．
●料理の彩り
カボチャやトウモロコシ，パプリカ，ターメリックなどの黄色の食材を使う．

③ 鶏卵の主な栄養素と代替栄養

鶏卵M玉1個（約50g）あたり
タンパク質　6.0g　➡　肉　25～35g
魚　25～35g
豆腐（木綿）　85g

牛乳除去の場合の食事

① 除去するもの：牛乳が含まれている食品

牛乳と牛乳を含む加工食品
★基本的に除去する必要のないもの：牛肉

牛乳を含む加工食品の例：

ヨーグルト，チーズ，バター，生クリーム，全粉乳，脱脂粉乳，一般の調製粉乳，練乳，乳酸菌飲料，発酵乳，アイスクリーム，パン，カレーやシチューのルウ，肉類加工品（ハム，ウィンナーなど），洋菓子類（チョコレートなど），調味料の一部　など

② 牛乳が利用できない場合の調理の工夫

●ホワイトソースなどのクリーム系の料理
片栗粉などのでんぷん，すりおろしたイモやれんこんをつなぎとして使う．
●洋菓子の材料
・プリンなどはゼラチンや寒天で固める．
・ケーキなどは重曹やベーキングパウダーで膨らませる．

③ 牛乳の主な栄養素と代替栄養

普通牛乳100mLあたり
カルシウム　110mg　➡　調整豆乳　360mL
ひじき煮物　小鉢1杯
アレルギー用ミルク　200mL

小麦除去の場合の食事

① 除去するもの：小麦が含まれている食品

小麦と小麦を含む加工食品
★基本的に除去する必要のないもの：醤油，穀物酢

小麦粉：薄力粉，中力粉，強力粉，デュラムセモリナ小麦

小麦を含む加工食品の例：

パン，うどん，マカロニ，スパゲティ，中華麺，麩，餃子や春巻の皮，お好み焼き，たこ焼き，天ぷら，とんかつなどの揚げもの，フライ，シチューやカレーのルウ，洋菓子類（ケーキなど），和菓子（饅頭など）　など

＊大麦の摂取可否は主治医の指示に従う．

② 小麦が利用できない場合の調理の工夫

●ルウ
米粉や片栗粉などのでんぷん，すりおろしたイモなどで代用する．
●揚げものの衣
コーンフレーク，米粉パンのパン粉や砕いた春雨で代用する．
●パンやケーキの生地
・米粉や雑穀粉，大豆粉，イモ，おからなどを生地として代用する．
・市販の米パンを利用することもできる．グルテンフリーのものを選ぶ．
●麺
市販の米麺や雑穀麺を利用する．

③ 小麦の主な栄養素と代替栄養

食パン6枚切1枚あたり
（薄力粉，強力粉45g相当）
エネルギー　150kcal　➡　ごはん　100g
米麺（乾麺）　40～50g
米粉　40g程度

図1　主な原因食物（鶏卵，牛乳，小麦）を除去する場合のポイント

伝える．
- 牛乳アレルギーがある場合には，カルシウムの摂取が不足がちになるため，牛乳以外のカルシウムを多く含む食品（大豆製品，小魚など）から補うように指導する．
- 体重増加不良がある場合や保護者が栄養状態を心配している場合には，身長，体重，臨床検査値（鉄など），食事記録などをもとに栄養状態の評価を行う．栄養状態に問題がみられる場合には，主治医と対策を検討し，食事の量や内容などについて改善するべき点を指導する．
- 除去食物を使用しないメニューのレシピや調理上の工夫点，調理方法などを伝える．また，アレルギーに配慮された加工食品の紹介をする（p.265 参照）．

② 摂取可能な量を医師から指示され，自宅で摂取を進めていくとき

医師は OFC の結果などにより，自宅での摂取可能な量の上限を提示し，自宅で一定期間繰り返し摂取するように患者に指示をする．この指示に基づいて自宅で摂取する食品やその調理方法について栄養食事指導を行う（図 2，3）．

食べられる範囲を広げていく場合のポイント

- 患者がこれまで除去していた食物を医師が指示する量までは自宅で摂取可能となることを確認する．OFC で症状なく食べられた量（OFC 食品のタンパク質量）が自宅で摂取する際の上限となることを説明する．摂取量や摂取頻度は医師の指示を守ることを確認する．
- 食品によって含まれるタンパク質（アレルゲン）の量が異なることを伝え，タンパク質の量を考えて食品を選択するように指導する．ただし，タンパク質は加工や調理によって変化することがあり，同じタンパク質量であっても症状の出やすさが異なる場合があることを理解してもらう．例えば鶏卵のタンパク質は加熱によって変性しやすいなど，各食物に含まれるタンパク質には特徴があることを伝える．
- タンパク質量やそれぞれのタンパク質の特性をふまえて，具体的な調理方法や利用できる加工食品の種類や摂取可能な量を例示する．ただし，例示する食品はタンパク質量をもとに換算をしており，あくまでも“食べても症状が出ない可能性が高い食品”であることを理解してもらい，自宅での摂取で症状が出た場合には主治医に速やかに相談するように伝える．
- 除去食物を低年齢のうちに摂取していく場合にはあまり抵抗がないことが多い．しかし，年齢が上がってからは患者本人が除去食物に対して警戒心を強めていることもあり，摂取が進まないこともある．好

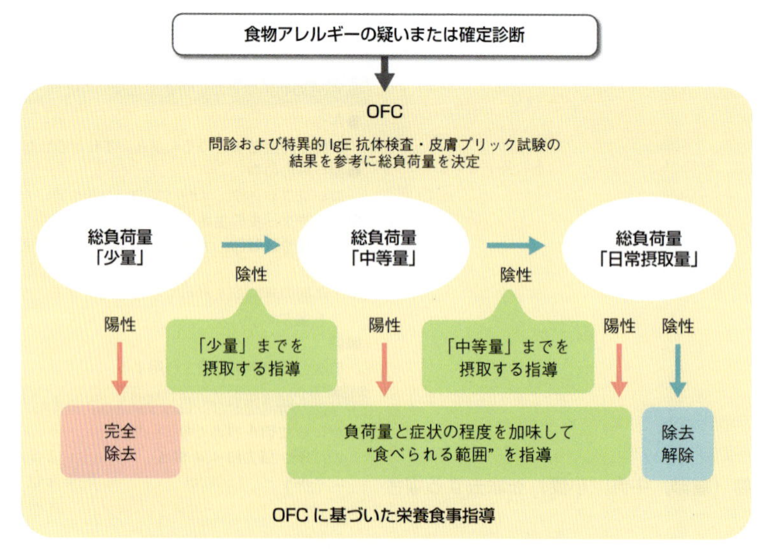

図 2　小児の耐性獲得を目指す食物アレルギーの診断・管理のフローチャート[2)]

鶏卵

①～③の OFC の結果が陰性だった場合に摂取可能な食品

① 総負荷量が少量（加熱全卵 1/32 ～ 1/25 個相当）

OFC で摂取したものと同じ食品を OFC で摂取した量まで食べることができる．ただし，その他の加工食品の摂取は難しい．

② 総負荷量が中等量（加熱全卵 1/8 ～ 1/2 個相当）

OFC で摂取したものと同じ食品を OFC で摂取した量まで食べることができる．さらに，その摂取を数回繰り返して問題がみられなければ，医師の指示のもとで以下の表を参考に他の加工食品を試すことができる．

【加熱全卵 1/8 個が摂取可の場合に食べられる可能性の高い食品の量（例）】

＊一般的な加工食品に含まれる鶏卵の量から換算

鶏卵を含む食品	量
ロールパン	2 個まで
ウィンナー	2 本まで
竹輪	1 ～ 2 本
クッキー	2 枚まで
ドーナッツ	1/2 個まで

鶏卵のタンパク質（アレルゲン）は加熱による変性が大きく，加熱時間，加熱温度，材料に使用される鶏卵の量によって症状の出やすさが大きく異なるため，摂取可能量を増量する際には慎重に行う．

③総負荷量が日常摂取量（加熱全卵 2/3 ～ 1 個相当）

OFC で摂取したものと同じ食品を OFC で摂取した量まで食べることができる．さらに，その摂取を数回繰り返して問題がみられなければ，医師の指示のもとで鶏卵を含む加工食品の摂取が可能となる．ただし，非加熱の鶏卵，加熱の甘い鶏卵を含む食品（温泉卵，プリン，茶わん蒸し，オムレツ，かきたま汁など）の摂取の可否は医師の指示に従う．さらに摂取後の運動なども考慮して日常生活に支障がない量まで摂取できることを確認できれば自宅以外（集団給食や外食など）でも除去の対応は不要となる．

牛乳

①～③の OFC の結果が陰性だった場合に摂取可能な食品

①総負荷量が少量（牛乳 1 ～ 3mL）

OFC で摂取したものと同じ食品を OFC で摂取した量まで食べることができるが，その他の加工食品の摂取は難しい．

②総負荷量が中等量（牛乳 10 ～ 50mL）

OFC で摂取したものと同じ食品を OFC で摂取した量まで食べることができる．さらに，その摂取を数回繰り返して問題がみられなければ，医師の指示のもとで以下の表を参考に他の加工食品を試すことができる．

【牛乳 50mL が摂取可の場合に食べられる可能性の高い食品の量（例）】

＊量の換算は「日本食品標準成分表 2020 年版（八訂）」に基づく

乳製品	量
バター	270 g まで
ホイップクリーム（乳脂肪）	90 g まで
ヨーグルト（全脂無糖）	45 g まで
プロセスチーズ	7 g まで
パルメザンチーズ	3 g まで

③総負荷量が日常摂取量（牛乳 200mL）

OFC で摂取したものと同じ食品を OFC で摂取した量まで食べることができる．さらに，その摂取を数回繰り返して問題がみられなければ，医師の指示のもとで牛乳を含む加工食品の摂取が可能となる．さらに摂取後の運動なども考慮して日常生活に支障がない量まで摂取できることを確認できれば自宅以外（集団給食や外食など）でも除去の対応は不要となる．

小麦

①～③の OFC の結果が陰性だった場合に摂取可能な食品

①総負荷量が少量（うどん 1 ～ 3g）

OFC で摂取したものと同じ食品を OFC で摂取した量まで食べることができるが，その他の加工食品の摂取は難しい．

②総負荷量が中等量（うどん 10 ～ 50g）

OFC で摂取したものと同じ食品を OFC で摂取した量まで食べることができる．さらに，その摂取を数回繰り返して問題がみられなければ，医師の指示のもとで以下の表を参考に他の加工食品を試すことができる．

【うどん（ゆで）50g が摂取可の場合に食べられる可能性の高い食品の量（例）】

＊量の換算は「日本食品標準成分表 2020 年版（八訂）」に基づく

小麦製品	量
薄力粉	13 g まで
強力粉	9 g まで
食パン	14 g（6 枚切の場合 約 1/4 枚）まで
スパゲッティ，マカロニ（ゆで）	20 g まで
スパゲッティ，マカロニ（乾）	9 g まで
焼きふ	4 g まで

③総負荷量が日常摂取量（うどん 100 ～ 200g，6 枚切り食パン 1/2 ～ 1 枚）

OFC で摂取したものと同じ食品を OFC で摂取した量まで食べることができる．さらに，その摂取を数回繰り返して問題がみられなければ，医師の指示のもとで小麦を含む加工食品の摂取が可能となる．さらに摂取後の運動なども考慮して日常生活に支障がない量まで摂取できることを確認できれば自宅以外（集団給食や外食など）でも除去の対応は不要となる．

図 3　鶏卵，牛乳，小麦の摂取可能量の指示に応じた指導例

きな食べ物に混ぜて食べる，外見上は除去していた食物が含まれていることがわかりにくい工夫をするなど，安心して美味しく食べてもらうための料理法などのアドバイスを行う．

③ 食物アレルギーが原因で食生活について悩みや疑問があるとき

食物アレルギーに関しての患者の悩みは，献立作成に行き詰まる，利用できる加工食品を知りたい，子どもの栄養状態が心配である，原材料表示の見方がわからない，集団給食での対応に困っている，周囲が理解してくれない，などさまざまである．患者の不安な気持ちを受け止め，次項のライフステージ別の栄養食事指導も参考にニーズに合わせて栄養食事指導を行う．

ライフステージ別の栄養食事指導

乳児期の栄養食事指導

食物アレルギーの発症年齢は乳児期が最も多く，離乳食の開始や進行について悩む保護者は少なくない．食物アレルギーがある場合でも安心して離乳食を進められるように支援が必要である．

① 授乳中の母親の食物除去

「食物アレルギーの関与する乳児アトピー性皮膚炎」と診断されている場合で，授乳中の母親が食物除去をするように医師から指示を受けることがあるが，母親の食物除去は最小限にとどめることが望ましい．患児が直接食物を口にする場合とは異なり，母乳中に分泌されるタンパク質はわずかであり，重症の患児でなければ母親が食物除去を長期間継続するケースは少ない．

② 離乳食の開始および進行

食物アレルギーがある場合でも離乳食の開始や進行に関して特別な考え方をする必要はない．医師から指示される原因食物を除去した上で，厚生労働省策定「授乳・離乳の支援ガイド」にもとづいて通常どおり生後５～6ヵ月頃から離乳食を開始し，進行する．ただし，患者の皮膚症状が良くない場合は，医師の指導のもとで改善してから離乳食を始めることが望ましい．また，初めての食物を与えるときは，患者の体調のよいときに，新鮮な食材を，十分に加熱し，少量から与える．平日の昼間であれば症状が出た場合に医師の診察を受けやすい．乳児期の原因食物は鶏卵，牛乳，小麦が 90%を占める．離乳食開始時に利用しやすい米，野菜類（大根，人参，カボチャなど）やさつまいもなどが原因食物となることは少ない．保護者が不必要に食物を除去することがないように食べてよいものを具体的に説明する．

幼児期から学童期の栄養食事指導

この時期の食事も必要最小限の原因食物を除去することを重視した上で特別な考え方をする必要はないが，自宅での対応と集団給食での対応が異なることを保護者に理解してもらう．除去食物に関して，自宅では少量や中等量の摂取が可能であっても，安全面から考えて集団給食では完全除去対応を行うことが基本となっている[3, 4]．保育所や学校での安全な食物アレルギー対応を目指すために保護者は保育士や教職員などと十分にコミュニケーションをとる必要があり，患児本人にも自己管理ができるように教育する必要があることを伝える（p.74 参照）．

また，除去解除を進めていく時期となるため，食べられる範囲を広げていくことのメリット（原因食物の味に慣れていくこと，将来的に食べられる食品の選択肢が広がっていくこと，外食や旅行などでの負担が軽減されることなど）を伝える．

学童期以降の栄養食事指導

食物アレルギーの重症度が高く，患者自身が原因食物の摂取に前向きになることができない場合がある．このような場合には，行動科学理論を考慮してスモールステップから除去解除の目標設定ができるよう，医師とともに支援する．

食物アレルギーがある場合の食事の考え方については，「厚生労働科学研究班による食物アレルギーの栄養食事指導の手引き 2022」を参照できる．食物アレルギー研究会の web サイト（http://www.foodallergy.jp）からダウンロード可能である．栄養食事指導での不適切な情報が患者の混乱を招くため，信用できる情報をご提供いただきたい．

1) 林　典子，ほか：食物アレルギー児と非食物アレルギー児の食生活の QOL（Quality of life）比較調査．日小児アレルギー会誌，23：643-650，2009.
2) 厚生労働科学研究班による食物アレルギーの栄養食事指導の手引き 2022.
3) 保育所におけるアレルギー対応ガイドライン．2011.
4) 文部科学省　学校給食における食物アレルギー対応指針．2015.

14 生活の質（QOL）

QOL は健康と直接関連のある QOL（health-related QOL：HRQL）と，健康と直接関連のない QOL（non-health-related QOL：NHRQL）とに大別される．前者の HRQL は，身体的状態，心理的状態，社会的状態，霊的状態，役割機能や全体的 well-being などが含まれ，医療において評価されるのは，この HRQL である[1]．

食物アレルギー患者・患者家族の QOL

食物アレルギーは，普段の健康状態には大きく影響する疾患ではないが，アレルギー反応は到死的反応につながることがある．患者はアレルギー反応を起こすことに強い不安を感じ，また，除去食を強いられる生活は心理的に強く影響を及ぼす．これは患者本人のみならず，患者家族の生活全般に影響する．食物アレルギーは患者・患者家族の QOL に大きく影響する疾患である．

食物アレルギーの患者や患者家族の QOL への影響を評価するいくつかの研究では，1 型糖尿病患者やリウマチ性疾患よりも QOL が損なわれていた[2]．

食物アレルギー患者は，アレルギー反応に対する恐怖心が強く，特に自宅から離れた場所で食事をする際に，食事に対する不安感が強い[3]．

さらに，外食や外出への不安や制限だけでなく，学校生活にも影響を受けている．学校生活では，給食時や行事時には，安全のため周囲と異なる対応を受ける．学生時代の多感な時期に，自分は周囲と異なるのだと感じることは，患者の精神的な負担になる．また，食物アレルギーを理由にからかわれる患者もいる．クラスメイトと友人などの周囲の学生に食物アレルギーに関する知識をもってもらうように教育することで患者の QOL が上がることが報告されている[1]．周囲の理解が深まることで，からかいを予防することも期待できる．また，他の生徒と別室で給食をとる，調理実習への不参加など，学校側の心配から行われる過剰な対応は，患者の QOL を大きく損なうと考えられる．適切な範囲内での対応を学校側へ働きかけていくことが大切である．

食物アレルギー患者・患者家族の QOL はさまざまな因子によって影響を受ける．報告されている因子には，性別，年齢，患者の重症度やアレルギー疾患の合併があげられる（表）．特に，コントロール不良の気管支喘息は誤食時の重篤な症状出現のリスクであり，QOL 低下にも大きく影響する[2, 4, 5]．

表　患者・患者家族の QOL に影響する因子

	患者の QOL		家族の QOL	
QOL を低下させる	患者本人の因子	女児，乳児期発症，除去抗原数の多さ，AD・BA・AR 合併，アナフィラキシーの既往，自己効力感の低さ	家族自身の因子	母親であること，自己効力感の低さ
	本人以外の因子	母親の不安	患者本人の因子	低い年齢，除去抗原数の多さ，アナフィラキシーの既往，高い重症度
QOL を向上させる	食物経口負荷試験，栄養指導，エピペン®処方，アレルギー出現時の対応の指導，クラスメイトや友人などの周囲への教育			

患者自身の要素以外も QOL に影響する．例えば，母親の不安が強いと児の QOL が低下する[6]．食物アレルギーの児の診療は，患者だけでなく両親を含めたケアが必要であるが，特に母親への負担は大きく，父親と母親での QOL の比較では母親で有意に低いと報告されている[2]．

尺度

QOL の評価は，標準化された質問票（QOL 尺度）によって行われる．HRQL を評価する QOL 尺度には，疾患にかかわらず使用できる包括的 QOL 尺度と，疾患に合わせた特有の問題を捉えた疾患特異的 QOL 尺度がある．包括的 QOL 尺度では食物アレルギーの患者がもつ特有の課題を十分に評価できない．そのため，食物アレルギーの患者に対して使用する疾患特異的 QOL 尺度が開発されてきた．

その中では，特に Food Allergy Quality of Life Questionnaires（FAQLQ）が広く世界的に使用されている．英語版で使用可能なものは，小児においては FAQLQ-CF（child form），FAQLQ-PF（parent form）や移行期では FAQLQ-TF（teenager form），FAQL-teen，You and Your Food Allergy が，成人領域では，FAQLQ-AF（adult form）が開発され，使用されてきた．日本語訳された食物アレルギー特異的 QOL 尺度は，現在，この FAQLQ の 12 歳以下の患児の親用（FAQLQ-PF）が存在する[7]．

一方，13 歳以上では，現時点では，標準化された日本語の疾患特異的 QOL 尺度は存在せず，わが国における思春期以降の食物アレルギー研究において QOL を評価することができない．現在，当院にて原著者から FAQLQ-TF，FAQLQ-AF の日本語版作成の許可を取得し作成中である．

現在，日本で使用できる日本語版の尺度について図 1 にまとめた．

FAQLQ は 35 項目程度と質問項目が多く，主に研究領域で使用されている．日常診療でも使用できるよう，少ない質問数の尺度も今後期待される．

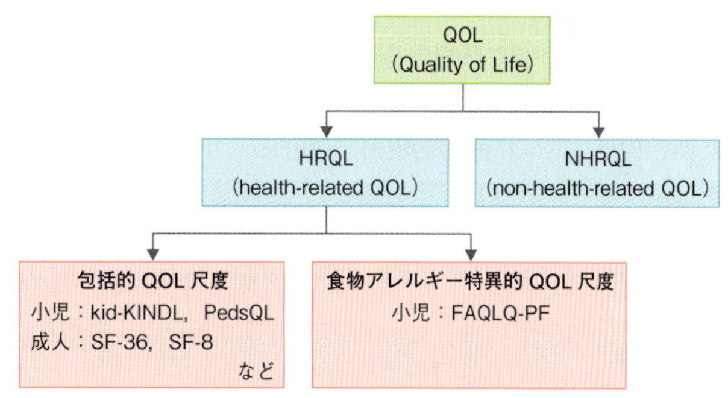

図 1　日本語で使用可能な HRQL に関する尺度

食物アレルギーの診療による QOL への効果

食物アレルギーは，食物経口負荷試験 oral food challenge（OFC）や栄養指導を行うことで不必要な除去を減らし，食生活の向上や寛解率の上昇を目指せるようになった．これらの介入は，患者の QOL の向上につながるかどうかも重要な点である．

食物アレルギー診療における診断のゴールドスタンダードは OFC である．

抗原除去数が多いことは QOL 低下のリスク因子の一つであり，正確な診断により抗原数を減らすことで QOL 改善を見込める．また，OFC は診断のみならず，摂取可能な閾値の確認や耐性獲得の確認のために施行される．OFC 陰性は，QOL の著しい改善を期待できる．さらに，OFC は，OFC 結果が陰性であった患者のみならず，陽性者においても，QOL を改善させることが報告されており，患者家族の QOL も同様である[8, 9]．

一方，アナフィラキシーの経験は強いストレスとなり，QOL を下げる因子であり[3]，OFC 時に強い反応を引き起こすことは好ましくない．OFC 実施の際には安全性に十分配慮し，患者に合わせた適切な負荷量や分割方法などの選択が重要である．

OFC 陰性の患者のうち，3 割程度の患者が OFC 後も除去を継続すると言われており，OFC 陰性者のうち，除去を解除できたほうがより QOL が改善していたと報告されている．QOL に対する OFC のよりよい効

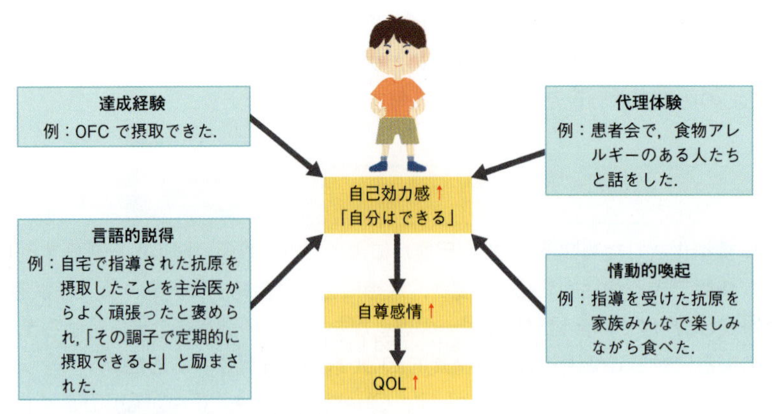

図 2　自己効力感への 4 つのアプローチ

果を得るには，栄養指導と組み合わせ，食事の中に除去抗原を取り入れられるように指導することが大切である[10)].

OFC による正確な診断に基づいて，医師は症状出現時の対応を患者に指導し，重症度によりアドレナリン自己注射薬を処方する．これらの適切な指導も QOL を改善させることがわかっている[3)].

また，自己効力感の高さは QOL 上昇につながる．自己効力感とは，Bandura が提唱した概念で，「自分がある状況において必要な行動をうまく実行できると，自分の可能性を認知していること」と定義される．自己効力感を高めるには，① 達成経験（ある行動が上手くいけば，同じ行動をすれば「またできるだろう」という見通し），② 言語的説得（周囲の人からの励ましやサポート），③ 代理体験（ほかの人を観察することによって「これならば自分もできそうだ」と感じたり，ほかの人が直接やってみせたりすることで自分にもできるという感覚をもつこと），④ 情動的喚起（リラックスして前向きな心理的状態）の 4 つのアプローチが提唱されている[11)]（図 2）．患者家族と連携を図りながら，これらのアプローチを意識して診療することで，自己効力感が高まり自信をもって行動できるようになり，自尊感情を高め，QOL が向上することが期待できる.

適切な負荷量・方法により OFC を施行し，陰性時には栄養指導により具体的な摂取方法を示して自宅で摂取できるよう指導し，診察時では患者ができたことを褒める．基本的な診療行為ではあるが，意識して行うことで患者の QOL 向上に大きく寄与できる.

1) 土井由利子：総論ー QOL の概念と QOL 研究の重要性．J Natl Inst Public Health, 53：176-180, 2004.
2) Avery NJ, et al.：Assessment of quality of life in children with peanut allergy. Peditr Allergy Immunol, 14：378-382, 2003.
3) Cummings AJ, et al.：The psychosocial impact of food allergy and food hypersensitivity in children, adolescents and their families：a review. Allergy, 65：933-945, 2010.
4) Knibb RC, et al.：Parental self-efficacy in managing food allergy and mental health predicts food allergy-related quality of life. Pediatr Allergy Immunol, 27：459-464, 2016.
5) Yilmaz AE, et al.：Factors affecting food allergy-related quality of life from parents' perception in Turkish children. Allergy Asthma Immunol Res, 10：379-386, 2018.
6) DunnGalvin A, et al.：Quality of life associated with maternal anxiety disorder in Russian children and adolescents with food allergy. Pediatr Allergy Immunol, 31：78-84, 2020.
7) Mizuno Y, et al.：Validation and reliability of the Japanese version of the Food Allergy Quality of Life Questionnaire–Parent Form. Allergol Int, 66：290-295, 2017.
8) Franxman TJ, et al.：Oral food challenge and food allergy quality of life in caregivers of children with food allergy. J Allergy Clin Immunol Pract, 3：50-56, 2015.
9) DunnGalvin A, et al.：Longitudinal validity and responsiveness of the Food Allergy Quality of Life Questionnaire - Parent Form in children 0-12 years following positive and negative food challenges. Clin Exp Allergy, 40：476-485, 2010.
10) Masumi H, et al.：Egg reintroduction following oral food challenge in Japanese children. Front Allergy, 2：618713, 2021.
11) 鈴木みずえ，ほか：自己効力感の視点から見た認知症の人と家族の QOL（解説）認知症の人の生活を考えるー患者・家族の QOL のために，MEDICAL REHABIL，273：38-48，2022.

基本編

15 食物アレルギー児のメンタルヘルス

表題に関連した直近の scoping review によると，2021 年 8 月時点で検索可能であった食物アレルギーと心理社会的問題に言及した英語の原著論文数は 257 で，食物アレルギーの子ども本人のメンタルヘルスに言及したものは 221 編（QOL 関連 113，不安 38，いじめ 13，うつ 8，全般的な心理社会的機能 8 の順に多い），その養育者のメンタルヘルスに言及したものは 230 編（不安 62，QOL 関連 56，ストレス 25，自尊感情 17，うつ 15 の順に多い）であった[1)].

また，その中でも長期的な経過を追った縦断的研究や，心理的苦痛の予測因子に焦点を当てた研究は少なく，いじめの発生率について食物アレルギー児とコントロールを比較した論文はほとんどないなどの論文ギャップも指摘されている．さらに，これまでの関連文献からは，食物アレルギー児の親は，子ども本人よりも食物アレルギーによる障害を重く受け止めている傾向があると推測されている[2)].

QOL，HRQOL など食物アレルギーと QOL の関連については別項に説明を譲り，本項ではそれ以外のメンタルヘルスとの関連について言及する．近年課題としてあげられつつも，まだ文献報告が少ない領域であり，限られた情報提供になることをご承知置き頂けると幸いである．

不安（一般的な，食物アレルギーに特異的な）

不安・うつなど不安症圏の精神症状との関連について述べられている文献が最も多く，食物アレルギーとの親和性の高さが伺える．さまざまな評価尺度が用いられているが，特に小児の不安についての評価法は確立していない．国際的に用いられている児童用の不安尺度で，かつ日本語版が整備されているものとしては，SCAS（スペンス児童用不安尺度）（小学校 3 年生～中学校 3 年生）や CMAS（児童用不安尺度）（小学校 4 年生～中学校 3 年生）などがあり，学校保健や神経発達症の領域ではこれらを使用した日本発の英語論文が少数ではあるがみられる．

海外では，地域ベースの青年の疫学的サンプルにおいて，Child and Adolescent Psychiatric Assessment（CAPA）を用いた構造化面接による評価で，食物アレルギーが分離不安，全般性不安，注意欠如・多動症（attention-deficit/hyperactivity disorder ADHD），さらに神経性食欲不振様の症状の増加と関連していると報告した文献がある[3)]．そのほか，SDQ（Strength and Difficulties Questionnaire）スコアにおける食物アレルギー児 vs. 健常コントロール児の比較で，食物アレルギー児のほうが内因的問題のスコアが有意に高得点であり，その傾向は女児でより顕著であったとの報告もある[4)]．また，方向性が異なるが，養育者の不安がインターネット上の情報収集で悪化し，食物経口負荷試験（OFC）での正しい診断で軽減するとの報告もあり興味深い[5)].

一方で，一般的な不安尺度では抽出できない，食物アレルギーに特異的な不安を評価する質問紙が最近新たに開発され[6)]，試用されているようである．治療としては，海外では一般的な不安と同様に食物アレルギー児用にアレンジされた認知行動療法による介入が始まっており，その効果が検証されている[7)].

抑うつ

4～12 歳の食物アレルギー児 80 人とその親を対象とした症例対照研究では，食物アレルギー児の不安・

抑うつ傾向はいずれも対照児と差がなかった[8]．また，主に成人が対象だが，平均年齢 41 歳の日本人男性約 12,000 人を対象としたウェブベースの研究では，除去対象の食物抗原数が多いほど，うつ症状のリスクが高くなっていた（4 抗原の場合でオッズ比 2.27）[9]．

いじめ

6 本の論文をまとめたレビューでは，欧米の学齢期（4 ～ 17 歳）の食物アレルギー児の 20 ～ 32％が，食物アレルギーに関連したいじめを受けたことがあるとされている[10]．その中で，アメリカニューヨークのアレルギー専門外来に通院している 8 ～ 17 歳の 250 人を対象とした研究では，いじめは圧倒的に学校にいるときに多く，内容は「揶揄・からかい」「抗原食物をちらつかせる」「難癖をつける」「脅す」「仲間外れにする」「身体的行為」「抗原食物に触れさせる」「陰口を言う」などの順に多く多岐にわたっていた[11]．しかし，食物アレルギーをもつ子どもともたない子どもの間でいじめの発生率を比較した研究はほとんどなく，食物アレルギーが子どものいじめられるリスクを高めるかはまだ明らかではない．

別分野ではあるが，カナダでは小学校 3 ～ 6 年生向けに TAB プログラム（Teasing and Bullying：Unacceptable Behavior program）といういじめ予防のプログラムが存在し，効果が検証されている[12]．食物アレルギーに関しても，まずは教職員や同級生に病態や必要な対応を正しく理解してもらうことで，接する態度に変化を生み，いじめを受けるリスクを減らすことができるかもしれない．

既存の文献報告から食物アレルギーと関連が強いとされる不安症状（食物アレルギーに特異的な不安，全般性不安，分離不安）について，特に食物アレルギー当事者の子ども本人からの報告をもとにした評価が不足しており，今後の研究課題であると考える．また，PTSS（post-traumatic stress syndrome）や自尊感情との関連は小児を対象とした報告がほとんどなく，調査があってもよいかもしれない．

食物アレルギー児の中でも心理的支援の需要が大きい者を拾い上げるために，どのような特徴をもった子ども（と，その親）に不安が強いのか，今後調査が必要だと考える．さらに，食物アレルギー児の生活上の制限，QOL の低下がメンタルヘルスへ影響している可能性も大いにあり，できる限りの環境整備や周囲（家族，学校の教職員にとどまらず，同級生やその親，習い事などの他コミュニティー，飲食店の従業員など）の理解を広く得られるよう，われわれは支援に努めたい．

1) Cushman GK, et al.：J Allergy Clin Immunol, 151：29-36, 2023.
2) Golding MA, et al.：Pediatr Allergy Immunol, 33：e13743, 2022.
3) Shanahan L, et al.：J Psychosom Res, 77：468-473, 2014.
4) Polloni L, et al.：Ann Allergy Asthma Immunol, 115：158-160, 2015.
5) Beken B, et al.：Pediatr Allergy Immunol, 30：752-759, 2019.
6) Dahlsgaard KK, et al.：J Allergy Clin Immunol Pract, 10：161-169. e6, 2022.
7) Dahlsgaard KK, et al.：Ann Allergy Asthma Immunol, 130：100-105, 2023.
8) Goodwin RD, et al.：J Pediatr, 187：258-264. e1, 2017.
9) Hidese S, et al.：J Affect Disord, 245：213-218, 2019.
10) Golding MA, et al.：Pediatr Allergy Immunol, 33：e13743, 2022.
11) Shemesh E, et al.：Pediatrics, 131：e10-17, 2013.
12) Langevin M, et al.：Lang Speech Hear Serv Sch, 43：344-358, 2012.

16 社会的対応（保育所，学校）

保育所・学校におけるアレルギー対応の充実

2022（令和 4）年のアレルギー疾患に関する調査研究委員会（日本学校保健会）では，学校におけるアレルギー疾患の有病率はアレルギー性鼻炎で 17.5％，気管支喘息が 4.5％，アトピー性皮膚炎が 5.5％，食物アレルギーが 6.3％と報告された．このうちアレルギー性鼻炎は約 2 倍，食物アレルギーは 2.4 倍に増加した．こうした実態を受けて文部科学省は「アレルギー疾患はまれな疾患ではなく，学校保健を考える上で，すでに学校に，クラスに各種のアレルギー疾患の子どもたちが多数在籍していることを前提としなければならない状況になっている」との認識を示すに至った．こうした考え方は厚生労働省が管轄する保育所においても同様である．

現在学校には「学校生活管理指導表（以下，指導表）」（p.283 参照）と「学校のアレルギー疾患に対する取り組みガイドライン」（図 1），保育所には「保育所におけるアレルギー疾患生活管理指導表」（p.281 参照）および「保育所におけるアレルギー対応ガイドライン」（図 2）が発刊されており，それぞれ最近改訂された．また 2015（平成 27）年には学校給食におけるアナフィラキシー事故を受けて，ガイドラインを解説する資料および DVD と「学校給食における食物アレルギー対応指針」が文部科学省から発刊されている．それぞれの資料は文部科学省や厚生労働省のからダウンロードすることが可能であり，保育所・学校で活用されている．

保育所・学校給食における食物アレルギー対応のポイント

給食は子どもたちにとって単に栄養としてだけでなく，「食の大切さ」「食事の楽しさ」を理解するための教材としての役割も担う．これは食物アレルギーの子どもたちにとっても同様であり，保育所・学校では食物アレルギー患者の視点に立ったアレルギー対応給食を目指すことが求められている．

こうした背景がある中，適切な給食対応の推進のためには，診断する医師の協力が重要である．医師が正しい診断を与え，保育所・学校において必要最小限の対応で安全で楽しい給食が提供できるように環境を整える．診断する医師が「念のため，心配だから除去」指導することを慎むことが求められている．

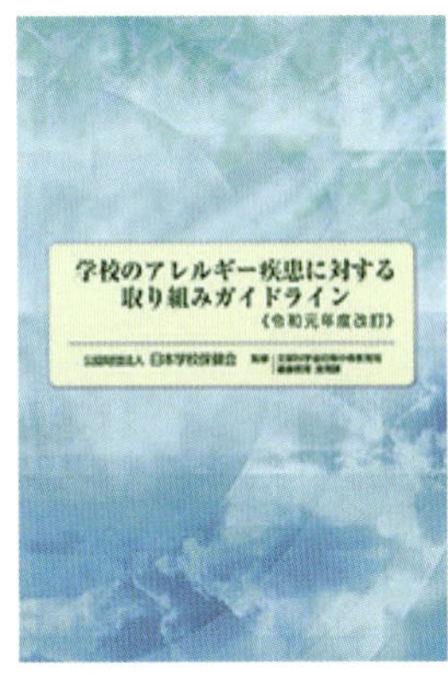

図 1

図 2

図 3

またガイドラインや指導表の活用促進，アドレナリン自己注射薬についてより積極的な取り組みが保育所・学校には必要とされている．特に指導表は，対応が必要な子どもにおいてはその提出を必須とする．医師はガイドラインの概要を理解し，必要に応じて保育所・学校に助言や指導をすることが期待されている．

安全な保育所・学校生活を送るために

医師が正しい診断を与えること

保育所・学校では，誤食防止の観点で徹底的な食物アレルギー対応が行われ，その労力はとても大きい．このため，医師の不必要や不適切な除去指導は，保育所・学校の現場に本来不要であったはずの過大な注意と労働をもたらすことになる．

医師は生活管理指導表を記入するときは，保育所・学校における関係職員の負担に関しても思いを馳せて，必要最小限の除去指導を励行する．

安全を優先とした給食提供をすること

除去食対応を基本とし，さらに二者択一の対応を行うこと

例えば牛乳アレルギーで説明すれば，従来の除去食では，A くんは牛乳完全除去，B さんは乳加工食品までは食べられる，C くんは飲用牛乳だけ除去など，いくつも段階があり，またそれぞれに給食対応してきた．そこには保護者や主治医の要望があり，それに応えることが保育所・学校給食の一つの使命とすら考えられてきた．確かに“豊かな食生活”を考えたときに，この対応は一つの目標となる．しかし，保育所・学校給食で最優先するべきは“安全性”であり，それは何事にも変えられない．従来の多段階式の除去食対応を行うことで，調理作業は煩雑となり自ずと事故リスクが上がる．

これを回避するのが給食における二者択一対応となる．すなわちすべての牛乳アレルギー児は，食べられるレベルに関係なく牛乳完全除去対応する．軽症牛乳アレルギー児はこれまで食べられていたものが食べられなくなるので保護者は不満を募らせて主治医に訴えるかもしれない．このとき医師は保護者に同調するのではなく，二者択一対応は子どもの安全性を重視した慎重な対応であることを説明し，諭すことが期待されている．

重症児には無理な対応をしないこと

重症児に対する給食対応は，そもそも重症児のリスク管理上，集団給食において安全給食の提供が困難である点，また万が一の事故時に重大インシデントになる可能性がある点をもって，給食対応はせず弁当対応を考慮することが示されている．

重症児の定義としては，調味料・出汁・添加物（表）まで除去が必要な場合，加工食品の欄外表記（注意喚起表示）まで除去が必要な場合，食器や調理器具の共用ができない場合，油の共用ができない場合などがあげられている．

医師には重症児をみたときに，安易に調味料・出汁・添加物などの除去指導をしたり，食器や調理器具を分ける指示をしたり，油の共用を禁じたりしないことが求められる．一般的に極めて重症でなければ，これらの制限は必要ない．医師の過剰な判断が子どもたちの楽しい給食時間を奪うことを知る必要がある．

表　原因食物と除去する必要のない調味料・出汁・添加物など

原因食物	除去する必要のない調味料・出汁・添加物など
鶏卵	卵殻カルシウム
牛乳	乳糖，乳清焼成カルシウム
小麦	しょうゆ，酢，みそ
大豆	大豆油，しょうゆ，みそ
ゴマ	ゴマ油
魚類	かつお出汁，いりこ出汁，魚しょう
肉類	エキス

保育所・学校におけるアナフィラキシー対応

アナフィラキシーは急速に進行し，時に命を奪いかねない．このため保育所・学校でアナフィラキシー事象が発生したときに，保育所・学校関係者はその対応に迅速かつ的確に行うことが期待されている．

保育所・学校教職員はアドレナリン自己注射薬を使用してよい

保育所・学校で発生した重篤なアナフィラキシー症状の多くは，現場でのアドレナリン自己注射薬の投与が求められる．アナフィラキシーの救命の現場に居合わせた教職員が，同薬を自ら注射できない状況にある子どもに代わって注射することは，医師法違反にならないと考えられている．こうしてすべての保育所・学校職員によるアドレナリン自己注射薬の注射は2008（平成20）年に，その行為を妨げない方針が国から打ち出されており，積極的な運用が求められている．

実際に打つときは看護師や養護教諭がその役割を担う可能性が高いと考えられるが，研修や病欠などで看護師や養護教諭が不在のこともある．このため，全保育所・学校教職員がアドレナリン自己注射薬を打つ手技を習得しておくことが求められている．

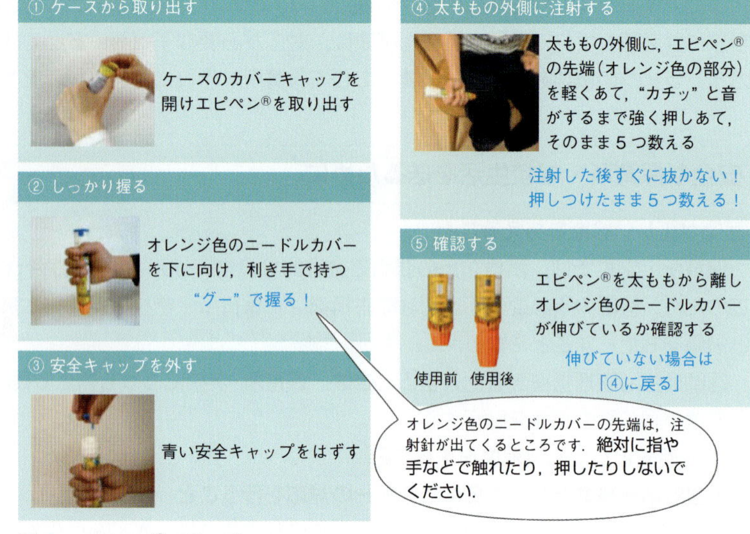

図4 エピペン®の使い方

（文部科学省・（公財）日本学校保健会を一部改変し，引用）

アドレナリン自己注射薬の打ち方

当該患児の主治医は，アドレナリン自己注射薬の運用に消極的だったり過剰に心配していたりする保育所・学校対応に遭遇した場合，現場で不安なく運用できるようにわかりやすく丁寧に説明指導していくことが期待される．

アドレナリン自己注射薬の注射は非常に簡単な手技である．しかし緊急時に施術者は大きく動揺しており，適切に使用できないことが少なくない．このために日頃から練習用トレーナーを用いて，注射手技を確実に覚えてもらう．練習用トレーナーは製品に付属しており保護者は必ず持っているので，保育所・学校ではこれを借用するとよい．具体的には図4のような点に注意しながら注射する．

① しっかり握り，安全キャップを取る

アドレナリン自己注射薬を利き手で，手をグーの形にしてしっかり把持する．利き手でないほうで握って，安全キャップを取ると，注射するときに利き手に持ち替えることになり，誤注射の原因になるためにはじめから利き手で把持するとよい．アドレナリン自己注射薬はオレンジ色の先端部から針（22G）が射出される．これと逆方向の青い部分は針が不用意に出ないように，取り外し可能な安全キャップになっている．使用時は，この青色の安全キャップを取り外すことから始まる．

② 打つ

大腿部前外側あたりに注射するが，これではわかりにくいので，ポケットのあたりと説明するとよい．アドレナリン自己注射薬は振り下ろして打つと，注射点を外す可能性があるので，注射点に当てて押し込むとよい．注射針は服の上からでも十分に貫通するので，脱衣する必要はない．ただしポケットに硬貨や鍵などが入っていないことを確認する．装填されているアドレナリンは速やかに注射されるが，射出の反動や患児の痛がり方に驚いて，すぐにアドレナリン自己注射薬を抜いてしまうことがある．注射の確実性を高めるために，注射後しばらくはその状態を保持する．

③ 打った後に

アドレナリン自己注射薬を抜くとき，先端のオレンジ色の部分が針を隠すよう伸びてくる．抜去時に先端部が伸びていなければ，注射はできていない．この場合，改めてはじめから手技を確認する．多くの場合，安全キャップの取り外し忘れか，緊張して力が入っていないかが原因である．さらに注射点を中心に5回ほどよく揉むことで，アドレナリンの早期吸収を促す．

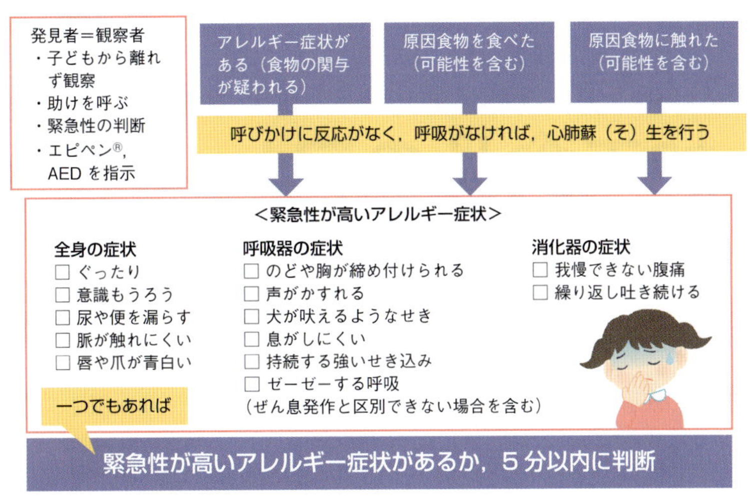

図 5　緊急時の対応

東京都：「食物アレルギー緊急時対応マニュアル」一部改変し，引用
文部科学省・（公財）日本学校保健会

打つタイミング

アドレナリン自己注射薬の打つべきタイミングは，日本小児アレルギー学会が緊急性の高い症状として 13 症状（全身症状 5 症状，呼吸器症状 6 症状，消化器症状 2 症状）を提案している（図 5）．このうち一つでも該当する症状があれば緊急性が高いと考え，自己注射薬の投与が推奨される．

保育所・学校の抱える不安

園・教職員たちはアドレナリン自己注射薬の運用に対して不安が強い．主治医はこうした不安を解消する努力をする必要がある．アドレナリン自己注射薬運用に関して，職員らの大きな不安材料は，“打つタイミング”と“打ち方”にある．指導を行うことでこれらの不安は軽減するが，なくなるわけではない．医師は過剰に不安に駆らせるような説明は控え，反復練習することで不安が解消されることを説明するとよい．

これ以外にも，“副作用に関して”，“打つ必要がないのに打ってしまった場合”，“保管の方法”などを教師らは不安に思っていることが多い．副作用は添付文書通りに説明するとかえって不安感を煽るので，打つ必要性に力点を置き説明するとよい．また注射タイミングが早すぎた場合への不安感にはむしろ適切な注射が遅れることのほうが健康被害の重篤化を導くことを説明する．実際は，アドレナリンを注射することで，患児は“頻脈，頭痛，口唇蒼白”などを訴えることがあるが，いずれも軽度であり速やかに消失していく．

保育所・学校における食物アレルギー対応は，2012 年に発生した小学生の死亡事故をきっかけに，にわかに注目を集めた．その半面で，アナフィラキシーやアドレナリン自己注射薬に対して恐怖感が先行して，保育所・学校対応が消極的になり萎縮してしまう傾向がある．こうした背景の中，医師，特に校医には積極的に保育所・学校保健における食物アレルギー対応に貢献することが求められている．

主治医は，必要最小限の原因食物の診断を行い，保育所・学校における食物アレルギー対応を理解し，保育所・学校や保護者からの問い合わせに丁寧に答え，食物アレルギー児の楽しい保育所・学校生活を後押しすることが期待されている．

1) アレルギー疾患に関する調査研究報告書．アレルギー疾患に関する調査研究委員会（文部科学省），2007.
2) アレルギー疾患に関する調査研究報告書．アレルギー疾患に関する調査研究委員会（文部科学省），2016.
3) 学校のアレルギー疾患に対する取り組みガイドライン（令和元年度改訂版）．日本学校保健会，2020.

食品表示
加工食品のアレルギー表示

食物アレルギー表示の概要

食物アレルギー表示の表示事項は，消費者庁の管轄のもとで食品表示法により規定されている．アレルゲンを含む食品が引き起こす健康危害の発生を防止する観点から，過去の健康危害などの程度，頻度を考慮し，特定原材料を定め，容器に当該特定原材料を含む旨の表示を義務付けている．重症度が高い，または症例数の多い特定原材料 8 品目については表示を義務付けし，過去に一定の頻度で健康危害がみられた特定原材料に準ずるもの 20 品目については表示を推奨している（表 1）．クルミについては，昨今の症例数の急激な増加を受けて，食品表示基準の一部改正（2023 年 3 月 9 日）により特定原材料に準ずるもの（表示推奨品目）から特定原材料（義務表示品目）に変更となった．食物アレルギー表示にあたっては，原材料中の個々の特定原材料の総タンパク含有量が一定量以上（数μg/g 以上または数μg/mL 以上）含まれている場合には表示が必要とされており，ごく微量でも含まれていれば必ず表示されている．

一方，特定原材料に準ずる 20 品目は表示が推奨されているが表示義務はない．またこの 20 品目以外の食品も表示義務はない．したがって，特定原材料ではない食物（アレルゲン）を除去する場合には，製造元の食品メーカーに原材料として該当の食物が使われているか，などを問い合わせ，安全性を確認する必要がある．

表 1　特定原材料および特定原材料に準ずるもの

	特定原材料等の名称	表示の義務
特定原材料	えび，かに，くるみ*，小麦，そば，卵，乳，落花生（ピーナッツ）	義務
特定原材料に準ずるもの	アーモンド，あわび，いか，いくら，オレンジ，カシューナッツ，キウイフルーツ，牛肉，ごま，さけ，さば，大豆，鶏肉，バナナ，豚肉，まつたけ，もも，やまいも，りんご，ゼラチン	推奨

* 2025 年 3 月 31 日まで経過措置期間

食物アレルギー表示の対象範囲

食物アレルギー表示の対象範囲は容器包装された加工食品および添加物（アレルゲン由来の添加物を使用した生鮮食品も含む）である．中食（ばら売りや量り売りなど容器包装されずに販売される食品）や外食（出前も含む）などで提供される食品についてはアレルギー表示の対象ではない．また，中食や外食で食品に原材料表示がされていることがあるが，この表示は法律で規制されたものではなく，正しい情報であるとは限らない．このため重篤な食物アレルギー患者が，中食・外食などを利用する際には店員に原材料を確認するなど十分な注意が必要である．

食物アレルギー表示の方法

食品表示法に規定されている表示についての代表的な重要事項を下記にあげる．

個別表示 個々の原材料の直後にそれぞれに含まれる特定原材料等を表示する方法であり，食物アレルギー表示の原則の表示方法である．原材料名または添加物名の直後に括弧を付して表示されるため，喫食可能な食品を選択しやすい．表示例：原材料「マヨネーズ（卵・大豆含む）」，添加物「カゼインナトリウム（乳由来）」等

Caution　繰り返しになる特定原材料等の省略に注意！！

個別表示では，2 種類以上の原材料を使用している製品で原材料に同一の特定原材料等が含まれる場合は，そのうちのいずれかに特定原材料等を含む旨を表示すれば，それ以外の原材料については，表示を省略することができる．例えば，表 2 の B では，① のマヨネーズに「大豆を含む」と表示し，② 醤油，③ タンパク加水分解物の「大豆を含む」の表示を省略している．④ 酵母エキスに「小麦を含む」と表示し，② 醤油の「小麦を含む」の表示を省略している．このように繰り返しになる特定原材料の表示が省略されることがあるため注意する．

一括表示　表示可能面積が小さく個別表示ができない場合などに，その食品に含まれるすべての特定原材料等をまとめて表示する方法である．原材料の最後（原材料と添加物で事項欄を分けて表示する場合は，原材料欄の最後と添加物欄の最後）に「(一部に○○・○○を含む)」と表示する．一括表示では，どの原材料にアレルゲンが含まれているかなどの情報はわかりにくい．表 3 に原材料が同じ食品の個別表示および一括表示の例を示す．

表 2　調味料の原材料表示例

	原材料名
A：すべて表示する場合	① マヨネーズ（大豆・卵を含む），② 醤油（大豆・小麦を含む），③ タンパク加水分解物（大豆を含む），④ 酵母エキス（小麦を含む），⑤ 卵黄（卵を含む）
B：繰り返しになる特定原材料等を省略する場合	① マヨネーズ（大豆・卵を含む），② 醤油，③ タンパク加水分解物，④ 酵母エキス（小麦を含む）⑤ 卵黄

表 3　個別表示と一括表示の例

	原材料名
個別表示	小豆，小麦粉，砂糖，卵黄（卵を含む）/ 炭酸水素 Na，カゼインナトリウム（乳由来）
一括表示	小豆，小麦粉，砂糖，卵黄 / 炭酸水素 Na，カゼインナトリウム（一部に小麦・卵・乳成分を含む）

代替表記と拡大表記

代替表記　特定原材料等と表示方法や言葉は異なるが，特定原材料等と同様のものであることが理解できる表記である（p.272 参照）．

Caution　代替表記と似た紛らわしい表記の区別が必要！

乳の代替表記であるミルク，バター，バターオイル，チーズ，アイスクリームは「乳」の言葉を含まないため見落としやすい．また，「ココナッツミルク」「カカオバター」などの食品は乳を含まないが，食品名として紛らわしい．乳の代替表記と乳を含まないが紛らわしい表記を区別しておく．

拡大表記　特定原材料等または代替表記を含むことにより，特定原材料を使った食品であることが理解できる表記である（p.272 参照）．

注意喚起表示　原材料に特定原材料が使用されていない食品でも，特定原材料が意図せずに混入（コンタミネーション）してしまう場合がある．洗浄や清掃などの対策を図っても混入の可能性を排除できない場合は，「本品製造工場では○○（特定原材料等の名称）を含む製品を生産しています」などの注意喚起表示を行うことが推奨されている．ただし，特定原材料に対する重症度の高い患者でなければ，注意喚起表示があっても基本的にその食品を摂取できる．注意喚起表示は，製造者の任意で表記される（表示義務はない）ため，表記がないからといって，特定原材料を扱わない製造現場であると判断することはできない．

時代の変化や食文化の多様化などとともに食物アレルギーの原因物質は変遷しており，実態調査，疫学調査などを経て，アレルギー表示についても必要な変更や改正が行われている．食物アレルギー患者にとってアレルギー表示は，食品の摂取可否の判断材料となるものである．食物アレルギーに関わる者が最新の情報を正しく理解しておくことが重要である．

アレルギー表示に関する詳細の情報は消費者庁の Web サイト（https://www.caa.go.jp/policies/policy/food_labeling/food_sanitation/allergy/）で確認することができる．

1) 日本小児アレルギー学会食物アレルギー委員会：食物アレルギー診療ガイドライン 2021．協和企画，2021．
2) 厚生労働科学研究班による食物アレルギーの栄養食事指導の手引き 2022．
3) 消費者庁：加工食品の食物アレルギー表示ハンドブック（令和 5 年 3 月作成）．
4) 消費者庁 Web サイト

18 投与禁忌薬物と予防接種

投与禁忌薬物

多くの食物アレルギー患者やその保護者は，医師などの指導の下，加工品食材のアレルギー表示や給食の献立表から含まれる原材料を確認し，症状を引き起こすアレルゲンを摂取しないように細心の注意を払い過ごしている．しかしながら，かかりつけ医以外の医師･歯科医師から処方される医薬品，救急搬送時，ドラッグストアなどで購入した一般用医薬品は盲点となりやすく，アレルギー症状を引き起こすことが懸念される．体調の良い時は問題ない量であっても，体調が悪い時には重篤な反応を引き起こす場合もあるので十分な注意が必要である．食物アレルギーがある患者に対して注意しなければならない医療用医薬品を表 1 に，その他の一般用医薬品などを表 2 に示す．

① 鶏卵アレルギー

卵白タンパク質の 1 つであるリゾチームを原料とした塩化リゾチーム（リゾチーム塩酸塩）は古くから消炎酵素剤として汎用されてきたが，有効性を確認できず多くの医療用医薬品は 2016 年に販売中止・回収となった．しかし，未だ販売されている製剤もあるため留意する必要がある．

② 牛乳アレルギー

カゼインを含有するタンニン酸アルブミンや乳酸菌製剤は，急性胃腸炎の腸管の透過性が亢進している状況下で使用されるため，重篤なアナフィラキシーも起こりうる．乳酸菌自体にアレルゲン性はないが，培養時の培地に使用する脱脂粉乳中のカゼインが症状を引き起こす．培

表 1　注意しなければならない医療用医薬品 (2023 年 4 月現在)

	含有成分	商品名	薬効分類
投与禁忌			
鶏卵	リゾチーム塩酸塩	ムコゾーム®点眼液	酵素製剤
牛乳	タンニン酸アルブミン	タンナルビンなど	止瀉剤，整腸剤
	耐性乳酸菌	エンテロノン®-R 散，耐性乳酸菌散	活性生菌製剤
	カゼイン	アミノレバン®EN 配合散，イノラス®配合経腸用液，エネーボ®配合経腸用液，エンシュア®·H，エンシュア・リキッド®，ラコール®NF 配合経腸用半固形剤，ラコール®NF 配合経腸用液	タンパクアミノ酸製剤
		ミルマグ®錠	制酸剤，下剤
ゼラチン	ゼラチン	エスクレ®坐剤	催眠鎮静剤，抗不安剤
慎重投与			
大豆	水素添加大豆リン脂質	アムビゾーム®点滴静注用 ドキシル注®	抗真菌性抗生物質製剤 抗悪性腫瘍剤
成分から投与を避けるべき薬剤　※吸入薬については表 4 参照			
牛乳	乳糖	ソル・メドロール®静注用 40mg 注)	ステロイド製剤
小麦	小麦（ショウバク）	甘麦大棗湯 アストフィリン®配合錠 アダプチノール®錠 スピロピタン®錠 チョコラ®A 錠	漢方製剤 喘息治療薬 暗順応改善剤 統合失調症治療剤 ビタミン A 剤
ゴマ	ゴマまたはゴマ油	消風散，紫雲膏	漢方製剤
モモ	桃仁（トウニン）	桂枝茯苓丸，桃核承気湯，大黄牡丹皮湯，疎経活血湯，潤腸湯，腸癰湯	漢方製剤
ヤマイモ	山薬（サンヤク）	八味地黄丸，八味丸，六味地黄丸，六味丸，啓脾湯，牛車腎気丸	漢方製剤

注)：125mg，500mg，1,000mg 製剤は乳糖を含有しない．

表 2　投与禁忌の一般用医薬品 など

	含有成分	商品名／品目数*	薬効分類（ ）は品目数
鶏卵	塩化リゾチーム（リゾチーム塩酸塩）	27 品目	かぜ薬（11），鼻炎用内服薬（6），口腔咽頭薬（トローチ剤）（6），一般点眼薬（2），鎮咳去痰薬（1），歯痛・歯槽膿漏薬（1）
	卵黄	4 品目	漢方薬（3），外用痔疾用薬（1）
牛乳	タンニン酸アルブミン	6 品目	止瀉薬
	乳酸菌	5 品目	整腸薬
	カゼイン	6 品目	ビタミン B 製剤（4），下剤（1），婦人薬（1）
	脱脂粉乳	1 品目	口腔咽喉薬
	CPP-ACP（リカルデント）	ジーシー MI ペースト	口腔ケア用塗布薬
		リカルデント®ガム	特定保健用食品

*2023 年 4 月現在の品目数

一般用医薬品については添付文書の「使用上の注意 してはいけないこと」に鶏卵・牛乳アレルギー患者が明記されているものをあげた．

表3　牛乳アレルギー患者に投与可能な乳酸菌製剤など　(2023年4月現在)

分類	商品名
乳酸菌製剤	アタバニン®散，ビオチアスミンF-2散，ビオフェルミン®配合散，ビオラクト原末，ラクトミン散，ラクトミン末
耐性乳酸菌製剤	ビオフェルミンR®散･錠，ラックビーR®散，レベニン®散・錠
ビフィズス菌製剤	ビオスミン®配合散，ビオフェルミン®散・錠
活性生菌製剤	ビオスリー®配合散・錠・OD錠
三菌種配合乳酸菌製剤	レベニン®S配合散・錠
酪酸菌製剤	ミヤBM®細粒・錠

表4　乳糖を含有する気管支喘息およびインフルエンザの吸入治療薬　(2023年4月現在)

効能	商品名	種類
喘息治療薬	アズマネックスツイストヘラー100μg／200μg アニュイティ100μg／200μgエリプタ フルタイド50／100／200ロタディスク フルタイド50／100／200ディスカス	ICS
	アテキュラ吸入用カプセル低用量／中用量／高用量 アドエア100／250／500ディスカス シムビコートタービュヘイラー ブデホル吸入粉末剤「JG」／「MYL」／「ニプロ」 レルベア100／200エリプタ	ICS/LABA
	エナジア吸入用カプセル中用量／高用量 テリルジー100／200エリプタ	ICS/LABA/LAMA
	セレベント50ディスカス	LABA
	メプチンスイングヘラー10μg吸入	SABA
インフルエンザ治療薬	イナビル吸入粉末剤 リレンザ	抗ウイルス薬

ICS：吸入ステロイド薬，LABA：長時間作用性吸入β_2刺激薬，LAMA：長時間作用性抗コリン薬，SABA：短時間作用性吸入β_2刺激薬．

地に脱脂粉乳を使用しない製剤や，後の精製の過程でほぼ取り除かれる場合は牛乳アレルギー患者に使用可能である（表3）．

そのほか，感受性の高い患者では乳糖や口腔ケアを目的に使用されるCPP-ACP（リカルデント）にも留意する必要がある．

乳糖自体にアレルゲン性はないが，微量の乳清タンパク質が残存している．注射用ステロイド薬であるソル・メドロール静注用40mgは添加された乳糖に起因する即時型反応の報告例がある[1]．ドライパウダー式の製剤にも添加されている場合が多く，副作用から経気道的な感作が増強した症例が報告されている[2, 3]．乳糖を含有する吸入治療薬を表4に示す．なお，パルミコート タービュヘイラーやエアゾール剤は乳糖を含有していないので感受性の高い牛乳アレルギー患者の気管支喘息治療時はこれらの薬剤が選択肢となる．CPP-ACP（リカルデント）は，牛乳由来タンパク質の分解物であるカゼインホスホペプチド（CPP）を含む．歯科医で使用されたり，ガムとして市販されていることから，患者への注意喚起の必要がある．

③ 小麦アレルギー

漢方製剤の甘麦大棗湯は成分として小麦（ショウバク）を含む．その他，添加物として小麦を含む製剤もある．投与禁忌ではないが小麦アレルギー患者への投与は避けた方がよい．

④ その他

大豆油や大豆レシチンは多くの製剤に薬剤成分や添加物として含まれるが，大豆アレルギー患者を慎重投与の対象とする薬剤は2剤のみで限定的である．大豆油を含む成分栄養剤でアレルギーを起こしたと思われる症状の報告もあるため[4]留意する必要がある．ゼラチンは添加物もしくはカプセルの原材料として非常に多くの製剤に使用されている．経口剤が問題となることはないが，坐剤は腸管粘膜からの吸収が良いため，強いアレルギー反応を起こす可能性がある．また，漢方製剤でゴマ・モモ・ヤマイモを含む製剤がある．

予防接種

食物アレルギー患者へのワクチン接種にあたっては，事前のワクチン成分の確認と，接種前の問診でアレルゲンとなる食物の摂取状況や誘発症状を正確に把握し，接種可否を判断する．ただし，ワクチン接種でアナフィラキシーなどの重篤な症状を引き起こした事例はまれであり，アナフィラキシー出現時の準備と接種後の観察を十分に行えば，接種による利益が優先する場合が多い．接種可否の判断が困難な症例は専門施設へ紹介する[5]．

1) Eda A, et al.：Allergol Int, 58：137-139, 2009.
2) Nowak-Wegrzyn A, et al.：J Allergy Clin Immunol, 113：558-560, 2004.
3) No authors listed：Child Health Alert, 23,1-2, 2005.
4) 岡藤郁夫，ほか：日本小児科学会雑誌，107：489-494，2003.
5)「予防接種ガイドライン2021年版」公益財団法人 予防接種リサーチセンター発行.

19 災害時の対応

アレルギー患者は災害時の要配慮者と規定される[1]．食物アレルギー児は，食料の確保が困難となり，早急な対応を要するが，アレルゲンを誤食しない限り健康であるため，一見要配慮者と気づかれにくい．われわれ医療者は，平時より患者および家族に対し，自宅での食料と医薬品の備蓄について注意喚起する必要がある．

大規模災害が起こると

電気，水道，ガス，通信などライフラインが停止し，家庭での調理が困難となる[2]．スーパーやコンビニエンスストアも被災し，食料を購入することもできない．東日本大震災のような大規模災害では，行政や病院の職員も被災し，機能不全に陥る．また幹線道路が寸断され，外部からの支援物資と救援活動にも支障が出る[2]．

避難所では

超急性期には避難所も混乱するため，要支援者や物資の把握が難しい．行政の備蓄に食物アレルギー対応食のような特殊食品は少なく[3]，必要な人が必要な支援物資を入手できないことが予測される．乳幼児のいる家庭では，夜泣きや授乳を理由に，避難所への避難を避ける場合がある．支援物資や炊き出しは，避難所単位で配布されることが多く，このような避難所外避難者は，食料を受け取れない可能性もある[4]．避難所の埃による喘息の急性増悪や，入浴ができないことによるアトピー性皮膚炎の悪化も危惧される[5]．

病院では

救急病院は，救急対応や被災したクリニックの患者の対応で混乱する[2]．ガソリン不足や交通規制によって患者の受診控えも起こる[2]．

家庭内備蓄の勧め

災害対策において自助：共助：公助が担う割合は７：２：１とされ，公助による個別対応には限界があり，自助を促す必要がある．食物アレルギーにおいては，① 食料の備蓄，② 薬剤の備蓄，③ 食物アレルギーの正確な診断があげられる．

食料の備蓄

アレルギー対応食は調理を要しないレトルト食品やアルファ米が望ましい．平時より食べ慣れておくと安心である．特に離乳食やミルクは利用する年齢が限られ，個人備蓄が不可欠である[3]．災害支援物資が到着しない場合を考慮し，最低３～７日分の食料備蓄が推奨される．カセットコンロとボンベがあると簡単な調理ができて便利である（図 1）[6]．

薬剤の備蓄

症状出現時に要するエピペン®と内服抗アレルギー薬は不可欠であるが，併存疾患の薬剤も備蓄しておく（図 2）[7]．喘息合併例では，電源がなくとも使えるようスペーサーとエアゾール製剤を準備しておくと安心である．

正しい診断

食べられる食品と食物アレルギーがある食品を明確化し，災害時に初めて食べる食品を減らす．避難所で周囲の人にアレルゲンを与えられないよう示すビブスやカード（図 2）も準備しておく．

図1　食料備蓄[6)]

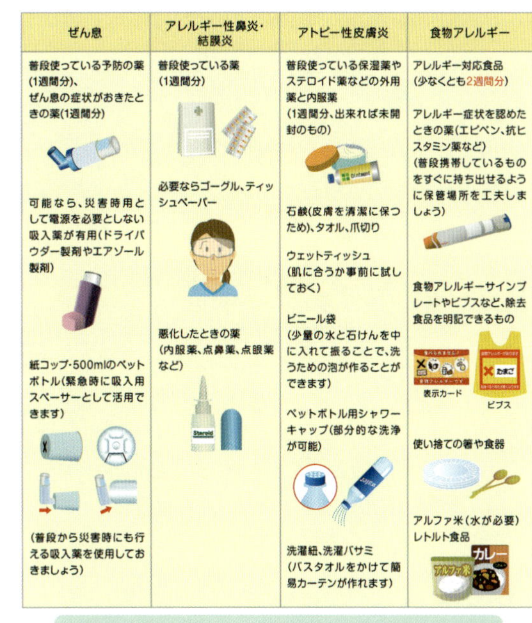

ぜん息	アレルギー性鼻炎・結膜炎	アトピー性皮膚炎	食物アレルギー
普段使っている予防の薬(1週間分)、ぜん息の症状がおきたときの薬(1週間分) 可能なら、災害時用として電源を必要としない吸入薬が有用(ドライパウダー製剤やエアゾール製剤) 紙コップ・500mlのペットボトル(緊急時に吸入用スペーサーとして活用できます) (普段から災害時にも行える吸入薬を使用しておきましょう)	普段使っている薬(1週間分) 必要ならゴーグル、ティッシュペーパー 悪化したときの薬(内服薬、点鼻薬、点眼薬など)	普段使っている保湿薬やステロイド薬などの外用薬と内服薬(1週間分、出来れば未開封のもの) 石鹸(皮膚を清潔に保つため)、タオル、爪切り ウェットティッシュ(肌に合うか事前に試しておく) ビニール袋(少量の水と石けんを中に入れて振ることで、洗うための泡が作ることができます) ペットボトル用シャワーキャップ(部分的な洗浄が可能) 洗濯紐、洗濯バサミ(バスタオルをかけて簡易カーテンが作れます)	アレルギー対応食品(少なくとも2週間分) アレルギー症状を認めたときの薬(エピペン、抗ヒスタミン薬など)(普段携帯しているものをすぐに持ち出せるように保管場所を工夫しましょう) 食物アレルギーサインプレートやビブスなど、除去食品を明記できるもの 表示カード　ビブス 使い捨ての箸や食器 アルファ米(水が必要)レトルト食品

※ 普段使っている薬は災害などに備えて1週間程度余裕をもって保管しましょう。
※ 薬や食品には消費期限があるので、年に数回など定期的にチェックしましょう。
※ 食品は火やお湯がなくても食べられるものも準備しておくことが必要です。

図2　家庭備蓄[7)]

災害時に利用できる資料

災害時のアレルギー疾患への対応方法は，アレルギーポータルにまとめられている．子どものアレルギーに関しては，日本小児アレルギー学会（https://www.jspaci.jp/gcontents/consultation-counter），アレルギー対応食については日本栄養士会災害支援チーム（JDA-DAT）の相談窓口を利用できる．

1) 内閣府（防災担当）：避難所における良好な生活環境の確保に向けた取組指針（令和 4 年 4 月改定）．
http://www.bousai.go.jp/taisaku/hinanjo/pdf/2204kankyokakuho.pdf
2) 三浦克志，ほか：災害時における喘息・アレルギー患児への対応と問題点―東日本大震災での報告と今後への提言―現地からの報告．日小児アレルギー会誌，25：721-725，2011．
3) 山田佳奈実，ほか：災害時の栄養・食生活支援に対する自治体の準備状況等に関する全国調査―地域防災計画と備蓄について．日本栄養士会雑誌，58：517-526，2015．
4) 熊本市都市政策研究所・政策局復興総室：平成 28 年熊本地震　熊本市震災記録誌―復旧・復興に向けて―発災からの 1 年間の記録．平成 30 年 3 月，熊本市．2018．
https://www.city.kumamoto.jp/hpKiji/pub/detail.aspx?c_id＝5&id＝18725&class_set_id＝2&class_id＝2570
5) 山岡明子，ほか：東日本大震災におけるアレルギー児の保護者へのアンケート調査．日小児アレルギー会誌，25：801-809，2011．
6) 農林水産省：要配慮者のための災害時に備えた食品ストックガイド．平成 31 年 3 月．
https://www.maff.go.jp/j/zyukyu/foodstock/guidebook/pdf/need_consideration_stockguide.pdf
7) 大規模災害時におけるアレルギー疾患患者の問題の把握とその解決に向けた研究研究班：災害におけるアレルギー疾患の対応―アレルギー疾患をお持ちの方，災害に対応する行政の方，災害医療に従事する方へ―．2022．令和 3 年度厚生労働科学研究費補助金（免疫・アレルギー疾患政策研究事業）
https://allergyportal.jp/wp/wp-content/themes/allergyportal/assets/pdf/00_Responding-to-Allergic-Disease-in-Disasters.pdf

症例編

乳幼児期

1 新生児・乳児食物蛋白誘発胃腸症（低出生体重児と正常出生体重児を含む）

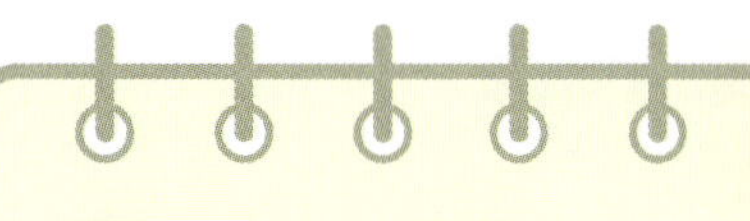

症例

緊急帝王切開で出生した低出生体重の女児

起始および経過

母体前期破水のため緊急帝王切開にて在胎 34 週 3 日，1,854g で出生（アプガースコア 8/8）し，同日 NICU に入院となった．新生児一過性多呼吸を呈したが，酸素投与のみで数日で軽快した．出生直後より少量の普通ミルクと母乳を開始し，日齢 2 に嘔吐と下痢・血便が複数回みられた．血液検査にて凝固系の異常はなく，末梢血好酸球 22%と上昇，便中好酸球も多数認めたことより，新生児・乳児食物蛋白誘発胃腸症を疑った．治療として普通ミルクと母乳を中止し，エレメンタルフォーミュラ®にしたところ，便の回数は改善し，日齢 7 には下痢・血便も消退した．その後，症状再燃なく，体重増加も良好であったため，日齢 19 で退院となった．

身体所見（血便出現時）

明らかな外表奇形なし，皮疹なし．胸部聴診所見：心雑音なし，腹部膨満なし．

検査データ（血便出現時）

WBC：24,600/μL（好酸球 22.0%），Hb：16.7g/dL，TP：5.0g/dL，Alb：3.1g/dL，Na：136mEq/L，K：5.1mEq/L，Cl：106mEq/L，CRP 0.01mg/dL.

プロトロンビン時間（INR）1.25，APTT 39.1 秒，フィブリノゲン 225.0mg/dL，FDP 6.2μg/mL，D ダイマー 1.9μg/mL.

Total IgE：< 5.0 IU/mL，特異的 IgE 抗体（UA/mL）牛乳，卵白，大豆，米すべて < 0.10.

便培養：陰性，便粘液好酸球細胞診：好酸球多数あり．

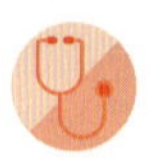

初診時の経過

日齢 0 新生児一過性過呼吸を認め NICU 入室の上，酸素投与した．同日より普通ミルクと母乳を少量から開始した．

日齢 2 嘔吐，下痢・血便が複数回出現した．同日，血液検査，便粘液好酸球細胞診検査を行い，便中の好酸球を多数確認した．

日齢 3 乳由来のタンパクによる新生児・乳児消化管アレルギーを疑って普通ミルクならびに母乳を中止しエレメンタルフォーミュラ®を開始した．

日齢 4 多呼吸の症状は改善したため酸素投与は終了した．嘔吐も消失した．

日齢 7 下痢・血便は消失した．

日齢 19 以降も下痢・血便・嘔吐は出現せず，体重増加も良好であることから退院となった．

表　新生児・乳児食物蛋白誘発性胃腸症の分類と特徴[2)]

新生児・乳児（非 IgE 依存性）食物蛋白誘発胃腸症（non-IgE-GIFAs）新生児・乳児消化管アレルギー	FPIES	発症年齢	早発	9ヵ月未満
			遅発	9ヵ月以降
		重症度*	軽症～中等症	反復性嘔吐±下痢，顔色蒼白，軽度不活発
			重症	噴出性嘔吐±下痢，顔色蒼白，不活発，脱水，低血圧，ショック，メトヘモグロビン血症，代謝性アシドーシス
		発症時間と有症状期間	急性	間欠的食物曝露，1～4時間以内の嘔吐．倦怠感と蒼白を伴う． 下痢は 24 時間以内（通常 5～10 時間）で発症． 原因食物の除去後 24 時間以内に改善． 成長は正常． 原因食物除去中は無症状．
			慢性	原因食物の連日摂取で発症． 間欠性嘔吐，慢性下痢，体重増加不良または成長障害． 重症では一時的な腸の安静と静脈内輸液が時に必要． 原因食物の除去後 3～10 日以内に改善． 除去後の原因食物の摂食では急性症状を示す．
		特異的 IgE 抗体	典型的	原因食物の特異的 IgE 抗体陰性
			非典型的	原因食物の特異的 IgE 抗体陽性
		原因食物	非固形	牛乳，豆乳，母乳
			固形	コメ，大豆，鶏卵，小麦など
	FPIAP	新生児期から乳児期全般に発症．母乳発症も多い．粘血便のみで全身所見は良好なことが多く，予後も良好．病理組織学的には好酸球性大腸炎が多い．		
	FPE	原因食物により 2 週間以上続く下痢，体重増加不良，吸収障害などをきたす．小腸病変が主体であり小腸粘膜の絨毛萎縮や陰窩過形成，上皮内および粘膜固有層内のリンパ球浸潤を呈し，病理組織所見をもって最終診断がなされることもある．		

non-IgE-GIFA：non-IgE-mediated gastrointestinal food allergy，FPIES：food protein-induced enterocolitis syndrome（食物蛋白誘発胃腸炎症候群），FPIAP：food protein-induced allergic proctocolitis（食物蛋白誘発アレルギー性結腸直腸炎），FPE：food protein-induced enteropathy（食物蛋白誘発腸症）

*：わが国では FPIAP，FPE も含め，中等症以上が指定難病の対象であり指定難病としての重症度分類・症状スコアが存在する．

解説

新生児・乳児食物蛋白誘発胃腸症は，主として非 IgE 依存性の食物アレルギーである．同疾患は，わが国では 2000 年頃から増加し，2000 年代前半の調査では発症率は 0.21％であった[1)]．同疾患はさらに food protein-induced enterocolitis syndrome（FPIES），food-protein-induced allergic proctocolitis（FPIAP）および food protein-induced enteropathy（FPE）に大別される（表）[2)]．また，FPIES は，さらに，単回の原因食物摂取後，1～4 時間以内に反復嘔吐を伴う acute FPIES と，連日の原因食物摂取により，間欠的嘔吐を伴う chronic FPIES に分かれる．本症例は，牛乳摂取による間欠的な嘔吐と，血便，下痢などを発症したことから chronic FPIES とも考えられる．しかし，現在の国際ガイドラインによると，acute FPIES と同じく，症状回復後の食物経口負荷試験（OFC）によって，単回の原因食物摂取後の 1～4 時間以内に反復嘔吐をみることが診断基準として示されているため，本症例も仮に OFC でこれをみた場合には，chronic FPIES と診断できる．FPIES の 10～15％は重篤な合併症を呈し，血液製剤や昇圧薬の投与が必要となる症例やイレウスや消化管穿孔など緊急で外科的処置を必要とする症例も報告されている[3)]．また，新生児・乳児食物蛋白誘発胃腸症は，OFC をしないとサブグループ診断名が決まらないという難しさがある．このため，初発症状が出た段階で，暫定的に嘔吐と血便の有無によって判断するクラスター分類が汎用されており，消化管の障害部位が推定できて有用である（図）[4)]．本症例は嘔吐と血便を認めたことからクラスター 1 であると考えられた．

この患児は，臨床経過から早期に新生児・乳児食物蛋白誘発胃腸症を疑って，普通ミルクと母乳の除去を行うことができ，重症化を防ぐことができた．また，本症例では内視鏡検査を行えなかったが，便粘液好酸球細胞診において好酸球を確認することができ診断の一助となった．しかし，便検体の採取法や検査法の標

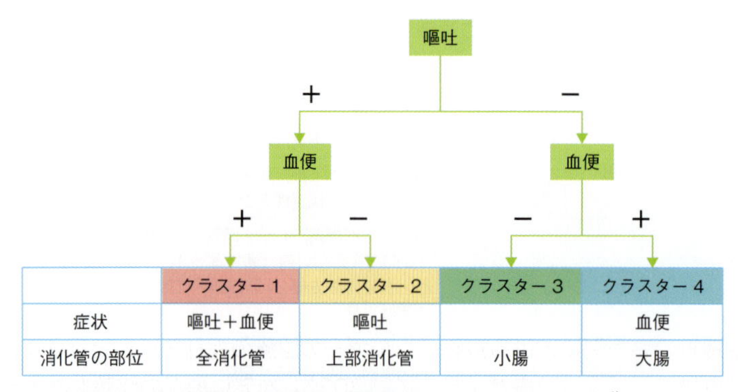

図　新生児・乳児食物蛋白誘発性胃腸症の 4 つのクラスター[4)]

準化はまだ十分ではない．また，施設によっては内視鏡や病理検査ができない可能性もあり，その際は臨床経過から本疾患を疑い迅速に治療に踏み切ることが重要であると考える．

新生児・乳児食物蛋白誘発胃腸症，中でも FPEIS の予後は，発症時の合併症に大きく依存するが，FPIES 自体は予後良好な疾患である[4)]．この患児も，退院後，エレメンタルフォーミュラ®によって順調に体重が増加していたため，生後 5ヵ月の時点で普通ミルクの OFC を行った．結果は陰性であり，その後の乳製品を含めた離乳食の摂取も問題なく，現在まで発育・発達も順調である．

本症例では，普通ミルクと母乳摂取により嘔吐，下痢，血便が早期から出現したこと，便粘液好酸球細胞診により好酸球を確認できたことから早期にアミノ酸乳への治療に踏み切ることができた．臨床症状から本疾患が疑われた場合は，検査体制が不十分であっても，迅速に原因食物の除去を行い，重篤な合併症や患児の発育・発達に対する負の影響を最小限にとどめる必要がある．

1) Miyazawa T, et al.：Management of neonatal cow's milk allergy in high-risk neonates. Pediatr Int, 51：544-547, 2009.
2) 日本小児アレルギー学会食物アレルギー委員会：食物アレルギー診療ガイドライン 2021．協和企画，2021.
3) Nowak-Wegryzyn A：Food protein-induced enterocolitis syndrome and allergic proctocolitis. Allergy Ashtma Proc, 36：1723-1784, 2015.
4) Nomura I, et al.：Four distinct subtypes of non-IgE-mediated gastrointestinal food allergies in neonates and infants, distinguished by their initital symptoms. J Allergy Clin Immunol, 127：685-688, 2011.

Column

「食物アレルギー」チェックリスト

乳児期の湿疹の管理が著しく改善し「食物アレルギーの関与する乳児アトピー性皮膚炎」を経験する機会は大きく減った．乳幼児期の食物アレルギーは「即時型食物アレルギー」がその大部分を占める．即時型食物アレルギーの特徴をまとめた「特徴リスト」，診断・治療の対応の「推奨リスト」と「御法度リスト」を以下にあげた．

これらのリストは最近のわが国における食物アレルギーの診療の指針を示した「食物アレルギーの診療の手引き 2020」や「食物アレルギー診療ガイドライン 2021」を元に編者の経験を踏まえて作成したものである．

即時型食物アレルギー

特徴リスト	・乳児アトピー性皮膚炎ですでに感作が成立している症例が多い ・乳児期早期に慢性の湿疹をほとんど認めなかった児にも発症する ・人工栄養を導入するときに認めることがある ・離乳食導入時に発症することがある ・初めて与えた食品で発症することがある ・乳児期発症の鶏卵・牛乳・小麦などは小学校に入るまでに 8 割前後は自然寛解する ・ピーナッツ・木の実類は幼児期に発症が多いが，自然寛解は期待しにくい
推奨リスト	・必要最小限の食物除去にとどめる ・乳児期発症例は寛解していくことを前提に診断を経年的に見直していく ・コンポーネントを活用すれば一部の食物では食物経口負荷試験によらなくても診断可能である ・通常の食生活から原因となる食物のみを除くという捉え方をしている ・見直しは食物経口負荷試験や誤食時の情報を参考にしている ・専門施設と食物経口負荷試験の実施依頼など病診連携を進めている ・牛乳アレルギーの時には適切なレベルのアレルギー用ミルクを導入する ・身体発育のチェック，栄養の評価を適切に行う ・栄養指導を行い生活の質を保つ ・アナフィラキシーを起こす児にはエピペン®の処方も含め症状誘発時の対策を指導する
御法度リスト	・食物に対する特異的 IgE 抗体が陽性（血液・プリックテスト）というだけで食物除去の指導をする ・乳児期の診断を見直すことなくそのまま経過観察を継続する ・調味料なども含め，過剰な食物除去の指導をする ・「一生治らない」と保護者に説明し恐怖感をあおる ・食物経口負荷試験を行うための病診連携をためらう ・漫然と抗ヒスタミン薬を飲ませ続ける

2 新生児・乳児食物蛋白誘発胃腸症 母乳栄養児の症例

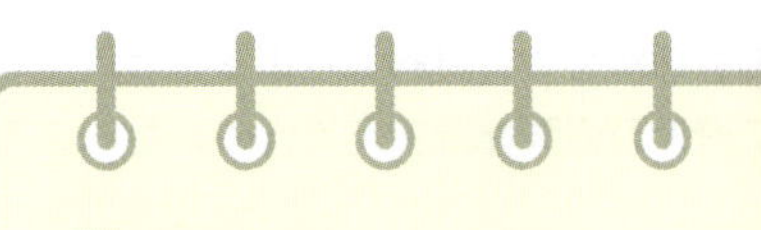

症例
生後 3 ヵ月，女児

起始および経過

主訴は血便．在胎 39 週 1 日，出生時体重 2,776g，非近親夫婦の第 1 子として出生．母は糖尿病合併妊娠ではあったが，分娩経過に異常なし．生後 1 ヵ月までは母乳中心の混合栄養であり，以降は完全母乳栄養であった．

生後 3 ヵ月頃より血便を認め，2 日後に前医を受診した．1 週間経過観察となったが血便が持続し，前医を再診し，血液検査と便培養検査を実施され，整腸剤を処方された．消化管アレルギーの可能性を指摘された．血液検査では著明な末梢血好酸球増多を認めたが，貧血はなく，便培養検査も異常を認めなかった．以降も症状が続き，生後 4 ヵ月時に当院に紹介され受診した．

身体所見

身長：60.5cm（－1SD），体重：5.986kg（－1SD），全身状態良好，機嫌良好，哺乳力も良好であった．腹部膨満なく，皮膚粘膜の乾燥・皮疹は認めなかった．

検査データ

WBC：16,600/μL，(好酸球 17.4%)，RBC：403 万 /μL，Hb：11.3g/dL，

TP：6.2g/dL，Alb：4.7g/dL，AST/ALT：51/47U/L，CRP ＜ 0.02/mg/dL，電解質：異常なし，凝固系検査：異常なし．

Total IgE：3.56 IU/mL，特異的 IgE 抗体（UA/mL）牛乳，α- ラクトアルブミン，β- ラクトグロブリン，カゼイン，卵白，卵黄，コメ，大豆，小麦のすべてが陰性．

アレルゲン特異的リンパ球刺激試験（ALST）：ラクトフェリン陽性，TARC 1,578pg/mL

腹部超音波検査：異常なし．

初診後の経過

母乳による新生児・乳児食物蛋白誘発胃腸症を疑い，母の牛乳摂取制限を開始した．血便を認める日数は減少したが，ロタウイルスワクチン 3 回目の接種翌日には 1 日中，血便がみられた．以降は時々，便に点状出血が混じる程度になり，生後 5ヵ月後半で血便は完全に消失した．同時期に離乳食を開始し，生後 6ヵ月で大豆（豆腐）を摂取後 3 ～ 4 日目に粘血便を認めた．その後，COVID-19 に罹患した際に下痢が 2 週間持続し，罹患 4 日目に粘血便を認めた．それ以外では症状の再燃はなかった．生後 8ヵ月の鶏卵摂取でも再燃は認めなかった．1 歳時に牛乳の食物経口負荷試験（OFC）を行い，陰性を確認し，制限を解除した．

解説

新生児・乳児食物蛋白誘発胃腸症は，細胞性免疫にかかわるものが多いとされ，新生児期から乳児期に嘔吐，下痢，血便，体重増加不良などの消化器症状を呈する非 IgE 依存性食物アレルギーである．通常，牛乳由来調製粉乳（普通ミルク）を使用している児に多いが，母乳栄養児に発生することもある．3 つの病型のうち，Food-protein induced allergic proctocolitis（FPIAP）（食物蛋白誘発アレルギー性直腸結腸炎）に母乳栄養発症は多い（p.12 参照）[1, 2]．

母乳による FPIAP の症状は軽症なことが多く，外科的疾患を含めた他疾患が除外されていれば外来での管理が可能である．母乳ではまれであるが，生後早期に発症する敗血症様病型や，外科的疾患を疑うような重症例もあり，その際には迅速な診断と処置が必要であり，入院での管理が必要となる[1, 2]．

治療は，血便のみの場合には無治療で改善する例もあるが[3]，本患児のように遷延する場合や貧血，体重増加不良，嘔吐を認める FPIES との混合例[4]では治療介入がなされる．軽症では母の食事制限（牛乳および乳製品の摂取除去）を指導しながら母乳を与える．もしくは高度加水分解乳を使用することから開始し，症状が改善しない場合は成分栄養やアミノ酸乳も考慮する．内視鏡検査が行われた例などでは，組織病理所見で好酸球数が 100 個 /HPF を超え，好酸球 Extracellular trap cell death（ETosis）を意味するシャルコーライデン結晶を認める強い炎症例もあり，潜在的には重症になる可能性もある[5]．

本症例では，母乳栄養中に血便で発症し，外科的疾患や血液疾患などが否定され，末梢血好酸球増多，ALST でラクトフェリン陽性であったことから新生児・乳児食物蛋白誘発胃腸症の FPIAP が疑われた．母乳継続希望があり，母の牛乳除去にて血便の頻度も改善した．しかし，ロタワクチン接種や COVID-19 罹患，大豆摂取時には一時的な血便の再燃を認めた．

一般にわが国では大豆やコメ，小麦，鶏卵などが原因になることがあり，本患児も母乳発症であり，牛乳以外も原因であった可能性がある[2]．事実，大豆でも症状を認めた．離乳食開始時には再燃する可能性を説明し，野菜から開始するなど慎重な対応が望ましい．また新生児・乳児食物蛋白誘発胃腸症はウイルス感染による発症や増悪が言われており，注意が必要である．本患児は体重増加，成長発達は問題がなかったために外来で管理が行えたが，離乳食やウイルス感染など日常的なことも問題になることがあることを理解して診療を行うことが重要である．

母乳発症で血便のみの症例は予後も良好なことが多く，治療介入や OFC の施行については議論になることも多いが，本症例のように日常でのさまざまな問題に遭遇する例も多く，経過観察する場合でも症状改善まで十分なフォローアップが必要である．

参考文献

1) Yamada Y：Recent topics on gastrointestinal allergic disorders. Clin Exp Pediatr, 66：240-249, 2023.
2) 厚生労働省好酸球性消化管疾患研究班：幼児・成人好酸球性消化管疾患診療ガイドライン．2020.
3) Arvola T, et al.：Rectal bleeding in infancy：clinical, allergological, and microbiological examination. Pediatrics, 117：e760-768, 2006.
4) Kimura M, et al.：Serum C-reactive protein in food protein-induced enterocolitis syndrome versus food protein-induced proctocolitis in Japan. Pediatr Int, 58：836-841, 2016.
5) Yamada Y, et al.：Eosinophilic gastrointestinal disorders in infants：a Japanese case series. Int Arch Allergy Immunol, 155 Suppl 1：40-45, 2011.

乳幼児期

3 新生児・乳児食物蛋白誘発胃腸症 Solid FPIES

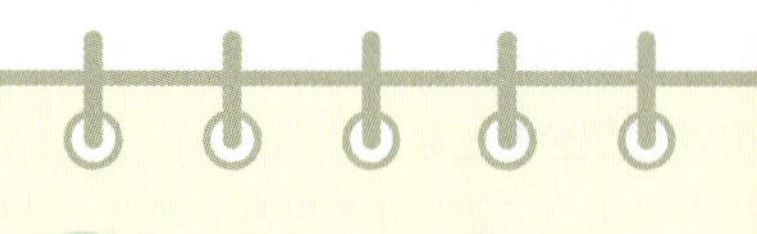

症例
8ヵ月，男児

起始および経過

生後 6ヵ月時までは完全母乳栄養で，6ヵ月時から離乳食を開始した．7ヵ月時にゆで卵の卵黄の摂取を開始し，最初の 3 回の卵黄摂取で最大小さじ 1/2 杯までは問題なく摂取できていたが，4 回目に同量を摂取した 2 時間後に嘔吐を 5 回繰り返し，顔面蒼白となり，ぐったりとしていたため近医の小児科を受診した．急性胃腸炎の診断で補液を実施し，嘔吐が治まり活気が戻ったので，対症療法を指示され自宅での経過観察となった．帰宅後に下痢を 1 回認めたがそのほかに症状なく経過した．

2 週間後に再度卵黄を小さじ 1/2 杯程度あげたところ，同様の症状を認めたため近医を受診し，8ヵ月時に精査目的で当科紹介となった．

既往歴 軽症のアトピー性皮膚炎で近医皮膚科通院中．

検査データ

特異的 IgE 抗体（UA/mL）卵白：1.01，卵黄：0.56，オボムコイド：< 0.10.

初診後の経過

卵黄の摂取から 2 時間後に嘔吐を繰り返し，即時型アレルギーに典型的な皮膚・呼吸器症状を認めないエピソードを 2 回認め，症状誘発時には顔面蒼白となり，ぐったりしていた様子があり，下痢症状も伴っていたため，卵黄による FPIES と診断した．

卵白 OFC の経過 受診時には卵白は未摂取であったため，2 週間後に加熱卵白 2g 相当の食物経口負荷試験（OFC）を実施し，症状を認めず，さらに 2 週間後に加熱卵白 10g 相当の OFC を実施しても症状の誘発はなかった．卵白は摂取可能と判断し，ちくわ，ハムなどの市販の加工品で摂取可能なものについて栄養指導を実施した．

卵黄 OFC の経過 卵黄は診断後に完全除去を指示し，誤食による症状誘発を認めていなかったため，1 歳 8ヵ月時にゆで卵の卵黄 2g を用いて OFC を実施したところ，摂取から 2 時間経過した時点で 2 回嘔吐を認めたため，引き続き卵黄の完全除去を指示した．2 歳 9ヵ月時に同量の卵黄で実施した OFC は陰性で，さらに 2 週間後に実施した卵黄 1 個の OFC も陰性であったため，卵黄 FPIES が寛解したと判断した．

解説

定義 新生児・乳児食物蛋白誘発胃腸症は非 IgE 依存性アレルギーの疾患群であり，主に消化器症状によって発症する．そのうち，離乳食開始以降に固形物の摂取で嘔吐を中心とした消化器症状の誘発を認めるものを Solid FPIES（food protein-induced enterocolitis）と呼ぶ[1]．

疫学 近年わが国では FPIES 症例が増加傾向にあることが報告されており，特に卵黄による Solid FPIES の増加が顕著である[2]．

症状 Solid FPIES では，原因抗原の摂取から 1 ～ 4 時間後に嘔吐症状を認め，即時型アレルギーに典型的な皮膚・呼吸器症状を伴わないことが特徴である．その他の症状としては下痢，顔面蒼白，活気の低下，そして頻度は低いが重症例では血圧低下を認める．欧米では低体温を認める患児が報告されているが，わが国では低体温より発熱を伴う症例のほうが多く報告されている[2]．多くの患児は無症状で原因抗原が複数回摂取可能であったにもかかわらず，ある時点から突然症状の誘発を認める．

診断 Solid FPIES は非 IgE 依存性の疾患であり，血液検査や皮膚プリックテストでは原因抗原への感作を認めないことが多い．ただし，本症例のように一部の患児においては特異的 IgE 抗体価が軽度上昇している患児が存在し，原因抗原への感作を認めていても FPIES は否定できない．2017 年には FPIES の診断と管理に関する国際ガイドラインが作成され，病歴に基づいた診断基準（表 1）と OFC 結果による診断基準（表 2）が提唱されている[3]．複数回の FPIES 症状の既往があり，病歴に基づいた診断基準を満たす場合には，診断のために必ずしも OFC を実施する必要性はないが，症状の既往が 1 回のみ，または病歴による診断基準を満たしていない場合には OFC の実施が推奨されている．

治療 症状誘発時の治療として，一般的に即時型アレルギー症状に対して用いられる抗ヒスタミン薬やアドレナリンは無効である．嘔吐を繰り返す場合には嘔吐による脱水（低用量性ショック）を防ぐために輸液（必要時には生理食塩水のボーラス投与）を実施する．国際ガイドラインには制吐薬として 5-HT_3 受容体拮抗薬であるオンダンセトロンの筋肉注射または静脈注射が 6ヵ月以上の児に推奨されているが，わが国でオンダンセトロンは FPIES 症状の治療薬として保険収載されていない．ステロイド投与についてはエビデンスレベルが低いことから，国際ガイドラインでは重症例で使用を考慮するという記載に限定している．

表 1　病歴に基づいた診断基準[3]

大基準と 3 つ以上の小基準を満たす場合に FPIES と診断する．

大基準
被疑食物の摂取 1～4 時間後に嘔吐を認め，IgE 依存性のアレルギー反応でみられる皮膚または呼吸器症状を認めない
小基準
同じ被疑食品の摂取による 2 回以上の反復嘔吐 異なる食品の摂取 1～4 時間後の反復嘔吐 極度の活気低下 顔面蒼白 救急外来への受診の必要性 輸液の必要性 24 時間以内の下痢（通常 5～10 時間後） 血圧低下 体温低下

表 2　OFC に基づいた診断基準[3]

大基準と 2 つ以上の小基準を満たす場合に FPIES と診断する．

大基準
被疑食物の摂取 1～4 時間後に嘔吐を認め，IgE 依存性のアレルギー反応でみられる皮膚または呼吸器症状を認めない
小基準
活気低下 顔面蒼白 摂取 5～10 時間後に下痢 血圧低下 体温低下 末梢血好中球数がベースラインから 1,500/μL 以上増加

予後 Solid FPIES は本症例のように比較的早期に耐性を獲得する症例が存在することが報告されている．わが国では Watanabe らが卵黄 FPIES 14 例のうち 9 例が OFC または自宅での摂取で 2 歳までに耐性の獲得を確認したことを報告している[4]．また，当院では段階的な OFC と自宅での摂取量の増量で小麦 FPIES7 症例のうち 6 例が 5 歳までに耐性を獲得していることを確認した[5]．

管理 Solid FPIES の管理では原因抗原の完全除去が基本である．ただし，比較的早期に耐性を獲得する症例が存在するため，診断後も定期的に OFC を実施し，耐性獲得の有無を確認する必要がある．

わが国に多い卵黄 FPIES に関しては，発症時点で卵白が未摂取である場合が多く，卵白の摂取の可否については不明であることが多い．しかし，本症例のように卵黄 FPIES 患児の大半は卵白を問題なく摂取できることが報告されている[6, 7]．当院の研究結果として，卵黄 FPIES 患児 10 例に対して段階的に加熱卵白 2g（鶏卵 1/20 個相当），10g（鶏卵 1/4 個相当）での OFC を実施したところ，9 例が卵白 10g OFC が陰性で，卵白による即時型症状を認めた症例はなかったが，1 例は卵白の摂取でも FPIES 症状を認めた．

卵白による OFC を実施し，摂取の安全性を確認することで卵白のみを含む市販の加工品の摂取が可能となる症例も多い．

1) 日本小児アレルギー学会食物アレルギー委員会：食物アレルギー診療ガイドライン 2021．協和企画，2021．
2) Akashi M, et al.：J Allergy Clin Immunol Pract, 10：1110-1112, 2022.
3) Nowak-Wegrzyn, et al.：J Allergy Clin Immunol, 139：1111-1126, 2017.
4) Watanabe Y, et al.：J Allergy Clin Immunol Pract, 9：2120-2122, 2021.
5) Nishino M, et al.：Pediatr Allergy Immunol, 34：e13940, 2023.
6) Toyama Y, et al.：J Allergy Clin Immunol Pract, 9：547-549, 2021.
7) Nishino M, et al.：Pediatr Allergy Immunol, 32：618-621, 2021.

4 食物アレルギーの関与する乳児アトピー性皮膚炎 湿疹の悪化を伴い重症化した例

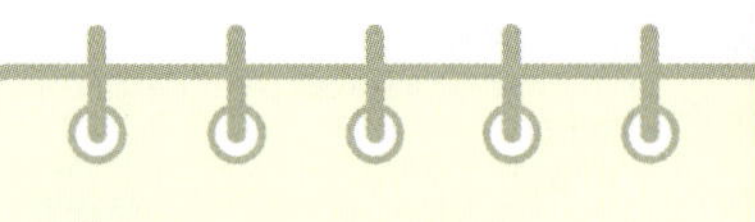

症例
生後6ヵ月，男児

起始および経過

生後2ヵ月ごろから，顔面を中心に搔痒を伴う湿疹が出現した．近医を受診し，Ⅳ群ステロイド軟膏を処方された．湿疹は同軟膏を使用して改善するものの，増悪寛解を繰り返していた．生後3ヵ月までは部分加水分解乳を使用していたが，生後4ヵ月から普通ミルクに変更した．その頃から湿疹が急に増悪し全身に広がったため当院を受診した．特に普通ミルクを飲んでいるときに体を痒がる様子であるとのことであった．生後5ヵ月より離乳食を開始しており，米，ジャガイモ，カボチャ，ニンジンなどを摂取していた．

検査データ（入院時）

SCORAD（66点），湿疹面積75%，顔面に苔癬化・湿潤/痂皮が目立つが，体幹四肢にも紅斑・乾燥が広く認められる．

WBC：20,850/μL（好酸球16%），TARC：8,266（pg/mL）．

Total IgE：456 IU/mL，特異的IgE抗体（UA/mL）卵白：8.04，オボムコイド：0.10（未満），ミルク：13.5，カゼイン：0.21，小麦：0.40，ω5-グリアジン：0.23，大豆：0.20，ジャガイモ：0.10（未満），ニンジン：0.10（未満）．

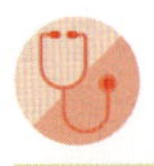

初診後の経過

入院中の湿疹の経過

普通ミルク摂取後の湿疹増悪を認めたため，入院時に高度加水分解乳に変更した．湿疹に対してⅣ群ステロイド外用薬を塗布し，湿疹が強い顔面にはリント布と亜鉛華単軟膏による保護を行った．1週間後にはSCORAD9.3点となり，2週間後には発赤がほとんどない状態に達した．入院中に母親のスキンケア手技の確認を行ったが，前医での適切な指導により概ね適切な洗浄と軟膏塗布を行えていた．泡の量が少なめであったことと顔の洗い方について資料[1]を用いて説明し，実践できるまで練習を行った．3週間後から軟膏の塗布を1日2回から1回に変更して増悪がないことを確認し，入院から24日後に退院した．

入院中の食物経口負荷試験

入院14日目，湿疹が寛解した時点で普通ミルク50mLの食物経口負荷試験（OFC）を実施したところ，体幹の搔破と搔破部の発疹が出現したため，牛乳アレルギーと確定診断した．入院19日目から摂取可能量の確認のためのOFCとして，卵黄つなぎ1個，加熱牛乳3mLパウダー，うどん15gのOFCを実施し，すべて陰性であった．

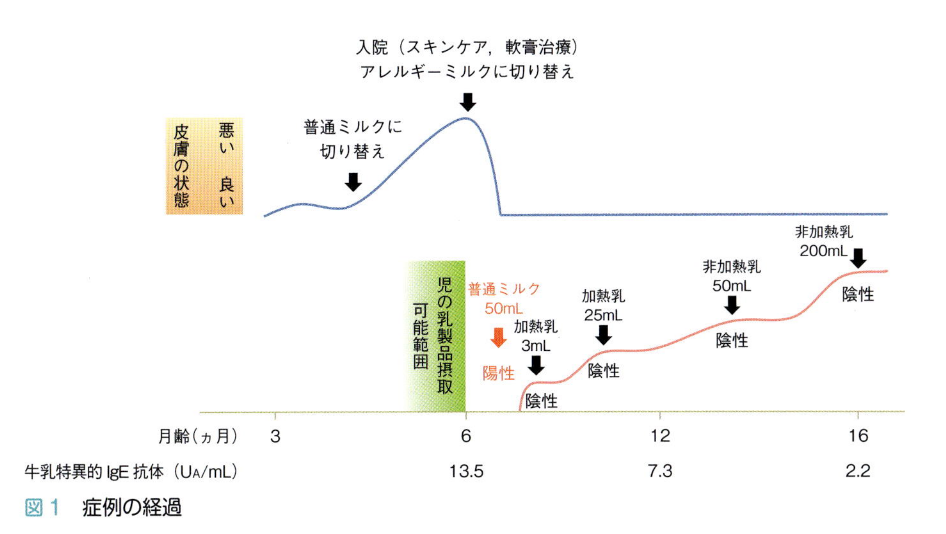

図 1 症例の経過

退院後の湿疹の経過（図 1）

退院後 2 週間での診察では寛解を維持できていたが，痒みが再燃したため 1 日 2 回の軟膏塗布を行っていた．プロアクティブ療法について指導を行い，治療の漸減方法について指導を行った．1 歳 6ヵ月の時点で，ステロイド軟膏を中止することも可能となり，長期的に寛解を維持できていた．

退院後の食物アレルギーの経過

退院 2 週間後の診察で，卵黄つなぎ 1 個，牛乳 3mL 入りのカボチャケーキ，うどん 15g を繰り返し摂取して症状や湿疹増悪を認めていなかった．豆腐，ジャガイモ，カボチャ，ニンジンは自宅で少量から摂取し，アレルギー症状や湿疹増悪を認めなかった．その後は，鶏卵，牛乳，小麦について段階的な OFC と栄養指導を実施して，1 歳 6ヵ月の時点で日常摂取量の鶏卵，牛乳，小麦を複数回自宅で摂取できていることを確認して解除とした．

解説

普通ミルクの摂取により即時型アレルギー症状ではなく，アトピー性皮膚炎の重症化を認めた症例である．

食物アレルギーの関与するアトピー性皮膚炎の診断のフローチャート（「食物アレルギー診療の手引き 2020」[2)]）を図 2 に示す．本症例においては，すでに近医での指導により適切なスキンケア，外用療法と環境整備を実施できており，病歴とミルク特異的 IgE 抗体が陽性であったことから普通ミルクによる湿疹の増悪が疑われた．そのため入院時に高度加水分解乳に変更し，湿疹軽快後に普通ミルクの OFC により診断した．その後，感作の認められた鶏卵と小麦も合わせて少量の OFC を行い，少量の摂取を許可した上で退院とした．

乳児期のアトピー性皮膚炎と食物アレルギーは密接な関係にあることが知られており，当院からは乳児アトピー性皮膚炎の約 70％が食物除去・OFC により食物アレルギーの合併が確認されたことを報告した[3)]．また，海外の報告によると，乳児アトピー性皮膚炎の 33 ～ 63％に食物アレルギーが合併していた[4)]．これらの症例の一部は原因食物の摂取により即時型食物アレルギーを発症する可能性がある．Chang らの報告では，アトピー性皮膚炎児 206 名のうち 132 名（64％）が食物アレルギーを合併しており，そのうち 54 名（41％）が即時型食物アレルギーを発症した[5)]．

乳児期のアトピー性皮膚炎例に対し，適切なスキンケア，外用療法を行っていても，湿疹が改善しないあるいは寛解の維持が困難な場合には，食物アレルギーの関与を考える必要がある．被疑食品を絞り込むには，血液検査，プリックテストに加え，食物日誌が有用である．ただし，すべての乳児アトピー性皮膚炎に食物が関与しているわけではなく，最終的な診断には（除去）OFC が必要となる．被疑食物を摂取する場合には，誘発症状は湿疹の悪化だけでなく，即時型アレルギーの症状を伴う可能性があることに留意する．

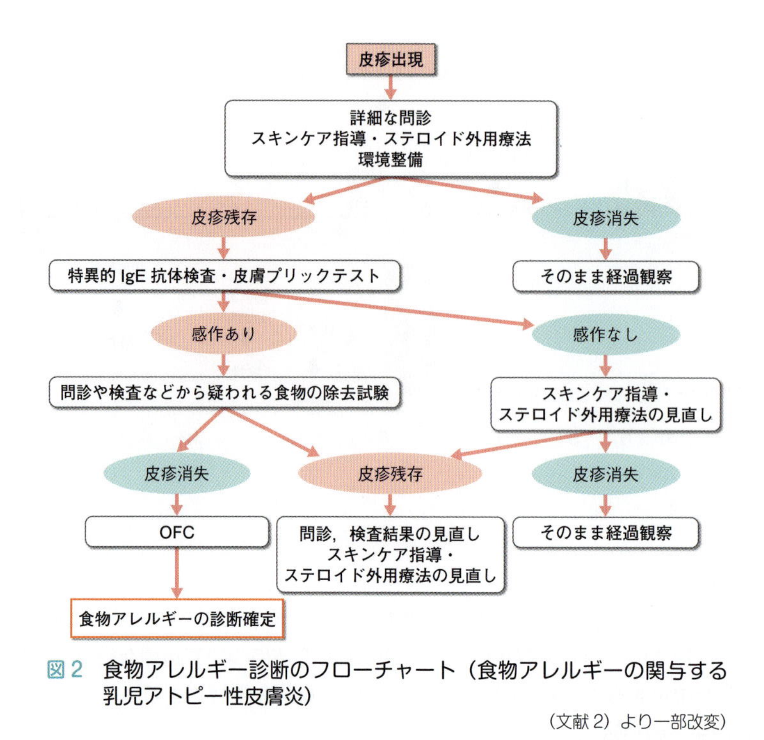

図 2　食物アレルギー診断のフローチャート（食物アレルギーの関与する乳児アトピー性皮膚炎）

（文献 2）より一部改変）

乳幼児期の食物アレルギーは耐性獲得をしやすいため，定期的に OFC を実施し，段階的に除去を解除し，食物除去は必要最小限とすることが望ましい．その際，アトピー性皮膚炎の状態が離乳食の開始や OFC の実施の妨げにならないように，湿疹の継続的な管理を心がける．

適切なスキンケア・外用療法でも改善の乏しいアトピー性皮膚炎では，食物アレルギーの関与を考える必要がある．食物アレルギーの合併を認めた場合には，OFC などで安全に摂取できる範囲を定期的に評価し，必要最小限の食物除去にとどめることが望ましい．

1）独立行政法人環境再生保全機構：ぜん息悪化予防のための小児アトピー性皮膚炎ハンドブック．
2）食物アレルギーの診療の手引き 2020．
3）池松かおり，ほか：乳児期発症食物アレルギーに関する検討（第 1 報）：乳児期アトピー性皮膚炎と食物アレルギーの関係．アレルギー，55：140-150，2006．
4）Werfel T, et al.：Eczematous reactions to food in atopic eczema：position paper of the EAACI and GA2LEN. Allergy, 62：723-728, 2007.
5）Chang A, et al.：Natural History of Food-Triggered Atopic Dermatitis and Development of Immediate Reactions in Children. J Allergy Clin Immunol Pract, 4：229-236, 2016.

食物アレルギーの関連情報が得られるサイト

●アレルギーポータル（https://allergyportal.jp/）
・日本アレルギー学会と厚生労働省で運営している信頼できるさまざまな情報を提供しているサイト
・官公庁（厚生労働省，文部科学省，日本学校保健会，消費者庁，環境再生保全機構）のさまざまなアレルギー関連サイトに簡単に辿り着くことが可能

●食物アレルギー研究会（https://www.foodallergy.jp/）
・年 1 回の研究会案内
・「食物アレルギーの診療の手引き 2020」，「食物経口負荷試験の手引き 2020」「食物アレルギーの栄養食事指導の手引き 2022」の PDF 版ダウンロード・Web 版の閲覧可能
・日本小児科学会専門医研修プログラム 基幹施設・連携施設における食物経口負荷試験実施施設一覧 等の情報など

●日本小児アレルギー学会（http://www.jspaci.jp/）
・年 1 回の学術集会案内
・「食物アレルギー診療ガイドライン 2021」のダイジェスト版の閲覧可能
・「一般向けエピペン®の適応」のダウンロード可能
・災害時のこどものアレルギー疾患対応パンフレット（改訂版）・ポスターのダウンロード可能（https://www.jspaci.jp/assets/documents/saigai_pamphlet_2021.pdf）

●日本アレルギー学会（http://www.jsaweb.jp/）
・年 1 回の学術大会案内
・アレルギー専門医の案内
・学会誌（和文誌「アレルギー」，英文誌「Allergology International）
・アナフィラキシー啓発サイト（https://anaphylaxis-guideline.jp/）など

●公益財団法人ニッポンハム食の未来財団（https://www.miraizaidan.or.jp/）
・食物アレルギーとは（https://www.miraizaidan.or.jp/allergy/）

●株式会社 明治（https://www.meiji.co.jp/）
・知って！食物アレルギー（https://www.meiji.co.jp/meiji-shokuiku/food-allergy/）

5 乳児期即時型発症（湿疹皆無）人工栄養での発症例

症例
6ヵ月，女児

出生後から混合栄養で普通ミルクを用いていたが，生後2ヵ月から完全母乳となっていた．生後5ヵ月時に，久しぶりに普通ミルク（以下，人工乳）を80mL飲ませたところ，哺乳中から泣き始め30分後に顔面腫脹と全身に蕁麻疹が出現した．近医小児科を受診して抗ヒスタミン薬を内服して，症状は数時間で軽快した．血液検査で牛乳の特異的IgE抗体価が3.10UA/mLであった．牛乳アレルギーが疑われ，当院を紹介受診した．出生以降に湿疹は認めなかった．

既往歴 なし．

周産期歴 正常分娩．異常の指摘はなかった．

家族歴 父がアレルギー性鼻炎（季節性）．

栄　養 出生後から生後1ヵ月までは混合栄養のため人工乳を毎日使用，生後2ヵ月以降は完全母乳．母の食事制限なし．受診時は離乳食初期で1日1回，牛乳は除去していた．

検査データ（初診時）

Total IgE：25.5 IU/mL，SCCA2：3.3 ng/mL，特異的IgE抗体（UA/mL）ミルク：3.78，カゼイン：3.91，卵白：0.30，オボムコイド：< 0.10．

プリックテスト（膨疹径 - 紅斑径：単位 mm）：卵白0-2，牛乳6-12，陽性コントロール5-10，陰性コントロール0-1．

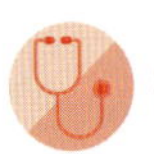

初診後の経過

牛乳の除去が必要となることを説明し，牛乳の代替品として牛乳アレルゲン除去調製粉乳（以下，アレルギー用ミルク），カルシウム強化豆乳などの使用を勧めた．

1歳5ヵ月時に加熱乳3mLを総負荷量とする食物経口負荷試験（OFC）を施行し，陰性であった．その後は段階的にOFCを施行した．2歳8ヵ月の時点で牛乳200mLを摂取可能となった．

解説

近年，出生直後から乳児期早期における人工乳摂取の有無が，その後の乳アレルギーの発症に関与することに関してさまざまな報告がある．Urashimaらはアレルギー疾患の家族歴をもつ児を対象に，生後3日間は人工乳を除去する群と人工乳を使用する群にランダム化する比較試験を実施した．人工乳使用群は除去群と比較し2歳時点の乳・卵・小麦アレルギーの発症率とアナフィラキシー出現率が有意に高かった[1]．

一方で，本症例のように新生児期以降に完全母乳栄養となった児において，人工乳や乳製品を久しぶりに摂取した際に，アレルギー症状が誘発されることがある．Sakiharaらは，生後1ヵ月から2ヵ月間，人工乳を摂取しなかった群と，毎日10mL以上の人工乳を与えた群を比較し，回避群の乳アレルギー発症率が

表　アレルギー用ミルクの種類

	ミルフィーHP® 明治（14.5%調乳）	ニューMA-1® 森永乳業（15%調乳）	エレメンタル フォーミュラ® 明治（17%調乳）	和光堂ボンラクトi® アサヒグループ食品 （14%調乳）
最大分子量	3,500	1,000	アミノ酸	—
浸透圧	290	320	445	290
乳　糖	含まない	含まない	含まない	含まない
大豆成分	含まない	含まない	含まない	含む
カルシウム含有量（mg/100mL）	53.7	60.0	64.6	53.2
ビオチン（μg/100mL）	1.6	2.3	1.6	1.4
カルニチン（mg/100mL）	1.3	1.8	1.3	0.84
アミノ酸臭	弱い ←→		強い	弱い

有意に高かった（回避群 6.8% vs. 投与群 0.8%）ことを示した[2]．生後早期に人工乳を使用した児において，人工乳の使用を中止することが乳アレルギーの発症リスクとなりうることが知られてきており[3, 4]，出生後に人工乳を使用した場合には，中断せずに使用し続けることが望ましい．

乳児期発症の牛乳アレルギー児において，牛乳には吸収されやすい形で多くのカルシウムが含まれているため，牛乳除去を行うによってカルシウム摂取量が有意に低下し[5]，逆に除去が解除できると身長の伸びが改善する[6]ことが知られている．そのため，牛乳および乳製品の除去を指導する場合には，カルシウムの代替摂取について積極的な栄養指導が必要である．アレルギー用ミルクや，カルシウムを強化した豆乳を用いることが有用である．

アレルギー用ミルクには，いくつか種類がある（表）．牛乳たんぱくの分子量が大きいアレルギー用ミルクは，重症例ではアレルギー症状を認める場合がある．分子量が小さくなるほど症状はきたしにくくなるが，一方で独特の風味が出たり高浸透圧による下痢をきたしやすかったりすることに対して注意が必要となるため，重症度に応じて製品を選択する．

牛乳アレルギー児の多くは，乳糖の摂取が可能である[7]．しかし，乳糖に混入した微量の乳清たんぱくで症状が誘発されることがある．また，ソルメドロール静注用 40mg や一部のインフルエンザ治療薬（イナビル®，リレンザ®）などの乳糖を含有した製剤の使用に関しても，症状が誘発されることがあるため注意が必要である．

1) Urashima, Mitsuyoshi, et al.：Primary prevention of cow's milk sensitization and food allergy by avoiding supplementation with cow's milk formula at birth：a randomized clinical trial. JAMA pediatr, 173：1137-1145, 2019.
2) Sakihara T, et al.：Randomized trial of early infant formula introduction to prevent cow's milk allergy. J Allergy Clinical Immunol, 147：224-232, 2021.
3) Sakihara T, et al.：Early discontinuation of cow's milk protein ingestion is associated with the development of cow's milk allergy. J Allergy Clin Immunol Pract, 10：172-179, 2022.
4) de Silva, Debra, et al.：Preventing food allergy in infancy and childhood：systematic review of randomised controlled trials. Pediatr Allergy Immunol, 31：813-826, 2020.
5) Black RE, et al.：Children who avoid drinking cow milk have low dietary calcium intakes and poor bone health. Am J Clin Nutr, 76：675-680, 2002.
6) Yanagida N, et al.：Does terminating the avoidance of cow's milk lead to growth in height?. Int arch Allergy immunol, 168：56-60, 2015.
7) 竹井真理，ほか：牛乳アレルギー児に対する食品用乳糖の食物経口負荷試験の検討．日小児アレルギー会誌，29：649-654，2015.

乳児期即時型発症（湿疹皆無）
離乳食開始後

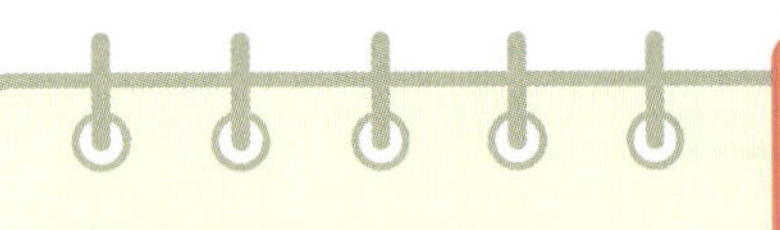

症例
0歳6ヵ月，男児

起始および経過

身長69.6cm，体重8.1kg．既往歴・家族歴特になし．出生後から完全母乳であった．乳児期早期に明らかな湿疹は認めなかった．生後6ヵ月から固ゆで卵黄を開始し，食べられた．生後7ヵ月にゆで卵白を食べ始め，自宅で徐々に量を増やしていったところ，ゆで卵白1/4個を食べて20分後に顔や首の蕁麻疹と嘔吐1回を認めた．近医を受診し，食物アレルギーの診断で抗ヒスタミン薬を処方され改善した．精査目的で当科紹介となり，血液検査を行った．

検査データ（生後7ヵ月）

好酸球数：1.8%，Total IgE：243 IU/mL，特異的IgE抗体（U_A/mL）卵白：12.6，卵黄：2.60，オボムコイド：3.36，ミルク：0.39，小麦：6.73，ω-5グリアジン：2.12，大豆：＜0.10，マグロ：＜0.10，バナナ：＜0.10，鶏肉：＜0.10，ジャガイモ：＜0.10．

プリックテスト（膨疹径-紅斑径：単位mm）：卵白6-12e，牛乳0-2e，小麦4-9e，陽性コントロール5-11e，陰性コントロール0-1e．

初診後の経過

摂取歴と検査結果から，鶏卵アレルギーおよび小麦アレルギーの疑いとした．前医により，鶏卵・小麦は完全除去を指示されていた．また，授乳中の保護者の自己判断で母親も鶏卵の摂取を控えていた．

鶏卵については，母親の食事制限は不要と説明した．母親と相談の上，以前症状なく食べられていた量の固ゆで卵黄を自宅で少量から再開するよう指導し，卵白と小麦は少量から食物経口負荷試験（OFC）の方針とした．食品表示や離乳食の進め方について栄養指導を行った．

生後9ヵ月 加熱卵白つなぎ1/32個相当のOFCを行ったところ陰性．自宅で同じ量のつなぎ料理や加工品を週に2～3回摂取とした．

生後11ヵ月 ゆでうどん2gのOFCを行ったところ，明らかな症状は認めなかった．自宅で同じ量のうどんを週に2～3回摂取とした．

1歳1ヵ月 血液検査を再度行ったところ，卵白10.1U_A/mL，オボムコイド2.34U_A/mL，小麦13.1U_A/mL，ω-5グリアジン2.92U_A/mLであった．血液検査の結果を保護者に説明し，オボムコイドは低下，ω-5グリアジンは横ばいであり，卵→小麦の順で次のOFCを進めることにした．

1歳3ヵ月 加熱全卵つなぎ1/8個のOFCを行い，症状を認めなかったため，自宅で摂取できる加工品を指導した．

1歳5ヵ月 ゆでうどん15gのOFCを行ったところ，摂取30分後から連続性の咳，40分後から喘鳴と体の蕁麻疹が出現し，陽性と判断した．気管支拡張薬吸入と抗ヒスタミン薬内服で症状は改善した．小麦については，しばらくうどん 2g 以下の摂取を続けるよう指導した．

1 歳 8 ヵ月 加熱全卵つなぎ 1/2 個の OFC を行い，症状を認めなかった．

2 歳 0 ヵ月 前回 OFC から半年経過し，再度ゆでうどん 15g の OFC を行ったところ，今後は症状を認めなかった．うどん 15g または同等の加工品摂取を指導した．

2 歳 2 ヵ月 炒り卵 1 個の OFC を行い，症状を認めなかった．自宅でプリン，マヨネーズなどを少量から試すように指示した．

2 歳 6 ヵ月 血液検査を行って，卵白 2.1UA/mL，オボムコイド 0.92UA/mL と鶏卵の数字は改善していた．加熱鶏卵は自宅で問題なく摂取できており，保育園では卵解除とした（園で非加熱鶏卵は提供されない）．一方，小麦 5.7UA/mL，ω-5 グリアジン 1.93UA/mL と低下傾向であった．今後，小麦の OFC を進めていく方針とした（表）．

表 OFC の経過

実施時期	負荷食品	症状
0 歳 9ヵ月	加熱卵白つなぎ 1/32 個	なし
0 歳 11ヵ月	ゆでうどん 2g	なし
1 歳 3ヵ月	加熱全卵つなぎ 1/8 個	なし
1 歳 5ヵ月	ゆでうどん 15g	咳・喘鳴・蕁麻疹
1 歳 8ヵ月	加熱全卵つなぎ 1/2 個	なし
2 歳 0ヵ月	ゆでうどん 15g	なし
2 歳 2ヵ月	炒り卵 1 個	なし

解説

本症例は乳児期にアトピー性皮膚炎を合併せず，離乳食を開始した後に即時型症状を主訴として食物アレルギーが疑われ，鶏卵・小麦ともに即時型食物アレルギーと診断した．本症例のように，乳児期発症の食物アレルギーを疑った場合は，詳細な摂取歴の聴取，血液検査などで原因抗原の鑑別を行い，適切な時期に OFC を実施して，除去または解除を進めていくことが重要である．「食物アレルギーの診療の手引き 2020」より，食物アレルギー診断のフローチャート（即時型症状）[1] を図に示す．

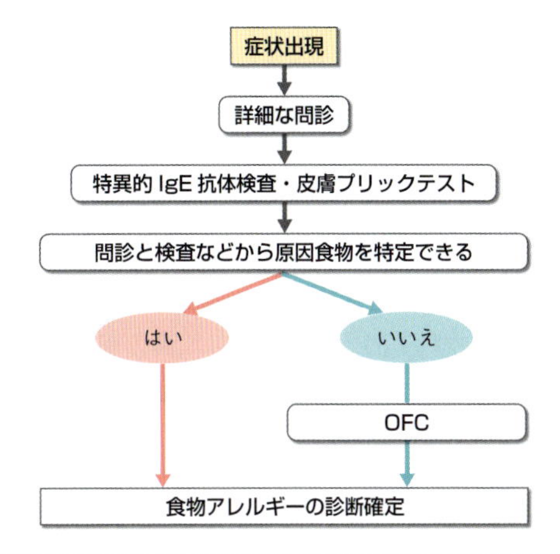

即時型食物アレルギーの専門医紹介のタイミング
1）原因食物の診断が難しい場合や原因不明のアナフィラキシーを繰り返す場合
2）栄養指導が必要な場合
3）自施設で OFC の実施が困難な場合

図 食物アレルギー診断のフローチャート（即時型症状）[1]

食物アレルギーの管理の基本は，正しい診断に基づいた必要最小限の食物の除去である[2]．即時型食物アレルギーと診断されても，少量を目標とした OFC では症状を認めないこともある．そのため，本症例のように乳児期から少量の OFC を進め，食べ慣らしていくことで，徐々に鶏卵・小麦アレルギーが治っていく可能性が示唆されている[3,4]．OFC の目標量については「食物経口負荷試験の手引き 2020」[5] を参考に少量から OFC を進めることで，安全に食物アレルギーの重症度を評価することができる．

1) 食物アレルギーの診療の手引き 2020.
2) 日本小児アレルギー学会食物アレルギー委員会：食物アレルギー診療ガイドライン 2021．協和企画，2021.
3) Yanagida N, et al. : New approach for food allergy management using low-dose oral food challenges and low-dose oral immunotherapies. Allergol Int, 65 : 135-140, 2016.
4) Nagakura KI, et al. : Low-dose-oral immunotherapy for children with wheat-induced anaphylaxis. Pediatr Allergy Immunol, 31 : 371-379. 2020.
5) 厚生労働科学研究班による食物経口負荷試験の手引き 2020.

7 食物アレルギーの関与する乳児アトピー性皮膚炎からの移行例

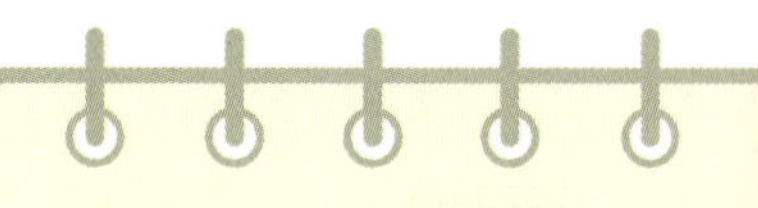

症例 1
4ヵ月，女児

～生後早期から湿疹を認め，その後，即時型鶏卵アレルギーを発症したが早期に寛解に至った症例～

起始および経過

生後 1ヵ月，健診で顔面の湿疹を指摘され，市販のワセリン塗布を開始した．

生後 2ヵ月，湿疹が全身にも広がり近医受診し，ステロイド軟膏Ⅳ群を処方された．スキンケアの指導は特にされておらず，適切な軟膏の塗布量も指導されていなかった．

生後 3ヵ月，全身の湿疹は増悪し，部分的に滲出液を伴っていた．湿疹の加療目的で紹介となり，生後 4ヵ月時に当院受診となった．

生活歴 混合栄養児．

家族歴 母：アトピー性皮膚炎，花粉症，父：花粉症．

身体所見

Objective SCORAD	37.9	範囲 32%	紅斑 2 点，浮腫 / 丘疹 2 点，滲出液 / 痂皮 2 点，掻破痕 2 点，苔癬化 0 点，皮膚の乾燥 2 点	
EASIscore	18.6	皮疹面積 33%	頭頸部	紅斑 2，浮腫 / 丘疹 2，掻破痕 2，苔癬化 0，面積 33%
			体幹	紅斑 2，浮腫 / 丘疹 2，掻破痕 2，苔癬化 0，面積 30%
			上肢	紅斑 2，浮腫 / 丘疹 2，掻破痕 2，苔癬化 0，面積 50%
			下肢	紅斑 2，浮腫 / 丘疹 2，掻破痕 2，苔癬化 0，面積 27%
IGAscore	4			

検査データ

Total IgE 176 IU/mL，TARC：8,056pg/mL，SCCA2：20.2ng/mL，特異的 IgE 抗体（UA/mL）卵白：14.0，オボムコイド：3.5.

皮膚プリックテスト（膨疹径 - 紅斑径：単位 mm）：卵白 20-30.

初診後の経過

石けんによるスキンケアの指導を行い，1 日 2 回の十分な量のステロイド軟膏Ⅳ群の塗布を指導した．皮膚プリックテストと採血検査では鶏卵に対する感作を認めたが，これまで母親の鶏卵摂取後の授乳で湿疹が増悪する明らかなエピソードはなかったため，母親に対する食事指導は行わなかった．

生後 5ヵ月 湿疹の著明な改善を認めた．スキンケア・外用療法を継続しながら，離乳食は感作を認めた鶏卵以外で進めていくように指導した．ステロイド外用薬の連日塗布からプロアクティブ療法に移行したが，湿疹のコントロールは良好であった．

生後 8 ヵ月 加熱全卵 1/32 個の食物経口負荷試験（OFC）を施行したところ，全身の蕁麻疹を認めた．OFC は陽性と判定し鶏卵除去を継続した．その後も湿疹は日に 1 回の保湿剤でコントロール良好であった．
1 歳 6 ヵ月 加熱全卵 1/32 個の OFC を再度施行したところ，症状なく陰性と判定した．自宅で週 2 回の加熱全卵 1/32 個相当の鶏卵摂取を指導したが，鶏卵を摂取してもアトピー性皮膚炎の悪化は認めなかった．
1 歳 8 ヵ月 加熱全卵 1/8 個の OFC を施行し，症状なく陰性であった．
2 歳 加熱全卵 1/2 個の OFC を施行し，症状なく陰性であった．
3 歳 加熱全卵 1 個の OFC を施行し，症状なく陰性であった．
3 歳 6 ヵ月 弱加熱卵の摂取も可能になったため，鶏卵アレルギー寛解とした．湿疹は保湿剤のみでコントロール良好な状態が継続している．

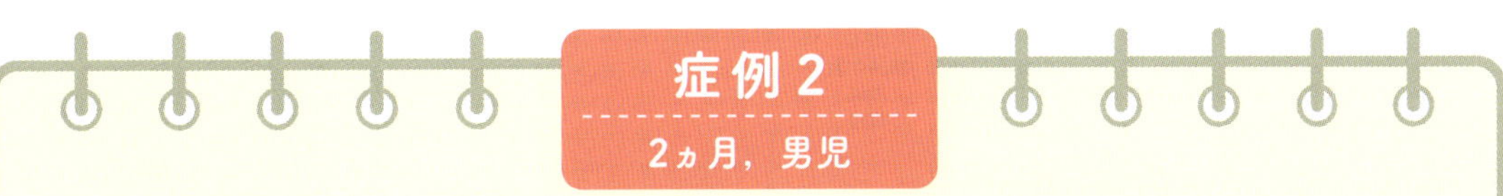

症例 2

2ヵ月，男児

～生後早期から湿疹を認め，鶏卵摂取後の授乳により児の湿疹が増悪するエピソードあり．その後，即時型の鶏卵・牛乳アレルギーが遷延している症例～

起始および経過

産科医院を退院後は完全母乳栄養だった．生後 2 週間頃から顔面に湿疹が出現した．

生後 1ヵ月，顔面の湿疹が体幹にも広がった．健診で湿疹を指摘され保湿剤塗布を開始した．

生後 2ヵ月，保湿剤塗布開始後も湿疹が改善せず，母親の判断で母親自身が鶏卵を摂取しないようにしたところ児の湿疹が改善傾向となった．鶏卵のアレルギーを疑い受診となった．

生活歴 完全母乳栄養，母は鶏卵を完全除去している．
家族歴 母：アトピー性皮膚炎，アレルギー性鼻炎，父：アトピー性皮膚炎．

身体所見

Objective SCORAD	44.5	範囲 47.5%	紅斑 2 点，浮腫 / 丘疹 2 点，滲出液 / 痂皮 2 点，掻破痕 2 点，苔癬化 1 点，皮膚の乾燥 2 点	
EASIscore	23	皮疹面積 49.6%	頭頸部	紅斑 2，浮腫 / 丘疹 2，掻破痕 2，苔癬化 1，面積 66%
			体幹	紅斑 2，浮腫 / 丘疹 2，掻破痕 2，苔癬化 0，面積 40%
			上肢	紅斑 2，浮腫 / 丘疹 2，掻破痕 2，苔癬化 0，面積 55%
			下肢	紅斑 2，浮腫 / 丘疹 2，掻破痕 2，苔癬化 0，面積 50%
IGAscore	4			

検査データ

Total IgE 105 IU/mL，TARC：7,600pg/mL，SCCA2：18.0ng/mL，特異的 IgE 抗体（UA/mL）卵白：< 0.1，オボムコイド：< 0.1，牛乳：< 0.1，カゼイン：< 0.1．

皮膚プリックテスト（膨疹径 - 紅斑径：単位 mm）：卵白 16-24，牛乳 8-14．

初診後の経過（図）

母親の鶏卵摂取と児の湿疹増悪に因果関係が疑われ，母親の食事における鶏卵の除去を継続とし，石けんを用いたスキンケアおよびステロイド軟膏Ⅳ群を中心とした外用療法を開始した．
生後 3 ヵ月 著明な湿疹の改善を認めた．母親に鶏卵の加工品から摂取を再開するように指導したが，摂取後の授乳による児の湿疹増悪は認めなかった．

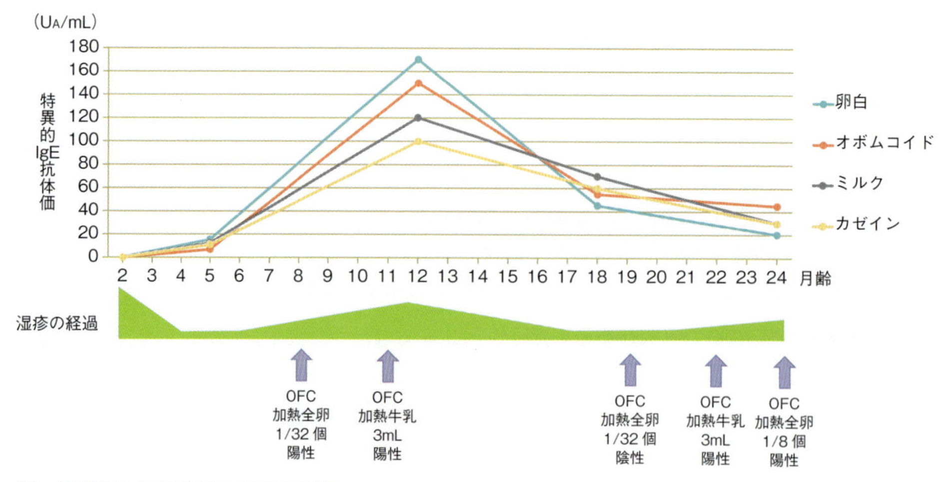

図　特異的 IgE 抗体価と湿疹の経過

生後 4 ヵ月 母親の鶏卵除去を解除としたが，児の湿疹のコントロールは良好であった．

生後 5 ヵ月 血液検査を再度施行したところ，特異的 IgE 抗体（UA/mL）卵白：11.8，オボムコイド：7.0，ミルク：12.0，カゼイン：11.0 と上昇を認めた．鶏卵および牛乳は除去とし，それ以外の食材で離乳食を進めるよう指導した．ステロイド外用薬を段階的に減量し保湿剤に置き換えていくように指導した．

生後 8 ヵ月 加熱全卵 1/32 個の OFC を施行し，全身蕁麻疹を認め陽性と診断した．鶏卵除去を継続とした．

生後 11 ヵ月 加熱牛乳 3mL の OFC を施行し，全身蕁麻疹を認め陽性と診断した．牛乳除去を継続とした．

1 歳 血液検査を施行したところ，鶏卵も牛乳も特異的 IgE 抗体価が上昇傾向であった．湿疹のコントロールは悪く，ステロイド外用薬は連日塗布に変更した．

1 歳 6 ヵ月 湿疹は改善しており，採血結果では卵白と牛乳の特異的 IgE 抗体価が低下していた．

1 歳 7 ヵ月 加熱全卵 1/32 個の OFC を再施行し陰性であった．自宅で加熱全卵 1/32 個を週 2，3 回摂取するように指導した．

1 歳 10 ヵ月 加熱牛乳 3mL の OFC を施行し陽性であった．牛乳は除去を継続した．

2 歳 加熱全卵 1/8 個の OFC が陽性であった．自宅では加熱全卵 1/32 個の摂取を継続とした．2 歳の時点でⅣ群ステロイド外用薬のプロアクティブ療法を継続しているが，ステロイド外用薬を減量すると湿疹が悪化しやすく保湿剤のみにはできない状態が続いている．

解説

生後早期から持続する湿疹を主訴に来院した児や，湿疹に対して外用療法を継続しても改善が乏しい児を診察する場合，これまでのスキンケア方法（石けん使用の有無，洗い方，拭き方），軟膏の使用方法（軟膏の種類，塗布頻度，塗布量）が適切であったかを詳細に確認し正しく指導する．

一般的にアトピー性皮膚炎の乳児に即時型食物アレルギーを合併する割合は約 30 ～ 60％と報告されている[1]．食物アレルギーの関与する乳児アトピー性皮膚炎は，適切なスキンケアや軟膏塗布により湿疹が一時的に改善しても軟膏の連日塗布を減量すると湿疹がすぐに再燃してしまう場合や，問診や食物日誌から特定の食物摂取と湿疹の増悪に因果関係が疑われる場合に考慮する．一部には症例 2 のように母親が原因食物を摂取した直後の授乳により，児の湿疹が悪化するケースもある．

食物摂取と湿疹増悪に因果関係がありそうな症例に出会った際は，食物アレルギーが疑われる抗原の皮膚プリックテストや特異的 IgE 抗体検査を施行する．乳児期早期の場合，症例 2 のように特異的 IgE 抗体価が陽性とならないこともあるため，皮膚プリックテストが有用である．検査の結果，感作を認めた場合は湿疹増悪への関与が疑われる食材を 1 ～ 2 週間除去し，湿疹の経過を確認する除去試験や，母乳栄養児の場合は母親に被疑食物の除去をしてもらい児の湿疹の経過を確認する方法がある[2].

ただ，確定診断のためには OFC を行うことが望ましく，原因食物の除去を指導した場合には定期的に免疫学的検査や OFC を行いながら，原因食物の摂取の可否を OFC でその都度確認し，必要最小限の除去を心がけることが大切である．母乳栄養児の母親の抗原摂取も，加工品の場合は可能であることが多いため，児の皮膚状態が改善したら除去を最小限とすることが重要である．OFC が陽性の場合には除去期間が長期にならないように 6 ～ 12ヵ月の間隔をあけて再度 OFC を行う．OFC が陰性の場合には，抗原の摂取を含めた栄養食事指導を行うことが重要である．

乳児のアトピー性皮膚炎で湿疹が生後早期から持続する場合や，スキンケア・外用療法を適切に行っても改善しない場合や，食物摂取と症状増悪に因果関係が疑われる場合は，食物アレルギーの関与を考慮する．

食物アレルギーの関与する乳児アトピー性皮膚炎と診断し原因食物の除去を行った場合には，適切なスキンケア・外用療法で湿疹が改善した後に摂取の可否を確認するための OFC を定期的に行い，食物アレルギー診察の原則である“必要最低限の除去”を心がけながら診察していくことが大切である．

1) Werfel T, et al.：Eczematous reaction to food in atopic eczema：position paper of the EAACI and GA-2LEN. Allergy, 62：723-728, 2007.
2) 日本小児アレルギー学会食物アレルギー委員会：食物アレルギー診療ガイドライン 2021．協和企画，2021.

8 混乱している保護者への対応

症例

6 歳，女児

起始および経過

魚介類および鶏卵，キウイフルーツの食物アレルギーの精査目的で小児科を 6 歳 7ヵ月で初受診．初診時点の除去食物は，鶏卵，魚，エビ，カニ，イカ，貝，キウイフルーツであった．

生後 1ヵ月頃から 9ヵ月頃まで顔に湿疹を認めた．3 歳時にサケを食べて顔が腫れ，咳が出たため，当時のかかりつけ医を受診し，魚全般の除去を指示された．そのときの魚関連の特異的 IgE 抗体検査は陽性であった．魚の除去を指示されるまではサケ以外の魚は摂取していた．

5 歳時にエビフライを摂取して口を痒がったため，母の判断でエビの除去を開始した．鶏卵はアイスクリーム，カスタードクリーム，プリンなどの加工品は食べていたが，マヨネーズと炒り卵は摂取すると口の中が痒くなるため，母の判断で除去していた．マヨネーズや炒り卵を食べた際，口が痒くなる症状以外には症状を認めなかった．キウイフルーツも摂取すると口が痒いという本人の訴えにより，母の判断で除去を開始した．

湿疹に関してはＡ病院皮膚科でアトピー性皮膚炎と診断され，ステロイド外用薬による治療をされて，当科に初受診した際の皮膚の状態は良好であった．

初診～ 2 回目の受診

6 歳 7ヵ月で当院初受診．上記の状況から，魚介類，鶏卵，キウイフルーツに関して特異的 IgE 抗体検査をし，食物経口負荷試験（OFC）の予定を立てる必要があると医師が判断した．

2 回目の受診の際，加熱鶏卵の OFC の予約を入れた．卵白特異的 IgE 抗体が 1.07UA/mL と低かったこと，自宅で鶏卵 1/4 個入りのハンバーグは食べていたことより，外来にて鶏卵 1/2 個の炒り卵の OFC を実施することとした．OFC の日程に関しては患者の自宅が遠方であるため患者の都合を優先した．

検査データ（初診時）

Total IgE：552 IU/mL，特異的 IgE 抗体（UA/mL）ヤケヒョウヒダニ：79.60，卵白：1.07，オボムコイド：0.34，イクラ：0.34 以下，タラコ：0.34 以下，エビ：0.34 以下，マグロ：6.59，サバ：3.89，タラ：10.6，サケ：9.96，イカ：0.34 以下，イワシ：6.24，アサリ：0.34 以下．

鶏卵 OFC（初診時より 2ヵ月後）

外来にて鶏卵 1/2 個の炒り卵の OFC を実施した．OFC 結果は陰性であったため，次回の診察時までに鶏卵 1/2 個の炒り卵を繰り返し摂取して症状が出ないかの確認をするよう医師より指示があった．もし症状が出た場合には，鶏卵の摂取を中止することも医師より伝えられた．

再診時（鶏卵 OFC 日から 1 週間後）

鶏卵 1/2 個の炒り卵を繰り返し摂取しても問題がなかったとの患者からの報告により，鶏卵に関しては除去せずに食べ進めるように医師より指示された.

自宅では，魚および魚を含む加工食品は完全除去をしているが，かつお出汁は摂取できているため，次にツナ（マグロの缶詰）のOFCを行い，その結果次第でサケのOFCを実施するかを決めることになった.

ツナOFC（初診時より4ヵ月後）

外来において，ツナ40gのOFCを行った．OFC結果は陰性となり，次回の診察時までにツナ40gまでを上限として，繰り返し摂取して症状が出ないかの確認をするよう医師より指示があった．もし症状が出た場合には，ツナの摂取を中止することも医師より伝えられた．ツナのOFC結果が陰性であったため，1ヵ月後にサケのOFCを入院で行うことが決定された.

この際，ツナの摂取を進めていくことに関しての強い不安感の訴えが母からあったため，医師より「口の痒みのみの症状では繰り返し摂取していると症状が消失することもあるので試してみてください」と指導が行われた．しかし，母の不安感が残っていたため，具体的な摂取方法などについて栄養士が栄養食事指導を実施するように医師より依頼があった.

栄養食事指導

栄養食事指導のポイントは，鶏卵，ツナの摂取の進め方，不安で避けている食物の確認と食物除去の考え方の整理，母の不安を受け止め，摂取を進められるように後押しをすることである．そこで以下の点を患児の母に伝えた.

・鶏卵の摂取に関しては母の不安がなくスムーズに進んでいるようなのでこのまま進めていく.

・ツナの摂取については非常に不安が強いことは理解できるが，医師が食べてみるように指示している範囲では心配しすぎずに進めてよい.

・エビ，カニ，イカ，貝，キウイフルーツに関して，母の不安が要因で除去をしていたが，医師よりIgE抗体検査結果が陰性でこれらの食物は除去の必要はなし，との指示が出たため，食べてみるように促した．食物アレルギーの原因は基本的にタンパク質であり，そのタンパク質を少量から試すことが基本である[1, 2]．具体的には，それぞれの食物を加熱し，茹で汁，スープなどを少量から試し，問題がなければ食物そのものを少量から試し，少しずつ増やしていく．また，それぞれの食物を一度に試すのではなく，試すものは1日1種類，万が一症状が出ても原因食物がわかるように進めていく.

食べ進めていくことの不安はあると思うが，OFCを行って結果が陰性であったものに関しては，自宅で強い症状が出る可能性は低いことを伝え，解除をできるだけ不安なく進められるように話をした.

解説

食物除去を医師の指示に加えて母の判断で長年行ってきたため，本当に除去しなくてもよいのかという不安が大きく，非常に混乱している様子であった．しかし，母の胸の中にあった症状が出ることへの不安や経緯などを医師・栄養士が受け止めることで母が前に進むきっかけになったと思われる.

保護者は食べるようにすすめられた食物を購入し，児の食事を用意しなければならない．児が自宅での食物摂取により症状が出てしまった場合，保護者が対応しなければならず，症例提示したような不安を抱えているケースはよく経験する．医師が除去解除を指示した理由，摂取の進め方を説明し，栄養士が後押しすることで保護者が解除を進める自信に繋がる．保護者の抱える悩みや不安は特別なものではなく，多くの食物アレルギー児の家族が抱えていることを伝えると安心されるケースが多い.

孤立しがちな保護者の不安や悩みに共感することも栄養士の大切な役割である.

1) 厚生労働科学研究班による食物アレルギーの栄養食事指導の手引き2022.
2) 食物アレルギーの診療の手引き2020.

過剰な除去を指導されている例

鶏卵・牛乳・小麦などの多抗原陽性例の離乳食の進め方

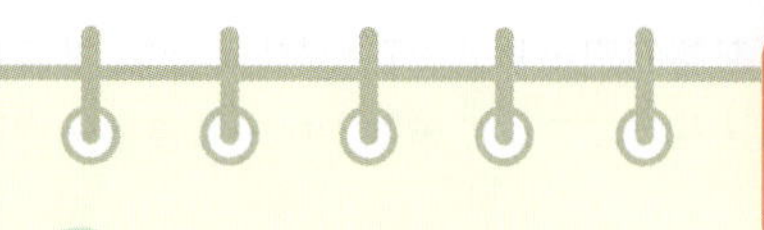

症例

9ヵ月，男児

起始および経過

生後 1ヵ月から全身の湿疹を認め，近医小児科を受診した．乳児湿疹と診断され，ステロイド外用剤と保湿剤を処方された．部分的に湿疹は改善したが，体幹や四肢などに湿疹は残存した．5ヵ月時，パン粥を摂取し，15 分後に入眠し，1 時間後に咳込んで 2 回嘔吐した．別の日に再度パン粥を摂取させたが，同様に嘔吐した．近医小児科を受診し，血液検査で特異的 IgE 抗体（U_A/mL）卵白：18.7，オボムコイド：＜ 0.10，牛乳：0.39，小麦：7.55 と反応を認めたことから，鶏卵・牛乳・小麦の完全除去を指導された．9ヵ月時，食物経口負荷試験（OFC）目的に当院を紹介受診した．

既往歴 在胎 39 週 3 日，体重 3,250g で出生した．喘鳴や薬剤アレルギーの指摘はなし．

家族歴 父：小児期にアトピー性皮膚炎の既往あり．母：アトピー性皮膚炎あり．

食事状況 完全母乳栄養，母親は特に自身の食事制限は行っていなかった．離乳食は 1 日 3 回，主食は軟飯であった．

身体所見

身長 69.8cm（−0.75SD），体重 8,130g（−0.72SD），体幹・四肢関節部に軽度のアトピー性皮膚炎を認めた．SCORAD 16.5 点．ほか，特記すべき所見なし．

検査データ

Total IgE：167 IU/mL，好酸球 8.0%（1,088/μL），SCCA2 7.2ng/mL，特異的 IgE 抗体（U_A/mL）卵白：22.5，オボムコイド：＜ 0.10，牛乳：2.67，カゼイン：2.17，小麦：4.30，ω-5 グリアジン：2.54，ピーナッツ：0.14，Ara h 2 ＜ 0.10，ソバ：＜ 0.10，大豆：＜ 0.10，タラ：＜ 0.10，ゴマ：＜ 0.10.

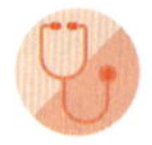

初診後の経過

アトピー性皮膚炎と診断し，スキンケアとステロイド外用療法について再度指導し，残存する湿疹を改善させた．小麦に関しては，再現性を認める即時症状の誘発歴があり，また，小麦特異的 IgE 抗体価・ω-5 グリアジン特異的 IgE 抗体価に対する感作から小麦アレルギーの診断を確定した．生後 11ヵ月にうどん 2g の OFC を行い，陰性であった．牛乳に関して，問診にてパン粥を摂取する以前に小さじ 2 杯のヨーグルトを安全に摂取できていたことを確認した．しかし，摂取を中断してから時間が経過していること，牛乳特異的 IgE 抗体価・カゼイン特異的 IgE 抗体価が上昇していることから，小さじ 2 杯のヨーグルトを摂取することにより即時症状を誘発する可能性があると判断した．1 歳 2ヵ月時に牛乳 3mL つなぎのハンバーグの OFC を，1 歳 6ヵ月時に牛乳 25mL つなぎのハンバーグの OFC を行い，それぞれ陰性であった．その後，自宅でヨーグルトの摂取を再開し，問題なく摂取することができた．鶏卵に関して，即時症状の誘発歴はなかった．1 歳 4ヵ月時に卵 1/8 個つなぎのハンバーグの OFC を行い，陰性であった．当院初診時点で卵・牛乳・小麦の完全除去を継続しており，卵殻カルシウム，小麦使用の味噌と醤油，乳糖を避けていた．管理栄養士により，多くの食物アレルギー患者が卵殻カルシウム，小麦使用の味噌と醤油，酢，乳糖を摂取可能であることや卵・牛乳・小麦の完全除去により不足する栄養素を補充するための代替食品について，栄養食事指導を行った．また，当院初診時点で，大豆，ゴマ，魚を摂取したことがない状態であった．ご家族と相談し，摂取を開始する前に血液検査を行い，特異的 IgE 抗体価が陰性であることを確認した上で，自宅で少量から摂取を開始する方針とした．

解説

乳幼児期

アトピー性皮膚炎の管理 食物アレルギーの診療において，湿疹がコントロールされていない状態では，掻痒や発赤などの皮膚症状が，アトピー性皮膚炎のみによる症状なのか，それとも食物アレルギーの誘発症状なのか，診断することが難しくなる．また，湿疹をきちんとコントロールすることにより，アレルギー感作や食物アレルギーの発症リスクを下げることが示唆されている[1]．「アトピー性皮膚炎診療ガイドライン 2021」に基づき，寛解導入・維持をすることが重要である．

食物アレルギーによる誘発症状の詳細な問診 食物アレルギーによる誘発症状の病歴は，診療において非常に重要である．誘発症状の問診が不十分の場合，他の疾患の症状を食物アレルギーの誘発症状と誤診してしまう可能性や安全に摂取できている食品まで除去を指示してしまう可能性がある．本症例でも，少量のヨーグルトを安全に摂取できていたにもかかわらず，完全除去を指示されていた．原因となった食品の種類，症状出現までの時間経過，誘発症状の詳細，必要とした治療内容，症状の持続時間，症状出現時の年齢，再現性の有無，部分除去の場合には現在の摂取状況など，系統的な問診を行うことが重要である[1]．

アレルゲンコンポーネントの活用 本症例では卵白特異的 IgE 抗体価が高値であったが，オボムコイド特異的 IgE 抗体価は低値であり，また，鶏卵による即時症状の誘発歴もなかったため，近年増加傾向にある卵黄の消化管アレルギーに留意をする必要があるが[2]，鶏卵の OFC のリスクは低いと考えられた．また，小麦特異的 IgE 抗体価は低下傾向であったが，ω-5 グリアジン特異的 IgE 抗体価は反応があり，小麦の OFC のリスクは高いと判断した．アレルゲンコンポーネントを用いることによって，より精度の高い診断が可能となる[1]．

OFC の施行について 食物アレルギーの診療において，乳児期も含めて，早期に OFC を実施し，安全に摂取できる範囲で加工品を含む原因食物の摂取を指導することが望ましい[1]．重篤な症状誘発のリスクについて評価し，適切な時期に OFC を計画する[3]．

栄養食事指導 過剰な食物の除去の指導が行われた場合，患者・家族の QOL の低下，低身長[4]やビタミン D 欠乏性くる病，発達障害，食物アレルギーの重症化をきたす可能性がある[5]．本症例では幸いなことに明らかな低身長やくる病などの成長障害はきたしていなかった．しかし，血液検査のみを根拠とした不適切な診断やアトピービジネスなどに基づく過剰な食物除去が行われた結果，前述の障害に加え，時に生命の危機にまで及んだという報告もある．やむなく完全除去を指導する場合であっても，不足することが予測される栄養素の補充について，管理栄養士が栄養食事指導することが望ましい[1]．

適切なスキンケアと必要最小限の除去により，患者の成長発育に悪影響を与えることなく，食物アレルギーの改善を図り，患者・家族の QOL を高める必要がある．複数の食物の除去を必要とする食物アレルギー児は早期からアレルギー専門医に紹介されることが望ましい[4]．

1) 日本小児アレルギー学会食物アレルギー委員会：食物アレルギー診療ガイドライン 2021．協和企画，2021．
2) Toyama Y, et al.：J Allergy Clin Immunol Pract, 9：547-549, 2021.
3) 食物アレルギーの診療の手引き 2020．
4) Emura S, et al.：World Allergy Organ J, 13：100108, 2020.
5) 森川みき，ほか：小児内科，41：1307-1310，2009．

10 過剰な除去を指導されている例
栄養面

症例
3歳5ヵ月，男児

起始および経過

生後2ヵ月頃から湿疹があり，近医を受診し，血液検査で鶏卵，牛乳，牛肉，ゴマへの感作を認めたため，鶏卵，牛乳，肉類（豚肉・牛肉・鶏肉），ゴマを除去するように指示された．スキンケアや薬物療法を行ったが，湿疹は改善しなかった．しかし，生後4ヵ月から母親自身がこれらの食物を除去した上で患児に母乳を与えたところ湿疹が改善したため，離乳食開始後もこれらの食物の除去を継続した．さらに当院を受診する2歳10ヵ月までに食物除去を継続した．かかりつけ医では食物経口負荷試験（OFC）を実施せず，血液検査の結果のみで除去食物を指示された．また栄養食事指導は保健所で一度受けたことがあったが，医師の指示に従うように指導されたのみで適切な食物アレルギーの情報などは得られなかった．

2歳時に幼稚園への入園準備のために説明会に参加したところ「生活管理指導表」の提出を求められ，専門医療機関への受診を勧められたため，母親が自ら調べて当院を受診した．初診時の母親は，除去の食生活を長く続けてきたことから，患児の栄養摂取状態や発育状態，今後の成長についての不安が強く，小学校入学までにOFCを受けさせたいと希望していた．

身長：97.5cm（+0.3SD），体重：16.4kg（+1.1SD）．湿疹なし．

検査データ

特異的IgE抗体（UA/mL）卵白：5.13，オボムコイド：2.9，ミルク：4.65，豚肉：0.30，牛肉0.28，鶏肉0.30，ゴマ：0.68．

栄養摂取量は，初診時の「食事思い出し法」による聞き取り調査より，エネルギー摂取過多，タンパク質とカルシウムの摂取不足がわかった（表）．

本児のP：F：C比率は（タンパク質：脂質：炭水化物）4％：22％：74％で，炭水化物に偏っていることが推察された．

表　初診時の栄養素摂取状況（母親からの聞き取りによる）

	エネルギー*1	タンパク質*2	カルシウム*2
患児の摂取量	1,650kcal	15.5g	230mg
基準に対する摂取比率*1	126.9%	62%	38.3%

*1：推定エネルギー必要量（身体活動レベルII），*2：推奨量

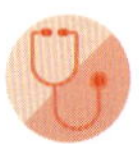

初診後の経過

医師より，OFCを実施した上で原因食物および摂取可能量を明確にすることが説明された．加熱全卵1/8個，牛乳25mLのOFCを行った結果が陰性であったため，それぞれの負荷量を超えない範囲で，繰り返し自宅で摂取するように医師から指示があった．肉類とゴマは除去の必要がないため，自宅で少量から食べてみるように医師より指示が出された．

母親は鶏卵，牛乳，肉類などのタンパク質を多く含む食物を長く除去してきたことから，患児の栄養摂取状態を心配していた．一方で原因食物を自宅で摂取させることに対する不安が強く，これらの食物を料理に取り入れる方法がわからなくなっていた．自宅摂取を進めるためには母親の不安を和らげ，摂取可能な範囲および原因食物を取り入れた調理方法について指導する必要があることから，主治医の依頼を基に管理栄養士による栄養食事指導を行った．

栄養食事指導

栄養食事指導のポイントは，① 鶏卵および牛乳の摂取可能量（加熱全卵は 1/8 個まで，牛乳は 25mL まで）と食べられる可能性の高い食品例の提示，② 患児の食事内容の聞き取りと栄養評価の結果に基づき，肉類を食事に取り入れる必要性について，③ ゴマの食事への取り入れ方，④ 母親の不安を解消することである．

そこで以下の点を患児の保護者に伝えた．

① 医師の指示に従い OFC で症状が誘発されずに摂取できた OFC 食品と同じもの（加熱全卵 1/8 個，牛乳 25mL）の調理方法を説明した（p.65 参照）．医師から指示された摂取可能量を具体的な加工食品に置き換えて説明した．鶏卵の場合には，加熱温度の低い茶碗蒸しやプリンなどの摂取はまだできないこと，牛乳の場合には少量でもタンパク質を多く含むチーズなどの摂取量には注意が必要であることなども伝え，医師から指示されている摂取量を上回らないように注意を促した．

② 現在の食事摂取状況から，タンパク質，カルシウム，鉄など成長に欠かせない栄養素の慢性的な不足，炭水化物に偏っていることを伝えた．今後は主菜となる大豆製品や魚類のほかに，肉類も積極的に食事に取り入れるように促した．現段階では，牛乳を少量しか摂取できないため，カルシウム不足とならないように，カルシウムを豊富に含む大豆製品，魚類などを積極的に摂る必要がある．ビタミン D が豊富な食品（魚，きのこ類など）と一緒に摂取するとカルシウムの吸収効率がよくなることも説明した．

③ 粒ゴマの方がすりゴマ，練りゴマより症状が出にくいことを伝え，粒ゴマから食事に取り入れるように説明した．

④ 母親の不安な気持ちを受け止め，患児が好きな料理や味付けなどを聞き，調理がしやすく，患児が食べやすい調理方法を提案し，焦らず進めるように促した．

解説

食物の過剰な除去は成長に欠かせない栄養素の摂取不足を招く恐れがあるため，正しい診断に基づいて「食べられる範囲」を広げていくことは栄養補給面から重要である．しかし，長年除去をしていた食物を摂取していくことは，患児にとっても保護者にとっても簡単なことではない．その理由としては患児が除去してきた食物の味に慣れていないことや摂取することに対する恐怖心が強く，また保護者にとっても料理への取り入れ方がわからず，摂取させることが困難なことがあげられる．そのため，患児・保護者の不安な気持ちを受け止め，抵抗なく摂取できる具体的な調理方法および食べられる可能性の高い食品例を提示する必要がある．

本症例では，保護者は自宅で食べることに対する恐怖心や不安が強かったが，患児は原因食物を食べることへの抵抗感が少なかったため，OFC を順調に行い，その後の自宅での摂取まで進めることができた．適切な医療を受け，早期に OFC を行うことで患児や保護者の不安と負担を軽減させることができたのではないかと思われる症例である．

1) 厚生労働省：日本人の食事摂取基準（2020 年版）．
2) 厚生労働科学研究班による食物アレルギーの栄養食事指導の手引き 2022．
3) 長谷川実穂，ほか：日小児アレルギー会誌，25：163-173，2011．

11 自然歴＋少量負荷試験＋食事指導 鶏卵アレルギー

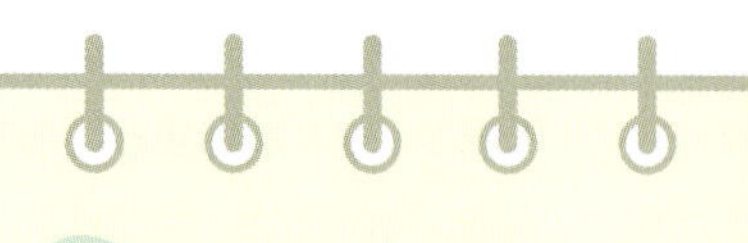
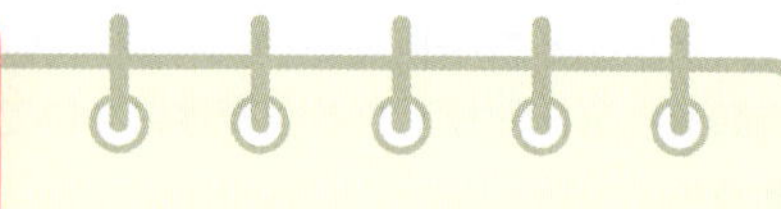

症例

0歳9ヵ月，女児

起始および経過

0歳2ヵ月頃より顔面に湿疹があった．その後，0歳4ヵ月頃からは体幹や手足にも湿疹がみられており，かかりつけの小児科クリニックでステロイド軟膏を処方された．離乳食開始後，固ゆで卵黄は摂取可能だった．生後9ヵ月時に固ゆで卵白を初めて摂取して，全身蕁麻疹，喘鳴を伴う咳込みがみられた．かかりつけの小児科クリニックを受診し，嘔吐が1回みられた．アナフィラキシーとしてかかりつけ医でアドレナリン筋注を行ってから，同日当院へ救急搬送となった．

紹介時点で，小麦，牛乳，大豆などは制限なく摂取可能であった．湿疹に対しては，かかりつけ医で処方されたステロイド軟膏を塗っていた．過去に喘鳴を指摘されたことはない．

身体所見

顔面，体幹，四肢に皮膚の発赤と膨疹を認める．湿疹は目立たない．呼吸音：清，ラ音聴取せず．心音：整，心雑音聴取せず．腹部：平坦，軟，腸蠕動音聴取．

検査データ（表1）

Total IgE 抗体:60.2 IU/mL，特異的 IgE 抗体（UA/mL）卵白:7.01，オボムコイド:7.48，卵黄:1.19.

表1　卵白・オボムコイド特異的 IgE 抗体価の推移

	0歳9ヵ月	1歳4ヵ月	2歳0ヵ月	3歳3ヵ月
卵白 (UA/mL)	7.01	2.80	3.34	1.10
オボムコイド (UA/mL)	7.48	1.35	0.64	0.17

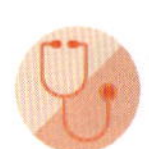

初診後の経過

当院へ搬送時点では全身に膨疹などがみられていたが，喘鳴や吐き気は改善していた．入院で1晩経過観察し，来院後約6時間で皮膚症状も改善した．翌日に軽快退院となった．入院時に行った検査で上記の通り卵白への感作がみられ，卵白がアナフィラキシーの原因と考えられた．卵黄の摂取は許可し，卵白は除去とするように指導した．

1歳0ヵ月時に微量の卵白が混入する加熱卵黄つなぎの食物経口負荷試験（OFC）を実施し，明らかな症状はみられなかった．自宅でも同量の卵黄つなぎを摂取可能であることが確認でき，陰性と判断した．その後，1歳3ヵ月時に加熱全卵つなぎ1/8個，1歳5ヵ月時に加熱全卵つなぎ1/2個のOFCを実施し，いずれも陰性であった．1歳4ヵ月時の血液検査で，特異的 IgE 抗体価（UA/mL）が卵白：2.80，オボムコイド：1.35，卵黄：0.61 と低下傾向がみられた（表 1）．

1 歳 9ヵ月時に加熱全卵 1 個の OFC を実施し，全量摂取後に連続性の咳嗽と嘔吐 1 回がみられた．陽性と判断し，鶏卵は加熱全卵つなぎ 1/2 個までの摂取を続けてもらいながら経過観察とした．

2 歳 0ヵ月時の血液検査で，特異的 IgE 抗体価（UA/mL）が卵白：3.34，オボムコイド：0.64，3 歳 3ヵ月時の血液検査では卵白：1.10，オボムコイド：0.17 と，血液検査結果は低下傾向がみられた（表 1）．

前回の OFC から 1 年半後の 3 歳 3ヵ月時に加熱全卵 1 個の OFC を再度行い，症状を認めず摂取可能であった．その後は自宅で徐々に加熱の弱い鶏卵も摂取してもらい，3 歳 6ヵ月時にはカスタードクリーム使用の洋菓子なども摂取できた．マヨネーズや溶き卵のスープなども摂取できることを確認してから，3 歳 9ヵ月時に保育所での鶏卵除去を解除とした．

解説

疫学・自然歴

鶏卵アレルギーの有症率は，東京都の 3 歳児健診での調査では医師の指示で除去している割合が 4.1%と報告され，日本学校保健会の調査では 0.6%と報告されている[1]．

鶏卵アレルギーは経年的に耐性獲得する例が多いことが報告されている．その割合については，報告によって母集団の性質や耐性獲得の条件などに幅はあるが，2 歳時点で 47%[2]，4 歳で 4%，6 歳で 12%，10 歳で 37%，16 歳で 68%[3]，3 歳で 41%，5 歳で 60%，10 歳で 85%[4] などと報告されている．いずれも幼児期・学童期と継続して低下する傾向がある．

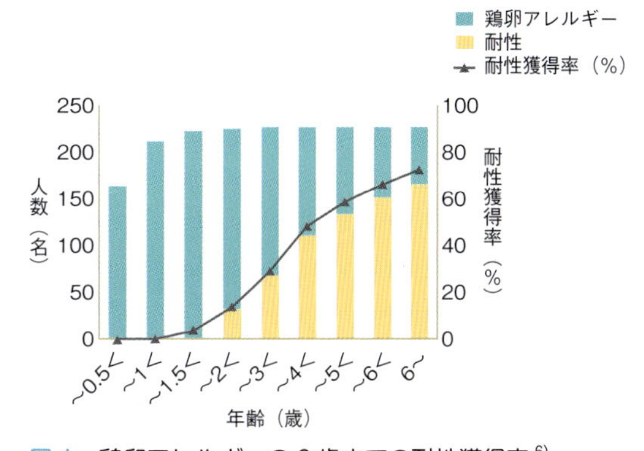

図 1　鶏卵アレルギーの 6 歳までの耐性獲得率[6]

わが国では，3 歳までに 30%，6 歳までに 66%が鶏卵アレルギーに対して耐性を獲得したとの報告がある（図 1）[5,6]．6 歳までに 74%が耐性を獲得したとの報告もある[7]．また，6 歳まで遷延した鶏卵アレルギーの 60.5%が 12 歳までに耐性獲得したと報告されている[8]．鶏卵アレルギーが遷延するリスク因子としては，卵白特異的 IgE 抗体価高値，気管支喘息やアトピー性皮膚炎などの合併，鶏卵によるアナフィラキシーの既往などが報告されている[2~8]．図 2 は，3 歳までに耐性獲得した群（group Ⅰ）と，6 歳までに耐性獲得した群（group Ⅱ），6 歳まで鶏卵アレルギーが持続した群（group Ⅲ）の卵白およびオボムコイド特異的 IgE 抗体価の推移を示したものであり，耐性獲得できた群では特異的 IgE 抗体価が有意に低かったことが示

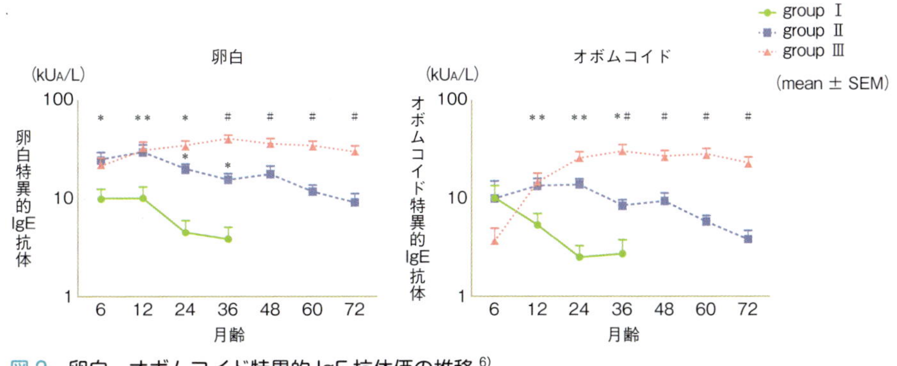

図 2　卵白・オボムコイド特異的 IgE 抗体価の推移[6]

＊　group Ⅰ とⅢの間で $p < 0.05$

＊＊　group Ⅰ とⅢの間で $p < 0.01$

＃　group Ⅱ とⅢの間で $p < 0.05$

されている．

海外からの報告では，上記のリスク因子のほかに，baked egg の摂取が可能であった鶏卵アレルギー患者は加熱鶏卵の摂取が可能になる割合が多いとの報告もある[9]．

診断

幼児期の鶏卵アレルギーの診断には，過去の摂取・症状誘発歴，特異的 IgE 抗体価，そして OFC などが用いられる[1]．

特異的 IgE 抗体価の評価にはプロバビリティカーブが用いられる．鶏卵については卵白，オボムコイドのプロバビリティカーブが報告されている．このうち卵白については検査時の年齢によって曲線が異なることが報告されており，検査結果を評価する際に注意が必要である（図 3）[10]．オボムコイド 10.8kUA/L 以上の場合に加熱卵によって症状が誘発される可能性が高くなること，卵白特異的 IgE 抗体とオボムコイド特異的 IgE 抗体を組み合わせることで診断特異度が高くなることが報告されている[11]．さらに，鶏卵への感作が成立している 1 ～ 2 歳の加熱卵未摂取の児で，オボムコイド特異的 IgE 抗体価は卵白特異的 IgE 抗体価と比して診断効率が優れていたと報告されている（図 4）[12]．卵白特異的 IgE 抗体が陽性であってもオボムコイド特異的 IgE 抗体が陰性あるいは低値である場合，加熱卵が摂取できる可能性があり，早期の OFC が考慮される．

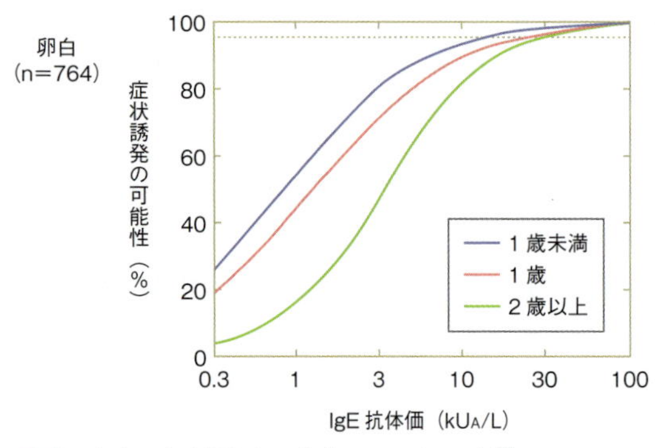

図 3　卵白の年齢別プロバビリティカーブ[10]

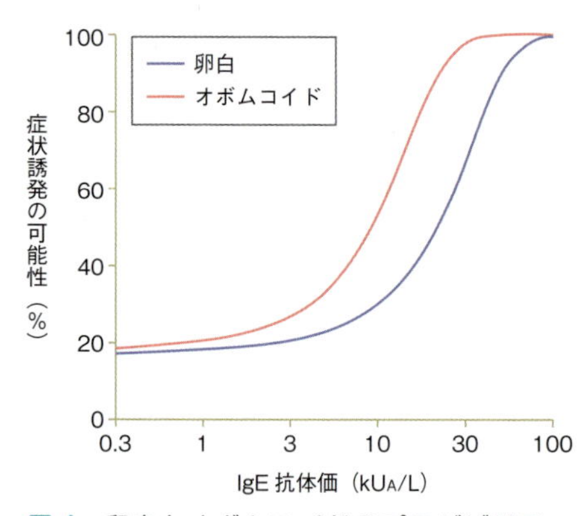

図 4　卵白とオボムコイドのプロバビリティカーブ[12]

OFC

OFC について，「食物アレルギー診療ガイドライン 2021」では少量，中等量，日常摂取量などのようにステップを分けて行うことを提案している[1]（表 2）[13]．過去の誘発症状の既往がある症例やオボムコイド特異的 IgE 抗体価がクラス 3 以上の症例などでは，まず少量の OFC を行い，陰性であれば中等量，日常摂取量へと進んでいくことが推奨されている[1]．鶏卵に対して即時型アレルギー症状の既往がある患者でも，83%が加熱卵黄つなぎの OFC が陰性であり，誘発された症状も重篤なものは少なかった（重症例は 4.5%）と報告されている[14]．鶏卵アレルギー児にステップ別の OFC を行うことで，少量，中等量の鶏卵が摂取

表 2　鶏卵 OFC の総負荷量の例[13]

摂取量	鶏卵
少量	加熱全卵 1/32 ～ 1/25 個相当 加熱卵白 1 ～ 1.5g
中等量	加熱全卵 1/8 ～ 1/2 個相当 加熱卵白 4 ～ 18g
日常摂取量	加熱全卵 30 ～ 50g（2/3 ～ 1 個） 加熱卵白 25 ～ 35g

できるようになる児も多い[15]．加熱卵黄つなぎなどを用いた少量での OFC は，比較的重篤な症状を誘発しにくく，鶏卵の完全な除去を避けるための手段として有用であると考えられる．

アレルゲンの特徴

鶏卵の主なアレルゲンは卵白に存在する．卵白のコンポーネントのうち，オボアルブミン（Gal d 2）は加熱により変性し抗原性を失うが，オボムコイド（Gal d 1）は加熱や消化に対して安定であり加熱卵においても抗原性を有している．卵白特異的 IgE 抗体価が陽性でもオボムコイド特異的 IgE 抗体価が低値や陰性であれば，加熱卵は摂取できる可能性がある．また，卵黄はアレルゲン性が低いことが知られており，鶏卵アレルギーで除去している児は卵黄から解除できることが多い．

鶏卵はニワトリの卵であるが，鶏肉のアレルゲンには卵白との交差抗原性はない．また，魚卵と鶏卵の原因タンパク質も異なる．このため，鶏卵アレルギーがある児でも，鶏肉・魚卵を一律に除去する必要はない[16]．一方，七面鳥，アヒル，ガチョウ，ウズラなど他の家禽類の卵白は，鶏卵の卵白との交差抗原性が報告されている[17, 18]．

鶏卵は加熱調理によってオボアルブミンが変性するなど抗原性に変化がみられる．このため，加熱卵や加工品を摂取できる場合でも，生卵や半熟卵，マヨネーズやカスタードクリームなど加熱が不十分なものではアレルギー症状を誘発する可能性があり，注意が必要である．また，鶏卵を含む加工食品は，練り製品，ハム・ベーコンなどの肉加工品，洋菓子，卵のつなぎ，卵を使った揚げ物の衣，マヨネーズなど多岐にわたり[16]，注意が必要である．

1) 日本小児アレルギー学会食物アレルギー委員会：食物アレルギー診療ガイドライン 2021．協和企画，2021．
2) Peters RL, et al.：The natural history and clinical predictors of egg allergy in the first 2 years of life：a prospective, population-based cohort study. J Allergy Clin Immunol, 133：485-491, 2014.
3) Savage JH, et al.：The natural history of egg allergy. J Allergy Clin Immunol, 120：1413-1417, 2007.
4) Kim J, et al.：The natural history and prognostic factors of egg allergy in Korean infants with atopic dermatitis. Asian Pac J Allergy Immunol, 27：107-114, 2009.
5) 池松かおり，ほか：乳児期発症食物アレルギーに関する検討（第 2 報）―卵・牛乳・小麦・大豆アレルギーの 3 歳までの経年的変化―．アレルギー，55：533-541，2006．
6) Ohtani K, et al.：Natural history of immediate-type hen's egg allergy in Japanese children. Allergol Int, 65：153-157, 2016.
7) Takahashi K, et al.：Phenotyping of immediate-type food allergies based on 10 years of research：a latent class analysis. Pediatr Allergy Immunol, 33：e13873, 2022.
8) Taniguchi H, et al.：Natural history of allergy to hen's egg：a prospective study in children aged 6 to 12 years. Int Arch Allergy Immunol, 183：14-24, 2022.
9) Leonard SA, et al.：Dietary baked egg accelerates resolution of egg allergy in children. J Allergy Clin Immunol, 130：473-480, 2012.
10) Komata T, et al.：The predictive relationship of food-specific serum IgE concentrations to challenge outcomes for egg and milk varies by patient age. J Allergy Clin Immunol, 119：1272-1274, 2007.
11) Ando H, et al.：Utility of ovomucoid-specific IgE concentrations in predicting symptomatic egg allergy. J Allergy Clin Immunol, 122：583-588, 2008.
12) Haneda Y, et al.：Ovomucoids IgE is a better marker than egg white-specific IgE to diagnose boiled egg allergy. J Allergy Clin Immunol, 129：1681-1682, 2012.
13) 厚生労働科学研究班による食物経口負荷試験の手引き 2020.
14) Yanagida N, et al.：Safety and feasibility of heated egg yolk challenge for children with egg allergies. Pediatr Allergy Immunol, 28：348-354, 2017.
15) Yanagida N, et al.：A three-level stepwise oral food challenge for egg, milk, and wheat allergy. J Allergy Clin Immunol Pract, doi：10. 1016/j.jaip.2017. 06. 029, 2017.
16) 厚生労働科学研究班による食物アレルギーの栄養食事指導の手引き 2022.
17) Langeland T：A Clinical and Immunological Study of Allergy to hen's egg white. Allergy, 38：399-412, 1983.
18) 高橋享子，ほか：卵アレルギー患者血清による IgE 結合卵白抗原の検索―ニワトリ，ウズラ，アヒル卵の主要タンパク質について．武庫川女子大学紀要．自然科学編，50：97-102，2002．

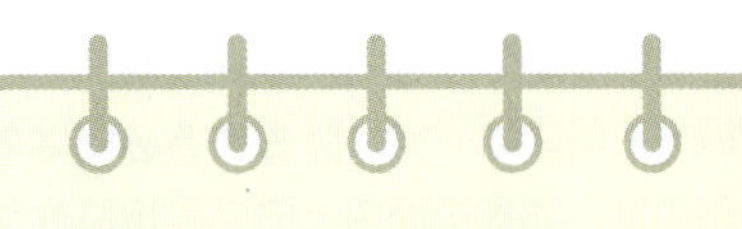

12 自然歴＋少量負荷試験＋食事指導

牛乳アレルギー

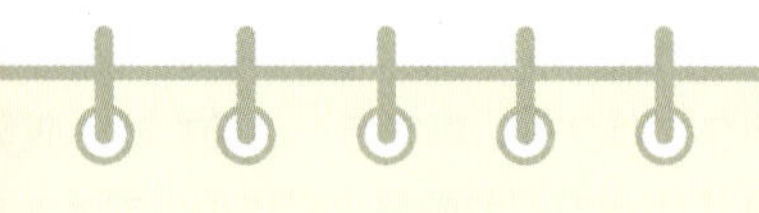

症例 1

10ヵ月，男児

起始および経過

生後 1ヵ月時から顔面に湿疹が出現し，生後 2 ～ 3ヵ月時には全身に広がった．近医皮膚科でステロイド軟膏と保湿剤を処方され，外用療法を行い湿疹は改善した．完全母乳栄養であったが，生後 5ヵ月時に外出先で人工乳（普通調整粉乳）を 100mL 摂取したところ，直後に全身の蕁麻疹と嗄声，吸気性喘鳴を認めたため救急受診した．受診時には症状は軽快しており，ミルクの除去を指示された．その後，かかりつけ医で外来フォローされ，生後 6ヵ月から離乳食を開始，生後 9ヵ月からアレルギー用ミルクを開始した．生後 10ヵ月時，食物経口負荷試験（OFC）目的に当院紹介となった．

既往歴 鶏卵アレルギー：生後 10ヵ月時に全卵かき卵 10 ～ 15g 程度を摂取し，全身に蕁麻疹．

検査データ

Total IgE：110 IU/mL，特異的 IgE 抗体（UA/mL）ミルク：1.95，カゼイン：2.49，卵白：22.7，オボムコイド：18.2.

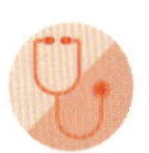

初診後の経過

経過より牛乳アレルギーと診断し，アレルギー用ミルクの継続，乳製品は完全除去を継続した．1 歳 5ヵ月時に加熱牛乳 3mL を総負荷量とする OFC を行い，症状を認めなかった．2 歳 0ヵ月時に加熱牛乳 25mL 相当の OFC を行い，症状を認めなかった．2 歳 4ヵ月時にヨーグルト 48g の OFC を行ったところ，全量を摂取し，頸部と体幹に複数個の蕁麻疹を認めたため，陽性と判断し，加熱牛乳 25mL および 25mL 相当までの加工品の摂取を継続とした（図 1）．3 歳 5ヵ月時にヨーグルト 48g の OFC を再度行ったところ，顔面に 1 個だけ小膨疹を認め，判定を保留したが，その後の自宅での摂取で症状なく摂取でき同量はクリアとした．今後，牛乳 200mL 相当の摂取および除去解除を目指す．

なお，鶏卵については，1 歳 0ヵ月時から段階的に OFC を行い，2 歳 2ヵ月時に耐性獲得した．

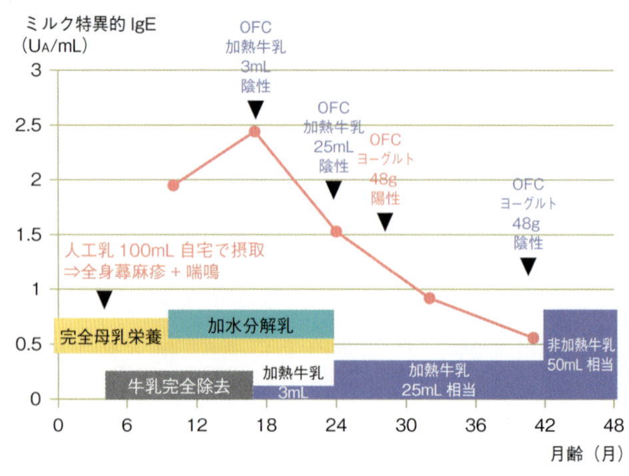

図 1　症例 1 経過表

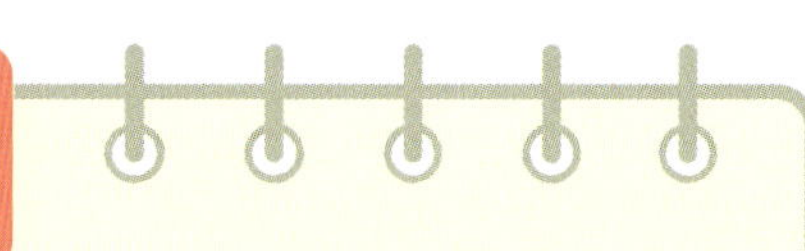

症例 2

5 歳 11ヵ月，女児

起始および経過

生後～新生児退院時まで混合栄養，その後は完全母乳栄養であった．生後 5ヵ月時に人工乳 100mL を 4ヵ月ぶりに摂取したところ，全身に蕁麻疹が出現した．近医受診し，当面完全除去となった．A 病院で 4 歳 2ヵ月時に牛乳 2mL の OFC を行い，膨疹数個と連続性咳嗽の症状あり陽性．その後，牛乳 0.5mL の OFC は陰性で，同量を隔日摂取の「経口免疫療法」が開始された．転居のため転院したが摂取継続し，家族判断で漸増，10mL まで進んだところで再度転居となり，居住地域の基幹病院小児科を受診したところ当院へ紹介となった．

既往歴 鶏卵アレルギー：0 歳 5ヵ月時に血液検査で感作を認め，2 歳 0ヵ月時に加熱卵白 5g の OFC で陽性．その後，3 歳 8ヵ月時に加熱全卵 1 個摂取可となり摂取継続できている．

検査データ（当院初診時）

Total IgE：937 IU/mL，特異的 IgE 抗体（UA/mL）ミルク：1.71，カゼイン：1.42，αラクトアルブミン 0.90，βラクトグロブリン 0.10，卵白：2.52，オボムコイド：0.89．

初診後の経過

初診時 (5 歳 11ヵ月) に牛乳 10mL の摂取が可能だったが，隔日摂取で脱感作状態の可能性もあると考え，まずは 6 歳 0ヵ月時に 7 日間の牛乳除去後の加熱牛乳 6mL の OFC を行ったところ陰性であった．その後，加熱牛乳 6mL を週 2 回の頻度で摂取継続し，6 歳 3ヵ月時に加熱牛乳 25mL の OFC を行い陰性であった．乳入りの加工品を含めて加熱牛乳 25mL までの週 2 回摂取を続けた．6 歳 9ヵ月時にヨーグルト 48g（非加熱牛乳 50mL 相当）の OFC を行ったところ，顔面に膨疹 1 個のみ症状を認め「判定保留」とし，自宅で再現性を確認した．自宅での同量摂取で陰性が確認された．以降は摂取閾値を非加熱 / 加熱牛乳 50mL として週 2 回摂取を引き続き行い，7 歳 3ヵ月時に非加熱牛乳 200mL の OFC を行ったところ陰性であった（図 2）．自宅で再現性の確認を複数回行い，摂取後に運動を行うなどしても症状を認めなかったことから，牛乳の除去を解除した．それから自由摂取としているが症状は出ていない．

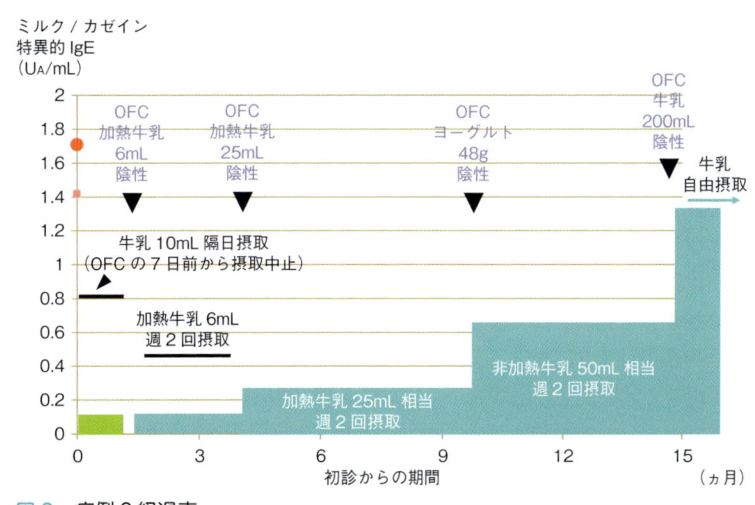

図 2　症例 2 経過表

解説

主要抗原

牛乳には約 3%のタンパク質が含まれ，大きくはカゼインと乳清タンパク質に分けられる（表 1）．カゼインは乳タンパクの 80%を占め，さらにαs1-，α2s-，β-，κ-カゼインに分類される．乳清タンパク質には，β-ラクトグロブリン，α-ラクトアルブミン，血清アルブミン，免疫グロブリンなどが含まれる（表1）．牛乳アレルギーはさまざまなタンパク質に別個にまたは複数に反応しており一様ではないが，αs1-カゼインとβ-ラクトグロブリンが主要抗原と考えられている．カゼインは加熱による変性を受けにくく，低アレルゲン化には加水分解が必要である[1]．

表1　主な牛乳アレルゲン

			含有量（%）	アレルゲン性
乳タンパク	カゼイン	αs1-カゼイン	30	+++
		αs2-カゼイン	9	
		β-カゼイン	29	
		κ-カゼイン	10	
	乳清タンパク質（ホエイ）	α-ラクトアルブミン	4	+
		β-ラクトグロブリン	10	++
		血清アルブミン	1	+
		免疫グロブリン	2	+

即時型牛乳アレルギーの疫学

消費者庁の即時型食物アレルギー全国モニタリング調査では，牛乳アレルギーは食物アレルギー児の20.9%で，鶏卵に次いで2番目に多かった[1]．自然経過については，海外では，5～10歳までに50%程度が耐性獲得したとの報告がある[2]．日本では，3歳までに33%が，6歳までに85%が耐性獲得し，アナフィラキシーの既往やミルク特異的IgEの値が経年的に下がらないことが耐性獲得を遅らせるリスク因子であった，との報告がある[3]．ミルク・カゼイン特異的IgEが乳児期からずっと高値で持続する，プリックテストの膨疹径が大きい，湿疹の重症度が高い，などの例は耐性獲得しにくいとされている[2, 3]．

牛乳アレルギーの発症後の治療介入に関する文献報告より

CMAを発症した場合でも，ほとんどがカゼイン加水分解乳を安全に摂取できる．生後6ヵ月までにCMAを発症した乳児のランダム化比較試験で，プロバイオティクスを含んだカゼイン加水分解の摂取を継続した児は，アミノ酸乳の摂取を継続した児と比較して，12ヵ月後の牛乳への耐性獲得率が有意に高かった（48.0% vs 4.5%）[4]．

牛乳の除去を行う際の注意点

・特定原材料表示について

牛乳は，2001年から施行されている食品衛生法によって特定原材料に指定されており，原材料ラベル表示を確認することで，牛乳入りの加工食品による誤食は回避することができるようになったが，誤食例の3.0%は「食品表示ミス」によるものであると報告されており，内訳では牛乳は32.1%を占め，鶏卵（32.9%）に次いで多かった[5]．患者・保護者へのさらなる啓発，および食品製造・販売会社等に理解と遵守を徹底することが求められる．

・栄養について

牛乳アレルギー児はカルシウムが不足しやすいので代替食品より補う必要がある．牛乳アレルギー治療用ミルクには加水分解乳とアミノ酸乳があり，それぞれのミルクのアレルゲン性と栄養学的評価には差異がある（p.98参照）．過去にはビオチン・カルニチンなど微量元素の欠乏に注意が必要であったが，2017年以降は加水分解乳・アミノ酸乳とも微量元素が配合されている．

・低身長のリスクについて

3歳まで乳製品を完全除去していた牛乳アレルギー児は，牛乳アレルギーを有さない児よりも就学以降の身長が低かったと報告されている[6]．また，2歳以降まで乳製品を完全除去していた牛乳アレルギー児において，OFCを行い1年以内に牛乳の除去を解除できたグループは，身長の伸びが改善したとの報告もある[7]．そのため，できるだけ早期に牛乳の除去を解除することで低身長のリスクを避けられる可能性がある．

・乳糖の摂取について

重症牛乳アレルギー児の95%が乳糖3gを症状なく摂取することができ，即時型症状を呈した例も軽微な症状だったとの報告がある[8]．牛乳アレルギー児の多くが乳糖を摂取できることから，ふりかけやコンソメなどの乳糖含有食品を用いて，自宅や外来で摂取が可能なことを確認することが望ましい[8]．

即時型牛乳アレルギーの管理について

・OFC および食事指導

前述のように，牛乳アレルギーは，乳幼児期のうちに耐性獲得をしやすいため，定期的に特異的 IgE 値の推移をモニタしながら，一定期間ごとに OFC を実施する．当院では，総負荷量を数段階に設定した OFC（加熱牛乳 0.75mL →加熱牛乳 3mL →加熱牛乳 25mL →ヨーグルト 48g →非加熱牛乳 200mL）を行うことで，安全性に留意した段階的な解除をすすめている．上記の各ステップを通過した際には，同量の加熱牛乳 / 非加熱牛乳を週 2 回以上摂取継続するよう伝えている．また摂取可能な牛乳入り加工品を紹介し，QOL の改善に努めている．表 2 は，実際に当院で食事指導に使用している資料から一部を抜粋したものである．

表 2　各ステップの OFC をクリア後に摂取できる加工品の例

	食べる量の目安	乳タンパク量（g）	牛乳換算
ステップ 0（加熱牛乳 3mL）			
牛乳 3mL を使ったパンケーキ・ハンバーグ		0.1	3mL
ビスケット / クッキー	1 枚（8g）	0.05	1mL/ 枚
マーガリン	大さじ 1 杯（13g）	0.05	1mL
バター	大さじ 1 杯（13g）	0.07 ～ 0.08	2.1 ～ 2.3mL
ステップ 1（加熱牛乳 25mL）			
牛乳 25mL を使ったパンケーキ・ハンバーグ		0.85	25mL
カレールウ・シチュールウ	1 人前（ルウ 20g）		25mL 未満
ミルクチョコレート	1 粒（5g）	0.2 ～ 0.3	6 ～ 9mL/ 粒
食パン	6 枚切 1 枚（60 ～ 70g）	0.5	0.1 ～ 14mL/ 枚
ヤクルト®	1 本（65mL）	0.8	24mL/ 本
ステップ 2（非加熱牛乳 50mL≒プレーンヨーグルト 48g）			
生クリーム（純乳脂肪）	50g（ショートケーキ 1 切分）	0.85 ～ 1.20	29 ～ 36mL
クリームチーズ	20g	1.6	48mL
ステップ 3（非加熱牛乳 200mL）			
粉チーズ	大さじ 1 杯（5 ～ 6g）	1.7 ～ 2.6	50 ～ 79mL
スライスチーズ	1 枚（18g）	3.8 ～ 4.1	115 ～ 120mL/ 枚
6P チーズ	1 個（18 ～ 25g）	3.7 ～ 5.7	110 ～ 170mL/ 個

OFC は，総負荷量によって陽性となる確率が大きく異なり，結果の予測には，各総負荷量に応じたプロバビリティカーブを参考にする必要がある[9, 10]．

Yanagida らの検討では，OFC が 90％陽性になる牛乳特異的 IgE 値は，非加熱牛乳 200mL では 6.2UA/mL であるのに対して，ヨーグルト 48g では 23.0UA/mL，加熱牛乳 25mL では 100.4UA/mL であった[9]．また母集団は異なるが，加熱牛乳 3mL の OFC では，ミルク特異的 IgE 100UA/mL でも陽性の可能性は 71.6％と報告されている[10]．このように牛乳特異的 IgE 値が高値であっても，少量であれば症状なく摂取できる可能性があるため，OFC の実施を考慮する．また，少量の摂取を継続することにより耐性獲得を促進する可能性も示唆されている．当院で加熱牛乳 25mL の OFC が陽性であった児 83 名のうち，41 名（49％）が加熱牛乳 3mL の OFC は陰性で，その後，加熱牛乳 3mL もしくはバター 10g を週 1 回以上摂取し続けたところ，1 年後までに 41 名中 18 名（45％）が加熱牛乳 25mL を摂取可能となった[10]．

・牛乳アレルギーの即時型症状の特徴

牛乳の OFC 陽性例の症状として，一般的に皮膚症状，呼吸器症状が多い．重篤な症状を起こすリスク因子としては，アナフィラキシーの既往があること，年齢が高いこと，が指摘されている[11]．また，牛乳には，鶏卵と比較して即時型症状の出現時間が早いという特徴がある[12]．非加熱牛乳 200mL の OFC を行い陽性となった児について，摂取後に最初の症状が出現した時間は中央値 20 分，最大値でも 55 分と，60 分以内に全員が症状を呈していた．それに対し，鶏卵は中央値 55 分で，摂取から 480 分後に症状が出現した例も存在した．

1) 日本小児アレルギー学会食物アレルギー委員会：食物アレルギー診療ガイドライン 2021．協和企画，2021．
2) Savage J, et al.：J Allergy Immunol Pract, 4：196-203, 2016.
3) Koike Y, et al.：Int Arch Allergy Immunol, 175：177-180, 2018.
4) Nocerino R, et al.：Allergy, 23. doi: 10.1111/all.15750. Online ahead of print, 2023.
5) 今井孝成，ほか：アレルギー，69：701-705，2020.
6) Mukaida K, et al.：Allergol Int, 59：369-374, 2010.
7) Yanagida N, et al.：Int Arch Allergy Immunol, 168：56-60, 2015.
8) 竹井真理，ほか：日小児アレルギー会誌，29：649-654，2015.
9) Yanagida N, et al.：J Allergy Clin Immunol Pract, 6：658-660, 2018.
10) Okada Y, et al.：Allergol Int, 64：272-276, 2015.
11) Yanagida N, et al.：Int Arch Allergy Immunol, 172：173-182, 2017.
12) Yanagida N, et al.：World Allergy Organ J, 9：12, 2016.

自然歴＋少量負荷試験＋食事指導
小麦アレルギー

症例
10ヵ月，男児

起始および経過

生後 8ヵ月時に初めて焼き麩を摂取した 1 時間後から全身蕁麻疹と間欠的な咳嗽を認めた．近医を受診して抗ヒスタミン薬の内服および気管支拡張薬の吸入により症状は改善し，小麦の完全除去を指示された．生後 10ヵ月時に今後の方針の相談目的に当院を紹介受診した．

身体所見

皮膚：体幹に軽度の乾燥のみで明らかな湿疹なし．

検査データ（初診時）

Total IgE：727 IU/mL，特異的 IgE 抗体（UA/mL）小麦：34.3，ω-5 グリアジン：7.4.

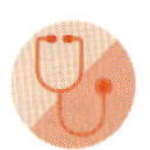

初診後の経過

1 歳 2ヵ月時にうどん 2g の食物経口負荷試験（OFC）を実施して陰性であった．その後は自宅でうどん 2g の摂取を週 3 回以上継続し，症状がないことを確認した．1 歳 6ヵ月時にうどん 15g の OFC を実施し，全量摂取 1 時間後に全身の蕁麻疹が出現し陽性と判定した．うどん 2g の摂取を継続するように指導し，2 歳時にうどん 15g の OFC を再実施して陰性であった．その後うどん 15g もしくは小麦タンパクの含有量が同量以下の加工品を摂取継続し，2 歳 5ヵ月時にうどん 50g，3 歳時にうどん 200g の OFC を実施していずれも陰性であり，3 歳 2ヵ月時に小麦の除去を解除した．血液検査は，小麦 /ω-5 グリアジン特異的 IgE 抗体価が 2 歳時に 43.4/3.2UA/mL，3 歳時に 16.5/0.8UA/mL と低下した．

解説

疫学

小麦アレルギーは，乳幼児期は主に即時型アレルギーで発症し，学童期以降は食物依存性運動誘発アナフィラキシー（FDEIA）を発症することもある．

わが国の即時型食物アレルギー全国モニタリング調査では，原因食物に占める小麦の順位は 2017 年の調査までは第 3 位，2020 年の調査では第 4 位で原因食物の 8.8％を占めている．小麦によるアナフィラキシーショックの発生率は 18.4％で，原因食物として第 3 位であった[1]．

自然歴

乳幼児期に発症した即時型小麦アレルギーの自然経過での耐性獲得率は鶏卵，牛乳と同様に高いことが知られている．アメリカ，ポーランドの検討では耐性獲得率は，4 歳までに 20 ～ 29％，6 ～ 8 歳までに 45 ～ 52％，12 ～ 18 歳までに 65 ～ 76％であった[2, 3]．当院での 83 例を対象とした検討では，耐性獲得

表1　小麦アレルギーの自然歴の報告

国	対象者（人）	耐性獲得の定義	耐性獲得率（%）						
			3歳	4歳	5歳	6歳	8歳	12歳	18歳
日本	83	うどん200g（小麦タンパク質量5.2g）	20.5	33.7	54.2	66.3			
アメリカ	103	5歳未満 小麦タンパク質量4g 5歳以上 小麦タンパク質量8g		29		45	56	65	
ポーランド	50	小麦タンパク質量3.24～3.6g陰性→自宅で1日で小麦タンパク質量＞20gを7日間摂取で無反応		20			52	66	76

耐性獲得は大半の症例でOFCを実施して確認.

（文献2～4）を参考に作成）

率は3歳までに20.5%，5歳までに54.2%，6歳までに66.3%であった[4]（表1）.

また，小麦アレルギーの遷延化のリスク因子に関しては，小麦およびω-5グリアジン特異的IgE抗体価高値やアナフィラキシー既往の有無が報告されている[2～4].

主要抗原

小麦タンパク質は，水・塩可溶性タンパク質のアルブミンとグロブリン（全タンパク質の約15～20%）と水・塩不溶性タンパク質であるグルテン（全タンパク質の約80%）に分けられ，さらにグルテンはアルコール可溶性のグリアジンと不溶性のグルテニンに分類される．小麦アレルギーには可溶性・不溶性分画の両方が関与しており，病態により主要なアレルゲンが異なる.

当院の小麦アレルギー児において，大麦，ライ麦の小麦との交差反応性を阻害ELISA法を用いて示した[5]．また他のイネ科花粉からの交差反応性で，小麦アレルギーが発症する可能性を示唆した報告もある.

診断

小麦アレルギーは小麦への感作の証明に加えて，OFC陽性または明らかな即時型症状の確認により診断する.

・特異的IgE抗体価検査

小麦特異的IgE抗体価は診断の感度は高いが特異度が低く，1歳以上の児のうどん100gのOFCでは100UA/mLでも陽性的中率（PPV）は80%に満たない[6]．一方，ω-5グリアジン特異的IgE抗体価は診断の特異度が高く，当院でのうどん2gのOFCの検討では50% PPVは3.9UA/mL，90% PPVは88.1UA/mLであった[7]．しかしながら，ω-5グリアジンの感度はそれほど高くなく，陰性であっても小麦アレルギーは否定できない．小麦・ω-5グリアジン特異的IgE抗体価の両者を評価することが望ましい.

・OFC

食物アレルギー診療ガイドライン2021では，総負荷量を少量，中等量，日常摂取量と段階的に設定するOFCを推奨しており，当院では，小麦のOFCのステップをうどん2g，15g，50g，200gの4段階に設定している．各ステップのOFCが陰性後に総負荷量の同量のうどん，または小麦タンパク量が同量以下の加工品を週2回以上の頻度で摂取するよう指示してから，次のステップのOFCを行う（図）[8]．総負荷量の設定は既往の症状誘発閾値が不明な症例や重篤な症状が誘発された既往のある症例などでは，まずは少量のOFCから行うことが望ましい．一方，すでに摂取できている食品から安全摂取量が判明している場合は安全摂取量をもとに総負荷量を設定する.

当院の検討では，うどん15g未満でアレルギー症状の既往のある57例に対して少量OFC（うどん2g）を実施し，そのうち56%（32例）が陰性で，その後1年以内に陰性者の56%（18例）が15gのうどんを摂取可能となった[9]．また，小麦アレルギー児（疑いも含む）118例に対して段階的なOFCを実施して，初回負荷から約1年後に31%（36例）で除去の解除が可能となり，また全陽性者のうち重篤な症状を呈したのは2%（2例）であった[10].

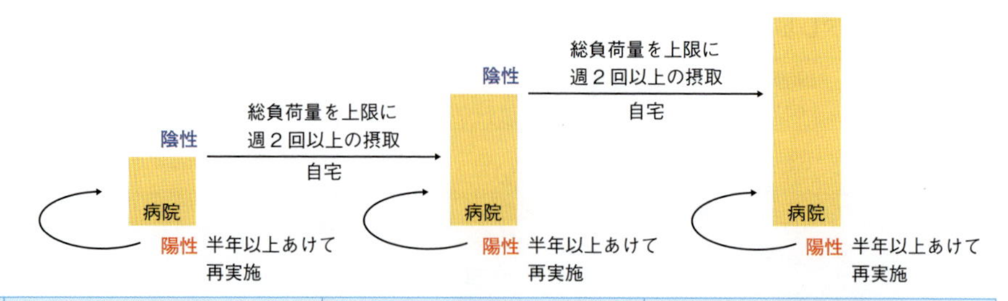

	少量	中等量	日常摂取量 （耐性獲得）
JGFA 2021	ゆでうどん 1～3g	ゆでうどん 10～50g	ゆでうどん 100～200g または ６枚切り食パン 1/2～1 枚
相模原病院	STEP 0（2g）	STEP 1（15g）→STEP 2（50g）	STEP 3（200g）

JGFA：食物アレルギー診療ガイドライン

図　小麦 OFC の例

（文献 8）を参考に作成）

 栄養食事指導

小麦と大麦，ライ麦，オート麦などとの交差抗原性および臨床的交差反応性が報告されている[5, 11]．学校給食で麦飯が提供される場合があり，大麦が問題となることが多い．当院での 53 例の重症小麦アレルギー児［小麦タンパクの症状誘発閾値（中央値）104mg 小麦 / ω-5 グリアジン特異的 IgE 抗体価 57.3/3.2UA/mL］を対象にした検討では 26 例が大麦に反応し，大麦に反応した症例は有意に小麦の症状誘発閾値が低く，ω-5 グリアジン特異的 IgE 抗体価が高かった[11]．また，抗原が微量である大麦由来の麦茶で反応を示した症例も一部に存在する（23%）ため，極めて重症の小麦アレルギー児で麦茶を摂取したことがない症例では，麦茶の OFC を考慮する．

表 2　主な小麦製品中の小麦タンパク質量

食　品	量目安	小麦タンパク質量（g）
うどん（ゆで）	100g あたり	2.6
そうめん（ゆで）		3.5
スパゲッティ（ゆで）		5.2
パン粉（乾燥）	大さじ１杯 4g	0.4
ホットケーキミックス	50g あたり	3.8
餃子の皮	１枚≒5g	0.5
焼き麩	１個≒1g	0.3
薄力粉	大さじ１杯 8g	0.6
中力粉		0.7
強力粉		0.9

（相模原病院 小麦加工品換算表より改変）

小麦由来の醤油や味噌に関しては，醸造過程で小麦タンパクが分解され，低アレルゲン化されるため摂取可能なことが多い．小麦粉の代替として，米粉や片栗粉などが使用可能である．しかし，市販の米粉パンには小麦グルテンが添加されている場合もあり，摂取前に店側に確認する必要がある．

自宅での小麦摂取に関しては，OFC などで安全量を確認した場合，その安全量で摂取可能な小麦製品（表 2）を提示することで家族・患者の QOL が向上する．

小麦アレルギー児に対して少量から段階別の OFC および結果に基づいた栄養指導を実施することで，QOL の向上および耐性獲得の促進を誘導することが可能になる．

1) 消費者庁：令和３年度　食物アレルギーに関連する食品表示に関する調査研究事業報告書．2022．https://www.caa.go.jp/policies/policy/food_labeling/food_sanitation/allergy/assets/food_labeling_cms204_220601_01.pdf
2) Keet CA, et al.：The natural history of wheat allergy. Ann Allergy Asthma Immunol, 102：410-415, 2009.
3) Czaja-Bulsa G, et al.：The natural history of IgE mediated wheat allergy in children with dominant gastrointestinal symptoms. Allergy Asthma Clin Immunol, 10：12, 2014.
4) Koike Y, et al.：Predictors of persistent wheat allergy in children：a retrospective cohort study. Int Arch Allergy Immunol, 176：249-254, 2018.
5) Takei M, et al.：Cross-reactivity of each fraction among cereals in children with wheat allergy. Pediatr Allergy Immunol, 33：e13831, 2022.
6) Komata T, et al.：Useless of wheat and soybean specific IgE antibody titers for the diagnosis of food allergy. Allergol Int, 58：599-603, 2009.
7) Yanagida N, et al.：New approach for food allergy management using low-dose oral food challenges and low-dose oral immunotherapies. Allergol Int, 65：135-140, 2016.
8) 日本小児アレルギー学会食物アレルギー委員会：食物アレルギー診療ガイドライン 2021．協和企画，2021.
9) Okada T, et al.：Better management of wheat allergy using a very low-dose food challenge：A retrospective study. Allegol Int, 65：82-87, 2016.
10) Yanagida N, et al.：A three-level stepwise oral food challenge for egg, milk, and wheat allergy. J Allergy Clin Immunol Pract, 6：658-660, 2018.
11) Yanagida N, et al.：Clinical cross-reactivity of wheat and barley in children with wheat allergy. Pediatr Allergy Immunol, 33：e13878, 2022.

14 大豆アレルギー

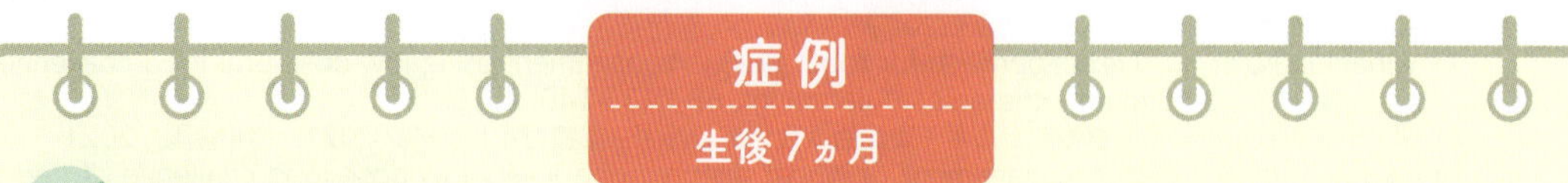

起始および経過

生後2ヵ月時より顔面に瘙痒感を伴う湿疹が出現した．近医で処方されたステロイド軟膏の塗布により，湿疹は改善した．

生後6ヵ月時に実施した血液検査で，多抗原陽性であったため，生後7ヵ月時に食物経口負荷試験（OFC）目的で当院へ紹介となった．当院受診時は，離乳食として，米とカボチャのみを摂取していた．

身体初見

身長68.0cm（−0.5SD），体重7,600g（−0.7SD）．体幹および両下肢に丘疹が散在していた．

検査データ

WBC：11,650/μL（好酸球7%），TARC：4,048（pg/mL），Total IgE：1,230 IU/mL，特異的IgE抗体（UA/mL）大豆：33.4，Gly m 4：0.1未満，卵白：377，オボムコイド：36.1，牛乳：36.1，小麦：14.9，ω-5グリアジン：8.09，ピーナッツ：5.9，Ara h 2：0.1未満．

初診後の経過

乳児期のアトピー性皮膚炎を契機に，鶏卵，牛乳，小麦，大豆，ピーナッツなど多抗原の食物アレルゲンの感作を認めた状態で，いずれの食物も診断を目的としたOFCが必要と考えられた．

大豆については，負荷食品として絹豆腐を用いた．

1歳2ヵ月 OFCを実施した．豆腐7gを摂取してから20分後に，顔面に数個の膨疹と軽度の咳嗽を認めた．その15分後（検査開始35分後）に，膨疹が頸部および体幹に拡大したため「陽性」と判断した．抗ヒスタミン薬を内服させて30分後には症状は軽快した．OFC後は，症状なく摂取が可能であった醤油，味噌および納豆以外の大豆製品の除去を指導した．

2歳6ヵ月 OFCを再度実施したところ，豆腐50gを摂取後に全身の膨疹を認めたが，抗ヒスタミン薬の内服により軽快した．

3歳5ヵ月 実施したOFCで，豆腐100gを症状なく摂取できたため，除去を解除した．その後，自宅で症状かつ制限なく大豆製品を摂取できたため，耐性獲得と判断した（図）．

なお，鶏卵，牛乳，小麦は定期的に実施しているOFCの結果をもとに，段階的な除去の解除を進めている途中である．

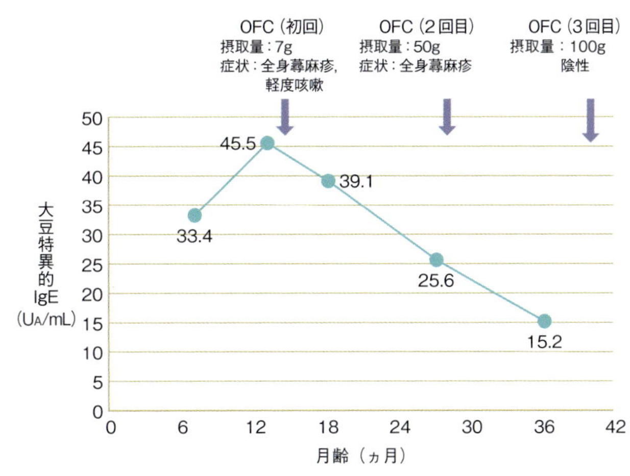

図　症例の臨床経過

解説

臨床像

乳幼児の大豆アレルギーは，食物アレルギーに関与する乳児アトピー性皮膚炎や即時型アレルギーでの発症が多い．その一方で，学童期以降では，ハンノキ花粉の感作を契機とした，花粉-食物アレルギー症候群（PFAS）の病型での発症が中心となる．PFAS は口腔粘膜症状が主体であるが，成人では豆乳摂取により重篤な症状が誘発されることが報告されている（p.168 参照）．

即時型アレルギーにおける誘発症状は，皮膚症状や呼吸器症状が多く，消化器症状は少ない．当院で実施した大豆 OFC の陽性者 55 例の誘発症状は，皮膚症状 45 例（82%），呼吸器症状 28 例（51%）であった．その一方で，消化器症状は 7 例（13%）のみであった．重篤な症状が誘発される場合があり，7 例（13%）にアドレナリンの筋肉注射を要している[1]．

アレルゲンの特徴

大豆の主要アレルゲンは，貯蔵タンパク質の Gly m 5，Gly m 6，Gly m 8 である．Gly m 5 と Gly m 6 の他の豆類とのアミノ酸相同性は 50%程度であるが，Gly m 8 のピーナッツ 2S アルブミンとの相同性は 28 ～ 34%程度で，他の豆類との 2S アルブミンのアミノ酸相同性はさらに低い（表）．Gly m 5，Gly m 6，Gly m 8 は小児の即時型アレルギーに関与している[2, 3]．一方，Gly m 4 は PR-10 タンパク質に属し PFAS に関与し，2015 年より保険収載された．

表　主な大豆アレルゲン

タンパク質	アレルゲン	関連する病型	備考
疎水性種子タンパク質（LTP）	Gly m 1	大豆殻粉塵の吸入性アレルゲン	
ディフェンシン	Gly m 2		
プロフィリン	Gly m 3		
PR-10（Bet v 1 ホモログ）	Gly m 4	口腔アレルギー症候群	2015 年より保険収載
貯蔵タンパク質（7S グロブリン）	Gly m 5	即時型アレルギー	大豆感作例において大豆アレルギー例は非アレルギー例と比較して高値[2]
貯蔵タンパク質（11S グロブリン）	Gly m 6	即時型アレルギー	大豆感作例において重度の大豆アレルギー例は非アレルギー例と比較して高値[2]
種子特異的ビオチン化タンパク質	Gly m 7		
貯蔵タンパク質（2S グロブリン）	Gly m 8	即時型アレルギー	大豆感作例において，診断有用性が，大豆粗抗原，Gly m 5，Gly m 6 より高い[3]

なお，納豆，味噌，醤油では発酵過程でアレルゲンが分解されるため，アレルギー症状を起こすことはまれである．

疫学・自然歴

大豆は，2017（平成 29）年度に実施された即時型食物アレルギー全国モニタリング調査で，原因食物第 10 位であった[4]．海外の報告でも，有症率は小児の 0.4%であり[5]，摂取機会の多い割に，その頻度は低いと考えられる．

自然歴については，池松らが，食物アレルギーに関与する乳児アトピー性皮膚炎で発症し，食物除去・OFC により大豆アレルギーと診断した 23 例の 3 歳までの経過について報告している[6]．その結果，生後半年～ 1 歳までに 30%，3 歳までに 78%が大豆の除去を解除されていた．その一方で，即時型大豆アレルギー児 133 例を対象とした海外の報告では，耐性獲得した児は，4 歳までに 25%，6 歳までに 45%，10 歳までに 69%程度であった[5]．この報告によると，大豆特異的 IgE 抗体価のピーク値および推移の仕方が予後の予測に有用であった．大豆特異的 IgE 抗体価のピーク値については，その値が＜ 5，5 ～ 9.9，10 ～ 49.9，50≧と上昇するにつれ，6 歳までの耐性化率は，59%，53%，45%，18%と低下した．大豆特異的 IgE 抗体価の推移については，非耐性化群が，緩やかに上昇後，8 歳頃にピークとなる傾向であったのに対して，耐性化群は，急速に上昇後，3 歳頃にピークとなり，その後低下する傾向がみられた．本症例の大豆特異的 IgE 抗体価は，13ヵ月時に，45.5（kU/L）でピーク値となったが，約 1 年後には 25.6（kU/L）まで低下しており，実際に予後は良好であった．

診断および耐性獲得の評価

大豆特異的 IgE 抗体価や皮膚テストが陽性であっても，実際には摂取可能であることが多く，確定診断には OFC の実施が必要である．当院で，大豆に感作（特異的 IgE あるいは皮膚プリックテスト陽性）を認めた 1,710 例のうち，実際に大豆の摂取により即時型アレルギー症状を認めたのは 307 人（18%）のみであった[1]．

Komata らは，豆腐 100g を総負荷量とした OFC の結果と大豆特異的 IgE 抗体価をもとに，プロバビリティカーブを作成した[7]．その結果，大豆特異的 IgE 抗体価の上昇と OFC 陽性には関連がみられ，大豆特異的 IgE 抗体価が 18（UA/mL）の場合，症状が誘発される可能性が 50%であることが示された．しかし，大豆特異的 IgE 抗体価が 100（UA/mL）でも OFC 陽性率は 80%未満であり，その精度には限界がみられた．Sato らの即時型大豆アレルギー児を対象とした OFC の検討[1] でも，OFC 陽性例は，陰性例と比較して，大豆特異的 IgE 抗体価が高値であったが，OFC の結果を予測する，有用なカットオフ値は設定できなかった．

アレルゲンコンポーネントを利用した臨床診断については，Glu m 8 特異的 IgE 抗体価が大豆粗抗原，Gly m 5 および Gly m 6 特異的 IgE 抗体価と比較して，大豆アレルギーの診断に有用であったことが報告されている[3]．さらに，近年，Maruyama らより，他の豆類と類似性が低く交差反応する可能性の低い，Gly m 5 の N 末端の部分構造と Gly m 8 を融合させたコンポーネントが，Gly m 5 や Gly m 8 よりも診断に有用であったことが報告され，今後，診断により有用な改変コンポーネントの開発が期待される[8]．

大豆は，感作していても実際には摂取可能なことが多く，早期の OFC 実施が望まれる．また，即時型大豆アレルギーであっても比較的，耐性化しやすいので，一定期間ごとに OFC を実施し，耐性化を確認することが望ましい．

1) Sato M, et al.：Oral challenge tests for soybean allergies in Japan：a summary of 142 cases. Allergol Int, 65：68-73, 2016.
2) Ito K, et al.：IgE to Gly m 5 and Gly m 6 is associated with severe allergic reactions to soybean in Japanese children, J Allergy Clin Immunol, 128：673-675, 2011.
3) Ebisawa M, et al.：Gly m 2S albumin is a major allergen with a high diagnostic value in soybean-allergic children, J Allergy Clin Immunol, 132：976-678 e1-5, 2013.
4) 今井孝成，ほか：消費者庁「食物アレルギーに関連する食品表示に関する調査研究事業」平成 23 年 即時型食物アレルギー全国モニタリング調査結果報告．アレルギー，65：942-946，2016.
5) Savage, J H, et al.：The natural history of soy allergy, J Allergy Clin Immunol, 125：683-686, 2010.
6) 池松かおり，ほか：乳児期発症食物アレルギーに関する検討（第 2 報） 卵・牛乳・小麦・大豆アレルギーの 3 歳までの経年的変化．アレルギー，55：533-541，2006.
7) Komata T, et al.：Usefulness of wheat and soybean specific IgE antibody titers for the diagnosis of food allergy. Allergol Int, 58：599-603, 2009.
8) Maruyama N, et al.：Gly m 5/Gly m 8 fusion component as a potential novel candidate molecule for diagnosing soya bean allergy in Japanese children. Clin Exp Allergy, 48：1726-1734, 2018.

15 ジャガイモアレルギー

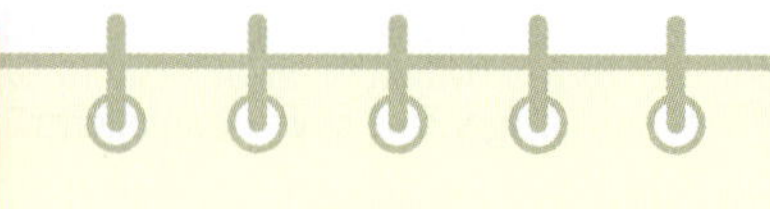

症例
1歳7ヵ月，女児

起始および経過

生後1ヵ月から全身に湿疹を認め，改善しないため，生後3ヵ月時に当科を紹介受診した．スキンケア，ステロイド外用剤塗布により湿疹は改善した．生後5ヵ月のときにskin prick test（SPT）を施行し，鶏卵，ジャガイモが陽性であった．ジャガイモの感作はみられたものの，実際のジャガイモアレルギーの頻度は少ないことを話し，ジャガイモは自宅で少量から開始，鶏卵のみ除去を指示し，自宅で離乳食を開始した．生後8ヵ月のときに自宅で初めてジャガイモを少量摂取し，2時間後に頸部・四肢に膨疹を認めた．

身体所見

皮膚：軽度乾燥のみで明らかな湿疹なし．

検査データ（1歳1ヵ月時）

Total IgE：70.2 IU/mL，特異的IgE抗体（UA/mL）ジャガイモ：12.1（クラス3），TARC：992pg/mL.

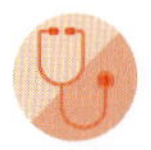

初診後の経過

検査結果，臨床経過よりジャガイモアレルギーと診断した．ジャガイモは完全除去とし，即時型症状の既往から約1年後に総量を50gとして塩ゆでジャガイモの食物経口負荷試験（OFC）を行った．

ジャガイモOFCの経過

不均等2分割法にて初回12.5g（1/4量）を摂取し，症状がないことを確認して1時間後に37.5g（3/4量）の追加摂取を行った．追加摂取後も症状がないことを確認し，計3時間観察ののち帰宅とした．後日自宅で繰り返しジャガイモを摂取しても症状の出現がないことを確認し，解除とした．

解説

ジャガイモ *Solanum tuberosum* はナス科の多年草で世界でも多く栽培されている野菜である．加工しやすく離乳食として乳児期より摂取が開始されることが多い．調理法は非常に多く，煮物から焼き物，揚げ物と多様である．主成分であるでんぷんは，かまぼこやちくわなどの練り物や，はるさめなどに用いられるほか，片栗粉として家庭でもさまざまな調理に使用される．

小児では湿疹や即時型症状，FPIES（food protein induced enterocolitis）の原因となることがあり，アナフィラキシー症例も報告されている．即時型症状としては，皮膚症状のほか，嘔吐，下痢，腹痛などの消化器症状がみられる．成人ではジャガイモの皮むきの際に瘙痒や蕁麻疹，鼻結膜炎，喘息発作などの症状が報告されているほか，pollen-food allergy syndrome（PFAS）として生のジャガイモでの口腔粘膜症状を認める症例が報告されており[1]，カバノキやブタクサ，プラタナスに対する感作が多いとされている[2]．重症アトピー性皮膚炎の児で片栗粉入り粘土からの経皮感作が原因と考えられる片栗粉摂取でのアナフィラキシー報告例がある[3]．

アレルゲンの特徴

主要抗原は，水溶性の Sola t 1（以前は Sol t 1，一般名 patatin）という塊茎の貯蔵タンパクで分子量は 43kDa，糖タンパクに属する．ほかに熱安定性の大豆トリプシンインヒビターに属する 4 つのタンパクが同定されている[4]．

Sola t 1 には 2 つのエピトープが存在する．1 つはラテックスのコンポーネントである Hev b 7 と交差抗原性を示し，加熱によって低アレルゲン化されやすい．もう一方は熱に安定しており，ラテックスと無関係である[5]．成人ではラテックスで感作されてジャガイモアレルギーを発症する場合がある．成人でのジャガイモアレルギーは生のジャガイモに対するものである．一方，Sola t 1 に感作されているアトピー性皮膚炎の小児では Hev b 7 への感作は少ない．

ジャガイモアレルギーの頻度は比較的少ない．Chiriac らによると，2 歳以上の何らかのアレルギーを有する患者 2,000 例にジャガイモの SPT を行った結果，203 例（10.1%）が陽性であり，そのうち 128 例（6.4%）は生のジャガイモによる SPT が陽性であった．27 例（1.3%）が接触や摂取により何らかの症状を有しており，それらの人は全員 SPT が陽性であったと報告されている[2]．

診断

ジャガイモアレルギーの児は他の食物に対するアレルギーもあることが多いため，診断までに時間がかかることがある．また，食べてから症状が出るまでの時間経過もさまざまであり，アレルギーと気づかれないことも多い．乳児期アトピー性皮膚炎がスキンケアやステロイド外用療法で改善しない場合，頻度は高くないが，ジャガイモアレルギーが関与していることがあるので注意が必要である．即時型症状の既往があり，SPT や血液検査で感作が確認されればジャガイモアレルギーと診断する．アトピー性皮膚炎の児では感作がみられても最終的にはジャガイモの除去，OFC で診断を確定する．Swert らによると，ジャガイモの SPT は膨疹径≧3mm で感度 100%，膨疹径≧6mm で特異度 100%と報告[4]しており，診断に有用である．当院の経験では，ジャガイモへの感作があっても実際に除去を必要とした例は少なく，疑わしい症例は積極的に OFC を行い，不要な除去は避けるべきである．

予後

予後に関する報告は少ない．Swert らは即時型のジャガイモアレルギーは 4 歳までに多くが耐性化した[4]と報告しており，ジャガイモ特異的 IgE の低下もよい目安となる[4]．

乳幼児発症のジャガイモアレルギーは寛解することが多いため，耐性獲得を確認するための OFC を積極的に考慮すべきである．成人のジャガイモアレルギーはアナフィラキシーなどの重篤な症状はきたさないといわれているが，耐性獲得に関する報告はなく，予後は不明であり，今後の研究が待たれる．

1) De Swert LF, et al.：Allergy to cooked white potatoes in infants and young children：A cause of severe, chronic allergic disease. J Allergy Clin Immunol, 110；524-535, 2002.
2) Chiriac AM, et al.：Prevalence of sensitization and allergy to potato in a large population. J Allergy Clin Immunol, 5：507-509, 2017.
3) Kobayashi T, et al.：Anaphylaxis due to potato starch (possibly caused by percutaneous sensitization). Asia Pac Allergy, 11：5-9, 2021.
4) De Swert LF, et al.：Diagnosis and natural course of allergy to cooked potatoes in children. Allergy, 62：750-757, 2007.
5) Seppälä U, et al.：IgE reactivity to patatin-like latex allergen, Hev b 7, and to patatin of potato tuber, Sol t 1, in adults and children allergic to natural rubber latex. Allergy, 55, 266-273, 2000.

16 ヤマイモアレルギー

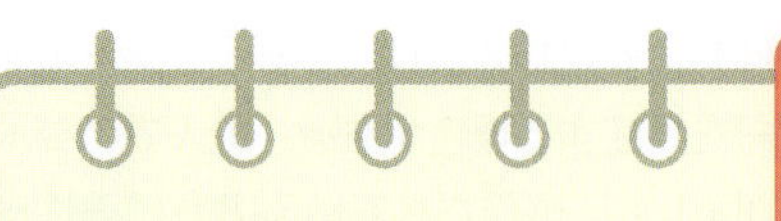
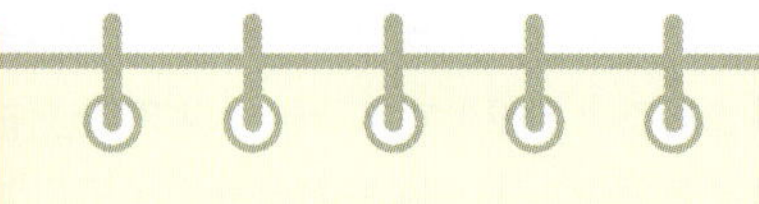

症例

2 歳，男児

起始および経過

乳児期にアトピー性皮膚炎と鶏卵アレルギーに対し当院でフォローアップされていた．2 歳時に，外出先でとろろご飯を摂取し，直後に口腔内掻痒感と全身に蕁麻疹が出現した．抗アレルギー薬を内服したが，30 分後に腹痛，嘔吐複数回，下痢 1 回を認め当院へ搬送となった．受診時，蕁麻疹の残存のみ認めていた．外来で抗アレルギー薬の追加内服とステロイド薬の点滴を行い，経過観察目的に入院し翌日帰宅した．受診時の血液検査にてヤマイモ特異的 IgE が 37.3UA/mL と高く，ヤマイモによるアナフィラキシーと診断し完全除去を指導して当院でフォローアップしていく方針とした．

身体所見

皮膚：慢性湿疹なし，前額部と体幹に蕁麻疹あり．呼吸音：清．

検査データ

Total IgE：2,270 IU/mL，特異的 IgE 抗体（UA/mL）ヤマイモ：37.3.

初診後の経過

まずは症状出現時に備えてエピペン®，抗ヒスタミン薬，ステロイド内服薬を処方し，保護者に症状出現時の対応方法を指導した．血液検査を 1 年に 1 回行い，ヤマイモ特異的 IgE 値が低下傾向であることを確認した．症状から 2 年後，誘発症状の有無と重症度の評価目的に，入院で「加熱」ヤマイモ 100g の食物経口負荷試験（OFC）を行った．結果は陰性であり，幼稚園で生ヤマイモの提供がないことも確認し，「加熱」ヤマイモは解除とした．翌年，家族の希望により「生」ヤマイモ 40g の OFC を行ったが，開始直後より咽頭の違和感を訴え，10g を摂取した 10 分後に全身蕁麻疹を認めた．OFC は陽性であり，引き続き「生」ヤマイモの完全除去を指導した．

解説

アレルゲンの特徴

ヤマイモは単子葉植物のヤマノイモ科ヤマノイモ属に属し，長芋，自然薯などの総称である．野生種は「自然薯」や「山芋（ヤマイモ）」と呼ばれ，栽培種は「長芋」と呼ばれる．山芋と長芋は細かな分類上は別種であり，栽培種はほかに「大和芋」などがある．ほかのイモ類とも植物学上の分類は異なる．

食用には，饅頭，かるかんなど和菓子，お好み焼き粉等に使用されている．ヤマイモのでん粉は生食可能で，すりおろして“とろろ”として食されることも多い．過去には，かりんとうなど加工食品でも症状が誘発された症例の報告もあり，加熱ヤマイモでも症状をきたしうるため原則としてヤマイモを含む全ての食品が除去される必要がある[1].

ヤマイモ全体の4～8%がタンパク質で，主抗原はジスコリンという糖タンパクである．DB3を構成するDB3Sというタンパクがメイン抗原と報告されており，熱に安定した物質で，加熱ヤマイモでもアレルギーの症状をきたしうると考えられる（表）[2, 3].

表　ヤマイモアレルゲン

名称	大きさ	割合	物質	特徴
DB1	10kDa	20%	レクチンファミリー	熱に不安定
DB2	31kDa	50%	ジスコリンA（糖タンパク）	熱に安定
DB3	120kDa	20%	①DB3L（2つのジスコリンBがジスルフィド結合でできたもの）と②DB3S（2つのジスコリンAからなるもの）の2つのユニットからなる.	熱に安定
DB4	28kDa	10%	キチナーゼ	

（文献2，3）より作成）

ヤマイモは食品表示法により「特定原材料に準ずるもの」に指定され，加工食品に含まれる場合には表示が推奨されている．店頭販売されている食品には表示義務がないため販売員に確認する必要がある．ただし，店側も十分な知識がない場合があり，ヤマイモの使用が不明確な場合は安全のため食べないことを推奨する.

乳幼児期

仮性アレルゲン

一般的には無害な食物が特定の人に不利益な反応をもたらす場合でも，それが抗原特異的な免疫学的機序によらないものは，食物アレルギーとは異なり「食物不耐症」という.

ヤマイモは接触による痒みや違和感，発赤など，仮性アレルゲンによる食物不耐症を生じる食材としても有名である．原因の一つとして，「シュウ酸カルシウム」がある．これは尖った針状の結晶で，皮付近に多く含まれ，皮膚，口腔内に機械的な刺激を与える．加熱により，周囲の粘質が変化し皮膚への刺激が少なくなる．冷凍後にすりおろすと，針が折れ刺激が少なくなるという報告もある．また，「アセチルコリン」がヤマイモに多く含まれており，皮膚の発赤や痒みが誘発される．ナスやタケノコなどアクの強いものに多く，水につけると軽減するとされている.

通常，食物不耐症ではアナフィラキシーなどの強い症状を引き起こすことはなく，仮性アレルゲンの摂取量を減らすことで症状を防ぐことができるため，安易な除去指導を行う前に，ヤマイモ特異的IgE値の測定やOFCを行うなど，食物アレルギーの診断をきちんと行うことが重要である.

即時型ヤマイモアレルギー

2005年に伊藤らが7例のヤマイモアレルギーの臨床像を報告しており，全例に皮膚症状を認め，呼吸器症状が2例，消化器症状が2例であった．一方，ヤマイモ特異的IgE抗体価が陰性であった7例は仮性アレルゲンによる症状を呈したと考えられ，ヤマイモアレルギーの診断に特異的IgE抗体価の測定が活用できると結論づけていた[1]．著者らの施設では乳児期に鶏卵などほかの食物アレルギーを発症している症例が，幼児期にヤマイモ即時型症状で発症する場合と単独のヤマイモアレルギーで発症する場合の2通りの経験がある.

ヤマイモは，食物不耐症による症状を訴える患者が多い．一方，即時型アレルギー全国モニタリング調査によれば，食物アナフィラキシーの原因がヤマイモであった症例は4例（1.0%）と報告されている[4]．このためヤマイモアレルギーと診断した場合には，食品表示（推奨表示であること）に関する情報提供および誤食時の対応など十分な指導が必要である.

参考文献

1) 伊藤浩明，ほか：ヤマイモアレルギーの臨床像とIgE抗体測定の意義．日本アレルギー会誌，19：65-68，2005.
2) Xu Y, et al.：Asia Pac Allergy, 8：10-2, 2018.
3) Gaidamashvili M, et al.：The journal of Biological chemistry, 279：26028-26035, 2004.
4) Akiyama H, et al.：Japan Food Allergen Labeling Regulation – History and Evaluation：Elsevier, 2011.

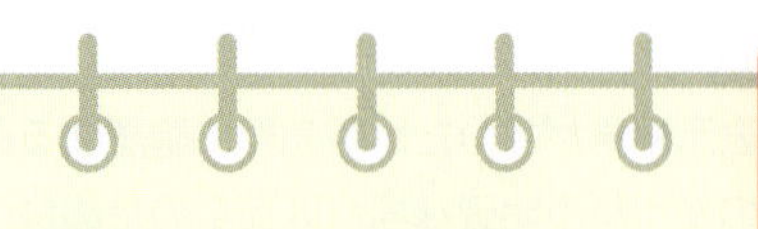

17 ピーナッツアレルギー

症例
3歳0ヵ月，女児

起始および経過

生後2ヵ月時に顔に湿疹が出現し，生後4ヵ月時に全身に湿疹が拡大したため，生後6ヵ月時に当院に紹介された．生下時から完全母乳栄養であった．ステロイド外用剤塗布で皮膚状態は改善した．

まだ摂取開始していなかった卵白，牛乳，小麦が皮膚プリックテストで陽性，血中特異的IgE抗体(sIgE)値も上昇していることから，生後9ヵ月から食物経口負荷試験(OFC)を順次行った．鶏卵はOFCで即時型症状を認めたため，鶏卵アレルギーと診断した．その他の牛乳，小麦は解除となった．

1歳1ヵ月時の血液検査でピーナッツsIgE値が105kUA/LとAra h 2 sIgE値22.4kUA/Lと高値であり，摂取歴もなかったため除去を指示した．その後も誤食による症状誘発はなく，2歳6ヵ月時のピーナッツsIgE値が34.6kUA/LとAra h 2 sIgE値18.5kUA/Lと低下傾向であることから，3歳0ヵ月時に，入院にてピーナッツ500mgのOFCを行った(表1)．

その後の経過：不均等2分割(125～375mg)で開始0分と開始60分の2回に分けて全量を摂取した．開始125分に咳嗽が出現，開始130分に連続性の咳嗽を認めたため，気管支拡張薬の吸入と抗ヒスタミン薬の内服を行い，180分には症状は消失した．OFCの結果よりピーナッツアレルギーと確定診断し，ピーナッツの除去を継続とし，体重の増加を待ってエピペン®を処方した．

表1 IgE抗体の推移

	1歳1ヵ月	1歳10ヵ月	2歳6ヵ月
Total IgE (kU/L)	1,650	1,310	932
ピーナッツ特異的IgE (kU/L)	105	82.2	34.6
Ara h 2特異的IgE (kU/L)	22.4	24.8	18.5

解説

疫学 わが国では，ピーナッツは全年齢の食物アレルギーの原因の中で5番目に多く，8%程度とされる．食物アレルギーによるアナフィラキシーショックの原因の7%ほどを占めており[1]，症状出現時には強い症状となる可能性を十分注意して診療にあたる必要がある．

アレルゲンの特徴 ピーナッツのアレルゲンコンポーネントは現在のところ，17種類同定されている(表2)．ピーナッツは高熱処理によりメイラード反応が起こり，抗原性が高くなるため，ゆでたピーナッツ

表2 ピーナッツの主なアレルギーコンポーネント[1～4]

アレルゲン	タンパク質ファミリー	特徴
Ara h 1	クーピン・7sグロブリン	Ara h 1-3は抗原性が高く，熱消化に強い
Ara h 2	プロラミン・2sアルブミン	最も抗原性が高く，即時型症状の誘発に関連する
Ara h 3	クーピン・11sグロブリン	—
Ara h 5	プロフィリン	
Ara h 6，7	プロラミン・2sアルブミン	Ara h 2陰性例での重篤な症例での感作抗原
Ara h 8	PR-10	Bet v 1ホモログは花粉-食物アレルギー症候群に関連する ハンノキ・シラカンバと交差抗原性あり
Ara h 9	プロラミン・nsLTP	地中海地方での感作が多い モモpru p 3と交差抗原あり

よりも焙煎したピーナッツのほうが抗原性が高いことが知られている．

診断 ピーナッツアレルギーの診断はOFCにて行うのが原則であるが，明らかな即時型症状の既往があれば検査値と組み合わせて診断できる．現在，血中ピーナッツ sIgE値，Ara h 2 sIgE 値の測定が保険診療で施行可能である．

1～16歳を対象とした日本の報告では，Ara h 2 sIgE 値はカットオフ値 4.0kUA/Lで特異度 95.7％，感度 60.0％であった．Ara h 2 sIgE 値とピーナッツ sIgE 値のプロバビリティカーブを図に示す[4]．ピーナッツ sIgE 値は花粉に感作された患児では交差抗原性によっても上昇するため，陽性的中率が低くなる．一方，Ara h 2 sIgE 値は，陽性的中率は高いが，陰性でも OFC が陽性となることもあり，ピーナッツ sIgE が高値の場合は注意を要する．また，即時型症状の既往の有無によってプロバビリティカーブが変化することが報告されており，病歴と組み合わせて OFC 施行の時期や負荷量を判断することが重要である．

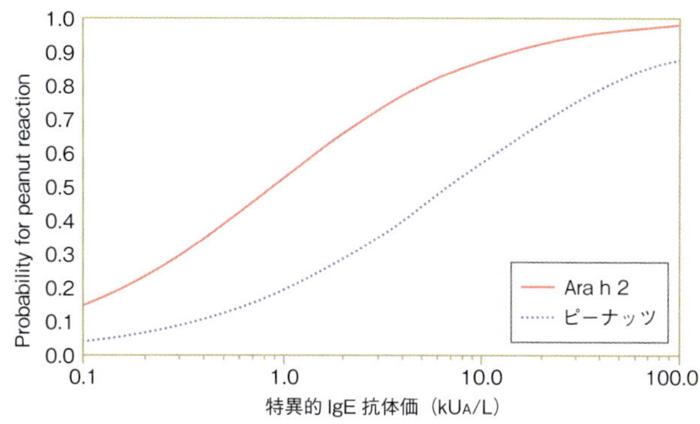

図 ピーナッツ特異的 IgE 抗体と Ara h 2 特異的 IgE 抗体によるピーナッツアレルギーの予測のためのプロバビリティカーブ[4]

当院でのピーナッツの OFC は，総負荷量がピーナッツ量として 500mg，3g，10g それぞれを上限とする OFC のほか，一部の重症例では 120mg 程度を総負荷量とする OFC も行っている．

提示した症例は，重症のアトピー性皮膚炎に鶏卵アレルギーを合併したハイリスク例であり，ピーナッツの摂取開始前に血液検査で感作の有無を評価した．ピーナッツへの感作を認めたことから除去を指示し，ピーナッツ sIgE 値が低下してきたため，OFC を行った．未摂取ではあったが，ピーナッツ sIgE 値が高値であることからピーナッツ 500mg を総負荷量とする少量 OFC を行った．

管理 ピーナッツアレルギーと診断した場合，ピーナッツの除去を指導し，検査値の推移を参考に OFC を考慮する．ピーナッツは系統的には双子葉類バラ目マメ科に属し，同じマメ科には大豆が含まれるが，血液検査上は交差抗原性から感作陽性となることがあっても実際にアレルギー症状を誘発されることは少ない[5]．一方，クルミなどのナッツ類のアレルギーを 25～50％程度に合併しており（p.161 参照），未摂取の場合は個々のナッツに対して評価が必要である．

食事指導 ピーナッツ 1 粒の重量は 1g 程度（タンパク量 250mg）のことが多い．日本ではピーナッツは特定原材料に含まれているため，容器包装された加工品は表示から除去可能であるが，パン・菓子類のほか，調味料，カレーのルーにも含まれることがあり誤食予防のための食事指導が必要である．

ピーナッツアレルギーの患者において，OFC 陰性後の除去の継続による再発が報告されており[6]，自宅で定期的な摂取を継続することが望ましい．ピーナッツは誤飲の危険から，5 歳までは粒での摂取は避けることが推奨されており，幼児にはピーナッツ粉やピーナッツバターを利用する．

予後 オーストラリアの出生コホートでは，1 歳時に OFC でピーナッツアレルギーと確認した児の 22％が 4 歳までに耐性獲得していた[7]．その中で，1 歳時の血中ピーナッツ sIgE 値が 5.0kUA/L 以上，皮膚プリックテストが膨疹 13mm 以上であることが，4 歳時にピーナッツアレルギーが継続するリスク因子（陽性的中率 95％）であった．一方，Ara h 2 sIgE 値の上昇はリスク因子とならなかった．

1) 日本小児アレルギー学会食物アレルギー委員会：食物アレルギー診療ガイドライン 2021．協和企画，2021．
2) Ebisawa M, et al.：Pediatric Allergy Immunol, 23：573-581, 2012.
3) van der Valk JPM, et al.：Eur J Pediatr, 175：1227-1234, 2016.
4) Ebisawa M, et al.：J Allergy Clin Immunol Pract, 3：131-132, 2015.
5) Fusayasu N, et al.：Allergol Int, 71：248-250, 2022.
6) Sicherer SH, et al：J Allergy Clin Immunol, 120：491-503, 2007.
7) DM Fleischer, et al.：J Allergy Clin Immunol, 112：183-189, 2003.

18 ゴマアレルギー

症例
3 歳，男児

起始および経過

0 歳 8ヵ月時に近医でアトピー性皮膚炎の診断を受け，血液検査でゴマ特異的 IgE 抗体の上昇を認めたため除去するよう指示された．2 歳 5ヵ月時に 1cm 角の練りゴマ入り菓子を自宅で摂取したところ，摂取 30 分後に全身の蕁麻疹と連続性の咳・喘鳴が出現した．近医受診時に症状はすべて改善傾向であり，治療を要さなかった．ゴマは再度完全除去を指示された．3 歳 10ヵ月時に，食物経口負荷試験（OFC）目的に当院を紹介受診した．

検査データ

Total IgE：333 IU/mL，特異的 IgE 抗体（UA/mL）ゴマ：2.50.

初診後の経過

4 歳 2ヵ月時にゴマ 3g を総負荷量とした OFC を行い，症状を認めなかった．続いて 4 歳 5ヵ月時にゴマ 10g を総負荷量とした OFC を行い，症状を認めなかった．自宅でも同量を問題なく摂取できたため，ゴマは解除とした（図 1）．

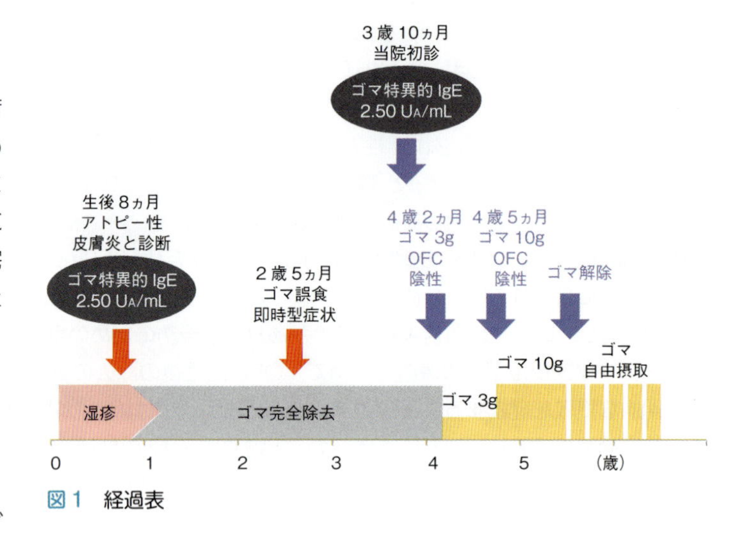

図 1　経過表

解説

アレルゲンの特徴

ゴマはゴマ科ゴマ属の一年草で，種子を食材とし，炒りゴマ，切りゴマ，すりゴマ，練りゴマ，ゴマ油などとして，料理の材料や薬味として用いられる．最近では，調味料やドレッシング，マーガリン，とんかつソース，カレー，あんまん，かりんとう，デザート食品などにゴマ油やゴマペースト，ゴマ粕などすり潰した状態で練り込まれているため，知らず知らずのうちに摂取していることも多い．中東諸国やトルコなど地中海地方では，生の白ゴマをすりつぶしてペースト状にした「タヒニ」が調味料としてよく用いられている．また，ゴマは不飽和脂肪酸や必須アミノ酸，カルシウム，マグネシウム，鉄，ビタミン A・B_1・B_2・E，ゴマリグナンなどを含み，健康食品ブームの一翼を担う食品でもある．さらにゴマは香水，化粧品，UV バリアクリーム，潤滑剤などの製造に使用されていることもある．ゴマのアレルゲンコンポーネントは，2S アルブミン（Ses i 1，Ses i 2），7S グロブリン（Ses i 3），オレオシン（Ses i 4，Ses i 5），11S グロブリン（Ses i 6 および Ses i 7）の 7 種類が同定されている．

疫学など

既存の海外の報告では，ゴマアレルギーの有病率はおおむね全人口の 0.1 ～ 0.2% 程度とされている[1]．近年のオーストラリアの報告では，ゴマアレルギーの有病率は 1 歳時 0.6%，4 歳時 0.4% であった[2]．鶏卵や牛乳・小麦といった主要アレルゲンと比較し，ピーナッツやナッツ類と同様に自然耐性獲得がやや難しいと予想される．イスラエルでは，1 歳前後に発症した即時型ゴマアレルギー児の約 4 年間の追跡調査で，32% が自然経過により耐性獲得したと報告されている．また，同調査では発症時の月齢が 10ヵ月未満・即時症状が Grade 1 以内・皮膚プリックテストの輪径が 7mm 未満の場合，耐性獲得しやすい傾向が見られた[3]．

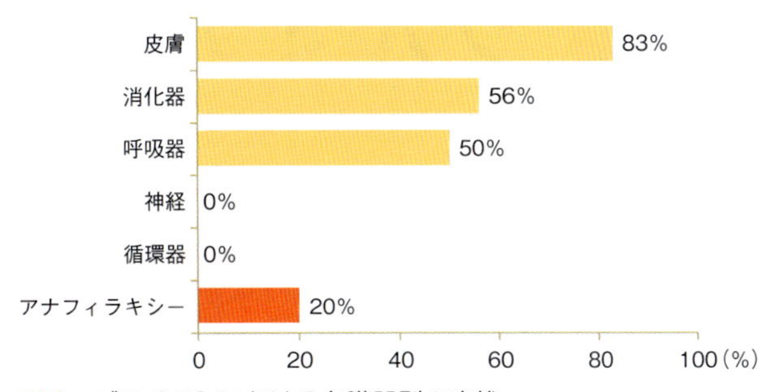

図 2　ゴマ OFC における各臓器別の症状

日本ではゴマアレルギーの自然歴の報告はないが，全国モニタリング調査で即時型食物アレルギーの 0.4%（第 17 位）となっており，アレルギー物質を含む食品表示において，2014 年（平成 26 年）9 月から「特定原材料に準ずるもの」に追加されている．アメリカでは，これまでアレルギー表示義務対象だった 8 品目（卵・乳・小麦・大豆・ピーナッツ・木の実類・魚・甲殻類）に続き，2023 年中にゴマが義務表示品目に加わる予定とのことである．2008 年から 2016 年に当院で行ったゴマ OFC90 例（実施年齢の中央値 5.5 歳）の陽性率は 20% で，陽性者のうち 33% がアナフィラキシーへ至っていた（図 2）[4]．そのため，症状出現時は慎重な観察が必要と思われる．

診断

ゴマアレルギーの診断は依然として OFC がゴールドスタンダードである[5]．OFC の総負荷量は，既存の報告では 7 ～ 20g と幅があった．当院では OFC 開始当初，リスク軽減のためすりゴマとして 3g を総負荷量とした OFC を開始した．その後，学校給食で，多い時は総摂取量が 6 ～ 7g 程度になることがわかり，安心して学校給食での解除を指導するために 10g の OFC を設定している．また，ゴマ 3g の OFC 陽性者やハイリスク児に対して 0.5g を総負荷量とした少量の OFC も行っている．

外来で皮膚プリックテストや，血液検査でゴマ特異的 IgE 抗体の測定が可能であるが，いずれも特異度が低いため，ゴマアレルギーを正しく診断できない[4,5]．それら単独での診断は偽陽性が多くなり，不要な除去を増やしてしまう恐れがある．現在，ゴマについてもアレルギーコンポーネントが同定されており，中でも Ses i 1 が最もゴマ OFC の結果を予測し，ゴマアレルギーの診断に有用と報告されている[4,5]．ImmunoCAP 法で，ゴマ特異的 IgE 抗体がカットオフ値 7.97kU/L で感度 83.3%・特異度 48.2% であるのに対し，Ses i 1 特異的 IgE 抗体はカットオフ値 3.96kU/L で感度 86.1%・特異度 85.7% と，感度・特異度ともに高かった[5]．

Ses i 1 特異的 IgE 抗体を測定することで，ゴマアレルギーの診断精度改善が期待されるが，現時点ではまだ保険収載されておらず，一般化が待たれる．

1) Dalal I, et al.：Curr Allergy Asthma Rep, 12：339-345, 2012.
2) Peters RL, et al.：J Allergy Clin Immunol, 140：145-153, 2017.
3) Mahlab-Guri K, et al.：Ann Allergy Asthma Immunol, 128：206-212, 2022.
4) Yanagida N, et al.：J Allergy Clin Immunol Pract, 7：2084-2086.e4, 2019.
5) Maruyama N, et al.：Clin Exp Allergy, 46：163-171, 2016.

19 クルミアレルギー

症例

3 歳 4ヵ月，女児

起始および経過

ミックスナッツ（クルミ，ココナッツ，アーモンド）を摂取したところ，2 時間後に全身蕁麻疹，喘鳴，連続性咳嗽が出現し，当院救急外来を受診した．

来院時の身体所見：体温 37.2℃，呼吸数 24 回 / 分，酸素飽和度 99％（室内気），血圧 91/64 mmHg，心拍数 122 回 / 分．

検査データ

Total IgE：181 IU/mL，特異的 IgE 抗体（UA/mL）クルミ：12.2，Jug r 1：5.04，ピーナッツ：0.52，Ara h 2：0.28，カシューナッツ：0.10 未満，Ana o 3：0.10 未満，アーモンド：0.12，ココナッツ：0.23，ハンノキ：0.10 未満．

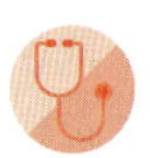

初診後の経過

救急外来来院時，口唇腫脹，全身蕁麻疹，連続性咳嗽および呼気性喘鳴を認めた．アナフィラキシーに対してアドレナリン筋注，抗ヒスタミン薬点滴静注，ステロイド点滴静注を行ったところ，呼吸器症状は速やかに消失し，翌朝には全身蕁麻疹も消失した．アーモンドは以前から無症状で摂取できていたが，クルミとココナッツは初めての摂取だった．血液検査ではココナッツへの感作を認めなかったが，クルミへの感作を認めたため，クルミアレルギーと診断した．クルミおよび相同性の高いペカンの除去を指示し，抗ヒスタミン薬とエピペン®を処方した．

4 歳 1ヵ月時に，安全摂取可能量を確認するためにクルミ 0.5g を総負荷量とする食物経口負荷試験（OFC）を行い，陰性を確認した．4 歳 6ヵ月時にクルミ 3g を総負荷量とする OFC を行ったところ，2g 摂取した後に全身蕁麻疹と連続性咳嗽が出現したため陽性と判断した．抗ヒスタミン薬の内服，短時間持続型 β 刺激薬の吸入，およびステロイド内服で症状は軽快した．自宅ではクルミ 0.5g を上限に摂取継続するよう指導し外来管理継続中である．

解説

疫学 わが国では近年，木の実類のアレルギー患者が増加しており，2021（令和 3）年に即時型食物アレルギーの原因食品を調べた全国モニタリング調査では，木の実類は即時型食物アレルギーの原因食品として小麦を超え 3 位となっている[1]．木の実類の中でも特にクルミの割合が高く，全体でも 4 位だった．2023 年 3 月からはクルミは食物アレルギー表示制度の特定原材料に加わり，食品中にクルミを含む場合の表示が義務化された．木の実アレルギーの予後に関する研究は少ないが，耐性獲得する患者は 1 割程度という報告もある[2]．一部の患者ではクルミアレルギーは耐性獲得するが，その割合やどのような患者が耐性獲得しやすいかなどについてはわかっていない．

臨床的特徴 クルミアレルギーの発症は幼児期に多いが，学童期に発症することも少なくない．クルミアレルギーに限定した調査はほとんどないが，アメリカで行われた木の実アレルギーとピーナッツアレルギーに関するレジストリ研究では木の実アレルギーの発症年齢の中央値は36ヵ月だった[3]．

クルミは重篤なアレルギー反応を起こすことが多い．同調査では，血圧低下または喘鳴と蕁麻疹または嘔吐・下痢と，3臓器以上に症状を認めた場合を重篤なアレルギー反応と定義していたが，クルミアレルギーを発症したときの30%強で重篤なアレルギー反応を認めた．一方，クルミアレルギーの患者の中にはバラ科の果物やカバノキ科の花粉などとの交差抗原性により二次的にクルミアレルギーを発症することもあり，重篤な全身症状を伴いづらい花粉食物アレルギー症候群（PFAS）の臨床像をとることもある[4]．

検査 クルミのアレルゲンコンポーネントは複数同定されている．Jug r 1は2Sアルブミンで，重篤なアレルギー反応との関連が指摘されている．Jug r 1特異的IgEはクルミアレルギーの診断において有用であり，クルミへの感作を認めるクルミアレルギー疑いの児に対して0.98UA/mLをカットオフ値とした際，感度78.6%，特異度91.3%であった（図）[5]．Jug r 1特異的IgEは保険収載されており，日常診療において重要である．Jug r 2はAra h 1と相同性のある7Sグロブリンで，重篤な全身症状と関連している．Jug r 3は脂質輸送タンパク（LTP）で，バラ科の果物（モモ，サクランボ，アーモンド）のLTPと交差抗原性がある．Jug r 4は11Sグロブリンでヘーゼルナッツ，カシューナッツ，ピーナッツへの交差抗原性がある．Jug r 5はPR-10タンパクでカバノキ科の花粉と交差抗原性がある．

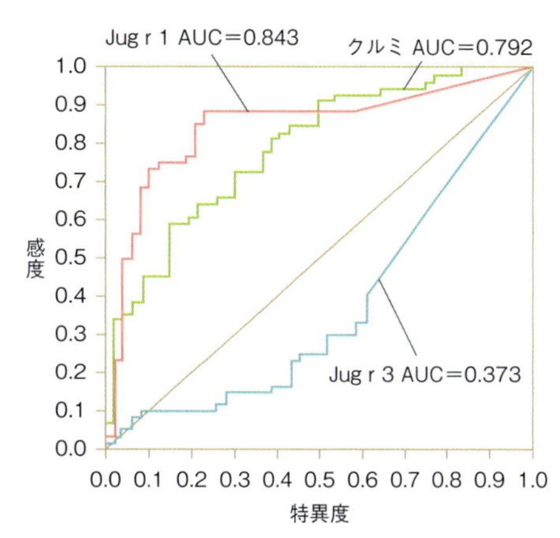

図 クルミアレルギー患者におけるクルミ粗抗原とアレルゲンコンポーネントのROC曲線[5]

クルミアレルギーの診療ではOFCが診断や安全摂取可能量の確認のゴールドスタンダードであるが，重篤な症状を引き起こすリスクを念頭に置き，リスクに応じて少量からのOFCを検討することが重要である．

管理 クルミアレルギー患者では，誤食により強い全身症状が誘発されるリスクがある．クルミは日常ではミックスナッツやクルミパンに加え，チョコレートなどの洋菓子，和菓子，サラダのトッピングや和え物などに使用される．誤食を減らすための栄養指導（栄養表示の見方の確認），アレルギー症状出現時の対応（抗ヒスタミン薬の内服のタイミング，エピペン®使用のタイミングなど）などの患者教育が重要である．

また，クルミアレルギー患者ではほかの木の実類もすべて除去していることがしばしばみられる．ほかの木の実アレルギーを合併することもあるが，ほかの木の実類はアレルギー症状なく摂れることも珍しくない．欧米で木の実アレルギー患者コホートを対象に，臨床的交差抗原性を調べるためにほかの木の実類のOFCを行った研究では，クルミに対してアーモンドやカシューナッツは低い相関係数を示した[6]．ただし，ペカンはクルミ科に属しクルミと相同性が強く，同研究ではクルミアレルギーの児の75%がペカンアレルギーであった．このことも踏まえ，患者の希望に応じてそれぞれの木の実類について個別にOFCの実施を検討することが不必要な除去を避けることにつながる．

クルミアレルギーの児の診療では，誤食予防や誤食時の対応についての指導と，ほかの木の実類の除去の要否を個別に検討することが重要である．

1) 消費者庁：「令和3年度　食物アレルギーに関連する食品表示に関する調査研究事業報告書」．2022．
2) Fleischer DM, et al.：J Allergy Clin Immunol, 116：1087-1093, 2005.
3) Sicherer SH, et al.：J Allergy Clin Immunol, 108：128-132, 2001.
4) Costa J, et al.：Clin Exp Allergy, 44：319-341, 2014.
5) Sato S, et al.：J Allergy Clin Immunol Pract, 5：1784-1786, 2017.
6) Brough HA, et al.：J Allergy Clin Immunol, 145：1231-1239, 2020.

20 カシューナッツアレルギー

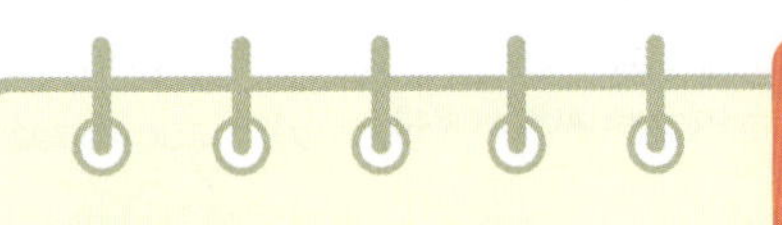

症例

3歳6ヵ月，男児

起始および経過

2歳時にピスタチオ入りのアイスクリームを1口食べて顔面に蕁麻疹が出たが，自然に軽快したため医療機関を受診しなかった．

3歳時に喫茶店で提供されたカレーを1口食べたところ，摂取数分後から咽頭違和感を訴え，次第に全身性蕁麻疹，数回の嘔吐を呈した．病院受診時に症状は消退傾向であり，抗ヒスタミン薬の内服による治療を受けて帰宅した．喫茶店にカレーの材料を詳細に確認したところ，未摂取であったカシューナッツが使用されていたことがわかった．ピーナッツとアーモンドを含んだ加工品は何度か摂取したことがあったが，クルミとヘーゼルナッツは未摂取であった．ナッツ類の今後の摂取に関する相談のため当院を紹介受診した．

検査データ

Total IgE：324 IU/mL，特異的 IgE（UA/mL）カシューナッツ：83.4，Ana o 3：94.3，ピーナッツ：0.30，Ara h 2：< 0.1，クルミ：0.13，Jug r 1：< 0.1，アーモンド：0.20，ヘーゼルナッツ：1.52，ハンノキ属：< 0.1．

初診後の経過

経過と検査結果からカシューナッツとピスタチオの食物アレルギーと診断し，カシューナッツとピスタチオの除去を指示した．食品表示表の見方や，中食・外食時にカシューナッツやピスタチオの混入がないかの確認に関する指導をした．アレルギー症状出現時の対応について説明し，誤食時に重篤な症状が出る可能性があることを説明して，抗ヒスタミン薬とエピペン®を処方した．クルミは0.5g程度から自宅で食べるよう指導しヘーゼルナッツは病院で食物経口負荷試験（OFC）を行う方針とした．カシューナッツとピスタチオに関しては，特異的IgE抗体価の推移をみて少量のOFCを検討し，少量のOFCが陽性の場合には経口免疫療法（OIT）の実施を相談する方針とした．

解説

疫学

カシューナッツは，ナッツアレルギーの代表的な原因食物であり，日本やアメリカにおいてナッツアレルギー全体の約20%を占めている[1]．カシューナッツアレルギーの患者は，アナフィラキシーなどの重篤な全身性のアレルギー反応を経験し，アドレナリンによる治療や入院を必要とすることが多い[2]．

カシューナッツアレルギーの有病率は近年急激に増加している[3]．わが国において3年ごとに行われている食物アレルギーの全国調査において，2021（令和3）年度はナッツ類が原因食物の第3位であり，15

年間で約7倍と急激に増加していることが明らかとなった．ナッツ類の内訳でみると，カシューナッツはクルミの次に多く，食物アレルギー原因全体の2.9%を占めていた．

ナッツ類は互いに交差抗原性をもつことが知られている．中でもカシューナッツとピスタチオは高度な交差抗原性をもち[4]，カシューナッツアレルギーの83.3%がピスタチオアレルギーである．一方で，ピスタチオ以外のナッツ類に対しては，感作が認められても実際には摂取可能な場合も多いため，個々に摂取可否を確認して除去指導を行うべきである．

診断

カシューナッツアレルギーは，カシューナッツの摂取歴と即時歴，特異的IgE抗体価，OFCなどを組み合わせることにより診断される．Satoらは，特異的IgE抗体価の評価に関して，カシューナッツの粗抗原に加えて，2SアルブミンであるAna o 3を測定することが診断に有用であることを示し，カシューナッツアレルギーの診断におけるカットオフ値はAna o 3が0.70UA/mL（特異度88%，感度85%），カシューナッツの粗抗原が2.62UA/mLであった（特異度81%，感度75%）[5]．ナッツ類のOFCを対象とした後方視的な検討によると，カシューナッツのOFC陽性率は35%であり[6]，感作のみで盲目的に除去を指示することは推奨されない．一方で，カシューナッツ特異的IgE抗体値が66.1UA/mL以上の場合には，アナフィラキシー誘発率が高いという報告がある[7]．以上から，症状誘発歴の有無や特異的IgE抗体値を踏まえて，OFCの実施の可否やその負荷量に関しては慎重な判断が求められる．

管理・指導

カシューナッツやそれを含む加工品の摂取を避けることが必要となる．またピスタチオとの高い交差反応性を示すことから，ピスタチオも除去する必要がある．

カシューナッツの輸入量は年々増加しており，カレーや菓子類などの加工品に含まれる機会が増えている．カシューナッツは食品表示法で特定原材料に指定されており，アレルギー表示が推奨されているが義務ではない．店舗販売やレストランなどでの外食においても表示義務がないことから，患者やその家族は中食・外食の際にカシューナッツやピスタチオの混入の有無を確認したうえで摂取可否を判断しなければならない．

近年，ナッツ類に関しても，専門的な指導のもとで原因食物を計画的に摂取し続けることで，閾値上昇や脱感作状態を誘導するOITの有効性が報告がされており[8]．耐性獲得が困難な症例に対する治療法として検討できるかもしれない．

1) Sicherer SH, et al.：A voluntary registry for peanut and tree nut allergy：characteristics of the first 5149 registrants. J Allergy Clin Immunol, 108：128-132, 2001.
2) Mendes C, et al.：Cashew nut allergy：clinical relevance and allergen characterisation. Clinical Reviews in Allergy & Immunology, 57：1-22, 2019.
3) Van Der Valk JPM, et al.：Systematic review on cashew nut allergy. Allergy, 69：692-698, 2014.
4) Brough HA, et al.：Defining challenge-proven coexistent nut and sesame seed allergy：a prospective multicenter European study. J Allergy Clin Immunol, 145：1231-1239, 2020.
5) Sato S, et al.：Ana o 3-specific IgE is a predictive marker for cashew oral food challenge failure. J Allergy Clin Immunol Pract, 7：2909-2911, 2019.
6) Hsu C, et al.：Clinical predictors and outcomes of oral food challenges illustrate differences among individual tree nuts. J Allergy Clin Immunol Pract, 9：3728-3734, 2021.
7) Inoue T, et al.：Risk factors and clinical features in cashew nut oral food challenges. Int Arch Allergy Immunol, 175：99-106, 2018.
8) Elizur A, et al.：Cashew oral immunotherapy for desensitizing cashew-pistachio allergy（NUT CRACKER study）. Allergy, 77：1863-1872, 2022.

21 その他のナッツアレルギー

症例
5歳，男児

起始および経過

生後4ヵ月ごろからアトピー性皮膚炎で当院に通院している．2歳のときにクルミを摂取して全身の蕁麻疹を認め，血液検査でピーナッツ，Ara h 2 特異的IgE抗体価が陽性のため除去を開始した．ナッツ類は摂取せず，定期的に血液検査を実施して経過をみていた．その後，他のナッツ類の特異的IgE抗体価も上昇を認めた．小学校入学に際して特異的IgE抗体価が陽性・未摂取のナッツ類の摂取可否の判断を調べるため外来を受診した（表1）．

表1　血液検査の推移

	2歳	4歳	5歳
Total IgE（IU/mL）	779	1,235	1,930
ピーナッツ（UA/mL）	2.50	10.5	13.7
Ara h 2（UA/mL）	<0.10	0.36	0.41
アーモンド（UA/mL）	—	15.8	17.4
クルミ（UA/mL）	20.3	55.0	53.2
Jug r 1（UA/mL）	18.0	43.2	41.5
カシューナッツ（UA/mL）	—	16.3	11.7
Ana o 3（UA/mL）	—	0.49	0.65
ハシバミ（UA/mL）	—	38.2	43.0
ハンノキ（UA/mL）	0.48	0.52	0.49

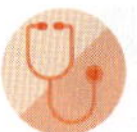

初診後の経過

食物経口負荷試験（OFC）の陽性率が一般的に低く，食材として使用されることが多いアーモンドからOFCを実施した．児はアーモンド摂取による即時症状の既往はないが，アーモンド特異的IgE抗体価が高値でありアーモンド0.5gのOFCを実施し陰性だった．3ヵ月後に3gのOFCを実施し陰性であり，自宅で定期的にアーモンド3g程度を摂取することを指導した．ヘーゼルナッツは0.5gから段階的に入院でのOFCを実施する予定とした．0.5gのOFCは陰性だったが，3gのOFCで持続的な腹痛を認めデカドロン®を内服して軽快した．自宅では0.5gまでの量を定期的に摂取することを指導した．クルミは即時症状の既往があり，特異的IgE抗体価も高値であることから除去を継続している．

解説

疫学 アメリカの電話調査ではナッツ類のアレルギーの頻度は0.6%で，小児においては1997年には0.2%だったが2008年には1.1%となり増加傾向であった[1]．日本では，2020年の6,080例を対象とした即時型食物アレルギーの全国モニタリング調査において，ナッツ類は819例（13.5%）おり，原因食物の第3位だった[2]．2014年は全体の3.6%，2017年は8.2%で，ナッツ類のアレルギーは経年的に増加傾向である．

アレルゲンの特徴 ナッツ類は，植物分類学上は多様な種に属しているが，交差抗原性が認められる．

ナッツ類はPR-10，LTP，プロフィリンを含有するため，シラカバ花粉とバラ科のアーモンド，ハシバミ科のヘーゼルナッツなど交差抗原性が示唆されている[3]．

診断 ピーナッツ・ナッツ類アレルギー患者は他のナッツ類への感作率は高く，年齢とともに割合が高くなることが報告されている[4]．しかし，ナッツ類に感作があったとしても，実際には摂取可能な場合が多いことが報告されており[5]，ナッツの種類ごとにOFCの陽性率は大きく異なる．アメリカのナッツ類のOFC 531件を対象とした後方視研究では，アーモンドOFCの陽性率は3%，ヘーゼルナッツOFCの陽性率は12%であり，クルミやカシューナッツのOFCの陽性率と比較して低かった[6]．ヘーゼルナッツのOFCに関する当院の報告では，OFCの陽性率は10%であった[7]が，ヨーロッパからの報告ではOFCの陽性率は20～30%であるとの報告[8]もある．地域ごとでコンポーネントへの感作のパターンが異なることにより，OFCの陽性率が異なっている可能性がある[7]．

表2　主なナッツ類のコンポーネント（一部抜粋）

科	種	プロラミン		クーピン		PR-10 (Bet v 1 ファミリー)	プロフィリン
		LTP	2S アルブミン	7S グロブリン	11S グロブリン		
バラ科	アーモンド	Pru du 3			Pru du 6	Pru du 1	Pru du 4
ウルシ科	カシューナッツ		Ana o 3	Ana o 1	Ana o 2		
	ピスタチオ		Pis v 1	Pis v 3	Pis v 2		
クルミ科	クルミ	Jug r 3 Jug r 8	Jug r 1	Jug r 2 Jug r 6	Jug r 4	Jug r 5	Jug r 7
	ペカンナッツ		Car i 1	Car i 2	Car i 4		
ハシバミ科	ヘーゼルナッツ	Cor a 8	Cor a 14	Cor a 11	Cor a 9	Cor a 1	Cor a 2

検査　ナッツ類アレルギーの診断は，アレルゲンコンポーネントの特異的IgE抗体価を使用することで診断精度が向上することが報告されている．主なナッツ類のコンポーネントの一覧を表2に示す．

日本で保険適用されているナッツ類のコンポーネントはカシューナッツのAna o 3，クルミのJug r 1のみである．それ以外のナッツ類では，アーモンド特異的IgE>0.35 U_A/mLの患者に実施したOFC陽性率の予測精度は高くないが，コンポーネントの一つであるPru du 6が有用であることが報告されている[9]．

ヘーゼルナッツは，コンポーネントのCor a 9とCor a 14特異的IgE抗体価の使用が診断に有用であることが報告されている[10]．また当院の報告でも，ヘーゼルナッツの即時型アレルギー児は即時症状の既往がない感作のみの児と比較して，有意にCor a 9特異的IgE抗体価が高値であり，PR-10のコンポーネントであるCor a 1とハンノキ特異的IgE抗体価は有意に低値であった[7]．

マカダミアナッツの特異的IgEはわが国では保険収載されていないが，参考として記載する．当院ではマカダミアナッツアレルギーが疑われる患者にOFCを実施し，3g以下のOFCでアナフィラキシーを認めた患者では，アナフィラキシーを認めなかった患者やOFCが陰性であった患者に比べて，マカダミアナッツの特異的IgE抗体価は有意に高値であった[11]．また，マカダミアナッツのコンポーネントであるMac i 1特異的IgE抗体価の測定が，日本でのマカダミアナッツアレルギーの診断に有用である可能性が示唆されている[12]．

管理，指導　菓子類や，パン，ドレッシングやタレなどの調味料に使用される場合も多く，誤食への注意が必要である．アナフィラキシーの既往がある児に対してはエピペン®の処方をし，症状誘発閾値が低い患児に対しては誤食予防も徹底させる必要がある．

ナッツ類に感作がある場合は必要に応じて個々のナッツごとにOFCで確認することが重要である．

1) Sicherer SH, et al.：J Allergy Clin Immunol, 125：1322-1326, 2010.
2) 消費者庁：令和3年度食物アレルギーに関連する食品表示に関する調査研究事業報告書．2022.
3) Uotila R, et al.：Allergy, 71：514-521, 2016.
4) Clark AT, et al.：Pediatr Allergy Immunol, 16：507-511, 2005.
5) Brough HA, et al.：J Allergy Clin Immunol, 145：1231-1239, 2020.
6) Hsu C, et al.：J Allergy Clin Immunol Pract, 9：3728-3734.e1. 2021.
7) Inoue Y, et al.：Allergol Int, 69：239-245, 2020.
8) Grabenhenrich L, et al.：J Allergy Clin Immunol, 137：1751-1760.e8. 2016.
9) Kabasser S, et al.：Allergy, 76：1463-1472, 2021.
10) Kattan JD, et al.：J Allergy Clin Immunol Pract, 2：63633-4.e1. 2014.
11) Kubota K, et al.：Pediatr Allergy Immunol, 33：e13852, 2022.
12) Yasudo H, et al.：J Allergy Clin Immunol Pract, 10：1389-1391.e1. 2022.

22 魚アレルギー

起始および経過

0 歳 6ヵ月時，初めて摂取したイワシで口周囲の発赤と体に膨疹が出現した．以後，自宅で摂取を試みたマグロ，サケでも同様の症状を認めた．ほかに鶏卵，牛乳などでもアレルギー症状があり，2 歳時に精査加療目的に当院へ紹介された．

0 歳 1ヵ月頃から顔面を中心に湿疹があり，その後体幹や手足にも湿疹がみられるようになっていた．かかりつけ医でⅣ群のステロイド軟膏を処方されていた．これまでに喘鳴のエピソードはない．

身体所見

皮膚に明らかな湿疹はみられない．呼吸音：清，ラ音聴取せず，心音：整，心雑音聴取せず．

検査データ

Total IgE：542 IU/mL，特異的 IgE 抗体（U_A/mL）マグロ：0.39，イワシ：0.76，サケ：0.54．

初診後の経過

多くの魚種で即時型症状を疑われる症状があり，摂取に対する家族の不安も強いため，まずはアレルゲン性が低いと考えられる出汁やツナ缶詰などの加工品から摂取を試みるよう指導した．イワシを用いたいりこ出汁や，鰹節を用いたカツオ出汁は症状を呈することなく自宅で摂取することができた．また，ツナ缶詰も自宅で症状なく摂取することができた．その後，摂取したことがなかったタラやサバを自宅で試みてもらい，症状なく摂取することができた．

今後，鶏卵や牛乳の食物経口負荷試験（OFC）と並行して魚類そのものの OFC も行っていく予定である．

症例2

10歳6ヵ月，女児

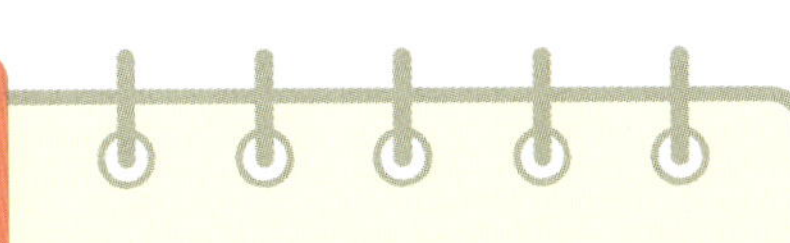

起始および経過

1歳3ヵ月時に摂取したイワシで，顔面を含む全身の紅斑と瘙痒感，嘔吐，咳き込みを認めた．同時期に摂取したアジでも同様の症状がみられた．その後自宅で摂取したマグロ，サバ，サケ，タラ，カツオでは，口腔内違和感，口周囲の発赤がみられた．このため，魚類全般を除去するようにしていた．10歳時，食物アレルギーの精査を希望され当院へ紹介となった．

学童期になってアレルギー性鼻炎とアレルギー性結膜炎と診断され，症状がひどいときには抗アレルギー点鼻薬と点眼薬を使用している．気管支喘息と診断されたことはない．

身体所見

皮膚に明らかな湿疹はみられない．呼吸音：清，ラ音聴取せず，心音：整，心雑音聴取せず．

検査データ

Total IgE：380 IU/mL，特異的 IgE 抗体（U_A/mL）マグロ：22.9，イワシ：89.3，サバ：59.4，カレイ：115，サケ：118，タラ：120，アジ：117．

初診後の経過

まず，アレルゲン性が低いと考えられる出汁の摂取を自宅で試みてもらったが，いりこ出汁，カツオ出汁，マグロ出汁のいずれも口腔内違和感，口周囲の発赤がみられた．11歳1ヵ月時にいりこ出汁，11歳4ヵ月時にカツオ出汁のOFCを当院外来で実施したが，同様の口腔粘膜症状が摂取後30分以上遷延したため陽性と判断した．

次いで，11歳10ヵ月時にマグロについてツナ缶詰のOFCを実施したところ，明らかな症状を呈することなく摂取可能であった．その後，自宅でカツオの缶詰を摂取しこちらも症状を呈することはなかった．

13歳となった現時点でも，外食などで出汁を誤食すると口腔内違和感などが出現するため，缶詰以外は除去として経過観察中である．

解説

疫学・自然歴

日本人の食用魚介類の1人あたりの供給量は，年間23.4kgとされている[1]．各国の食文化にも影響されるため，魚アレルギーについては北欧，スペイン，東南アジアなど魚介類の摂取が盛んな地域からの報告が多い．魚アレルギーの有症率などは，これまでのところ日本では報告されていない．海外での有症率としては，アメリカの小児で0.4%，フィリピン，シンガポール，タイの小児ではそれぞれ2.29%，0.26%，0.29%と報告されている[2]．日本における即時型食物アレルギー症状の調査では，魚類は1.4%を占めると報告されている[3]．

日本からの自然歴に関する報告はないが，海外からは幼児期の耐性獲得が3.4%，思春期には45%に増加するとの報告がある[4]．

アレルゲンの特徴

魚類によるアレルギー症状としては，即時型症状がよく知られているが，他にも乳児期に消化管アレルギー症状を呈するとの報告[5]や，調理過程で発生した湯気を吸引して喘鳴などのアレルギー症状を呈したとの報告がある．

魚類のアレルゲンは相同性が高く，魚種間での交差抗原性は 50%とされている[6]．このため，1 種類の魚類でアレルギー反応を呈した患者は，他の魚類でも症状を呈する可能性が少なからずある．しかし，交差抗原性について一定の規則性などは確認されておらず，日本人の小児を対象とした魚類に対する IgE 抗体の調査では，魚類への感作と生物学的な分類とは一致していなかった[7]．

魚類の主要なアレルゲンとして，パルブアルブミンが知られている．パルブアルブミンは魚類などの筋肉細胞に存在してカルシウム代謝に関与しているとされる耐熱性，水溶性のタンパクである．特に，タラのパルブアルブミン（Gad c 1）が以前から研究されている[8]．パルブアルブミンの含有量は，魚種および魚の部位によって大きく異なっていることが知られている．また，パルブアルブミンには 1 つの魚種にも構造が異なる複数のアイソフォームが存在し，患者によってどのアイソフォームで症状が引き起こされるかも異なると報告されている．さらに，パルブアルブミン以外に，コラーゲンやアルドラーゼ，エノラーゼも魚類のアレルゲンとして近年報告されており，魚類のアレルゲンについてはまだ不明な点が多いのが現状である[2, 9]．

日本では，タラ，サバ，マグロなどいくつかの魚類の粗抗原の特異的 IgE 抗体価は商業ベースで測定が可能となっている．一方でパルブアルブミンやコラーゲンの特異的 IgE 抗体価は，研究的な測定しかできない．

診断

これまでに症状を呈した魚種から，他の症状を呈しやすい魚種や，逆に症状を誘発せずに食べられる魚種を特定することは現状では困難である．以前は青身の魚，白身の魚などと外観で区別して食事指導する例もみられたが，これには特に科学的な根拠はない．

魚類を摂取してアレルギー様の症状を呈した場合，いわゆる即時型の魚アレルギー以外に，アニサキスアレルギーとヒスタミン中毒を考慮する必要がある．アニサキスアレルギーは，アニサキス *Anisakis simplex* が寄生した魚類を摂取し，アニサキスの幼虫が消化管粘膜に侵入することで発症する．症状としては蕁麻疹，血管性浮腫，腹痛などがあり，アナフィラキシーを呈する場合もある[10]．アニサキスは十分な加熱あるいは凍結で死滅させることができ，予防することができる．アニサキスアレルギーの特徴として，摂取から発症までの時間が 2 ～ 24 時間程度と長めであることがあり，診断の一助となる．また，アニサキス粗抗原の特異的 IgE 抗体価の検査も可能であり，鑑別に役立てることができる．ヒスタミン中毒は，適切な保管が行われなかった魚類で細菌が繁殖し，細胞内のヒスチジンがヒスタミンへと変換されて起きる．発生したヒスタミンは加熱や冷凍では分解されないため，ヒスタミンが蓄積した魚類を摂取することでヒスタミン中毒症状が起きる．症状は紅斑・熱感・瘙痒などの皮膚症状，腹痛・嘔吐・下痢などの消化器症状や頭痛などで，場合によって呼吸困難感や不整脈を生じることもある[11]．

管理

前述の通り魚類には交差抗原性があるが生物学的な分類などに基づいた区別が難しく，魚アレルギー患者が症状を誘発せずに摂取できる魚種を特定するためには，OFC などで実際に摂取して判断するしかない．パルブアルブミンは水溶性であることから，製造途中に「水さらし」と呼ばれる過程を経るかまぼこなどの練り製品は，アレルゲン性が低いとされる[12]．また，製造過程で高温加熱や加圧を経る缶詰のような加工品は，症状を誘発しにくいと報告されている[13]．

実臨床でも，出汁や缶詰製品は摂取可能な魚アレルギー患者が多く経験される．このため，魚アレルギー患者に対しては，まずは OFC などで出汁やツナ缶詰などの摂取を試みるとよい．

1) 水産庁：水産白書 令和３年度．2022.
2) Sharp MF, et al.：Fish allergy：in review. Clin Rev Allergy Immunol, 46：258-271, 2014.
3) 日本小児アレルギー学会食物アレルギー委員会：食物アレルギー診療ガイドライン 2021．協和企画，2021.
4) Xepapadaki P, et al.：Natural history of IgE-mediated fish allergy in children. J Allergy Clin Immunol Pract, 9：3147-3156, 2021.
5) Vila L, et al.：Fish is a major trigger of solid food protein-induced enterocolitis syndrome in Spanish children. J Allergy Clin Immunol Pract, 3：621-623, 2015.
6) Sicherer SH：Clinical implications of cross-reactive food allergens. J Allergy Clin Immunol, 108：881-890, 2001.
7) Koyama H, et al.：Grades of 43 fish species in Japan based on IgE-binding activity. Allergol Int, 55：311-316, 2006.
8) Aas K, et al.：Characterization of a major allergen（cod）. Effect of enzymic hydrolysis on the allergenic activity. J Allergy, 44：333-343, 1969.
9) Hamada Y, et al.：Identification of collagen as a new fish allergen. Biosci Biotechnol Biochem, 65：285-291, 2001.
10) Daschner A, et al.：Gastroallergic anisakiasis：borderline between food allergy and parasitic disease-clinical and allergologic evaluation of 20 patients with confirmed acute parasitism by Anisakis simplex. J Allergy Clin Immunol, 105：176-181, 2000.
11) Stratta P, et al.：Scombroid poisoning. CMAJ, 184：674, 2012.
12) 板垣康治：魚類アレルゲンの性状と低アレルゲン化について．日本小児難治喘息・アレルギー会誌，13：50-52, 2015.
13) Bernhisel-Broadbent J, et al.：Fish hypersensitivity. Ⅱ：Clinical relevance of altered fish allergenicity caused by various preparation methods. J Allergy Clin Immunol, 90：622-629, 1992.

乳幼児期

23 魚卵アレルギー イクラ

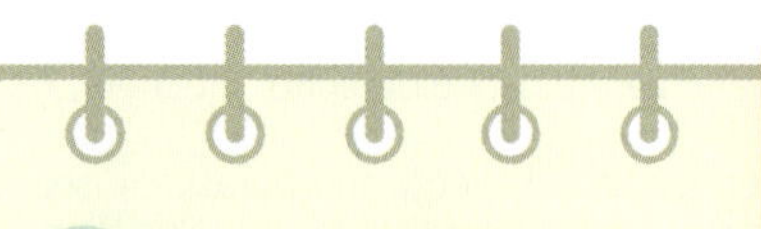

症例

5歳，女児

起始および経過

これまで即時型食物アレルギー症状が出現したことはなかった．タラコ，シシャモの卵，とびこの摂取は問題なくできていた．5歳時，家族で出前の寿司を食べる際に，初めてイクラ軍艦を1口（イクラ5～6粒程度）食べた．5分後から顔面の膨疹が出現し，10分後に1度嘔吐した．その後嘔吐はなかったが，膨疹が全身に広がったため，救急要請し，当院へ搬送された．

既往歴 アトピー性皮膚炎．**家族歴** 父：スギ花粉症．

身体所見

体温36.7度，心拍数102回/分，呼吸数28回/分，血圧92/51mmHg，SpO_2 100%（room air）．

皮膚の痒みがあり不機嫌だが，意識は清明．活気あり．咳嗽なし．腹痛なし．咽頭：発赤なし，胸部：心雑音なし，呼吸音清，ラ音なし，腹部：平坦軟，腸蠕動音亢進減弱なし，圧痛なし，皮膚：顔面全体に膨疹があり，眼瞼腫脹を認める．体幹部から四肢にかけて地図上に膨疹があり，掻破痕を認める．

検査データ

Total IgE：809 IU/mL，特異的IgE抗体（U_A/mL）イクラ：43.1，タラコ：4.24．

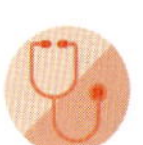

初診後の経過

当院受診時には，全身の膨疹と瘙痒感を認めていたが，消化器症状は消失していた．不機嫌で内服困難であったため，末梢静脈路を確保し，抗ヒスタミン薬とステロイドの点滴静注を行った．その後，消化器症状の再燃はなく，皮膚の膨疹も消失したため帰宅した．血液検査の結果から，イクラアレルギーと診断し，イクラの除去を開始した．タラコの感作も認めたが，これまでタラコ，シシャモの卵，とびこの摂取はできていたため，これらの魚卵の除去は不要であると説明した．

解説

疫学

魚卵はわが国の即時型アレルギーの原因食物の第7位であり，1～6歳の新規発症の原因食物としては第2位となっている[1]．アレルギーの原因となる魚卵のほとんど（94.8%）はイクラである．

抗原の特徴

わが国の魚卵の消費量は他国に比べて多く，イクラ（サケの卵），タラコ（スケトウダラの卵），数の子（ニシンの卵），とびこ（トビウオの卵），シシャモの卵（子持ちシシャモ）などを摂取する機会がある．イクラは高タンパク（タンパク質32.6g/100g），高脂質（脂質15.6g/100g）の栄養価が高い食品であり，寿司のネタや和食で頻用される．イクラ 3 〜 4 粒で約 1g，軍艦寿司一貫に使用されるイクラは約 10g である．

魚卵の中でもイクラやキャビアのアナフィラキシーの症例報告は散見されるが，イクラの消費は日本，ロシアなどの一部の国や地域に限定されるため，基礎研究，臨床研究共にわが国以外の報告は少ない．

魚卵のほとんどは卵黄タンパクで構成されている．成熟期の雌の肝臓で合成されたビテロジェニンは，血液によって卵巣に運ばれ，卵黄タンパクとして蓄積される．ビテロジェニンはリポビテリン重鎖，ホスビチン，リポビテリン軽鎖，β'- コンポーネント，C- 末端成分で構成されているが，これまでの研究でイクラアレルギーの主抗原はβ'- コンポーネント（Onc k 5）と報告されており，他の魚卵との交差抗原性も証明されている．また，同じ卵ではあるが，鶏卵との交差抗原性はないとされている[2, 3]．

診断

イクラ摂取後の即時型反応の既往があり，イクラ特異的 IgE 抗体陽性のためイクラアレルギーと診断されることが多い．平成 29 年の全国調査では，イクラアレルギーによって救急受診した症例におけるショック発症率は 5％を超えており，比較的アナフィラキシーを起こしやすい抗原の一つと言える[4]．

食物アレルギー診断のゴールドスタンダードは食物経口負荷試験（OFC）であるが，イクラ OFC については 2016 年にわが国からの報告がある[5]．イクラ摂取による即時型反応の既往もしくはイクラ未摂取だが感作がある小児 62 例にイクラ 10g の OFC を行った結果，陽性は 34 例（54％）と高かったが，アドレナリン筋注を要する例はいなかった．イクラ特異的 IgE 抗体価によるイクラ 10g の OFC 陽性予測のプロバビリティカーブも報告されており，OFC 適応についての参考になる（図）．プロバビリティカーブにおける 95％ PPV はイクラ特異的 IgE 抗体価 34.6 kUA/L であるため，これ以上の数値の症例については OFC を行わずにイクラアレルギーと診断してもよいと考えられる．

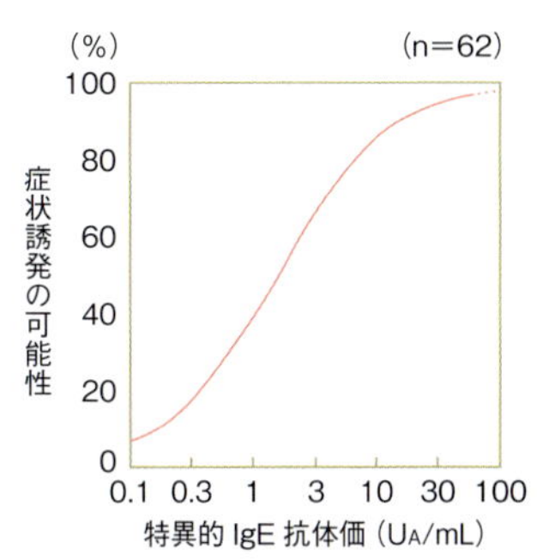

図　イクラ特異的 IgE 抗体価とイクラ 10gOFC 陽性のプロバビリティカーブ[5]

予後・管理

イクラアレルギー児の長期予後の報告はない．上述の報告[5]の中では，即時型反応の既往がありイクラアレルギーの診断が確定している 24 例のうち，8 例（33％）は OFC 陰性で耐性獲得を確認された．そのため，一部の症例については自然経過の中で耐性獲得されると推察される．過去に即時型反応の既往があっても，耐性獲得の確認目的の OFC を行う意義があると考えられる．

イクラも鶏卵も「卵」であるということで，鶏卵アレルギー児がイクラも同時に除去している例もみられる．しかし，イクラと鶏卵の交差抗原性は明らかではなく，臨床的にも無関係であるとされており[5]，鶏卵アレルギー児がイクラを除去する必要はない．また，イクラアレルギー児は魚卵全般の除去を行っているケースが少なくないが，他の魚卵アレルギーの合併率についてはタラコ（加熱）が 25％，シシャモ卵が 11％という報告[6]や，タラコ（加熱）もシシャモ卵も 0％という報告[7]があり，それほど高くないと推察される．そのため，他の魚卵についての不要な食事制限の回避を目指した食事指導や OFC が推奨される．

イクラはアナフィラキシーショックを起こしやすい原因食物であるため，アナフィラキシー既往のある児については，アドレナリン自己注射薬の処方も考慮される．

1) 日本小児アレルギー学会食物アレルギー委員会：食物アレルギー診療ガイドライン 2021．協和企画，2021．
2) Kondo Y, et al.：Allergol Int, 54：317-323, 2005.
3) Shimizu Y, et al.：Int Immunol, 26：139-147, 2014.
4) 今井孝成，ほか：アレルギー，69：701-705，2020.
5) Yanagida N, et al.：Pediatr Allergy Immunol, 27：324-327, 2016.
6) 岡本　薫，ほか：小児科臨床，71：324-330，2018.
7) 二瓶真人，ほか：仙台医療センター医学雑誌，9：49-52，2019.

24 魚卵アレルギー タラコ

症例

8歳，男児

起始および経過

乳児期に鶏卵を含む離乳食を摂取した後に全身の蕁麻疹が出現し，近医で鶏卵アレルギーと診断された．当初は鶏卵の完全除去としていたが，徐々に全卵を含む加工品は摂取可能となった．3歳時に初めてイクラ3粒を摂取した後に顔面の蕁麻疹と軽度の咳嗽があり，近医で加療された．未摂取であったタラコについても，血液検査でタラコ特異的IgE抗体価が陽性であったため，除去を指示されていた．

小学校入学後，給食ではイクラ，タラコ，シシャモの卵など魚卵全般の除去食対応とされた．8歳時点でも除去食品が多く，食物経口負荷試験（OFC）の希望があり，当院を受診した．

既往歴 アトピー性皮膚炎．

家族歴 母：スギ花粉症．

身体所見

皮膚乾燥あり．四肢の関節部分に軽度の湿疹を認める．

検査データ

Total IgE：1,120 IU/mL，特異的IgE抗体（U_A/mL）タラコ：3.45，イクラ：2.51，卵白：14.4，オボムコイド：1.25.

初診後の経過

タラコ特異的IgE抗体価陽性のため，未摂取のまま除去を続けていたタラコのOFCを家族が希望され，8歳10ヵ月時に加熱タラコ20gのOFC（不均等2分割，60分間隔で初回に5g，2回目に15gを摂取）を行う方針とした．初回5g摂取の5分後に軽度の咽頭痛，30分後に軽度の腹痛が出現したが，自制内であったため経過観察した．60分後に腹痛の遷延と咽頭痛の悪化があり，OFC陽性と判断した．抗ヒスタミン薬を内服し，徐々に症状は軽快し，120分後に症状は消失した．現時点ではタラコの除去を継続し，定期的に外来に通院するよう指導した．

解説

疫学

魚卵はわが国の即時型アレルギーの原因食物の第7位であるが，そのほとんどはイクラであり，タラコによる即時型反応の頻度は高くはない[1]．しかしながら，イクラアレルギー児はタラコの感作も認めることが多いため，提示症例のようにタラコも未摂取のまま同時に除去されている症例を多く見かける．

抗原の特徴

世界的にみると，タラコは日本，韓国以外で消費されることが少ないこともあり，タラコアレルギーに関する報告は非常に少ない．前述の通り，イクラとタラコ双方の感作を認めることが多いが，これはイクラの主要抗原とされるOnc k 5とタラコのビテロジェニンβ'-コンポーネントに交差反応がみられるためである[2,3]．

近年報告された血清学的検討では，イクラとタラコ両方のアレルギー合併患者の血清はイクラ単独アレルギー患者よりもimmunoblot inhibitionにおいてイクラの16kDaのたんぱく（β'-コンポーネントと推察）に対するIgE結合がタラコ抗原により抑制されると報告されており，血清学的な交差抗原性と臨床的な交差抗原性の一致が確認されている[4]．

診断

提示した症例のようにタラコ以外の即時型食物アレルギーがあり，血液検査でタラコに対する感作を認め，未摂取のまま除去が行われているケースが多い．しかし，2018年の報告[5]では，タラコ摂取による即時型反応の既往もしくは感作があるためタラコ除去している51例に加熱タラコ10～20gのOFCを行ったところ，陽性は6例（12%）のみでいずれも軽微な症状（日本のアナフィラキシーガイドライン重症度分類のグレード1のみ）で，治療を要したのは抗ヒスタミン薬を内服した1例のみであった．OFC陽性となる予測因子としては，タラコ特異的IgE抗体価単独よりも，タラコ/イクラ特異的IgE抗体価比（pollock roe/salmon roe specific IgE ratio：P/S比）の方が有用である（図）．P/S比のプロバビリティカーブにおいてはP/S比0.16で陽性予測率5%であるため，この値未満であれば安全に摂取できる可能性が高く，保護者と相談の上で自宅で少量からの摂取を考慮してもよいと思われる．また，P/S比=2と高い場合でも予測陽性率50%程度であるため，制限解除のためのOFCを検討してよいと考えられる．

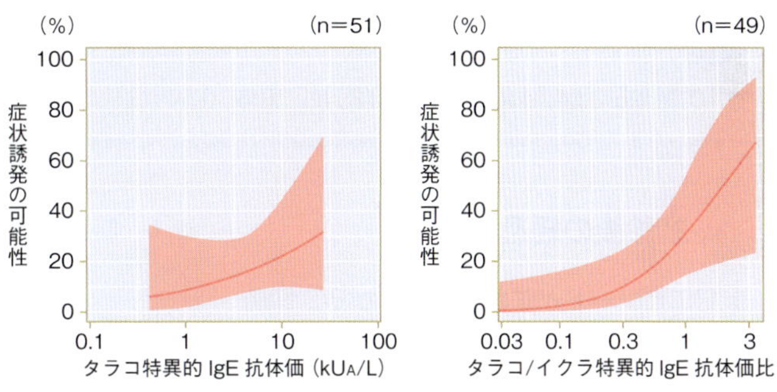

図　加熱タラコ10～20gOFC陽性のプロバビリティカーブ（淡紅色部分は95%信頼区間）[5]

予後・管理

タラコアレルギー児の予後の報告はない．上述の報告[5]の中では，幼児期に加熱タラコ摂取による即時型反応とタラコ感作を認めタラコアレルギーの診断を受けた7例のうち，6例は数年後に加熱タラコOFCを行い耐性獲得を確認できた．加熱タラコOFC陰性例のほとんどはその後の生タラコの摂取状況については不明であるが，加熱タラコOFC陰性後に生タラコOFCを施行し陽性であった症例も存在するため，生タラコの方が抗原性が高いと推測される．しかし，保育所・幼稚園や学校給食では生タラコが提供されることは少ないため，加熱タラコの解除を行うことはQOLの改善につながると思われる．

タラコと鶏卵の交差抗原性は明らかではなく，鶏卵アレルギー児がタラコを除去する必要はない．

1) 日本小児アレルギー学会食物アレルギー委員会：食物アレルギー診療ガイドライン2021．協和企画，2021．
2) Kondo Y, et al.：IgE cross-reactivity between fish roe (salmon, herring and pollock) and chicken egg in patients anaphylactic to salmon roe. Allergol Int, 54：317-323, 2005.
3) Shimizu Y, et al.：Molecular and immunological characterization of β′-component (Onc k 5), a major IgE-binding protein in chum salmon roe. Int Immunol, 26：139-147, 2014.
4) Okamoto K, et al.：Serological examination for clinical cross-reactivity between salmon roe and pollock roe in patients with a salmon roe allergy. Fujita Med J, 8：52-58, 2022.
5) Makita E, et al.：Increased ratio of pollock roe-specific IgE to salmon roe-specific IgE levels is associated with a positive reaction to cooked pollock roe oral food challenge. Allergol Int, 67：364-370, 2018.

25 甲殻類アレルギー

症例

9歳，男児

起始および経過

3歳時にイセエビを含む煎餅を摂取して強い咽頭痛を訴えていたことがあった．7歳時，エビフライ1本を摂取して5分後に咽頭違和感が出現した．以降，完全除去を継続していたが，エビの摂取希望があり当院を紹介受診した．

検査データ

Total IgE：3,474 IU/mL，特異的IgE抗体（UA/mL）ヤケヒョウヒダニ：83.1，エビ：8.13，カニ：2.02.

初診後の経過

上記エピソードとエビへの感作から，即時型エビアレルギーと診断した．経時的な検査データの推移を表1に示す．

表1 血液検査結果の推移

年齢	9歳11ヵ月	10歳10ヵ月	11歳10ヵ月
Total IgE（IU/mL）	3,474	3,202	3,196
ヤケヒョウヒダニ（UA/mL）	83.1	67.3	74.8
エビ（UA/mL）	8.13	5.84	8.45
カニ（UA/mL）	2.02	2.55	1.89

11歳9ヵ月時にエビ（加熱）40gの食物経口負荷試験（OFC）を行った．検査開始時に10g，60分後にさらに30gを負荷したところ咽頭違和感を自覚したが5分で自然消失した．判定保留として自宅での摂取を勧め，無症状で摂取できたことを確認できた後に陰性と最終判断し，エビの除去を解除した．

また，それまで未摂取だったカニも11歳11ヵ月時に20gのOFCが陰性であり，自宅でも制限なく摂取できるようになったことから，甲殻類の除去を解除した．

解説

疫学 平成29(2017)年度即時型食物アレルギー全国モニタリング調査[1]の結果，甲殻類は原因食物の2.9%を占め（第8位），そのうち約85%がエビであった．年齢別新規発症は，7～17歳で第2位，18歳以上で第1位であり，学童期以降に増加する傾向がある．アジア諸国では，西側諸国と比較して甲殻類アレルギーの罹患率が高く，発症年齢も低いが，甲殻類の消費量，食習慣や，ダニやゴキブリなど他の節足動物との交差反応などが影響していると考えられている．

臨床的特徴 日本におけるエビアレルギーの臨床像を検討した報告[2]によれば，摂取時の症状は皮膚(75.8%)，口腔・咽頭などの粘膜（49.5%），呼吸器（32.3%）で多く，2臓器以上の症状を呈したアナフィラキシー症例も約6割にのぼった．症状出現までの時間は約9割が1時間以内であった．また，エビへの接触や調理・加工工程における蒸気の吸入により経皮的・経気道的に接触皮膚炎や喘息症状を呈することもある．

診断 他の食物アレルギーと同様に，詳細な病歴聴取に基づいて特異的IgE抗体価の測定や皮膚プリックテストを検討するが，その診断性能は不十分であり，感作のみの症例と真の甲殻類アレルギー患者を区別する

表 2　主な甲殻類アレルゲン

アレルゲン	分子量 (kDa)	特徴
トロポミオシン	34 ～ 38	甲殻類の主要アレルゲン. 無脊椎動物の pan-allergen であり，加熱や消化に安定.
アルギニンキナーゼ	40 ～ 45	ブラックタイガーで最初に同定された．甲殻類のほか，ゴキブリ，ダニ，タコなどでも確認されている．加熱に不安定.
ミオシン軽鎖	17 ～ 20	バナメイエビで最初に同定されたマイナーアレルゲン．他の甲殻類やゴキブリなどでも確認されている．トロポミオシン同様の安定性あり.
カルシウム結合性筋形質タンパク	20 ～ 25	ブラックタイガーで最初に同定されたマイナーアレルゲン. 甲殻類内では高い相同性をもつが，軟体類との相同性は低い.
その他：トロポニン C，トリオースリン酸イソメラーゼ，ヘモシアニン，パラミオシン，グリコーゲンホスホリラーゼ，エノラーゼ，アルドラーゼなど		臨床的反応性との関連については十分に解明されていない. ヘモシアニンはダニ，ゴキブリ，カタツムリなど他の無脊椎動物との交差反応性あり.

ことはできない．OFC が診断のゴールドスタンダードである．また今後，component-resolved diagnosis の進歩によって臨床反応性をより正確に反映した補助的な検査法が確立されることが期待される．

抗原の特徴 甲殻類の主要なアレルゲンコンポーネントとしてトロポミオシンがあるが，その他アルギニンキナーゼ，ミオシン軽鎖，カルシウム結合性筋形質タンパクをはじめとして新たなコンポーネントが多数報告されている（表 2）．近年は各アレルゲンと臨床症状との関連や動物間の交差反応性，感作に関連するエピトープなどに注目が集まっている．トロポミオシンは，無脊椎動物の筋収縮に関与する熱安定性・消化抵抗性のタンパク質であり，甲殻類内では 90％以上，昆虫類とは約 80％，軟体類・貝類とは約 60％のアミノ酸配列相同性を持つ[3] ため，甲殻類アレルギー患者においては軟体類や貝類の摂取可否も確認し，必要であれば OFC を行う．前述の日本における報告[2] では，カニに対しても臨床症状を呈した症例の割合は 64.7％，イカ，タコ，ホタテでは約 20％であった．また，種特異的なコンポーネントも報告されており，エビの種類によっても症状誘発の有無が異なることがある．Wai らは *Penaeus monodon*（ブラックタイガー）のタンパク抽出液からヘモシアニン（Pen m 7），トリオースリン酸イソメラーゼ（Pen m 8），脂肪酸結合タンパク（Pen m 13），グリコーゲンホスホリラーゼ（Pen m 14），エノラーゼ，アルドラーゼを新たなアレルゲンコンポーネントとして同定した[4]．さらに，香港とタイのエビアレルギー患者の比較から，前者では Pen m 14 が最も感作率の高いアレルゲンであり臨床症状とも関連していたが，後者ではトロポミオシン（Pen m 1）への感作率が非常に高く，主要アレルゲンは人種により異なると結論づけた[4]．甲殻類の抗原性については，摂取した甲殻類の種類，食習慣，人種，交差反応などの因子が複雑に関与していることを理解しておくことが大切である．

予後 甲殻類アレルギーの自然歴に関するエビデンスは乏しいが，小児期発症のエビアレルギーが寛解する可能性について論じた報告がいくつかある．Ittiporn らは，小児期に OFC によって診断されたエビアレルギー患者の 46％が 10 年後の OFC で寛解していたと報告した[5]．また，Ayuso らはエビアレルギーの小児では成人よりもエビのペプチドに対する IgE 結合が強く，認識するエピトープの多様性も高いとした[6]．しかし，これらの結果が一般集団にも当てはまるのかどうかは不明である．

甲殻類アレルギーは耐性を獲得しにくいと考えられているが，提示した症例のように，低年齢（小児期）で発症した場合には寛解する可能性がある．成長とともに OFC で確認することが大切である．

1) 今井孝成，ほか：アレルギー，69：701-705，2020.
2) 富川盛光，ほか：アレルギー，55：1536-1542，2006.
3) Lopata AL, et al.：Shellfish allergy. Clin Exp Allergy, 40：850-858, 2010.
4) Wai CYY, et al.：Allergy, 77：3041-3051, 2022.
5) Ittiporn S, et al.：Asian Pac J Allergy Immunol, 39：249-257, 2021.
6) Ayuso R, et al.：J Allergy Clin Immunol, 125：1286-1293, 2010.

26 軟体類アレルギー

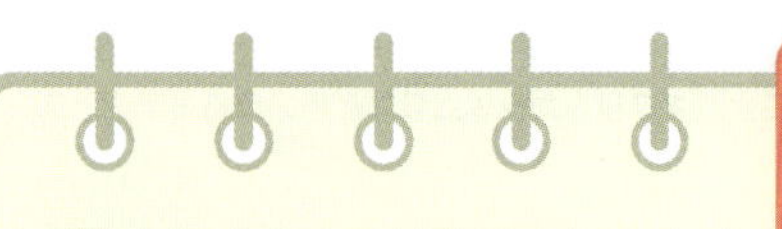

症例

5歳2ヵ月，男児

起始および経過

3歳時にイカの煮物を摂取し，60分後に眼瞼腫脹と咳嗽，喘鳴が出現し，小児科外来を受診した．来院時の血圧は110/60mmHg，SpO_2 96%，眼瞼腫脹と顔面の紅斑を認め，胸部の聴診で軽度喘鳴を聴取した．外来でβ_2刺激薬の吸入と抗ヒスタミン薬を内服し，症状は消失した．

既往歴 2歳6ヵ月：茹でたエビを摂取し蕁麻疹あり，エビを完全除去している．

検査データ（3歳初診時）

好酸球数7.2%（648/μL），Total IgE：1,220 IU/mL，特異的IgE抗体（U_A/mL）イカ：18.5，タコ：6.2，エビ：14.0，ヤケヒョウヒダニ：60.6．

初診後の経過

初診時（3歳）に行った血液検査は上記のとおりで，イカは除去を指示し，定期的に外来フォローを行った．5歳時に行った血液検査でイカ特異的IgE抗体価8.3U_A/mLと低下を認めたことから，耐性獲得確認を目的として，イカ40gを総負荷量とする食物経口負荷試験（OFC）を入院で行った．60分間隔の2分割（1/4量～3/4量）で初回量の10gを摂取したところ，摂取開始40分に眼瞼腫脹と単発の咳嗽を認めた．OFCの結果は陽性と判定し，抗ヒスタミン薬の内服にて症状は消失した．その後イカの除去を継続している．

解説

疫学・特徴

軟体動物とはイカ，タコ，貝（アサリ・ホタテ・アワビ）の類をいい，本項では主に軟体動物門のうち鞘形亜綱に属するイカ，タコについて概説する．図に軟体動物の系統図を示す．

軟体類の中で，イカは食品衛生法におけるアレルギー表示対象品目において，特定原材料に準じる21品目のうちの1つとして表示が推奨されている．これまでに海外および日本における小児の軟体類アレルギーの発生頻度や有病率の報告はされていない．また，自然歴に関する報告もほとんどなく，耐性を獲得しにくいとされる．食物依存性運動誘発アナフィラキシーを呈することがあり，イカによる成人および小児の発症率は，1.0%という報告もある[1]．

抗原について

軟体類の主要アレルゲンは，甲殻類と同様に筋原繊維構成タンパク質である分子量34～38kDaのトロポミオシンであり[2]，熱に対し比較的安定している．そのため加熱調理での食物でも症状出現の可能性がある（表）．

イカのトロポミオシンであるTod p 1はエビのトロポミオシンとの交差抗原性が報告されている[3]．富

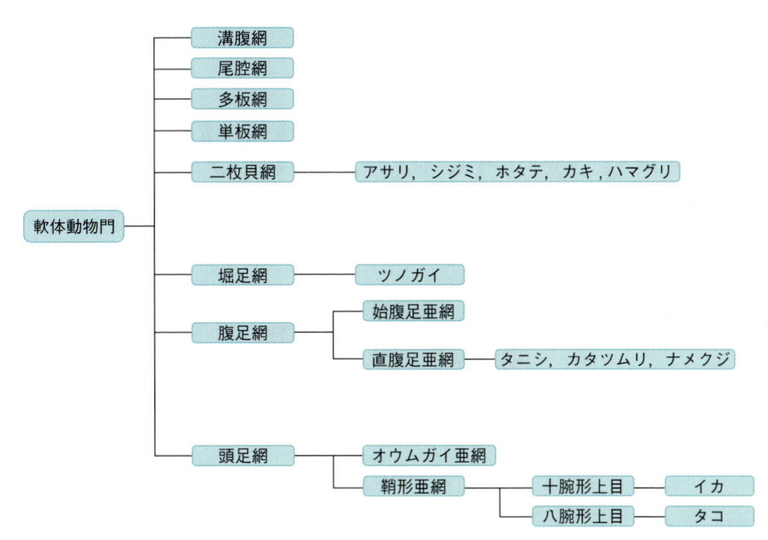

図　軟体動物系統図

表　主な軟体類のアレルゲンとタンパク

抗原	アレルゲン	タンパク質
イカ	Tod p 1	トロポミオシン
タコ	Oct v 1	トロポミオシン
カキ	Cra g 1	トロポミオシン
アワビ	Hal l 1	トロポミオシン

川らによると，甲殻類と軟体類のトロポミオシンの相同性は 57～76％で，甲殻類間での相同性（93～99％）と比べると低い．実際にエビアレルギーの患者が他の軟体類を摂取し，症状が誘発された割合は，イカ 17.5％，タコ 20.3％，ホタテ 19.6％で，エビやカニと比べると高くはない[4]．以前実施した相模原病院におけるイカ OFC60 例の検討では，OFC 陽性例と陰性例において，エビ即時型症状の既往に明らかな相関は認められなかったことを報告している[5]．

診断・管理

診断には詳細な病歴聴取が重要で，特異的 IgE 抗体価の測定，皮膚テスト，OFC により行われる．軟体類や甲殻類における血中特異的 IgE 抗体価の感度・特異度は十分ではなく，特異的 IgE 抗体価が高く検査のみで除去を継続している場合や，低くても摂取により重篤なアレルギー症状が誘発されることもあり，専門施設での OFC による診断も考慮する．また抗体価が陰性であっても，過去に該当食物摂取による疑わしいエピソードがある場合はアレルギー症状が誘発される可能性もあり，そのような症例にも OFC による確認が望ましい．

1) 特殊型食物アレルギーの診療の手引き 2015．厚生労働科学研究費補助金難治性疾患等実用化研究事業 生命予後に関わる重篤な食物アレルギーの実態調査・新規治療法の開発および治療指針の策定．
2) Martinez A, et al.：Importance of tropomyosin in the allergy to household arthropods. Cross-reactivity with other invertebrate extracts. Allergol Immunopathol, 25：118-126, 1997.
3) Miyazawa H, et al.：Identification of the first major allergen of a squid（Todarodes pacificus）. J Allergy Clin Immunol, 98：948-953, 1996.
4) 富川盛光，ほか：日本における小児から成人のエビアレルギーの臨床像に関する検討．アレルギー，55：1536-1542，2006.
5) 小倉香奈子，ほか：日小児アレルギー会誌，28：682，2014.

27 即時型果物アレルギー

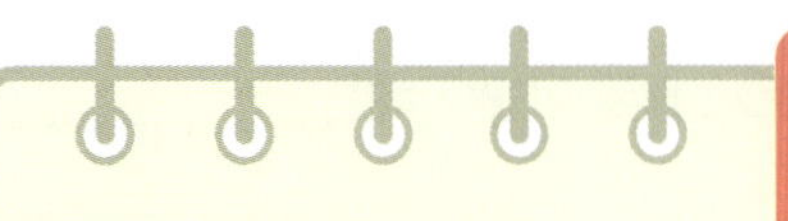

症例

4歳，女児

起始および経過

キウイフルーツ（以下，キウイ）摂取直後に口腔内の違和感を自覚し，30分後に咳嗽・喘鳴，全身の蕁麻疹・瘙痒を認め，救急外来を受診した．受診時，連続性咳嗽・呼気性喘鳴・全身の蕁麻疹・強い瘙痒を認め，SpO_2 93%であった．アナフィラキシーと診断し，アドレナリンを筋注，気管支拡張薬を吸入，生理食塩水による点滴を行い，抗ヒスタミン薬とステロイドの静注を行い，症状は軽快した．以前からキウイを摂取する際に，口腔内の違和感を認めていた．

既往歴 即時型の鶏卵アレルギーで通院中．アトピー性皮膚炎あり（共に乳児期発症）．花粉症なし．

検査データ

特異的IgE抗体（U_A/mL）キウイ：6.82，卵白：99.5，オボムコイド：63.8，ハンノキ：< 0.10.

初診後の経過

キウイアレルギーと診断し，キウイの除去を指示した．以後誤食による症状を認めていない．

解説

疫学

新規発症例の年齢別の原因食物において，果物は4～6歳児では第1位，1～3歳児では第5位となっている[1]．果物アレルギーの原因抗原は，キウイ・バナナ・リンゴ・モモの頻度が高い[2]．

症状と抗原の特徴

果物アレルギーは，主に乳幼児期に発症する花粉との交差反応によらない果物アレルギーと，シラカンバやハンノキ花粉などへの感作後に交差反応により発症する花粉–食物アレルギー症候群に分類される．

花粉感作との交差反応によらない果物アレルギーでは，蕁麻疹・紅斑・瘙痒などの皮膚症状，咳嗽・喘鳴などの呼吸器症状，嘔吐・腹痛・下痢などの消化器症状やアナフィラキシーという即時型症状で発症することが多い．

一方で，花粉–食物アレルギー症候群では，口の中の違和感などの口腔症状を呈する例が多い．発症には感染特異的タンパクの1つであるPathogenesis-related protein-10（PR-10）やプロフィリンなどが関わっている．感染特異的タンパクは，植物が病原体に感染した時に作られるタンパクであり，病原体への防御機構を有する．シラカンバ花粉の主要アレルゲンであるBet v 1はPR-10に属し，キウイのAct d 8，モモのPru p 1，リンゴのMal d 1と相同性を有している．このためBet v 1に感作されている症例では，交差抗原性により花粉–食物アレルギー症候群を発症すると言われている．PR-10は加熱により変性しやすく，消化の過程で抗原性が失われるため全身症状を起こす頻度が低い．プロフィリンも同様に，シラカンバの主要アレルゲンであるBet v 2に属している．

モモではlipid transfer protein（LTP）であるPru p 3が，症状誘発と関連するアレルゲンコンポーネントとなることが報告されている．LTPは細胞内の脂質輸送タンパクで，感染防御にも関係しPR-14に属する．加熱・消化しても安定しているため全身症状を起こす頻度が高い．しかし，日本の成人では全身症状を呈するモモアレルギーでPru p 3に感作されている例は少ない．モモ特異的IgE抗体が陽性であるモモアレルギー児では，プロフィリンであるPru p 4に対する特異的IgE（AUC，0.809）が，Pru p 1（AUC，0.789），Pru p 3（AUC，0.599），ハンノキ（AUC，0.789），Bet v 1（AUC，0.747）に対する特異的IgEより重症度と関連があり，Pru p 4特異的IgEが低値であれば全身症状をきたしやすかった[3)]．

キウイ特異的IgE抗体が陽性であるキウイアレルギー児では，ハンノキ特異的IgE抗体が低値であれば年齢にかかわらずアナフィラキシーを含む全身症状をきたしやすい[4)]．プロテアーゼであるAct d 1に感作されている例も全身症状を呈しやすい．一方で，Act d 1に感作されておらず，種子（Act d 12，Act d 13）に対して反応し全身症状を呈する例があり，種子の抗原性について注目されている．また，グリーンキウイと異なりゴールドキウイはAct d 1の含有率が低いため，グリーンキウイでは症状が出るが，ゴールドキウイは摂取可能なキウイアレルギー児も存在する．

診断

病歴，特異的IgE抗体や皮膚プリックテストにより診断する．特異的IgE抗体・市販エキスによる皮膚プリックテストが陰性の場合には，原因抗原そのものによるprick to prick testを行う．抗原性は加工で変性するため，新鮮な野菜・果物を用いるprick to prick testが，特異的IgE抗体や市販エキスのテストより有用である．モモなどの果物は旬を過ぎると手に入らないことがあるが冷凍後に解凍した果物によるprick to prick testは，新鮮な果物によるprick to prick testと同程度の膨疹径を示す報告があることから，冷凍したモモを用いて実施することもできる[5)]．モモ・リンゴでは果肉より果皮で行うprick to prick testの膨疹径が大きい．モモの果皮のPR-10の量は果肉と比べて同程度から数倍程度であるのに対して，果皮のLTPの量は果肉と比べて数百倍程度という報告があることから，膨疹径が異なると考えられる．またリンゴでは，茎に近い方がprick to prick testによる膨疹径が大きいという報告もあり，果物の抗原性やprick to prick testは非常に奥が深い[6)]．

管理・治療・予後

原因抗原を除去し，重症度に応じて抗ヒスタミン薬，気管支拡張薬，アドレナリン自己注射薬を携帯する．花粉–食物アレルギー症候群の児では，缶詰などの加工品は問題なく食べられることが多い．

果物に対する免疫療法は，一部の地域で花粉–食物アレルギー症候群に対して行われている．花粉に対する皮下注射による免疫療法，舌下免疫療法，果物そのものによる経口免疫療法が行われているが，研究段階の治療であり，効果に一定の見解はない[7)]．乳幼児を対象とした果物アレルギーに対する免疫療法は行われていない．

花粉感作と関係のないバナナアレルギー児では経年的に耐性を獲得することが多いと報告されており[8)]，他の果物アレルギーも同様と考えられる．しかし，耐性を獲得しない例もあり，定期的な特異的IgE抗体の測定や食物経口負荷試験を行う必要がある．

花粉–食物アレルギー症候群は耐性を獲得することは少なく[8)]，今後の治療方針の探索が望まれる．

1）食物アレルギー診療の手引き2020.
2）Matricardi PM, et al：EAACI Molecular Allergology User's Guide. Pediatr Allergy Immunol, 23：1-250, 2016.
3）Asaumi T, et al：Allergology International, 68：546-548, 2019.
4）Asaumi T, et al：Pediatr Allergy Immunol, 28：291-294, 2017.
5）Bégin P, et al：J Allergy Clin Immunol, 127：1624-1626, 2011.
6）Vlieg-Boerstra BJ, et al：Allergy, 68：1196-1198, 2013.
7）Kopac P, et al：Allergy, 67：280-285, 2012.
8）竹井真理ら：小児のバナナアレルギーのまとめ．アレルギー，64：487-487，2015.

28 保育所での給食対応の問題例 誤食

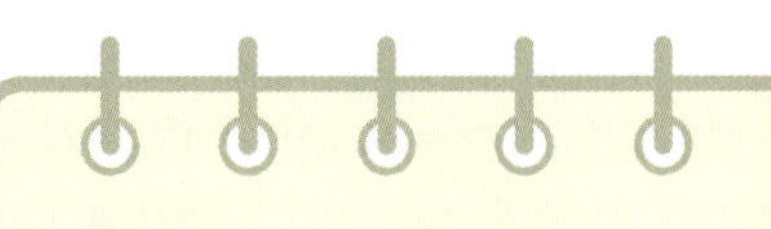

症例
3歳6ヵ月，女児

起始および経過

生後直後より完全母乳栄養で（人工乳は摂取せず）過ごした．生後7ヵ月時に初めてミルク粥を数口摂取して，数分後から顔面発赤，咳嗽，嘔吐を認めた．以降は乳を完全除去し，今後の方針を相談するため2歳時に当院を受診した．血液検査で牛乳特異的 IgE 値が 333UA/mL と高値であり，かつアナフィラキシーの既往もありアドレナリン自己注射薬（エピペン®）を処方した．その後，3歳頃に友人宅でホエイパウダー入りの菓子をもらい数個摂取して，喘鳴，発疹，嘔吐を認めた．

保育所では調理室で調理しており，牛乳の完全除去対応をしていた．3歳6ヵ月時，粉チーズがのった昼食が提供されたが，児の食事はアレルギー除去食であるため，粉チーズは除去されて準備されていた．児のクラス担当職員は児が牛乳アレルギーであることを知っていたが，配膳した職員は児が牛乳アレルギーであることを把握していなかった．配膳された食事が他の児のものであることに気づかず（配膳食の名前を確認せず）配膳してしまった．摂取30分後に全身に蕁麻疹を認め，抗ヒスタミン薬を内服して保育所で経過をみた．摂取1時間後より連続性の咳嗽と嘔吐を数回認めたため，保育所の職員が児を連れて当院の救急外来を受診した．受診時には嘔吐は改善し，全身の発赤と軽度の咳嗽を認めたため，β_2 刺激薬吸入，ステロイド内服，抗ヒスタミン薬内服を行い，症状が改善したため帰宅した．翌日に再診し，症状の再増悪がないことを確認し，エピペン®の使用方法に関する説明を行い処方した．

既往歴 鶏卵アレルギー：食物経口負荷試験を実施し寛解した．

家族歴 母が小児喘息・アトピー性皮膚炎．

検査データ

Total IgE：269 IU/mL，特異的 IgE 抗体（UA/mL）牛乳：88.8，カゼイン：84.3.

解説

本症例は保育所通園中の幼児が誤食しアナフィラキシーを発症した症例である．わが国の保育所園児の食物アレルギー有症率は約10%である[1, 2]．日本の保育所での誤食に関して調査した研究では，男児，低年齢，アナフィラキシーの既往，牛乳アレルギー，小麦アレルギー，魚アレルギー，多抗原の食物除去のいずれかがあると，アレルギー症状を伴う誤食が起こる可能性が高いことが報告されている．また，保育所の児童数が少ない施設や食物アレルギー管理責任者が不在の施設ほど誤食の発生リスクが高かった[3]．さらに，鶏卵・牛乳・ピーナッツアレルギー児に比べて，小麦アレルギー児のほうが，誤食によって治療を要する症状を認めている割合が高かった[4]．当院の外来に受診しているアレルギー患者では，アレルギー症状誘発閾値が低い患者ほど誤食により症状を認める傾向にあった．誤食が起こる場所として多いのは，自宅だけではなく，学校や園，レストランなどがある[5, 6]．このように，保育所でアナフィラキシーが起こることは十分に想定される状況である．

表　誤食の問題点と対応策

問題点	対応策
全職員が常に食物アレルギーに対する正しい知識とそれを共有する意識をもっていなかった	・児の食物アレルギーに関する新しい情報を常に共有する ・エピペン®の使用法・タイミング・起こりうる事象までを保育所全体が認識する
保育所職員が誤配膳に気づかなかった	・食事内容を記載した配膳カードを利用する ・調理・配膳・食事の提供までにチェックを重ねて行う体制をとる ・食器の色を変える，食事摂取中の監視を行う
早急に医療機関を受診しなかった	・アナフィラキシーが起きた場合には職員がエピペン®を打ち，救急処置ができる体制を整えておく

保育所は食物アレルギー児の多い年齢層が対象であり，「保育所におけるアレルギー対応ガイドライン」[7]に準じた対応が求められる．ガイドラインには次の 4 つの基本原則が掲げられている．① 全職員を含めた関係者の共通理解のもと，組織的に対応する，② 医師の診断に基づき，保護者と連携し，適切に対応する，③ 地域の専門的な支援，関係機関との連携のもと，適切に対応する，④ 食物アレルギーの対応は，安心・安全の確保を優先する．

本症例の問題点としては，保育所職員が児のアレルギーに関する情報を把握しきれていなかった点，人的エラーの予防対策がなされていなかった点，アナフィラキシーに対する対応が遅れた点があげられる（表）．

1 つ目の問題点は，クラス担当以外の職員も児が牛乳アレルギーであることを把握していなかった点である．つまり，全職員が常に食物アレルギーに対する正しい知識とそれを共有する意識をもっていなかったと推測される．保育所に提出する生活管理指導表は 1 年に 1 回見直しを行うこととなっているため，園児の食物アレルギーに関する新しい情報を常に共有する必要がある．本児は今後エピペン®を所持することとなるため，エピペン®の使用法，接種すべきタイミング，接種が遅れた場合に起こりうる事象までを保育所全体が認識すべきである．

2 つ目は，実際に配膳する際に保育所職員が気づかなかったことが問題点としてあげられる．人的なエラー予防の対策として，食事内容を記載した配膳カードを利用する，調理・配膳・食事の提供までに重ねてチェックを行う体制をとる，食器の色を変える，食事摂取中の監視を行うことなど[8]を検討できたはずである．

3 つ目は，摂取 1 時間後から咳嗽を認めた時点で，早急に医療機関を受診する必要があったことである．アナフィラキシーとは，「皮膚・消化器・呼吸器のいくつかの症状が重なる場合」と定義されており[9]，内服によって症状が改善しない場合や複数の臓器に症状を認めた場合には，早期の医療機関受診が望まれる．特に，食物によるアナフィラキシーの場合には，発症後可能な限り速やかにエピペン®を筋注することがポイントであり，アナフィラキシーが起きた場合には職員がエピペン®を打ち，救急処置ができる体制をつくっておく必要がある[7～9]．

保育所において，職員が食物アレルギーに関する正しい認識をもち，誤食を防ぐ対策をとるために，医療機関が適切な管理指導表の記載を行い，児のアレルギーの情報を正確に，かつ簡潔に伝える必要がある．また，アナフィラキシーが起きてしまった場合に適切な対応をとれるような指示をしておくことが望ましい．

1) 鈴木薫：日小児アレルギー会誌，31：124-134，2017.
2) アレルギー疾患に関する 3 歳児全都調査（平成 26 年度）報告書．2015.
3) Yanagida N, et al.：Pediatr Allergy Immunol, 30：773-776, 2019.
4) Yanagida N, et al.：Pediatr Allergy Immunol, 32：1377-1380, 2021.
5) Hicks A, et al.：Pediatr Allergy Immunol, 32：1718-1729, 2021.
6) 柴田瑠美子：日小児アレルギー会誌，21：56-60，2007.
7) 厚生労働省：保育所におけるアレルギー対応ガイドライン．2019.
8) 海老澤元宏：アレルギー，62：540-547，2013.
9) 日本アレルギー学会：アナフィラキシーガイドライン．2021.

29 エピペン®使用例

起始および経過

生後2ヵ月から乳児湿疹があり近医で加療していた．離乳食開始前の血液検査で卵白特異的IgE値，オボムコイド特異的IgE値の上昇を認め，当科を受診した．生後10ヵ月時に全卵1/32個相当の食物経口負荷試験（OFC）を施行し，全身蕁麻疹と繰り返す咳嗽を認め鶏卵アレルギーと診断した．体重増加を待ち，2歳4ヵ月（体重15kg）からエピペン®を所持していた．その後は鶏卵を完全除去とし，1年ごとに全卵1/32個相当のOFCにて評価したが陽性であったため，完全除去を継続していた．

誤食事故

保育所で鶏卵入り菓子を誤食した．摂取1時間後に全身蕁麻疹と紅斑が出現したため抗ヒスタミン薬を内服し，救急要請となった．救急隊到着時に持続する咳嗽が出現したため，救急隊員がエピペン®0.15mgを使用して当院へ搬送となった．

当院到着時には症状は落ち着き，全身に紅斑が残存するのみであった．抗ヒスタミン薬を点滴投与し，同日経過観察目的に入院，症状の再燃なく経過したため翌日退院した．

検査データ

Total IgE：1,901UI/mL，特異的IgE抗体（UA/mL）卵白：197，オボムコイド：51.7．

解説

本症例は，保育所内で発生した鶏卵の誤食によるアナフィラキシーに対してエピペン®を使用した症例である．提供された菓子は，外装に成分表示が記載されていたが，個包装には成分表示の記載がなく，調理師が誤配したものを担任が確認せず提供し誤食事故が起きた．保育施設での誤食事故は少なくなく，日本では1年間に食物アレルギーのある園児の約7.8%が症状を伴う誤食をしていると報告されている[1]．誤食の原因としては確認不足による誤配が最も多く，次いで他児の食事を勝手に食べてしまう場合が多い[2]．今回は誤配によるものだが，その他さまざまな理由によって生じるため，どれほど注意していても誤食する可能性があることを認識する必要がある．

本症例は誤食して1時間後に皮膚症状と呼吸器症状を認めた．症状の程度は「アナフィラキシーガイドライン2022」[3]に記載されている症状の重症度（表1）[4,5]を参照して適切に評価する必要があり，グレード3の症状が1つでも認められる場合にはアドレナリン筋注をためらってはならない．患者や家族が適切にエピペン®を使用するためには適切な指導が必要であり，日本小児アレルギー学会の「一般向けエピペン®の適応（表2）」[6]が説明に有用である．

また，本症例では救急車内で救急隊によりエピペン®が使用され，病院到着時には症状が改善していた．エピペン®は医師，家族だけではなく，救急救命士や学校関係者，保育士が使用することも可能である（表3）．

表 1　アレルギー症状の重症度評価 [4, 5]

		グレード 1（軽症）	グレード 2（中等症）	グレード 3（重症）
皮膚・粘膜症状	紅斑・蕁麻疹・膨疹	部分的	全身性	←
	瘙痒	軽い瘙痒（自制内）	強い瘙痒（自制外）	←
	口唇，眼瞼腫脹	部分的	顔全体の腫れ	←
消化器症状	口腔内，咽頭違和感	口，のどのかゆみ，違和感	咽頭痛	←
	腹痛	弱い腹痛	強い腹痛（自制内）	持続する強い腹痛（自制外）
	嘔吐・下痢	嘔気，単回の嘔吐・下痢	複数回の嘔吐・下痢	繰り返す嘔吐・便失禁
呼吸器症状	咳嗽，鼻汁，鼻閉，くしゃみ	間欠的な咳嗽，鼻汁，鼻閉，くしゃみ	断続的な咳嗽	持続する強い咳き込み，犬吠様咳嗽
	喘鳴，呼吸困難	—	聴診上の喘鳴，軽い息苦しさ	明らかな喘鳴，呼吸困難，チアノーゼ，呼吸停止，SpO_2≦92%，締めつけられる感覚，嗄声，嚥下困難
循環器症状	脈拍，血圧	—	頻脈（+15 回 / 分），血圧軽度低下，蒼白	不整脈，血圧低下，重度徐脈，心停止
神経症状	意識状態	元気がない	眠気，軽度頭痛，恐怖感	ぐったり，不穏，失禁，意識消失

血圧低下　　：1 歳未満＜ 70mmHg，1 ～ 10 歳＜［70mmHg＋（2×年齢）］，11 歳～成人＜ 90mmHg
血圧軽度低下：1 歳未満＜ 80mmHg，1 ～ 10 歳＜［80mmHg＋（2×年齢）］，11 歳～成人＜ 100mmHg

表 2　一般向けエピペン®の適応（日本小児アレルギー学会）[6]

エピペン®が処方されている患者でアナフィラキシーショックを疑う場合，
下記の症状が一つでもあれば使用すべきである．

消化器の症状	呼吸器の症状	全身の症状
・繰り返し吐き続ける ・持続する強い（我慢できない）おなかの痛み	・のどや胸が締めつけられる ・声がかすれる ・犬が吠えるような咳 ・持続する強い咳込み ・ゼーゼーする呼吸 ・息がしにくい	・唇や爪が青白い ・脈を触れにくい・不規則 ・意識がもうろうとしている ・ぐったりしている ・尿や便を漏らす

表 3　エピペン®の歴史

年代	
2003 年	ハチ毒に対するアナフィラキシー治療補助薬として成人で保険適用となる
2005 年	食物および薬物アレルギーに対して適応拡大．成人だけではなく小児にも適応拡大
2008 年	「アナフィラキシーショックに対処する自己注射を本人に代わって教職員が打つことは，医師法に違反しない」との見解が初めて出された（文部科学省）
2009 年	救急救命士への業務としてのエピペン®使用が解禁される
2011 年	エピペン®の保険診療適応開始
2013 年	「現場に居合わせた教職員が，自分で注射できない児に代わって注射することは医師法違反にならない」との見解が示された（厚生労働省，文部科学省）

特に教育関係者がエピペン®を使用するには児，家族，教育関係者がアレルギーについての知識や患者の詳細について共有することが大切であり，事前にアレルギー症状出現時の対応について決めておくとスムーズに対応できる．

web サイト「アレルギーポータル」（https://allergyportal.jp）では食物アレルギーの基本情報や保育所および学校でのアレルギー対応に必要な資料などの情報を提供している．2019 年に改訂された「保育園におけるアレルギー対応ガイドライン」や厚生労働省の解説動画を視聴することもできるため，関係者は一度閲覧していただきたい．

エピペン®の処方

エピペン®は過去にアナフィラキシーの既往がある症例や，アナフィラキシーを起こすリスクが高い症例（少量の摂取でアレルギー症状が出現する症例，特異的 IgE 抗体価が高値の場合など），その他医師が必要と判断した症例（すぐに医療機関を受診できない場合など）には処方するべきである．エピペン®は 0.15mg と 0.3mg の 2 種類が製造されており，体重に合わせて処方する．

日本国内の調査でもエピペン®の安全性，有用性は認められており[7)]，「アナフィラキシーガイドライン 2022」ではアナフィラキシー発症後の長期管理としてエピペン®の処方を明記している．エピペン®の処方は年々増加傾向にあるが[8)]，アナフィラキシー時のエピペン®使用率は 11％と低い[9)]．緊急時に慌てず，的確に症状を把握して対応するためには，ウェブサイトの動画やトレーナーなどで定期的に使用方法を復習する必要があり，誤食したときの対応，エピペン®の使用方法を，常日頃から確認・練習するように指導することが大切である．

エピペン®はあくまでアナフィラキシーの補助治療薬であるため，使用後に症状が治まっても必ず救急車を呼び，医療機関を受診する必要があることも忘れずに指導する．

1) Yanagida N, et al.：Accidental ingestion of food allergens：a nationwide survey of Japanese nursery schools. Pediatr Allergy Immunol, 30：773-776, 2019.
2) Yanagida N, et al.：Treatment-requiring accidental ingestion and risk factors among nursery children with food allergy. Pediatr Allerg Immunol, 32：1377-1380, 2021
3) 日本アレルギー学会監修：アナフィラキシーガイドライン 2022. https://www.jsaweb.jp/uploads/files/Web_AnaGL_2023_0301.pdf
4) Yanagida N, et al.：Risk Factors for Severe Reactions during Double-Blind Placebo-Controlled Food Challenges. Int Arch Allergy Immunol, 172：173-182, 2017.
5) 柳田紀之，ほか：携帯用患者家族向けアレルギー症状の重症度評価と対応マニュアルの作成および評価．日小児アレルギー会誌，28：201-210，2014.
6) 日本小児アレルギー学会アナフィラキシー対応ワーキンググループ：一般向けエピペン®の適応. https://www.jspaci.jp/gcontents/epipen/
7) 海老澤元宏，ほか：アナフィラキシー対策とエピペン．アレルギー，62：144-154，2013.
8) Kitamura K, et al.：Comprehensive hospital-based regional survey of anaphylaxis in Japanese children：time trends of triggers and adrenaline use. Allergol Int, 70：452-457, 2021.
9) 佐藤さくら，ほか：日本のアナフィラキシーの実態―日本アレルギー学会認定教育研修施設におけるアナフィラキシー症例の集積調査．アレルギー，71：120-129，2022.

Column

ナッツ類の交差抗原性

ナッツとはアーモンド，クルミ，カシューナッツ，ヘーゼルナッツ，マカダミアナッツなど種子が堅い殻に包まれたものを指す．ひとえにナッツと言っても生物学的分類では，クルミ，カシューナッツ，ヘーゼルナッツ，アーモンドはそれぞれ異なる科に属す．またピーナッツはナッツ類と勘違いされやすいが，実はマメ科でナッツ類と同じ科に属していない．

ナッツ類にはプロラミンである2Sアルブミン，脂質輸送タンパク質（lipid transfer protein, LTP），クーピンである7Sグロブリン，11Sグロブリン，Bet v 1ホモログである病因関連タンパク質（pathogenesis-related protein, PR）-10，プロフィリンに多くのアレルゲンが属している．ナッツ類はタンパク質含量が高く，中でも貯蔵タンパク質（2Sアルブミン，7Sグロブリン，11Sグロブリン）を多く含む．貯蔵タンパク質は熱・消化耐性をもち，症状誘発と関連する[1]．

ナッツ類の交差抗原性を理解するには，個々のアレルゲンの特徴を知る必要がある．2Sアルブミン（クルミのJug r 1，カシューナッツのAna o 3など）のアミノ酸配列の同一性や，類似性はそれほど高くない．ただし，クルミとペカン，カシューナッツとピスタチオの間では配列は非常に類似している．7Sグロブリン（クルミのJug r 2，カシューナッツのAna o 1など）では，ナッツ間での同一性は30～50%程度，類似性は50～70%程度である．11Sグロブリン（クルミのJug r 4，カシューナッツのAna o 2など）では，ナッツ間での同一性は50～75%程度，類似性は65～85%程度である[2]．

ナッツ類はPR-10，LTP，プロフィリンに属するアレルゲンも含む．PR-10はヨーロッパではシラカンバ花粉との交差抗原性により発症するナッツ類アレルギーのアレルゲンで，クルミのJug r 5，ヘーゼルナッツのCor a 1が含まれる．LTPは果物・種子類に広く分布し，クルミのJug r 3，アーモンドのPru du 3などが含まれる．プロフィリンは，熱・消化への耐性は比較的安定しているタンパク質である．植物に広く分布する汎アレルゲンで，食物・植物・花粉間で交差抗原性を示す．ヘーゼルナッツのCor a 2，アーモンドのPru du 4などがアレルゲンとして同定されている．シラカンバ花粉のプロフィリンであるBet v 2と種子類との同一性は73～78%程度と高い[2]．

このようにナッツ類の間では，一定の割合でアミノ酸の同一性を示す．実際，臨床的にもナッツ類アレルギー患者の複数のナッツ類への感作はしばしば経験する．ナッツ類の特異的IgE抗体価の相関を見ると，カシューナッツとピスタチオ，クルミとペカン，アーモンドとヘーゼルナッツは強い相関を認め，その他のナッツ間でも弱い相関を認めた．

しかし，摂取による症状の有無を確認すると，ナッツ間の臨床的な交差抗原性はそれほど高くない（表）．ただし，2Sアルブミンの同一性が高いクルミとペカン，カシューナッツとピスタチオは両者に対して症状を有することが多い．このためクルミとペカン，カシューナッツとピスタチオを除くナッツ類アレルギーではナッツ類をひと括りにして除去する必要はなく，OFCなどによって個々に症状の有無を確認する．

表　木の実・ピーナッツアレルギーの臨床的交差反応性[3]

アーモンド	1							
マカダミアナッツ	0.32	1						
カシューナッツ	0.11	0.01	1					
ピスタチオ	0.14	0.05	0.86	1				
クルミ	0.07	0.37	−0.07	0.02	1			
ペカン	0.12	0.36	−0.09	−0.06	0.76	1		
ヘーゼルナッツ	0.12	0.42	0.02	0.10	0.44	0.47	1	
ピーナッツ	−0.04	−0.1	−0.09	−0.03	−0.28	−0.25	−0.22	1
	アーモンド	マカダミアナッツ	カシューナッツ	ピスタチオ	クルミ	ペカン	ヘーゼルナッツ	ピーナッツ

1) 日本小児アレルギー学会食物アレルギー委員会：食物アレルギー診療ガイドライン2021，協和企画，2021.
2) 丸山伸之：ナッツ類アレルゲンコンポーネントと分子構造．日小児アレルギー会誌，29：303-311，2015.
3) Brough HA, et al.：Defining challenge-proven coexistent nut and sesame seed allergy：A prospective multicenter European study. J Allergy Clin Immunol, 145：1231-1239, 2020.

1 ソバアレルギー

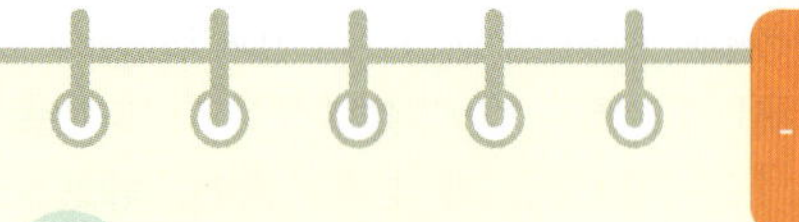
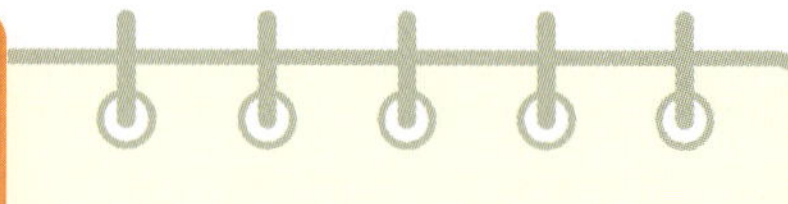

症例

6 歳，男児

起始および経過

6 歳時に初めてソバ 1 人前を摂取した．1 時間後から両側眼瞼の腫脹，反復する嘔吐，連続性咳嗽，全身の膨疹を認め当院救急外来を受診．受診時も上記の症状が残存していたため，アドレナリン筋肉注射，抗ヒスタミン薬およびステロイドの静脈注射，短時間作用型 β_2 刺激薬の吸入で加療を行い，経過観察目的で入院とした．入院後は症状の再燃を認めず，翌日に退院とした．

合併症 季節性アレルギー性鼻炎．

検査データ（当院初診時）

Total IgE：1,357 IU/mL，特異的 IgE 抗体（UA/mL）ソバ：8.64.

皮膚プリックテスト（膨疹径 - 紅斑径：単位 mm）ソバ：8-12，陰性対照液 0-1，ヒスタミン液 3-5.

初診後の経過

上記のソバ摂取後のエピソードおよび検査結果からソバアレルギーと診断した．食品表示に関する情報を伝え，ソバおよびソバを含む加工食品を除去するよう指導した．またアナフィラキシー症状を呈していたため，アドレナリン自己注射薬（エピペン®）を処方し，症状出現時の対応について指導した．半年後に症状の誘発閾値を確認したいとの希望があり，当院にてソバ 2g を総負荷量とした食物経口負荷試験（OFC）を実施した．全量を摂取して 60 分後に全身の膨疹を認め，陽性と判定し，完全除去の継続を指示した．それ以降，直近の外来受診時点でソバの誤食に伴うアレルギー症状は認めていない．

解説

疫学 ソバは主に日本，中国，韓国などのアジア諸国に加え，ヨーロッパや北米でも栽培されている．双子植物でナデシコ目タデ科ソバ属の 1 年草であり，国内では主に普通ソバ（*Fagopyrum esculentum*）が食されているが，近年ダッタンソバ（*Fagopyrum tataricum*）も食されるようになってきた．ソバへの感作を認める例は，中国で 3.6%，韓国で 1.9 ～ 7.4%であり [1]，欧米各国やカナダ，ロシア，オーストラリアからも症例が報告されている [2]．わが国では，2021 年度の消費者庁からの報告では，即時型食物アレルギーの原因として 11 番目（1.1%）に多かった [3]．また 2015 年 2 月～ 2017 年 10 月のわが国の計 79 施設でのアナフィラキシー症例の集積調査では，ソバは原因食物の中で 9 番目（2.1%）に多かった [4]．

ソバアレルギーの自然歴の検討は少ないが，ソバによる即時型症状の既往がある症例を対象にした中央値 7 年間の除去期間後の OFC の検討では 72%（36/50 例）が陰性で，アナフィラキシー既往のある症例でも 67%（8/12 例）が陰性であり，長期間の除去後に耐性獲得する可能性が示唆されている [5]．

アレルゲンの特徴 WHO/IUIS では，普通ソバのアレルゲンコンポーネント（以下，コンポーネント）として Fag e 2，Fag e 3，Fag e 4，Fag e 5 が承認されている．このうち Fag e 3 特異的 IgE 抗体検査は，ソバアレルギーの診断精度を向上させることが報告されている[6]．またダッタンソバのコンポーネントは Fag t 2，Fag t 6 が承認されており，これらは普通ソバのアレルゲンとアミノ酸配列の相同性が高いため，普通ソバアレルギー患者がダッタンソバを摂取すると，アレルギー症状が誘発される可能性がある．

表　ソバ特異的 IgE 抗体価，皮膚プリックテスト，ソバ特異的 IgE 抗体価 / total IgE の診断有用性

	ソバ特異的 IgE 値		Fag e 3 特異的 IgE 値	プリックテスト（膨疹径）	ソバ特異的 IgE 値 / Total IgE	
AUC	0.509	0.585	0.893	0.791	0.706	0.885
カットオフ値	3.8 UA/mL	3.71 UA/mL	0.3 UE/mL	6.5 mm	0.038	0.0058
感度（%）	50.0	66.7	80.0	77.8	66.7	90.0
特異度（%）	65.0	54.6	87.3	84.3	74.0	81.5
参考文献	6)	7)	6)	7)	7)	8)

臨床症状 当院でのソバアレルギー疑いでソバ OFC を実施した 419 例の検討では，OFC の陽性率は 10.5%（44 例）であったが，陽性者のうち 54.5%（24 例）がアナフィラキシーを呈した．OFC 時の誘発症状は皮膚症状（81.8%）が最も多く，2 番目が呼吸器症状（63.6%），3 番目が消化器症状（59.1%）であった[5]．

診断 ソバアレルギーはソバへの感作に加え，OFC 陽性または明らかな即時型症状を確認することで診断する．ソバ特異的 IgE 抗体検査の診断精度は高くなく，当院でのソバ OFC の検討では，ソバ特異的 IgE 抗体検査の 95%陽性的中率は得られなかった[5]．一方，ソバのプリックテストはソバ特異的 IgE 抗体検査より診断精度が高く，90%陽性的中率は膨疹径 24.1 mm であった[7]．ほかには，ソバ特異的 IgE 抗体価 / Total IgE 比はソバ特異的 IgE 抗体価単独より診断精度が高いとする報告がある（表）[8]．なお，ソバプリックテストの試験液は 2023 年 3 月で製造中止となっており，prick to prick などで代用する．

なお保険収載はされていないが，Fag e 3 特異的 IgE 抗体検査もソバ特異的 IgE 抗体検査より診断精度が高く，90%，95%それぞれの陽性的中率は Fag e 3 特異的 IgE 抗体価 8.2 kUE/L，18.0 kUE/L であった[6]．

ソバの即時歴がない感作例に対して盲目的に除去を指示するのではなく，上記検査を参考に OFC を検討し，除去が本当に必要かを正しく判断する．前述の当院でのソバ OFC の検討では，OFC 陽性率は 10.5% と低かった[5]．またソバによる即時型症状の既往例でも一定の除去期間後には OFC 陰性例となる症例が存在することから，特異的 IgE 抗体価の低下傾向などを参考にして耐性獲得の評価目的の OFC を検討するとよいだろう．ただし，OFC 陽性の場合には重篤な症状が誘発される可能性があるため，実施時期やソバの総負荷量に関する事前の十分な検討および症状誘発時の対応の準備が重要である．

管理・指導 現在，ソバは食品表示法で特定原材料に指定されており，加工食品中のアレルギー表示義務が課せられている．ソバ饅頭，かりんとう，ソバ茶など麺以外の食品も多く，食品表示を確認した上で摂取可否を判断する．しかし店頭販売や外食ではアレルギー表示義務はなく注意を要する．ソバを茹でた釜を使用して茹でられたうどんを摂取し，アレルギー症状が誘発されたケースも存在する．また食品摂取時だけでなく，ソバ調理時やソバ殻を使用した枕を使用した際にもアレルギー症状を呈する可能性がある．患者指導の際は，アレルギー表示確認やコンタミネーションの有無の確認を習慣化し，誤食のリスク低減に努めることが重要である．

ソバアレルギーは，感作陽性でも OFC の陽性率は低いが，症状を認めた際にアナフィラキシーとなる頻度が高い．診断の際には事前に十分なリスク評価をした上での OFC の検討，診断後にはアナフィラキシー発症時の対応を含めた患者本人や家族への指導が重要である．

1) Norbäck D, et al.：Plants（Basel），10：607, 2021.
2) Baseggio Conrado A, et al.：J Allergy Clin Immunol, 148：1515-1525.e3, 2021.
3) 消費者庁：令和 3 年度食物アレルギーに関連する食品表示に関する調査研究事業報告書．消費者庁，2022. https://www.caa.go.jp/policies/policy/food_labeling/food_sanitation/allergy/assets/food_labeling_cms204_220601_01.pdf
4) 佐藤さくら，ほか：アレルギー，71：120-129, 2022.
5) Yanagida N, et al.：Int Arch Allergy Immunol, 172：116-122, 2017.
6) Yanagida N, et al.：Int Arch Allergy Immunol, 176：8-14, 2018.
7) Yanagida N, et al.：Allergol Int, 67：67-71, 2018.
8) Kajita N, et al.：Eur Ann Allergy Clin Immunol, 54：183-188, 2022.

学童・思春期

2 少量負荷試験＋食事指導 ヘーゼルナッツアレルギー

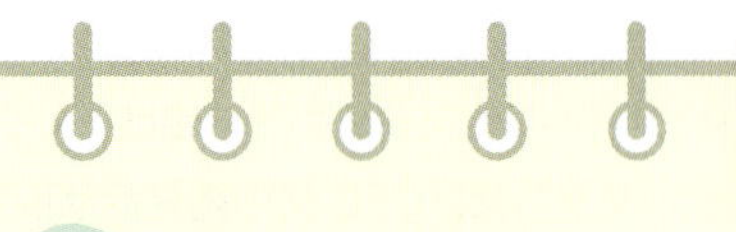

症例

8歳，男児

起始および経過

1歳2ヵ月，ピーナッツバターを摂取した20分後に全身蕁麻疹が出現した．ピーナッツアレルギーと診断され，以降近医にてピーナッツの完全除去を指示されていた．8歳になり，ピーナッツの経口免疫療法を希望されたため，当院へ紹介となった．ピーナッツ以外のナッツはほぼ摂取ができていたが，血液検査にてハシバミ（ヘーゼルナッツ）特異的IgE抗体価が高値であり，ヘーゼルナッツのみが未摂取の状態であった．

既往歴 アトピー性皮膚炎，花粉症．6歳時，ピーナッツの食物経口負荷試験（OFC）にて蕁麻疹，腹痛，咳嗽，喘鳴．

検査データ

Total IgE：1,670 IU/mL，特異的IgE抗体（UA/mL）ハシバミ：145，ピーナッツ：149，Ara h 2：66.1，ハンノキ：189，Cor a 1＊：＞100，Cor a 8＊：0.14，Cor a 9＊：2.15，Cor a 14＊：0.10（＊：保険未収載）．

初診後の経過

ピーナッツの経口免疫療法を導入する前に，未摂取であるヘーゼルナッツについても摂取可否を確かめることが望ましいと判断した．ハシバミ特異的IgEが高値であったため，症状誘発の可能性が高いと判断し，総負荷量は少量に設定した．ヘーゼルナッツOFC（ローストヘーゼルナッツ0.5g）を施行したところ，陰性であった．ヘーゼルナッツは0.5gを上限として摂取可とした．

10歳で総負荷量を3gに設定したヘーゼルナッツOFCを行い，経時的に摂取量を増量した．現在（16歳），ヘーゼルナッツは制限なく自由に摂取している．

解説

ピーナッツやナッツ類のアレルギー症例では，ヘーゼルナッツに感作されていることがある．特異的IgE抗体検査でヘーゼルナッツは「ハシバミ」と表記されている．

疫学

ヘーゼルナッツはカバノキ科ハシバミ属のナッツ類で，主に洋菓子に使用されている．わが国ではヘーゼルナッツアレルギーはなじみが薄いが，海外，特にヨーロッパでは，食物アレルギーの原因食物として広く知られている．口腔粘膜症状を呈することが多いが，重篤な症状誘発に至る場合もある[1]．当院での検討では，ローストヘーゼルナッツOFCを行った症例の陽性率は10％であり，重篤な症状を呈する例はそのうち10％程度であった[2]．海外でのOFC陽性率は20～30％であるとの報告があり[3]，当院では海外と比較して陽性率が低く，重篤な症状の誘発が少なかった．

アレルゲンの特徴

ヘーゼルナッツのアレルゲンコンポーネントのうち臨床上重要なものとして，Cor a 1，Cor a 8（LTP），Cor a 9（11S グロブリン），Cor a 14（2S アルブミン）が知られている．Cor a 1 は PR-10 に属し，シラカバ花粉の主要アレルゲンである Bet v 1 との交差抗原性が指摘されている[4]．したがって，カバノキ科花粉症（日本ではハンノキ花粉症が多い）を有する患者は，Cor a 1 に感作されヘーゼルナッツ摂取により誘発症状を呈する場合がある．臨床像としては口腔内瘙痒などの軽微な症状が多い．また，これらの患者では，ヘーゼルナッツはローストすることによって抗原性が低下する，という報告がある[5]．PR-10 である Cor a 1 は熱により変性しやすいため，ハンノキ花粉症を有するヘーゼルナッツアレルギーの患者では，ローストヘーゼルナッツの摂取は症状を誘発することなく可能であるが，生ヘーゼルナッツ摂取により症状誘発に至る可能性がある．日本ではヘーゼルナッツを生で摂取する機会はまれであるが，近年の健康・美容ブームにより，酵素が豊富とされる生ナッツの摂取が好まれる場合があるため，摂取形態には注意が必要である．

一方で，Cor a 9，Cor a 14 に感作されている場合は，重篤な症状誘発をきたす可能性が指摘され，Cor a 8 はヨーロッパの地中海地方では重篤な症状誘発と関連するといわれている[4]．

診断・管理

ヘーゼルナッツアレルギーでは粗抗原であるハシバミ（ヘーゼルナッツ）への特異的 IgE に加え，アレルゲンコンポーネントへの感作状況を知ることで診断精度が向上し，場合によっては重症度予測を行えることが示唆されている．本症例ではハンノキ花粉症を合併していたため，ハンノキ花粉との交差抗原性により Cor a 1，ヘーゼルナッツ特異的 IgE 抗体価が上昇していたと考えられる．交差抗原性によるヘーゼルナッツへの感作が疑われる症例では，ヘーゼルナッツ OFC は重篤な症状をきたしにくく比較的安全に施行できるため，必要に応じて OFC を実施し，積極的に除去解除を進めるべきである．OFC を行う際は，症状誘発のリスクが比較的低いと考えられるローストヘーゼルナッツを使用するほうが望ましいと考えられる．

一部の症例では，治療を要する全身症状が出現する可能性があることに留意し，OFC を行う際は，ほかの食物抗原と同様，安全面に十分配慮する必要がある．

1) Grabenhenrich LB, et al.：Anaphylaxis in children and adolescents：The European Anaphylaxis Registry. J Allergy Clin Immunol, 137：1128-1137, 2016.
2) Inoue Y, et al.：Component-resolved diagnostics can be useful for identifying hazelnut allergy in Japanese children. Allergol Int, 69：239-245, 2020.
3) Grabenhenrich L, et al.：The component-specific to total IgE rations do not improve peanut and hazelnut allergy diagnoses. J Allergy Clin Immunol, 137：1751-1760, 2016.
4) Kattan JD, et al.：Clinical reactivity to hazelnut may be better identified by component testing than traditional testing methods. J Allergy Clin Immunol Pract, 2：633-634, 2014.
5) Worm M, et al.：Impact of native, heat-processed and encapsulated hazelnuts on the allergic response in hazelnut-allergic patients. Clin Exp Allergy, 39：159-166, 2009.

学童・思春期

3 少量負荷試験＋食事指導 マカダミアナッツアレルギー

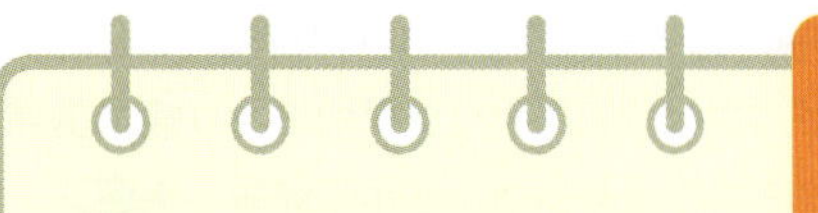
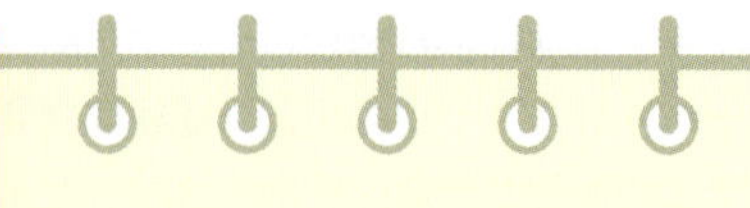

症例
10歳，女児

起始および経過

10歳0ヵ月時に初めてマカダミアナッツチョコレート1粒を摂取した．5分後より口唇の腫脹と咽頭痛，20分後より全身蕁麻疹，持続する咳嗽，嗄声，喉頭絞扼感が出現し，救急車で来院した．マカダミアナッツアレルギーによるアナフィラキシーを疑われ，アドレナリンの筋肉内注射，気管支拡張薬の吸入，抗ヒスタミン薬の静脈内注射で症状は軽快した．

これまでピーナッツ，多くの木の実類は摂取できていたが，マカダミアナッツとココナッツはもともと未摂取であった．チョコレートは摂取できていた．

既往歴 アトピー性皮膚炎，花粉症．

家族歴 なし．

検査データ

Total IgE：2,380 IU/mL，特異的IgE抗体（UA/mL）マカダミアナッツ*：12.3，ハシバミ：4.8，ココナッツ：6.7，スギ：68.3，ハンノキ：4.5（*：保険未収載）．

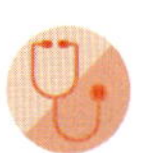

初診後の経過

マカダミアナッツの摂取に伴う即時型症状と，血液検査でマカダミアナッツの感作を認めたことから，マカダミアナッツアレルギーと診断して完全除去を指示した．未摂取であったココナッツの摂取希望があったため，10歳6ヵ月時にココナッツ3gの食物経口負荷試験（OFC），10歳9ヵ月時にココナッツ10gのOFCを行った．OFCの結果はいずれも陰性であり，退院後に自宅での摂取でも症状がないことを確認してココナッツの除去は解除した．中学校入学前にマカダミアナッツの摂取希望があり，アナフィラキシーの既往があることから総負荷量を少量に設定して，11歳9ヵ月時にマカダミアナッツ0.5gのOFCを行った．総負荷量の1/4量（0.125g）を摂取した直後より口腔内の瘙痒感，5分後より口唇の腫脹と断続的な咳嗽を呈した．OFCの結果は陽性と判定し，抗ヒスタミン薬の内服，気管支拡張薬の吸入で症状は軽快した．マカダミアナッツは引き続き除去するように指示した．当院で臨床研究として行っている経口免疫療法に関して本人と保護者へ説明したが，希望されなかった．

解説

疫学

マカダミアはヤマモガシ目ヤマモガシ科の常葉樹で，その種子をマカダミアナッツと呼称する．マカダミアナッツはクッキー，チョコレート，アイスクリームなどの洋菓子に使用されることが多い．

近年，わが国での木の実類アレルギーの増加が報告されているが，その多くはクルミやカシューナッツによるものであり，マカダミアナッツアレルギーの有病率は正確にはわかっていない．重篤な即時型症状を呈したマカダミアナッツアレルギーの症例報告は散見され，愛知県の小児における木の実類アナフィラキシーの原因食品で，クルミ，カシューナッツに次いでマカダミアナッツが第3位であった[1]．またわが国の全国調査で，アナフィラキシーショックの原因食品としてマカダミアナッツが全体の0.3％を占めていた[2]．

臨床症状

当院の報告[3]で，マカダミアナッツアレルギー21人の即時型症状の頻度は臓器別に，皮膚症状20人（95％），呼吸器症状11人（52％），口腔粘膜症状8人（38％），消化器症状7人（33％）であり，8人（38％）でアナフィラキシーを呈していた．特に呼吸器症状を呈した11人のうち，6人（55％）で重症度分類グレード3相当の呼吸器症状をきたしており，症状が誘発された際は重症な症状となるリスクが高いことが示唆された．

アレルゲンの特徴

マカダミアナッツの成分のうちタンパク質は約9.6％を占め，ほかの木の実類と比較してタンパク質の含有率は低い．本項執筆時点，World Health Organization and International Union of Immunological Societies（WHO/IUIS）で同定されているアレルゲンコンポーネントは7Sグロブリンに属するMac i 1とMac i 2である．

診断

マカダミアナッツアレルギーの診断には，マカダミアナッツに対する感作の証明と，マカダミアナッツの摂取に伴う即時型症状の確認，もしくはOFCの結果が陽性のいずれかが必要である．マカダミアナッツに対する感作は，特異的IgE抗体検査やprick-to-prick testで確認することができる．マカダミアナッツ特異的IgE抗体価（immunoCAP）を測定することはできるが，保険収載されていないため一般的に測定される機会は少ない．マカダミアナッツ特異的IgE抗体検査はマカダミアナッツアレルギーの診断およびアナフィラキシーの予測に有用である[3, 4]．当院ではマカダミアナッツ特異的IgE値＜3.76 U_A/mLでアナフィラキシーを呈した症例はおらず，OFCを積極的に検討できると考えられる．また同様に保険未収載であるMac i 1特異的IgE抗体検査はマカダミアナッツ特異的IgE抗体検査よりマカダミアナッツアレルギーの診断性能が高い[4]．

マカダミアナッツアレルギーの一部の患者では，ヘーゼルナッツ，クルミ，アーモンド，ココナッツのアレルギーと交差反応性を示す可能性が示唆されているが，現状では結論は出ていない[5, 6]．

マカダミアナッツアレルギーの自然歴に関する報告はないが，ほかの木の実類と同様にマカダミアナッツアレルギーも耐性を獲得しにくいことが想定される．

マカダミアナッツアレルギーではアナフィラキシーなどの重篤な症状が誘発される可能性に十分注意する必要がある．保険未収載であるが，マカダミアナッツおよびMac i 1特異的IgE抗体検査のマカダミアナッツアレルギー診断における有用性が報告されている．

1) 北村勝誠，ほか：愛知県のアナフィラキシー全数調査における木の実類の増加について．日小児アレルギー会誌，36：141-174，2022．
2) 今井孝成，ほか：消費者庁「食物アレルギーに関連する食品表示に関する調査研究事業」平成29（2017）年食物アレルギー全国モニタリング調査結果報告．アレルギー，69：701-705，2020．
3) Kubota K, et al.：Macadamia nut-specific IgE levels for predicting anaphylaxis. Pediatr Allergy Immunol, 33：e13852, 2022.
4) Yasudo H, et al.：Predictive value of 7S globulin-specific IgE in Japanese macadamia nut allergy patients. J Allergy Clin Immunol Pract, 10：1389-1391.e1, 2022.
5) Brough HA, et al.：Defining challenge-proven coexistent nut and sesame seed allergy：A prospective multicenter European study. J Allergy Clin Immunol, 145：1231-1239, 2020.
6) Kruse L, et al.：Coconut allergy. Ann Allergy Asthma Immunol, 126. 562-568.e1, 2021.

4 花粉−食物アレルギー症候群（PFAS）

起始および経過

10歳頃からそれまで症状なく食べられていた新鮮な果物や生野菜を食べると口腔内にかゆみやピリピリした違和感を生じるようになったが，それ以外に症状がないため放置していた．最近になり口腔の違和感により食べられない食品が増えたため専門医を受診した．果物は缶詰めやジャムであれば，野菜は加熱調理すれば，違和感なく摂取はできる．7歳の春にアレルギー性鼻炎を発症している（鼻汁中好酸球：陽性）．

検査データ

Total IgE：300 IU/mL，特異的IgE（UA/mL）ヒノキ科〔スギ：53.5（5），ヒノキ：6.35（3）〕，カバノキ科〔ハンノキ：3.0（2），シラカンバ：3.3（2）〕，イネ科〔カモガヤ：2.30（2），オオアワガエリ：2.20（2）〕，キク科〔ブタクサ：3.7（3）〕．

プリックテスト 被疑食品そのものを利用したプリックテスト（prick-to-prick test）の結果，すべての食品が陽性を示した（表1）．

初診後の経過

すべての被疑食品で舌下投与試験を行った．ミカンの1/4房を舌下に投与した直後に違和感を訴えたが，飲み込ませたところ，15分後に違和感は消失した．後日，低温殺菌されたミカンの缶詰で舌下投与試験を行ったが，口腔違和感は誘発されず，さらに10房食べてもアレルギー症状は生じなかった．被疑食品に含まれるアレルゲンコンポーネントと共通のファミリーに属するコンポーネントを有する花粉への感作が証明されていること，症状が口腔内に限局していること，少量摂取の場合は嚥下後の胃酸によって，あるいは，缶詰の場合は加熱処理によって，アルゲンが変性しIgEエピトープが消失するため食べられる．これらの特徴から，花粉-食物アレルギー症候群（PFAS）と診断した．

患者が感作されている花粉と関連性が報告されている食品のリスト（表2）[2] を渡し，過去に摂取できている果物や生野菜でも，摂取時口腔内で違和感を生じたら吐き出すよう指導した．

解説

PFASの症状は，主要な原因アレルゲンファミリーであるPR-10やプロフィリンに属するコンポーネントのIgEエピトープが，加熱や胃酸によるタンパク質変性によって消失することに起因する．その他の特徴として次のことが知られている．

・関連する花粉の飛散時期以降に症状が悪化することがある．
・花粉に感作されていれば花粉症発症前にPFASを発症することがある．

・1～2%の患者がアナフィラキシーに進展することがある．これは胃酸による変性を免れたアレルゲンが腸管に到達することに起因する症状と考えられ，胃酸分泌抑制をきたす薬剤の内服や，豆乳や生搾りジュースを大量に飲んだ際に生じやすい[3]．

小児では除去が基本である．除去により食生活に支障が生じる場合は，軽微な症状であれば，少量の摂取に限って許可してもよい．アレルゲン食品の多くは加熱などの加工により経口摂取が可能となる．

口唇腫脹を伴う場合や，口腔以外にも症状が及ぶ場合に備えて抗ヒスタミン薬を持たせておく．

カバノキ科の花粉症患者では豆乳の摂取でアナフィラキシーをきたすことがあり，Gly m 4 に対する特異的 IgE 抗体検査が診断に有用である．アナフィラキシー歴を有する患者にはエピペンを持たせておく．

原因花粉に対する特異的免疫療法 specific immunotherapy (SIT) の OAS 改善効果については議論があるところであるが，スギ花粉症でトマト IgE 感作例に対しスギの SCIT を実施した結果，トマトに対する好塩基球活性化試験の有意な改善がみられた報告や[4]，シラカンバ特異的免疫療法終了後も，リンゴ OAS 消失効果が 30ヵ月間にわたり持続したという報告がある[5]．

表1　皮膚試験結果および食品コンポーネントと交差反応を起こす可能性のある花粉コンポーネント

OAS を訴えた食品	皮膚試験膨疹径 (mm)	含有するクラス2アレルゲンコンポーネント	アレルゲンファミリー$	花粉アレルゲンコンポーネント			
				シラカンバ ハンノキ	ブタクサ	イネ科 オオアワガエリ	スギ ヒノキ
リンゴ	5×3 判定：3+	Mal d 1	PR-10*	Bet v 1 Aln g 1			
		Mal d 4	プロフィリン	Bet v 2	Amb a 8	Phl p 12	
イチゴ	3×3 判定：3+	Fra a 1	PR-10	Bet v 1 Aln g 1			
		Fra a 4	プロフィリン	Bet v 2	Amb a 8	Phl p 12	
メロン	6×5 判定：3+	Cuc m 2	プロフィリン	Bet v 2	Amb a 8	Phl p 12	
ミカン	3×3 判定：3+	Cit s 2	プロフィリン				
トマト	5×3 判定：3+	Sola l 1	プロフィリン				
		Sola l 4	PR-10	Bet v 1 Aln g 1			
		Sola l PG**	Polygalac- turonase				Cry j 2** Cha o 2
ヒスタミン	4×4						
生食	0×0						

*：PR とは pathogenesis related の略で生体防御タンパクを意味し，その後に続く数字は属するグループを示す．
$：PFAS の主要なアレルゲンは PR-10 ファミリーである．プロフィリン抗体を有していてもアレルギー症状に関与しない場合もある．
**：文献 1）

表2　花粉−食物アレルギー症候群に関与する花粉と植物性食品[2]

花粉			交差反応に関与する主なプロテインファミリー	交差反応が報告されている主な食物
科	属	種		
カバノキ科	ハンノキ属	ハンノキ オオバヤシャブシ	Bet v 1 ホモログ (別名：PR-10) プロフィリン (頻度は低い)	バラ科（リンゴ，モモ，サクランボ，ナシ，アンズ，アーモンド） マメ科（大豆，ピーナッツ，緑豆もやし） マタタビ科（キウイフルーツ）， カバノキ科（ヘーゼルナッツ）など
	カバノキ属	シラカンバ		
ヒノキ科	スギ属	スギ	Polygalacturonase	ナス科（トマト）
イネ科	アワガエリ属 カモガヤ属	オオアワガエリ カモガヤ	プロフィリン	ウリ科（メロン，スイカ），ナス科（トマト），マタタビ科（キウイフルーツ），ミカン科（オレンジ），マメ科（ピーナッツ）など
キク科	ブタクサ属	ブタクサ	プロフィリン	ウリ科(メロン,スイカ,ズッキーニ，キュウリ) バショウ科（バナナ）など
	ヨモギ属	ヨモギ	プロフィリン	セリ科（セロリ，ニンジン，スパイス類:クミン,コリアンダー,フェンネルなど），ウルシ科（マンゴー）など

重篤な果物アレルギーの原因アレルゲンとして発見された gibberellin-regulated protein（GRP）がヒノキ科花粉の PFAS にかかわる可能性が考えられるが，スギ花粉症患者の GRP 抗体保有率が高くないことから[6]，感作から発症に至る機序についてはまだ完全に解明されておらず，今後も研究が必要である．

1) Kondo Y, et al.：Clin Exp Allergy, 32：590-594, 2002.
2) 日本小児アレルギー学会食物アレルギー委員会：食物アレルギー診療ガイドライン 2021，協和企画，2021.
3) Asero R, et al.：Allergy, 76：1473-1479, 2021.
4) Inuo C, et al.：Int Arch Allergy Immunol, 167：137-145, 2015.
5) Asero R：Allergy, 58：435-438, 2003.
6) Mori Y, et al.：Allergol Immunopathol（Madr), 50：89-92, 2022.

学童・思春期

5 即時型果物アレルギー（GRP）

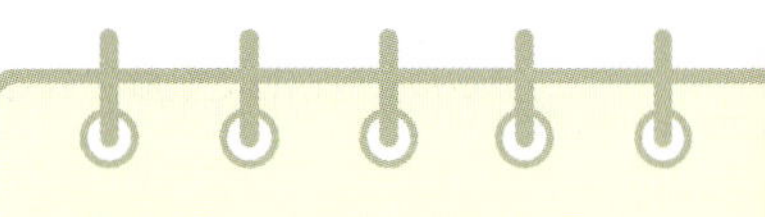

症例
15 歳，女児

起始および経過

13 歳時，モモ缶を含む給食を摂取後に遊んでいたところ，咽頭違和感，呼吸苦，顔面腫脹，全身蕁麻疹，強い腹痛が出現し，救急搬送された．アナフィラキシーに対してアドレナリン筋肉注射を含む加療を受け，症状は軽快した．その後これまでは摂取可能であった生オレンジ，生リンゴ，缶詰さくらんぼに対しても全身性のアレルギー症状を認めるようになり，当院を受診した．

既往歴 季節性アレルギー性鼻炎．

検査所見

Total IgE：980 IU/mL，特異的 IgE 抗体（UA/mL）スギ：330，ヒノキ：41.1，ハンノキ：3.19，Gly m 4：0.39，モモ：4.70，リンゴ：2.54，オレンジ：4.55.

皮膚プリックテスト（膨疹径 - 紅斑径：単位 mm）：生モモ 6-12，生リンゴ 3-5，生オレンジ 4-6，モモ缶 3-5，陽性コントロール（ヒスタミン 1：100）5-13，陰性コントロール（生理食塩水）0-2.

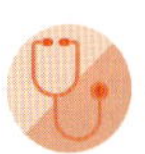

初診後の経過

被疑果物に対して食物経口負荷試験（OFC）を行い（表 1），モモ・オレンジ・リンゴアレルギーと診断した．加工食品であるモモ缶などに対してもアナフィラキシー症状を認めていたことから，モモ・オレンジ・リンゴの完全除去を指導した．

研究用測定（保険適用外）で Pru p 1（PR-10）0.47UA/mL，Pru p 3（LTP）＜0.10UA/mL，Pru p 4（プロフィリン）＜0.10UA/mL と低値であり，GRP による重症果物アレルギーが疑われた．

表 1　OFC 結果

負荷食品・量	誘発症状	治療	判定
生オレンジ 1/4 個	咽頭違和感，強い腹痛	抗ヒスタミン薬内服，ステロイド薬内服	陽性
生リンゴ 1/4 個	咽頭絞扼感，呼吸苦，激しい腹痛	アドレナリン筋注，抗ヒスタミン薬静注，ステロイド薬静注，補液，酸素投与	陽性（アナフィラキシー）
モモ缶 10g	顔面腫脹，全身皮膚紅潮，咽頭絞扼感，呼吸苦，激しい腹痛	アドレナリン筋注，抗ヒスタミン薬静注，ステロイド薬静注，補液，酸素投与	陽性（アナフィラキシー）

解説

果物アレルギーは，乳幼児期に発症する果物アレルギー（主にキウイ・バナナアレルギー）と，花粉やラテックスとの交差反応により学童期以降に発症する花粉-食物アレルギー症候群（PFAS），ラテックス-フルーツ症候群（LFS）などに大別される．学童期以降に発症する果物アレルギーは，PR-10 やプロフィリンがアレルゲンとなり口腔咽頭粘膜に限局した症状が誘発される口腔アレルギー症候群（OAS）が多くを占めるが，時に食物依存性運動誘発アナフィラキシー（FDEIA）や運動の関与なく全身性のアレルギー症状，時にアナフィラキシーショックをきたす果物アレルギーがある．この重症化する果物アレルギーのアレルゲンとして，現在 lipid transfer protein（LTP）や gibberellin-regulated protein（GRP）が同定されている．

疫学 わが国における調査[1]では，果物アレルギー 100 例のうち，80 例は PR-10 もしくはプロフィリンに感作しており，13 例は GRP に，1 例は LTP に感作していた．そして GRP に感作していた 13 例のうち

12 例は果物に対してアナフィラキシーを認めていた．このことから，わが国における全身症状をきたす重篤な果物アレルギーの原因アレルゲンとして LTP はまれであり，GRP が多いことが示唆される．

抗原の特徴 GRP は分子量約 7kDa の低分子タンパクで 6 つのジスルフィド結合をもち，加熱や消化酵素に対して安定であるため，ジュースなどの加工品にもアレルゲン活性は残存しており，缶詰のシロップにも移行しうるとされる．また GRP は植物の成長に関与するタンパクで，さまざまな植物で産生されるため，種々の植物で交差反応が引き起こされる上，植物の発達段階によって濃度が変わるため，果物の品種および成熟度によっても GRP の含有量が異なる．これまでに GRP は，バラ科のモモ，サクランボ，ウメ，ミカン科のオレンジ，ザクロ，ナス科のトウガラシで同定されている（表 2）．さらに近年ではスギ・ヒノキ花粉中にも GRP が同定され[2]，スギ・ヒノキ花粉症の PFAS としての関連が注目されている．

Iizuka らは，スギ花粉症を有し全身性の症状が誘発された果物アレルギー患者 22 例のうち，45％がスギ GRP に感作していたと報告した[3]．その一方で Mori らは，スギ花粉症患者 52 例のうち，21％（11 例）がモモ GRP に感作していたが，その 11 例に重症モモアレルギーの既往はなかったと報告している[4]．これらの報告および Inomata らの報告[1] から，わが国における重症果物アレルギーに GRP が大きく関与はしているが，スギ花粉症患者のうち GRP による果物アレルギーを発症する患者はごく一部である可能性が示唆される．スギ・ヒノキ花粉症からスギ・ヒノキ GRP に対する感作をもたらす要因，さらには果物の GRP に対するアレルギーを発症する要因・機序に関してはさらなる研究が期待される．

表 2　アレルゲンとして登録されている GRP

	科	属・種	アレルゲン名
食物	バラ科	モモ	Pru p 7
		ウメ	Pru m 7
		サクランボ	Pru av 7
	ミカン科	オレンジ	Cit s 7
	ミソハギ科	ザクロ	Pun g 7
	ナス科	トウガラシ	Cap a 7
花粉	ヒノキ科	スギ	Cry j 7
		イトスギ	Cup s 7
		ビャクシン	Jun a 7

（http://www.allergen.org を参考に作成）

臨床症状 OAS と異なり，さまざまな全身症状を認め，アナフィラキシーに進展しうる．わが国の報告では特に眼瞼浮腫および喉頭絞扼感が特徴的とされ，運動，月経，NSAIDs 内服が症状の誘発に関与することも多い[1]．

診断 この GRP による果物アレルギーは加工食品でも，さらには微量でも症状が誘発されうるため，詳細な摂取食品の確認が重要であり，そのほかにも花粉症を含むアレルギー疾患の合併や誘発因子（ストレス，運動，内服薬，月経）の確認が必要である．

アレルギー検査には皮膚テスト（標準化エキスを用いたプリックテスト，新鮮な食品を用いた prick-to-prick test），血液検査がある．現時点で GRP に対する抗体価の測定は一般診療においては困難であるが，Ando らは，モモ GRP（Pru p 7）の測定が本症の診断性能を向上させることを報告しており[5]，今後実臨床での実用化が期待されている．確定診断のためには OFC が有用ではあるが，重篤な症状が誘発される可能性が高いため，十分な説明と同意のもとで行われるべきである．

管理 GRP をアレルゲンとする果物アレルギーの場合にはアナフィラキシーのリスクが高いため，原因果物・野菜の完全除去の必要がある．またアドレナリン自己注射薬（エピペン®）の処方および症状出現時の対応方法に関する指導を行う．必要最小限の除去が基本であり，アレルゲンとして GRP が報告されている既知の果物・野菜を一律に完全除去することは QOL 低下につながるため望ましくない．ただ，GRP の種を越えた交差抗原性により，また誘発因子の関与により，これまで摂取可能であった果物・野菜であっても症状が誘発されうることは説明しておくべきである．

全身症状を呈する重症果物アレルギーのアレルゲンとして近年 GRP が注目されている．詳細な問診を中心として本症を疑い，原因食物の完全除去を基本とする食事・生活指導を行う．果物アレルギーの診断・重症度の評価，そして適切な管理のために保険診療におけるコンポーネント測定の実用化が期待される．

1) Inomata N：Allergol Int, 69：11-18,2020.
2) Tuppo L, et al.：Mol Immunol, 114：189-195, 2019.
3) Iizuka T, et al.：Allergy, 76：2297-2302, 2021.
4) Mori Y, et al.：Allergol Immunopathol（Madr）, 50：89-92, 2022.
5) Ando Y, et al.：Int Arch Allergy Immunol, 181：183-190, 2020.

学童・思春期

6 食物依存性運動誘発アナフィラキシー

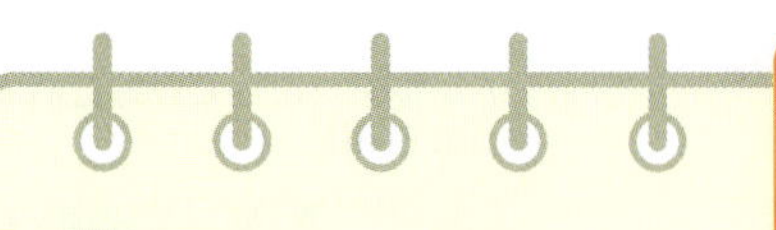
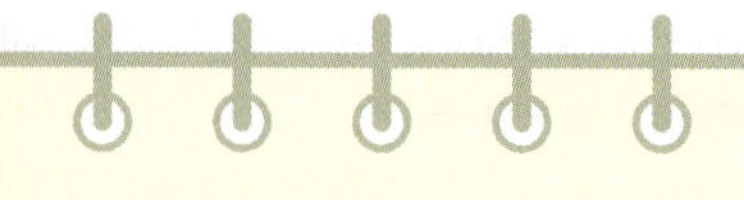

症例

14歳，男子

起始および経過

原因不明のアナフィラキシーを6回認めており，精査目的に入院となった（詳細は以下）．

9歳：学校でモモ摂取後，昼休みに鬼ごっこをしている時に呼吸困難・全身蕁麻疹→以降モモの除去．また，タマネギ等摂取後にサッカーをして呼吸困難・全身蕁麻疹→以降タマネギ摂取後の運動は問題なし．

10歳：メロン摂取後に登校して呼吸困難・全身蕁麻疹→以降メロンの除去．さらにサクランボ摂取後にサッカーをして呼吸困難・全身蕁麻疹．

12歳，14歳：リンゴ摂取後に登校して呼吸困難・全身蕁麻疹．

アレルギー歴 花粉によるアレルギー性鼻炎・アレルギー性結膜炎．

検査データ

Total IgE：2,360 IU/mL，特異的IgE抗体（UA/mL）モモ：1.83，リンゴ：0.75，メロン：＜0.35，タマネギ：0.53，エビ：＜0.35，小麦：0.50，スギ：＞100，ハンノキ：3.73，カモガヤ：5.41，ブタクサ：0.72，ヤケヒョウヒダニ：＜0.35．

呼吸機能検査：%FVC 103%，%FEV1.0 100%，FEV1.0% 84.7%，%PEF 80%，%MMF 95%，%V50 81%，%V25 79%．

誘発試験結果（アセチルサリチル酸10mg/kg内服下，エルゴメーターを使用）

負荷食物	結果
リンゴ	陽性*1
モモ	陽性*2
メロン	陰性
サクランボ	陰性

＊1：運動開始から10分で咽頭違和感，咳嗽を認め自然に消失した．

＊2：運動開始から15分で眼の痒み，全身の発赤・痒みが出現した．20分で眼瞼浮腫，連続性咳嗽を認めたため，プロカテロールの吸入を行った．意識清明ではあるが低血圧（80/45）を認めたため，アドレナリンを筋注し咳嗽・血圧（114/51）は改善した．

誘発試験後

モモ摂取のみでは症状が誘発されないことを外来負荷試験で確認し，モモが原因の食物依存性運動誘発アナフィラキシーと診断した．モモ摂取後に運動をしないように指導を行い，誤食に備えてエピペン®を処方した．また，リンゴに関しても同様の指示とした．

その後，梅干しで咽頭違和感を認めていた．梅干し摂取後にサッカーを行い呼吸困難・全身蕁麻疹を認めた．以後はバラ科の食物摂取後の運動を制限し，症状を認めていない．

解説

定義[1)]

・食物依存性運動誘発アナフィラキシーFood-dependent exercise-induced anaphylaxis（FDEIA）は

ある特定の食物摂取後の運動負荷によってアナフィラキシーが誘発される．
・症状は全身蕁麻疹や血管運動性浮腫など重篤で複数の臓器・組織にわたる症状が認められる．
・食物摂取単独，あるいは運動負荷単独では症状の発現は認められない．

要旨

・発症機序はIgE依存性であり，食物アレルギーの特殊型に分類される．
・比較的まれな疾患で，好発初発年齢は中学・高校生から青年期である．有症率は，中学校の養護教諭へのアンケートによる調査では，1998年は0.017%，2012年は0.018%と14年間で変化はなく，中学生では約6,000人に1人であった[2]．その後に行われた小学校の養護教諭へのアンケートによる調査では0.0047%であり，小学生での有症率は約20,000人に1人であった[3]．
・発症は食後2時間以内の運動負荷の場合が大部分である．
・原因食物は小麦製品（62%）と甲殻類（28%）が大部分であるが，当院での誘発試験陽性例には鶏肉，とうもろこし，オレンジなどもあり，病歴をしっかり確認し，まれな抗原にも注意する[4]．
・発症時の運動は，運動強度の高い種目が多い（球技，ランニングなど）．
・発症には「食物＋運動負荷」にいくつかの増強因子が関与する（アセチルサリチル酸，月経，花粉，ストレスなど）．
・診断は，問診とアレルギー検査から原因食物を絞り込み，誘発試験を実施することが望ましい．
・発症を防止可能な薬剤は確立していない．
・患者と保護者への教育・指導と学校関係者などへの情報共有が重要である．

生活指導

・運動前には原因食物を摂取しない．原因食物を摂取した場合，食後最低2時間は運動を避ける．
・皮膚の違和感や蕁麻疹など前駆症状が出現した段階で，運動を直ちに中止して休憩する．
・抗ヒスタミン薬，ステロイド薬，アドレナリン自己注射器を携帯する．
・感冒薬や解熱鎮痛薬を内服した場合は運動を避ける．

注意

・慢性蕁麻疹，コリン性蕁麻疹，運動誘発喘息，運動誘発アナフィラキシーと鑑別が必要である．
・非特定の食物摂取後の運動で誘発されるアナフィラキシーに注意する[5]．
・脂質輸送タンパク lipid transfer protein（LTP）が原因で，多抗原の食物によるFDEIAを起こす場合がある[5]．
・食品の組み合わせにより運動で発症する場合もある[6]．
・小麦によるFDEIAの場合，小児では成人に比べてω-5グリアジン特異的IgEの有用性は劣る[7]．
・花粉症との関係が報告されている[8]．
・診断後の予後に関しては明らかな報告はない．

1) 日本小児アレルギー学会食物アレルギー委員会：食物アレルギー診療ガイドライン2021．協和企画，2022．
2) Manabe T, et al.：Food-dependent exercise-induced anaphylaxis among junior high school students：a 14-year epidemiological comparison. Allergol Int, 64：285-286,2015.
3) Manabe T, et al.：Food-dependent exercise-induced anaphylaxis in Japanese elementary school children. Pediart Int, 60：329-333, 2018.
4) Asaumi T, et al：Provocation tests for the diagnosis of food-dependent exercise-induced anaphylaxis. Pediatr Allergy Immunol, 27：44-49, 2016.
5) Romano A, et al：Lipid transfer proteins：the most frequent sensitizer in Italian subjects with food-dependent exercise-induced anaphylaxis. Clin Exp Allergy, 42：1643-1653, 2012.
6) Aihara Y, et al：The necessity for dual food intake to provoke food-dependent exercise-induced anaphylaxis（FEIAn）：a case report of FEIAn with simultaneous intake of wheat and umeboshi. J Allergy Clin Immunol, 107：1100-1105, 2001.
7) Morita E, et al：Food-dependent exercise-induced anaphylaxis -importance of omega-5 gliadin and HMW-glutenin as causative antigens for wheat-dependent exercise-induced anaphylaxis-. Allergol Int, 58：493-498, 2009.
8) Baek CH, et al：Food-dependent exercise-induced anaphylaxis in the celery-mugwort-birch-spice syndrome. Allergy, 65：792-793, 2010.

7 少量導入経口免疫療法（アナフィラキシータイプ）鶏卵

症例
5歳2ヵ月，男児

初発症状は1歳2ヵ月の時で，ロールパン摂取後に全身の蕁麻疹・嘔吐・咳嗽・喘鳴が出現した．以降，鶏卵完全除去となっており，4歳時に当院を紹介受診した．血液検査を行ったところ，Total IgE 3,892 IU/mL，卵白特異的 IgE 92.1UA/mL，オボムコイド特異的 IgE が 50.2UA/mL であった．全卵1/32個 食物経口負荷試験（OFC）を行ったところ，体幹の蕁麻疹と腹痛が出現し，陽性と判定した．

今回，最後の OFC から1年がたっており，再度の OFC のため入院した．

5ヵ月頃から湿疹があり，アトピー性皮膚炎と診断されている．保湿剤とステロイド外用剤で皮膚状態はコントロールできている．

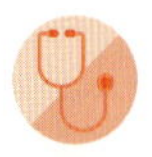

初診後の経過（図）

OFC

全卵1/32個を1/4～3/4の60分間隔不均等二分割で摂取した．全量摂取し，開始100分（全量摂取後40分）の時点で体幹の蕁麻疹と嘔吐が出現したため陽性と判定した．自然経過で改善が認められておらず，家族に説明の上，経口免疫療法（OIT）の導入を行うこととした．

OIT の開始（5歳9ヵ月）

血液検査結果（OIT 導入時）

Total IgE：3,420 IU/mL，特異的 IgE 抗体（UA/mL）：卵白：75.2，オボムコイド：48.7.

入院期間

OIT には，鶏卵粉末（1g あたり鶏卵タンパク質として 250mg）を使用した．目標維持量は鶏卵粉末 4g（鶏卵約1/8個相当）である．

・入院1日目（抗ヒスタミン薬併用）鶏卵粉末 0.13g（鶏卵約1/240個相当）：腹痛・嘔吐.
・入院2日目および3日目（抗ヒスタミン薬併用）鶏卵粉末 0.10g（鶏卵約1/320個相当）：症状なし.

増量期・維持期

自宅では，鶏卵粉末 0.10g（鶏卵約1/320個相当）で摂取を継続した．摂取後に咽頭違和感があるとのことで連絡があり，摂取量を鶏卵粉末 0.08g に減量して摂取継続を指示した．1ヵ月後に外来受診し，咽頭違和感含めて症状がない状態で摂取継続できており，1週間無症状であった場合，増量を行うように指示した．

開始4ヵ月の時点で鶏卵粉末 0.75g（鶏卵約1/42個相当）に増量できていたが，吐き気と咽頭違和感が出現．いったん摂取量を減量したが，その後症状がないため再度増量を指示した．開始7ヵ月の時点で目標維持量の鶏卵粉末 4g に到達し，無症状で1ヵ月経過できた時点で抗ヒスタミン薬を終了とした．

治療開始1年後

無症状で維持量の摂取を続けることができていたため，開始して1年後に，2週間鶏卵摂取を中止した後に，鶏卵への耐性が獲得できているかを確認するための OFC を施行した．

目標量加熱全卵 1/2 個のところ，1/4 個摂取で持続する腹痛が出現したため陽性と判定し，退院後は鶏卵粉末 2g（－）での摂取再開を指示した．

治療開始 2 年後

開始して 2 年後の時点で，再度 2 週間鶏卵摂取を中止した後に OFC を施行した．予定量全量を摂取し，経過中症状を認めなかった．加熱全卵 1/2 個相当を週に 2 〜 3 回程度摂取することを説明した．1ヵ月後の外来の時点でも症状なく定期的な摂取ができていたため，全卵 1/2 個相当を摂取しない日には，同量を上限として加工品などを摂取することを許可し，摂取方法を説明した．

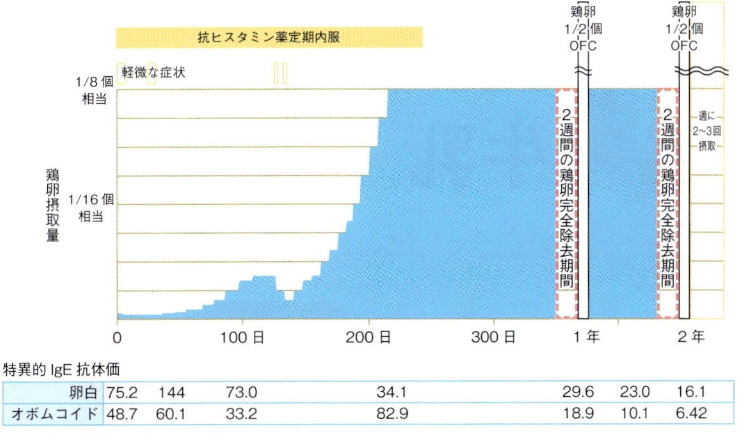

特異的 IgE 抗体価

卵白	75.2	144	73.0	34.1	29.6	23.0	16.1
オボムコイド	48.7	60.1	33.2	82.9	18.9	10.1	6.42

図　少量導入 OIT の経過
OIT を開始すると，一過性に特異的 IgE 抗体価は上昇することが多く，その後は低下傾向になる．保護者には通常の経過でも上昇することをあらかじめ説明しておく．

解説

鶏卵アレルギーはわが国の食物アレルギーの中で最も多い原因食物であるが，成長とともに耐性を獲得することが多い．本症例のように 5 歳以上になっても耐性獲得が得られていない症例に対しては，当院では，OIT を選択肢として提示している．

当院では，入院中に維持量まで急速に増量を行っていく急速法（rush OIT）に代わり，より安全性を高めるために，目標量を大幅に少なくした少量導入 OIT を行っている[1, 2]．当院での少量導入 OIT では，誘発症状に応じて摂取量を増減し，1 日の摂取量が鶏卵 1/8 個に到達した時点で維持期となり，1ヵ月間無症状であれば抗ヒスタミン薬の内服を終了する（p.48 参照）．

1 年後の時点で，無症状で 3ヵ月以上経過している場合は，完全除去期間を設けた上で OFC（鶏卵 1/2 個）を行い，治療効果を確認する．OIT の最終的な目的である耐性獲得についてはより長期間の完全除去での確認が必要であるが，われわれは最低 14 日間の除去期間をとった上での OFC を行った上で評価を行っている（short-term unresponsiveness）．

当院では摂取の簡便性と安全性のため，鶏卵粉末を用いた OIT を行っている[3]．鶏卵タンパク質 250mg 相当 OFC 陽性の患児 20 名に対して，1,000mg 相当を維持量として OIT を行ったところ，3 年目の時点で 55%が 14 日間除去後全卵 1/2 個 OFC 陰性（コントロール群では 5%）であり，抗原特異的 IgE の減少と特異的 IgG_4 の増加を認めた．ただし，自宅でのアドレナリン投与を必要とした症例が 1 例おり，あくまで専門医下に行う必要がある治療である．

脱感作状態となっても除去後の OFC で陽性になる症例，症状が誘発されるため維持量までの増量困難な症例もあり，そういった症例をどう管理していくかが今後の課題である．

1) Yanagida N, et al.：Int Arch Allergy Immunol, 171：265-268, 2016.
2) Yanagida N, et al.：Allergol Int, 65：135-140, 2016.
3) Sasamoto K, et al.：Journal of Allergy and Clinical Immunology：Global, 1：138-144, 2022.

学童・思春期

8 少量導入経口免疫療法（アナフィラキシータイプ）牛乳

症例

7 歳，男児

起始および経過

生後 6ヵ月時にヨーグルトをスプーンで 1 さじ摂取した後に全身に蕁麻疹が出現し，近医で牛乳アレルギーと診断された．その後，乳製品の完全除去を指示されていたが，4 歳時に外食で乳入りのラムネを誤食し嘔吐，咳嗽，呼吸困難，全身蕁麻疹の出現を認めた．近医で血液検査を実施し，牛乳特異的 IgE 抗体価がクラス 5 であった．また，6 歳時に友人からもらったバター入りのクッキーを 1 枚誤食して体幹に蕁麻疹を認めた．今後の治療方針の相談のため，7 歳時に当院紹介受診となった．

検査所見（初診時）

Total IgE：754 IU/mL，特異的 IgE 抗体（U_A/mL）牛乳：10.5，カゼイン：10.6，α-ラクトグロブリン：0.8，β-ラクトグロブリン：0.10 未満．

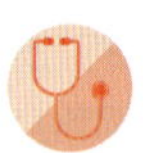

初診後の経過

後日，牛乳 0.7mL 相当を含むハンバーグで食物経口負荷試験（OFC）を実施した．全量を摂取し 1 時間後に単回の咳嗽と全身の蕁麻疹を認め，陽性と判定した．抗ヒスタミン薬を使用し症状は改善した．今までに誤食を繰り返している経過を踏まえ，本人と家族に相談した結果，牛乳 3mL を目標量とした経口免疫療法（OIT）を実施する方針とした．

少量導入 OIT 入院中の経過

入院 3 日前から抗ヒスタミン薬の内服を開始した．入院初日に牛乳 0.2mL 相当を摂取し咽頭違和感を認めたが，速やかに改善した．入院 2 日目にも牛乳 0.2mL を摂取したが，症状なく経過した．入院 3 日目にも牛乳 0.2mL を摂取し無症状であったため，自宅での摂取開始量は牛乳 0.2mL とした．

少量導入 OIT 退院後の経過

増量期・維持期：自宅での摂取は牛乳 0.2mL で開始した．段階的に摂取量（ステップ）を設定し，7 日間無症状で摂取できればステップを 1 増量した．維持量の牛乳 3mL に到達後は牛乳 3mL を連日摂取した．治療開始から 3ヵ月間は軽症の副反応があり，牛乳摂取量を適宜減量することもあったが，治療開始 5ヵ月目には牛乳 3mL に到達し，軽症な症状も認めなくなり，開始 6ヵ月で抗ヒスタミン薬の内服を中止した．その後も症状なく経過し，治療開始から 1 年が経過した後に OFC を実施した（図）．

sustained unresponsiveness（SU）の確認 OFC（1 年後）：2 週間の乳製品を完全除去後に加熱牛乳 25mL の OFC を実施し，全量を摂取したところ，開始 140 分後に連続性の咳嗽と全身蕁麻疹を認めた．

OIT 開始から 1 ～ 2 年後：加熱牛乳 25mL の OFC 実施から 1 年間は，自宅で牛乳 3mL をほぼ無症状で連日摂取した．

SU の確認 OFC（2 年後）：開始 2 年後に，同様に牛乳を 2 週間完全除去後に牛乳 25mL の OFC を実施し，陰性であった．

OIT 開始から 2～3 年後：以降は自宅で週に 2～3 回牛乳 25mL の摂取を指示し，それ以外の日には牛乳 25mL の範囲内で安全に摂取できる加工品を摂取可能とした．摂取に伴い，時折軽度の咽頭症状を訴えることがあったが，その他の症状なく経過した．1 年程度同量の摂取を継続した．

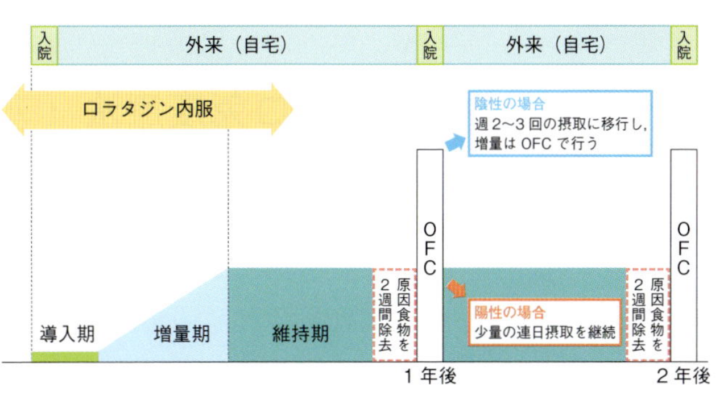

図　OIT のプロトコール

SU の確認 OFC（3 年後）：治療開始 3 年後に，牛乳を 2 週間完全除去後に牛乳 50mL 相当の OFC を実施し，陰性であった．その後は，週 2 回非加熱乳 50mL またはヨーグルト 48g を摂取する予定である．

解説

従来の牛乳アレルギーに対する OIT は，日常摂取量（牛乳 200mL 程度）を目標量とし，脱感作状態を誘導する効果は報告されていたが[1]，SU を達成できた報告はほとんどない．特に，牛乳アレルギーは卵や小麦などの抗原に対するアレルギーと比べ治療成績が悪く，治療中の副反応の頻度が高かった[2]．また，牛乳 200mL を目標量にした OIT の長期経過では，牛乳 200mL の OFC が陰性後でも，牛乳 200mL 摂取によりアレルギー症状が誘発されたことが報告されている[3]．当院の報告では，OIT 中に認めた中等症と重症の症状は，牛乳 200mL を目標量とした OIT では摂取回数あたり 2.3％であったのに対し，牛乳 3mL を目標とした OIT では 1.6％と有意に低かった（$p<0.001$）[4]．よって，目標量を少量にすることにより，より安全に牛乳の OIT が継続できるようになってきている．

現在も当院では，自然経過で耐性を獲得することが難しいと予想される 6 歳以上の重症牛乳アレルギー児に対して，目標量を牛乳 3mL に設定した少量導入 OIT を実施している．従来の OIT より低い目標量を設定することにより，副反応の重症度と頻度を低下させ，安全に継続できることを目標としている．実際に，牛乳の少量導入 OIT を 1 年間実施した患者の 33％が，2 週間牛乳を完全除去後に実施した牛乳 25mL の OFC が陰性であった[5]．さらに，牛乳の少量導入 OIT を 3 年間実施すると，61％の患者が牛乳 25mL の OFC が陰性であった[6]．牛乳 25mL を摂取できると，特定の加工品を摂取できるようになるため，患者の食事の QOL が改善することが期待できる．また，3 年間の自宅での副反応の頻度は，摂取回数あたり 20％（3,998/19,861 件）であり，重症な症状は 0.005％（1/19,861 件）のみであった．さらに，6 年間 OIT を継続することで，牛乳 200mL を摂取できる患者の割合も徐々に増加した．

少量導入 OIT を長期継続することで，比較的安全に摂取量を増やせることが期待できる．

参考文献

1) Longo G, et al.：Specific oral tolerance induction in children with very severe cow's milk-induced reactions. J Allergy Clin Immunol, 121：343-347, 2008.
2) Sato S, et al.：Clinical studies in oral allergen-specific immunotherapy：differences among allergens. Int Arch Allergy Immunol, 164：1-9, 2014.
3) Manabe T, et al.：Long-term outcomes after sustained unresponsiveness in patients who underwent oral immunotherapy for egg, cow's milk, or wheat allergy. Allergol Int, 68：527-528, 2019.
4) Yanagida N, et al.：New approach for food allergy management using low-dose oral food challenges and low-dose oral immunotherapies. Allergol Int, 65：135-140, 2016.
5) Yanagida N, et al.：A single-center, case-control study of low-dose-induction oral immunotherapy with cow's milk. Int Arch Allergy Immunol, 168：131-137, 2015.
6) Miura Y, et al.：Long-term follow-up of fixed low-dose oral immunotherapy for children with severe cow's milk allergy. Pediatr Allergy Immunol, 32：734-741, 2021.

9 少量導入経口免疫療法（アナフィラキシータイプ）小麦

症例
6歳，女児

起始および経過

生後7ヵ月時に離乳食で初めてパン粥を一口摂取して15分後から全身蕁麻疹と咳き込み，嘔吐を認めた．近医を受診し，血液検査で小麦特異的IgE抗体54UA/mLを指摘され，小麦アナフィラキシーと診断された．2歳時に誤ってそうめんを口にして20分後から全身蕁麻疹，連続性咳嗽を認め，近医へ救急搬送され，アドレナリン筋肉注射などの治療を施行された．5歳時に家族が経口免疫療法（OIT）を希望され，当院を紹介受診した．

既往歴 アトピー性皮膚炎あり．

検査データ（6歳7ヵ月時）

好酸球数：2.0％（280/μL），Total IgE：923 IU/mL，特異的IgE抗体（UA/mL）小麦：393，ω-5グリアジン：3.8．

皮膚プリックテスト（膨疹径-紅斑径：単位mm）：小麦 16-24，陰性対照液 1-2，ヒスタミン液 4-13．

初診後の経過

OIT開始前の食物経口負荷試験（OFC）では，うどん0.5gを摂取して全身蕁麻疹と複数回の嘔吐，喘鳴を聴取し，抗ヒスタミン薬内服，β_2刺激薬吸入，ステロイド薬内服を行い，症状は改善した．

OITは入院管理下で開始し，5日間の入院中に抗ヒスタミン薬を併用し慎重に微量のうどんを摂取させた．退院後はうどん0.3gを自宅で連日摂取させた．開始1ヵ月後から摂取量を漸増し，開始4ヵ月後に目標量のうどん2gへ到達し，開始5ヵ月後に抗ヒスタミン薬の定期内服を中止した．その後は，うどん2gの連日摂取を継続した．開始1年後にうどんを2週間除去後にうどん15gを総負荷量としたOFCを行い，8gを摂取した時点で陽性と判定された．OFC後は再びうどん2gの連日摂取を継続し，開始2年時に再度2週間除去後にうどん15gのOFCを行い，陰性であった．その後は自宅でうどん15gを週2回摂取して症状なく経過している．

小麦/ω-5グリアジン特異的IgE抗体価は，開始1年時に212/3.5UA/mL，開始2年時に90.2/1.9UA/mL，開始3年時に74.4/1.1UA/mLと低下傾向であった．

解説

乳児期発症の小麦アレルギーの多くは加齢に伴い耐性を獲得するが，小麦アナフィラキシーの既往のある児や特異的IgE抗体価が高値な児は耐性獲得しにくいことが知られている[1)]．

われわれは，以前，小麦アナフィラキシー患者に対して日常摂取量を目標量とするOITを報告した．しかしながら 18 例中 3 例が自宅でアドレナリン筋肉注射を要し[2]，2 週間の小麦除去後の OFC が陰性と定義される sustained unresponsiveness（SU）を達成後に 19 例中 8 例が自宅で症状を認める[3] など，安全性や長期の治療継続の面において課題があった．

当院では，2013 年夏より小麦アナフィラキシー患者に対してうどん 2g を目標量とする少量導入 OIT を実施している．3 ～ 5 日間前後の入院期間に，抗ヒスタミン薬内服下で微量のうどんの摂取を導入する．退院後は自宅でうどん 2g の目標量まで徐々に増量し，目標量に到達した後 1ヵ月間無症状であれば抗ヒスタミン薬の定期内服を中止する．小麦アナフィラキシー児に対する少量導入 OIT の 1 年経過の検討では，開始 1 年時に 16 例中 11 例（69%）が小麦の 2 週間除去後のうどん 2g の OFC が陰性であった[4]．うどん 2g に目標量を固定した少量導入 OIT の 3 年経過の検討では，うどん 15 ～ 25g の SU を達成した児は 1 年後に 29 例中 2 例（7%），2 年後に 8 例（28%），3 年後に 12 例（41%）と経年的に増加した．安全性に関しては開始 1 年目にアドレナリン筋肉注射を 3 例に要したが 2 年目以降は 0 例であり，自宅での副反応の頻度は経年的に有意に減少した．さらに少量導入 OIT を受けなかった対照群（ヒストリカルコントロール群）と比較して，3 年間の誤食に伴う症状およびアナフィラキシーの頻度は有意に低かった[5]．小麦アナフィラキシー児への少量導入 OIT は急速法より安全に SU への誘導および誤食に伴うアレルギー症状を予防できる可能性が示された[5]．

少量導入 OIT を開始する際には，保護者に精密計量器を購入してもらい，茹でた状態のうどんを計測する方法を十分に指導する．また事前に症状出現時の対応をしておくことが必須である（p.48 参照）．

完全除去を余儀なくされる重症の小麦アナフィラキシー児に対して，少量導入 OIT を実施することにより，急速法より安全に少量の小麦を摂取できるようになり，誤食に伴う症状の予防および中等量以上の耐性獲得へ繋げていくことができる．しかし，頻度は低いものの，重篤な副反応が誘発される可能性もあり，専門施設で臨床研究として実施することが望ましい．

1) Koike Y, et al.：Predictors of persistent wheat allergy in children：a retrospective cohort study. Int Arch Allergy Immunol, 176：249-254, 2018.
2) Sato S, et al.：Wheat oral immunotherapy for wheat-induced anaphylaxis. J Allergy Clin Immunol, 136：1131-1133, 2015.
3) Makita E, et al.：Long-term prognosis after wheat oral immunotherapy. J Allergy Clin Immunol Pract, 8：371-374, 2020.
4) Nagakura KI, et al.：Low-dose-oral immunotherapy for children with wheat-induced anaphylaxis. Pediatr Allergy Immunol, 31：371-379, 2020.
5) Nagakura KI, et al.：Long-term follow-up of fixed low-dose oral immunotherapy for children with wheat-induced anaphylaxis. J Allergy Clin Immunol Pract, 10：1117-1119, 2022.

10 少量導入経口免疫療法（アナフィラキシータイプ）複数抗原

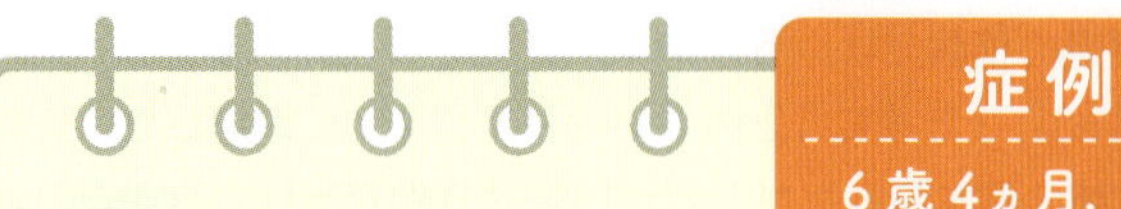
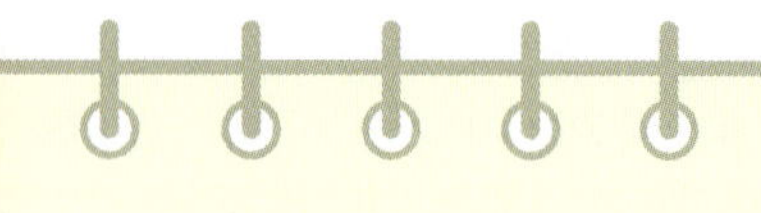

症例
6歳4ヵ月，女児

起始および経過

生後2ヵ月より湿疹あり．血液検査陽性のため，鶏卵・牛乳・小麦の除去を指示された．1歳時にショートブレッド（原材料：小麦・バター・砂糖）を摂取し，20分後に喘鳴・咳嗽・眼瞼腫脹が出現した．以来，3抗原とも完全除去となっており，食物経口負荷試験（OFC）希望のため，3歳3ヵ月時に当院初診となった．

以来当院で管理を行い，経口免疫療法（OIT）開始のために入院とした．

合併症 発熱に伴い，喘鳴が出現したことが数回あり，β吸入薬への反応性が良好であった．LTRAを近医より処方され，継続している．

検査データ（当院初診時）

Total IgE：284 IU/mL，特異的IgE抗体（UA/mL）卵白：17.5，オボムコイド：4.17，牛乳：56.0，カゼイン：45.1，小麦：15.3．

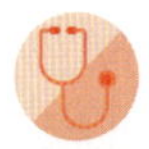

初診後の経過（図）

OFC

確定診断および安全に摂取できる量の決定のため，下記の順番でOFCを実施した．

鶏卵

- 3歳 5ヵ月　加熱全卵1/32個OFC　陰性：全量を症状なく摂取できた．
- 4歳 6ヵ月　加熱全卵1/8個OFC　陽性：1/4～3/4の60分間隔不均等二分割でOFCを行った．開始30分の時点で軽度の腹痛が出現した．症状消退したため追加摂取を行ったところ，咽頭瘙痒感と腹痛の再燃があり，症状継続するため陽性と判定した．
- 5歳 6ヵ月　加熱全卵1/8個OFC　陰性：全量を症状なく摂取できた．
- 5歳11ヵ月　加熱全卵1/2個OFC　陰性：全量を症状なく摂取できた．
- 7歳 4ヵ月　炒り卵1個OFC　陰性：全量を症状なく摂取できた．

牛乳

- （誤食）3歳6ヵ月　砂肝の燻製（乳カゼイン入り：量不明）：摂取15分後に嘔吐を認めたため，即時型症状と判断した．
- 4歳2ヵ月　加熱牛乳3mL OFC　陽性：1/4～3/4の60分間隔不均等に分割でOFCを行った．初回量（1/4）摂取直後より咽頭瘙痒感あり．30分後より咳嗽あり，35分の時点で連続性の咳嗽と聴診上の喘鳴があったため，β刺激薬を2回吸入して症状改善した．
- 5歳2ヵ月　加熱牛乳3mL OFC　陽性（アナフィラキシー）：1/4～3/4の60分間隔不均等に分割で

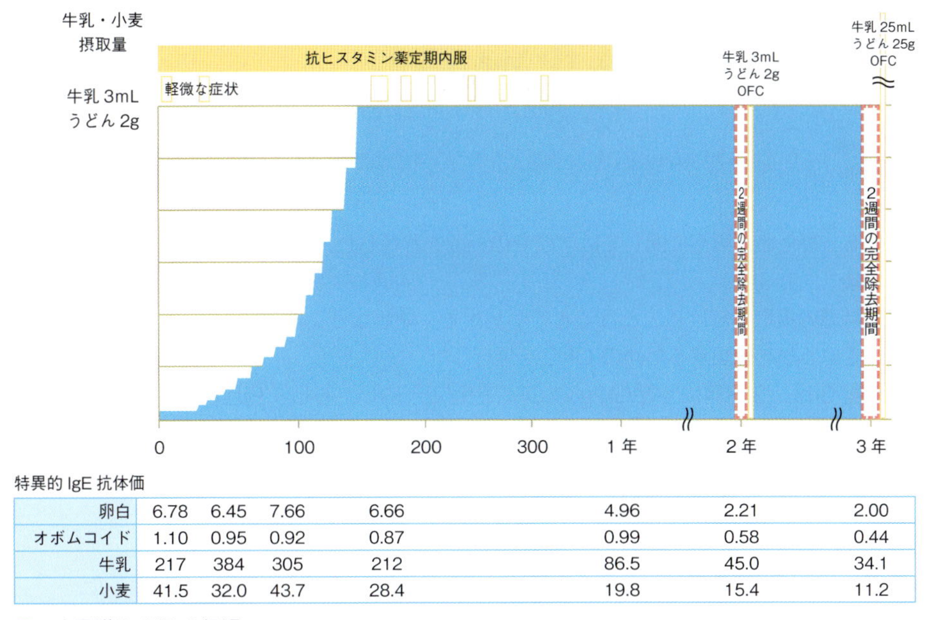

卵白	6.78	6.45	7.66	6.66	4.96	2.21	2.00
オボムコイド	1.10	0.95	0.92	0.87	0.99	0.58	0.44
牛乳	217	384	305	212	86.5	45.0	34.1
小麦	41.5	32.0	43.7	28.4	19.8	15.4	11.2

図　少量導入 OIT の経過

OFC を行った．初回量（1/4）摂取直後より前回同様に咽頭瘙痒感あり．25 分後より腹痛が出現，35 分後より咳嗽，40 分後より全身の瘙痒感と発赤を認めたため，アナフィラキシーと判断した．

小麦

・3 歳 11ヵ月　うどん 2g OFC　陽性：1/4 ～ 3/4 の 60 分間隔不均等に分割で OFC を行った．予定量全量を摂取．
開始 90 分（追加摂取 30 分）後より咳嗽あり．無治療で症状消退したが，開始 270 分の時点で頸部に複数の蕁麻疹を認めたため陽性と判定した．

・4 歳 11ヵ月　うどん 2g OFC　陽性：1/4～3/4 の 60 分間隔不均等に分割で OFC を行った. 初回量（1/4）摂取して 55 分後より咳嗽あり．咳嗽増強したため陽性と判定し，β 刺激薬の吸入を行った．

OIT の開始

5 歳 8ヵ月の時点で，保護者と方針を相談した．鶏卵に関しては引き続き OFC で摂取量の確認を行い，牛乳・小麦に対して同時に OIT を導入する方針とした．また，同時期に喘鳴のエピソードがあったこと，OFC 時の症状で呼吸器症状が多く出現していること，今後の OIT 上の管理から，吸入ステロイドを導入した．

入院

・入院 1 日目（抗ヒスタミン薬併用）牛乳 0.1mL＋うどん 0.1g：軽度の咽頭違和感
・入院 2 日目（抗ヒスタミン薬併用）牛乳 0.1mL＋うどん 0.1g：症状なし
・入院 3 日目（抗ヒスタミン薬併用）牛乳 0.1mL＋うどん 0.1g：症状なし

自宅での摂取量は，牛乳 0.1mL＋うどん 0.1g とした．

増量期・維持期

自宅では，牛乳 0.1mL＋うどん 0.1g で摂取を継続し，特に症状なく摂取を継続した．開始 1ヵ月後より摂取量段階表（表）に従って増量を指示し，9ヵ月の時点で維持量 牛乳 3mL＋うどん 2g に到達したが，その後も時折咽頭の違和感が出現していたため，1 年後の時点では除去後の OFC は行わない方針とした．1 年の時点で無症状となったため，抗ヒスタミン薬の定期内服を中止した．併行して炒り卵 1 個の OFC を

表　摂取量段階表

Step	1	2	3	4	5	6	7	8	9	10	11	12	～
牛乳 (mL)	0.05	0.10	0.15	0.20	0.25	0.3	0.4	0.5	0.6	0.7	0.8	1.0	～
小麦 (g)	0.06	0.10	0.14	0.17	0.20	0.25	0.3	0.35	0.4	0.5	0.6	0.7	～

行い，陰性であったため，鶏卵に関しては学校での摂取を許可した．

治療開始 2 年後

無症状で維持量の摂取を続けることができていたため，開始から 2 年後に，2 週間摂取を中止した後に，耐性獲得できているかを確認するための OFC を施行した．

1 日目に牛乳 3mL，2 日目にうどん 2g の OFC 日程で予約し，もし 1 日目の OFC で症状が出現した場合は，うどん 2g の OFC は日を改める方針とした．牛乳 3mL，うどん 2g ともに症状なく摂取できた．自宅では，同量の連日摂取を継続する方針とした．

3 年後

開始 3 年後に，2 週間摂取中止後の OFC を施行した．

まずはうどん 25g の OFC を行い，その 1 週間後に牛乳 25mL の OFC を行う方針とした．

うどん 25g の OFC は症状なく摂取が可能であったため，うどん 25g を週 2 ～ 3 回を目安に摂取する方針とした．

牛乳 25mL は 1/4-1/4-1/2 の 60 分ごと不均等三分割で摂取．開始 75 分（2 回目摂取 15 分）後より，咳嗽，呼吸苦，頸部瘙痒感・全身の発赤が出現したため，アナフィラキシーと判断し，アドレナリン筋肉注射を行った．自宅では，3mL の連日摂取を継続する方針とした．

解説

鶏卵・牛乳・小麦は食物アレルギーの原因として多くの割合を占めているが，同時に複数の抗原に対して症状を呈することも少なくない．当院に 1 歳までに初診して鶏卵・牛乳・小麦いずれかの即時型食物アレルギーと診断された 915 症例のうち，302 症例（33%）は 3 つのうちの複数の抗原へのアレルギーであった[1]．また，複数の抗原で症状が遷延する症例も少なくない．

複数の抗原の OFC を併行して施行した報告がいくつかある．Nguyen ら[2] は，50 例について複数抗原 OIT を行い，86%が少なくとも単一の抗原で，68%がすべての抗原で目標維持量に到達できたと報告している．

安全性に関しては，Bégin ら[3] は 25 症例に対して，最大 5 つの食品で同時に OIT を行い，症状の出現頻度は単抗原の場合と差がなかったと報告しており，Eapen[4] らも複数抗原で安全に OIT を施行できたと報告している．

当院では，摂取量段階表（表）に従って摂取量を変更することを説明しており，症状がどの抗原で出現したかによらず，摂取量を一緒に増減させて簡便に管理している．ただし，事前の OFC や OIT の開始時で，閾値が低くて上記の摂取段階表に従って管理するのが難しい場合や，症状が出現する可能性が高いと考えられる症例に関しては，複数の抗原を別々に導入して個々の症例に応じた管理を行っている．

交差抗原性により，カシューナッツとピスタチオ[5]，魚類同士[6] など，1 つの抗原に対する OIT により他の食品についても改善が認められることがある．

1) Takahashi K, et al.：Phenotyping of immediate-type food allergies based on 10 years of research：a latent class analysis. Pediatr Allergy Immunol, 33：e13873, 2022.
2) Nguyen K, et al.：Safety of Multifood Oral Immunotherapy in Children Aged 1 to 18 Years at an Academic Pediatric Clinic. J Allergy Clin Immunol Pract, 11：1907-1913. e1, 2023.
3) Bégin P, et al.：Safety and feasibility of oral immunotherapy to multiple allergens for food allergy. Allergy Asthma Clin Immunol, 10：1, 2014.
4) Eapen AA, et al.：Oral immunotherapy for multiple foods in a pediatric allergy clinic setting. Ann Allergy Asthma Immunol, 123：573-581.e3, 2019.
5) Elizur A, et al.：Cashew oral immunotherapy for desensitizing cashew-pistachio allergy (NUT CRACKER study). Allergy, 77：1863-1872, 2022.
6) Porcaro F, et al.：Management of Food Allergy to Fish with Oral Immunotherapy：A Pediatric Case Report. Pediatr Allergy Immunol Pulmonol, 29：104-107, 2016.

11 少量導入経口免疫療法（アナフィラキシータイプ） ピーナッツ

症例

9歳，男児

起始および経過

1歳3ヵ月時に初めてピーナッツバターを数口摂取して，20分後から全身蕁麻疹と連続性咳嗽が出現した．近医でピーナッツ特異的IgE抗体≧100UA/mLを指摘され，ピーナッツアレルギーと診断された．6歳時にピーナッツ入りのお菓子を誤って摂取し，30分後から全身蕁麻疹と嘔吐が出現した．近医へ救急搬送され，アドレナリン筋肉注射などの治療が施行された．9歳時に家族がピーナッツの経口免疫療法（OIT）を希望し，当院を紹介受診した．

既往歴 アトピー性皮膚炎あり．

検査データ（9歳0ヵ月時）

好酸球数：8.2％（800/μL），Total IgE：497 IU/mL，特異的IgE抗体（UA/mL）ピーナッツ：210，Ara h 2：63.5.

皮膚プリックテスト（膨疹径 - 紅斑径：単位mm）：ピーナッツ12-25，陰性対照液0-1，ヒスタミン液5-10.

初診後の経過

少量導入経口免疫療法を開始する前に当院で実施した食物経口負荷試験（OFC）では，ピーナッツ0.12gを摂取して全身蕁麻疹と連続性咳嗽を認めた．抗ヒスタミン薬内服とβ_2刺激薬の吸入を行い，症状は改善した．OITは入院管理下で開始し，5日間の入院中に抗ヒスタミン薬を併用し，微量のピーナッツを摂取させた．退院後はピーナッツ0.09gを自宅で連日摂取させた．治療開始1ヵ月後からピーナッツ摂取量を自宅で漸増し，4ヵ月時にピーナッツ0.5gの目標量に到達した．5ヵ月時に抗ヒスタミン薬の定期内服を中止し，その後はピーナッツ0.5gの連日摂取を継続した．開始1年後にピーナッツを2週間除去した後にピーナッツ3gのOFCを行い，陰性であった．その後，自宅でピーナッツ3gを週1回摂取して無症状であることを確認した．特異的IgE（ピーナッツ/Ara h 2）は開始1ヵ月時に602/331UA/mLと増加した後，徐々に低下傾向であり，開始1年時に281/85.1UA/mL，開始2年時に84.1/41.3UA/mLと推移した．

解説

一般的な食物アレルギーの管理の原則は，必要最小限の除去をしつつ自然経過の耐性獲得を待つことであるが，ピーナッツアレルギーの耐性獲得率は約20％と低い[1]．

われわれは，22名のピーナッツアナフィラキシー患者に対してピーナッツ3gを目標量とするOITを報告し，一定の効果をあげたが，入院中に3名，自宅で2名がアドレナリン筋肉注射を要した[2]．また既存のピーナッツのOITのメタ解析でも，OITに伴いアナフィラキシーやアドレナリン筋肉注射のリスクの増加が示された[3]．日常摂取量を目標量とする既存の OIT では重篤な副反応のリスクがあることが課題であった[2, 3]．

当院では，2013 年夏よりピーナッツアナフィラキシー児に対して，ピーナッツ 0.5g を目標量とする少量導入 OIT を実施している．3 ～ 5 日間前後の入院期間に，抗ヒスタミン薬内服下で慎重に微量のピーナッツ摂取を導入する．退院後は自宅でピーナッツ 0.5g の目標量まで徐々に増量する．目標量に到達した後はピーナッツ摂取を継続し，1ヵ月以上の無症状を確認できた後に抗ヒスタミン薬の定期内服を中止する．24 名のピーナッツアレルギー患者（全例にピーナッツに対するアナフィラキシー歴あり，ピーナッツ特異的 IgE 抗体の中央値は 55.4 IU/mL）に少量導入 OIT を実施し，開始 1 年時に 8 例（33%）がピーナッツを完全に 2 週間中止した後の 3g の OFC が陰性であった．なお，自宅での継続摂取において 1 例がアドレナリン筋肉注射を要した．急速法と比較して，より安全に実施できる可能性が示された[4]．

少量導入 OIT を開始する際には，保護者に精密計量器を購入してもらい，ピーナッツ粉末の計測の仕方を十分に指導する．また重篤な副反応のリスクがあるため，事前に症状出現時の対応をしておくことが必須である（p.48 参照）．

当院での上記研究だけでなく，海外でもピーナッツアレルギー患者に対する少量を目標量とした OIT の有効性および誤食に伴う症状の予防効果が報告されており[5, 6]，今後のさらなる研究の集積が待たれる．

微量のピーナッツ摂取でも症状が誘発されてしまうピーナッツアナフィラキシー児に対して少量導入 OIT を行うことで，誤食に伴う症状の予防および中等量から日常摂取量が摂取可能になるなど患児と家族の QOL を改善することが期待される．少量導入 OIT は急速法と比較して頻度は低いものの重篤な副反応のリスクはあるため，専門施設で臨床研究として実施することが望ましい．

1) Peters RL, et al.：The natural history of peanut and egg allergy in children up to age 6 years in the HealthNuts population-based longitudinal study. J Allergy Clin Immunol, 150：657-665, 2022.
2) Nagakura KI, et al.：Oral Immunotherapy in Japanese Children with Anaphylactic Peanut Allergy. Int Arch Allergy Immunol, 175：181-188, 2018.
3) Chu DK, et al.：Oral immunotherapy for peanut allergy（PACE）：a systematic review and meta-analysis of efficacy and safety. Lancet, 393：2222-2232, 2019.
4) Nagakura KI, et al.：Low-dose oral immunotherapy for children with anaphylactic peanut allergy in Japan. Pediatr Allergy Immunol, 29：512-518, 2018.
5) Vickery BP, et al.：Early oral immunotherapy in peanut-allergic preschool children is safe and highly effective. J Allergy Clin Immunol, 139：173-181, 2017.
6) Trendelenburg V, et al.：Peanut oral immunotherapy protects patients from accidental allergic reactions to peanut. J Allergy Clin Immunol Pract, 8：2437-2441, 2020.

12 少量導入経口免疫療法（アナフィラキシータイプ）木の実・マルチナッツ

症例

7 歳，男児

起始および経過

2 歳時にクルミパンを摂取後に全身性蕁麻疹と複数回の嘔吐を認めた．また，2 歳時にカシューナッツ 1 個を摂取し，顔面の発赤，連続性咳嗽，複数回の嘔吐を認めた．5 歳時に前医でクルミやカシューナッツ少量の食物経口負荷試験（OFC）を行ったがいずれも陽性となり，完全除去を継続した．家族がナッツアレルギーに対する経口免疫療法（OIT）を希望し，7 歳時に当院を紹介受診した．

検査データ

特異的 IgE 抗体（UA/mL）クルミ：21.5，Jug r 1：25.3，カシューナッツ：11.4，Ana o 3：8.2.

初診後の経過

来院後，クルミ 0.5g およびカシューナッツ 0.5g の OFC を行ったがいずれもが陽性となり，複数のナッツ類を同時に摂取する経口免疫療法（マルチナッツ OIT）を行うこととした．OIT 導入は，3 日前から抗ヒスタミン薬の内服を開始し，入院下で行った．3 日間の入院中に微量のクルミ・カシューナッツを同時に摂取させ，退院後はクルミ・カシューナッツ 0.09g を自宅で同時に連日摂取させた．治療開始 1ヵ月から同時に緩徐に自宅で漸増させ，開始 6ヵ月でクルミ 0.5g・カシューナッツ 0.5g の維持量に到達した．開始 9ヵ月で併用していた抗ヒスタミン薬を中止し，開始 1 年後，2 週間完全除去後にクルミ 0.5g・カシューナッツ 0.5g の OFC をそれぞれ行い，いずれも陰性であった．開始 2 年後，2 週間完全除去後にクルミ 3g・カシューナッツ 3g の OFC をそれぞれ行い，いずれも陰性であった．連日の自宅摂取は中止し，週 2～3 回クルミ 3g・カシューナッツ 3g の自宅摂取で無症状であることを確認した．

解説

ピーナッツやナッツアレルギー患者のうち，35%はマルチナッツアレルギーという報告がある[1]．また，ピーナッツやナッツアレルギーは年齢とともに増加する傾向にある[2]．一方，1 歳時に診断されたピーナッツアレルギーは 4 歳時点で 22%が耐性獲得した．別の研究によると，ナッツアレルギーは 9%が耐性獲得した[3]．このように，ピーナッツやナッツアレルギーと診断されると，耐性獲得する割合は低く，除去の対象が複数のナッツであることは珍しくない．

複数のナッツアレルギーの寛解を試みる方法として，マルチナッツ OIT がある．Bégin らの研究では，ピーナッツとナッツ類を同時に摂取する OIT とピーナッツのみの OIT を比較した．副反応の割合は，3.3% vs. 3.7%と差がなかった．それぞれの群でアドレナリン筋肉注射を必要とする重症の反応を 2 回認めたが，それ以外の反応は軽症であった[4]．また，当院のピーナッツ，クルミ，カシューナッツを同時に摂取する OIT の 1 年経過ではアドレナリン筋肉注射を必要とする重症の反応はなかった[5]．

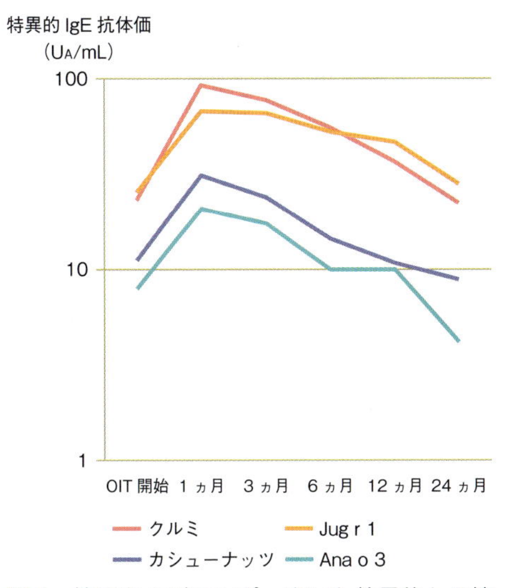

図 1　抗原およびコンポーネント特異的 IgE 抗体価の推移

特異的 IgG4 抗体価
（mg/dL）
25
20
15
10
5
0
OIT 開始
3 ヵ月
6 ヵ月
24 ヵ月
クルミ
Jug r 1
カシューナッツ
Ana o 3

図 2　抗原およびコンポーネント特異的 IgG4 抗体価の推移

今回提示した症例の 2 年経過でも，副反応は軽症〜中等症の範囲であり，マルチナッツ OIT は安全に施行できる可能性が示唆された．

1) Sicherer SH, et al.：Clinical features of acute allergic reactions to peanut and tree nuts in children. Pediatrics, 102：e6, 1998.
2) Clark AT, et al.：The development and progression of allergy to multiple nuts at different ages. Pediatr Allergy Immunol, 16：507-511, 2005.
3) Savage J, et al.：The Natural History of Food Allergy. J Allergy Clin Immunol Pract, 4：196-203, 2016.
4) Bégin P, et al.：Safety and feasibility of oral immunotherapy to multiple allergens for food allergy. Allergy Asthma Clin Immunol, 10：1, 2014.
5) Okada Y et al.：Oral immunotherapy initiation for multi-nut allergy：a case report. Allegol Int, 64：192-193, 2015.

13 オマリズマブ併用の経口免疫療法

症例
7歳，男児

起始および経過

鶏卵，小麦アレルギーによる頻回のアナフィラキシー，コントロール不良の気管支喘息による呼吸困難．
既往歴 特記事項なし．　**家族歴** 両親と姉が気管支喘息，母がアトピー性皮膚炎．

初診後の経過

生後4ヵ月で鶏卵アレルギー，生後6ヵ月に小麦アレルギーの診断を受けた．1歳以降にアナフィラキシーを含む鶏卵に対する即時型症状を繰り返し，7歳時に鶏卵アナフィラキシーに対する急速経口免疫療法 oral immunotherapy（OIT）を開始した．鶏卵アレルギーに対するOIT開始9ヵ月後に気管支喘息の悪化を認め，抗ヒトIgEモノクローナル抗体であるオマリズマブ（OMB）の投与を開始した．

OIT開始時の全身症状の誘発閾値は加熱全卵17.5gで，急速法退院時の摂取量は炒り卵7.5g，5ヵ月時に維持量の60gに到達した（図）．開始から9ヵ月まで1回摂取あたり11.6%の頻度で症状を認めていたが，OIT開始9ヵ月時にOMBを開始した後は，頻度は2.2～5.8%に著減した（表1）．

13ヵ月時に10日間の除去後に鶏卵1個を無症状で食べられることを確認した．その後，小麦もOITの方法に準じて摂取量を指示し，制限なく摂取できるようになった．

OIT開始時点の卵白，オボムコイド特異的IgE値はそれぞれ，33.8，36.7UA/mLであり（図），OMB投与開始前（OIT開始9ヵ月後）は7.34，7.77UA/mLで，OMB開始直後（OIT開始12ヵ月後）には21.2，32.1UA/mLまで上昇したが，OIT開始36ヵ月後には3.94，5.65UA/mLまで低下した．

外来での小麦摂取開始時点の小麦，ω5特異的IgE値はそれぞれ，3.43，1.23UA/mLであり，摂取開始

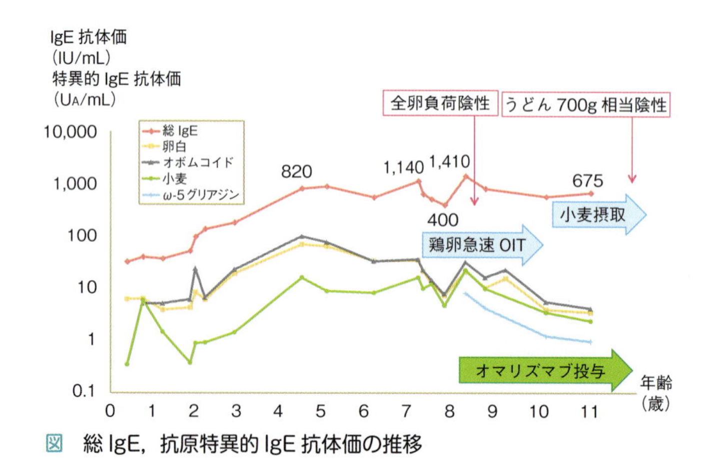

図　総IgE，抗原特異的IgE抗体価の推移

表 1　期間別誘発症状の出現回数

OIT 開始からの期間	～9ヵ月	～12ヵ月（オマリズマブ開始後）	～24ヵ月	～36ヵ月	～48ヵ月	～60ヵ月
摂取回数	259	90	240	235	228	254
症状出現回数	30（11.6%）	2（2.2%）	14（5.8%）	0（0%）	1（0.4%）	0（0%）
グレード 1	25（9.7%）	1（1.1%）	11（4.6%）	0（0%）	1（0.4%）	0（0%）
グレード 2	5（1.9%）	1（1.1%）	3（1.3%）	0（0%）	0（0%）	0（0%）
グレード 3	0（0%）	0（0%）	0（0%）	0（0%）	0（0%）	0（0%）
治療回数	6（2.3%）	1（1.1%）	10（4.2%）	0（0%）	0（0%）	0（0%）

グレードはアナフィラキシーガイドラインに基づき評価した.

2 年後には 2.36，0.97UA/mL まで低下した.

解説

重症の食物アレルギー児に対して安全にかつ効果的に OIT を行う方法として，OMB 併用での OIT が期待されている[1]．牛乳[2, 3]，ピーナッツ[4]，複数抗原[5, 6]に対する有効性が示されている.

OMB 併用により期待する効果は，副反応の軽減と治療成績の向上の効果である．特に複数抗原に対して有用である[6]．OMB 併用の OIT はこのように副反応軽減，治療成績の向上が見込める可能性がある.

OMB の欠点は中止するのが難しいことであり，特に漸減ではなく急に中止すると高頻度にアナフィラキシーを誘発する[7]．オマリズマブ等の抗体製剤併用の利点と欠点を表 2 にまとめた．複数抗原の改善等治療効果を高め，誤食による症状も含めた副反応軽減の利点もある一方，長期投与に伴う患者の負担が課題である.

表 2　オマリズマブ等の抗体製剤併用の利点と欠点

利　点	欠　点
複数抗原の同時治療	長期投与の必要性
薬剤は間欠投与	中止すると症状が再燃する可能性
経口免疫療法の安全性向上	薬剤投与のための定期通院
合併アレルギー疾患への有効性	保険診療外の場合の高いコスト
誤食による誘発症状の予防効果	接種部位の疼痛

OMB は高用量の吸入ステロイド薬および複数の喘息治療薬を併用しても症状が安定しない患者に適応となる．日本でも OMB 併用の OIT の報告はあるが[3]，OMB は食物アレルギーに対しては健康保険の適応外である．高価な薬剤であり，自費で使用するのも難しい.

限定された条件下であるが，このように食物アレルギーを合併する重症の気管支喘息に OMB を併用する場合には，比較的安全に OIT を行える可能性がある.

参考文献

1) 柳田 紀之，ほか：鶏卵アレルギーの急速経口免疫療法中にオマリズマブを投与した 1 例．日小児アレルギー会誌，30：147-154，2016.
2) Nadeau KC, et al.：Rapid oral desensitization in combination with omalizumab therapy in patients with cow's milk allergy. J Allergy Clin Immunol，127：1622-1624，2011.
3) Takahashi M, et al.：Successful desensitization in a boy with severe cow's milk allergy by a combination therapy using omalizumab and rush oral immunotherapy. Clin Immunol, 11：18, 2015.
4) Schneider LC, et al.：A pilot study of omalizumab to facilitate rapid oral desensitization in high-risk peanut-allergic patients. J Allergy Clin Immunol, 132：1368-1374, 2013.
5) Bégin P, et al.：Phase 1 results of safety and tolerability in a rush oral immunotherapy protocol to multiple foods using Omalizumab. Allergy asthma Clin immunol, 10：7, 2014.
6) Sindher SB, et al.：Phase 2, randomized multi oral immunotherapy with omalizumab 'real life' study. Allergy, 77：1873-1884, 2022.
7) Ibanez-Sandin MD, et al.：Oral immunotherapy in severe cow's milk allergic patients treated with omalizumab：Real life survey from a Spanish registry. Pediatr Allergy Immunol, 32：1287-1295, 2021.

14 経口免疫療法による副作用で中止した症例

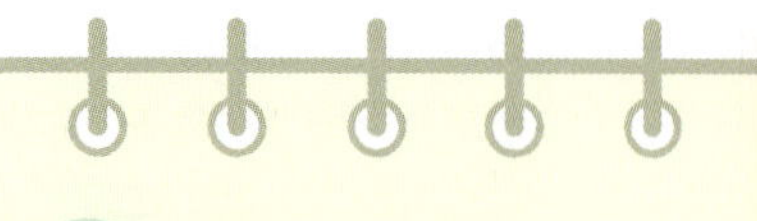

症例

10歳，男児

起始および経過

生後9ヵ月のときに加熱卵白を摂取し全身蕁麻疹を認め近医で鶏卵アレルギーと診断されたため，以後鶏卵を除去していた．6歳のときに当院を初診した．血液検査で卵白に感作があり，食物経口負荷試験（OFC）で全卵1/25個相当を摂取してアナフィラキシーを認めた．以降も完全除去を継続していた．

10歳から鶏卵の少量導入経口免疫療法（OIT）を開始した．増量期の開始2週間後から慢性的な腹痛と下痢が出現し，血液検査で血中好酸球の増加（2,500/μL）を認めた．症状が持続するため下部内視鏡検査を実施したところ，上行結腸から直腸までにアフタ様病変が散見され，病理所見で粘膜内に好酸球浸潤を認めたことから好酸球性胃腸炎と診断した．OITを中止したところ，血中の好酸球数は低下したが下痢症状の改善が得られなかった．好酸球性胃腸炎の治療としてプレドニゾロン内服を開始したところ下痢は消失した．その後プレドニゾロンを漸減した後終了したが症状の再燃は認めなかった．OIT再開の希望はなく，鶏卵の除去を継続している．

検査データ

Total IgE 1,280 IU/mL，特異的IgE抗体（UA/mL）卵白：51.4，オボムコイド：46.1．

解説

OITの副反応

本症例は鶏卵アレルギーに対してOITを導入したが，増量期に反復する腹部症状が出現し，内視鏡検査で好酸球性胃腸炎と診断したためOITを中止した症例である（図）．

OITは自然経過による耐性獲得が困難な食物アレルギー患者例に対して行われる治療であり，日本国内でもその有用性は報告されている[1]．しかし副反応も多いため，慎重に行う必要がある．

OITの副反応は即時型とそれ以外の非即時型に分けられる（表）．即時型の副反応としては消化器症状や口腔内瘙痒感などが多く，維持期よりも増量期に多く出現する[2, 3]．また，OIT前の特異的IgE高値は全身症状出現のリスク因子とされ[3]，ピーナッツOITのメタ解析ではOITを実施していない群と

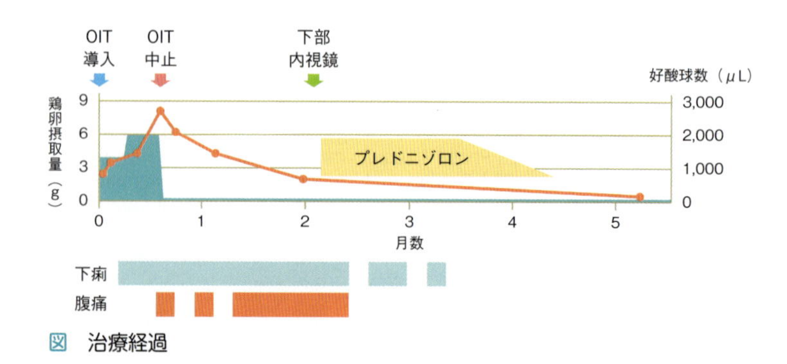

図　治療経過

表　代表的な OIT 中の副反応

即時型の副反応 （主に抗原摂取 2 時間以内に生じる症状）	非即時型の副反応 （抗原摂取の時間とは関係なく生じる慢性的な症状）
・粘膜症状（口腔内瘙痒感，口唇腫脹，咽頭痛など） ・消化器症状（嘔吐，腹痛，下痢など） ・皮膚症状（皮膚瘙痒感，発赤，蕁麻疹など） ・呼吸器症状（咳嗽，呼吸苦，喘鳴など） ・アナフィラキシー	・嘔吐，腹痛，下痢などの慢性的な消化器症状（好酸球性消化管障害） ・アトピー性皮膚炎の増悪

比較してアナフィラキシーのリスク比が 3.2 と高いことが報告されている [4]．

非即時型の副反応にも注意が必要である．海外では OIT 中の好酸球性消化管障害の合併が報告されており，OIT 中の好酸球性食道炎の合併率は 2.7％程度とされている [5]．一方，わが国では好酸球性食道炎の報告はなく，本症例のような好酸球性胃腸炎の合併がいくつか報告されている [6, 7]．その他 OIT 中にアトピー性皮膚炎の増悪を認めることもある [3, 6]．OIT 中の非即時型副反応に焦点を当てた報告はない．当院で実施した非即時型副反応の調査では，OIT 開始 3 年以内に，好酸球性消化管障害を含めた慢性的な消化器症状を 1.9％に認め，アトピー性皮膚炎の増悪を 0.5％に認めていた．症状の出現時期は，慢性的な消化器症状の 70％は OIT 開始 6ヵ月以内に出現していたが，OIT 開始 1 年後以降にも出現していた．一方，アトピー性皮膚炎の増悪はすべて OIT 開始 3ヵ月以内に出現していた．そのため，非即時型副反応はどの時期でも出現する可能性があるが，特に OIT 導入早期には注意したほうがよい．

OIT は研究段階の治療であり，長期治療の合併症に関しては報告が少なく，今後の検討が待たれる．

副反応の発生率については複数報告されており，Yamimi らは OIT での副反応発生率は 80％であると報告している [2]．目標摂取量によっても副反応の発生率は変化するが，わが国のアンケート調査でも，入院で OIT を導入した症例において，治療を必要とする副反応の発生率は 71 ～ 56％であり [6]，OIT の副反応が多いことがわかる．当院では維持量を少量とした OIT（low dose OIT）を行っており，維持量の日常摂取量まで急速に増量した OIT と比較して，自宅での中等度以上の副反応の発生率やアドレナリン使用率が有意に低く，治療を必要とする副反応の発生率は 2.7％と比較的安全に実施できている [8]．

日本国内の多くの施設で OIT が実施されているが，リスクについては十分に理解する必要がある [6]．国内で OIT 中の小児例で重篤な有害事象を認めたことは記憶に新しい．日本小児アレルギー学会では OIT に関する注意喚起を行っており，公式サイト上で確認することができる（http://www.jspaci.jp/news/member/20171114-464/）．また，「食物アレルギーガイドライン 2021」[9] でも OIT 実施施設および医師に求められる条件を提示しており，患者や家族の負担も大きく，安全性の配慮からも食物アレルギーの一般診療として OIT は推奨されていない．これらのことを十分に理解して実施する必要がある．

OIT の中止について

OIT の中止率は約 12％程度と報告されている [10]．繰り返す即時型症状やアナフィラキシーなどの重度のアレルギー症状，即時型症状以外の副反応などは OIT 中止の理由となりうるため注意が必要であり，副反応を減らすことが OIT を成功させる要因の一つになる．即時型の副反応を認める場合，軽度でも頻回であれば，摂取量を減量する．それでも改善が得られない場合やさらなる減量が難しい場合，頻回に中断を繰り返す場合には中止を検討する．非即時型の副反応を認める場合も同様であり，好酸球性胃腸炎などの重篤な疾患を合併した場合は中止しなければならない．

副反応以外の OIT 中止の理由として日常生活への影響があげられる．OIT は通常長期の治療を必要とする．抗原を連日摂取し，抗原摂取の前後には激しい運動や入浴を控える必要がある．加えて，抗原摂取後は副反応が出現しないか家族が自宅にて経過を観察するように当院では指導している．当院では，このような生活における制限に関して，必ず本人と家族に説明し，OIT が可能か吟味した上で開始しているが，長期にわたって制限が続くため，開始後，日常生活への影響が大きく継続が困難となる場合は中止を検討する．

また，OIT は副反応を起こす割合が高く，安全のために決められたプロトコールに沿って厳密に行われるべきである．患者･患者家族のアドヒアランスが悪くプロトコールを守れない場合も中止の検討を要する．

OIT を実施する際には，即時型症状のみならず，好酸球性消化管障害を含めた慢性的な副反応を見逃さず，十分な対応を行っても改善を得られなければ，無理をせず中止を検討する．

1) Nagakura K, et al.：Long-term follow-up of fixed low-dose oral immunotherapy for children with wheat-induced anaphylaxis. J Allergy Clin Immunol Pract, 10：1117-1119, 2022.
2) Virkud YV, et al.：Novel baseline predictors of adverse events during oral immunotherapy in children with peanut allergy. J Allergy Clin Immunol, 139：882-888, 2017.
3) Afinogenova Y, et al.：Community Private Practice Clinical Experience with Peanut Oral Immunotherapy. J Allergy Clin Immunol Pract, 8：2727-2735, 2020.
4) Chu DK, et al.：Oral immunotherapy for peanut allergy（PACE）：a systematic review and meta-analysis of efficacy and safety. Lancet, 393：2222-2232, 2019.
5) Lucendo AJ, et al.：Relation between eosinophilic esophagitis and oral immunotherapy for food allergy：a systematic review with meta-analysis. Ann Allergy Asthma Immunol, 113：624-629, 2014.
6) Sato S, et al.：Nationwide questionnaire-based survey of oral immunotherapy in Japan. Allergol Int, 67：399-404, 2018.
7) 西村幸士，ほか：経口免疫療法中に異食症により発見された好酸球性胃腸炎の 1 例．アレルギー，69：123-128, 2020.
8) Yanagida N, et al.：New approach for food allergy management using low-dose oral food challenges and low-dose oral immunotherapies. Allergol Int, 65：135-140, 2016.
9) 日本アレルギー学会：アナフィラキシーガイドライン 2022.
10) Petroni D, et al.：Eosinophilic esophagitis and symptoms possibly related to eosinophilic esophagitis in oral immunotherapy. Ann Allergy Asthma Immunol, 120：237-240, 2018.

Column

経口免疫療法の長期経過

経口免疫療法（OIT）の有効性や安全性については別の項目に詳細が書かれているためそちらをご参照いただきたい．本項では OIT の長期経過について実際の経験も踏まえ自身の考えを記載したい．

OIT を長期間継続するメリット　その 1

OIT は治療を継続することで持続的無反応が得られる割合が増える．1，2 年でこの状態まで到達できなかったとしても，3 年目以降も継続することで持続的無反応が得られる場合もそれなりにある（図 1）[1]．さらに，アレルゲン特異的 IgE 抗体価も経年的に低下傾向となることが多く，免疫学的な変化ももたらす（図 2）[1]．

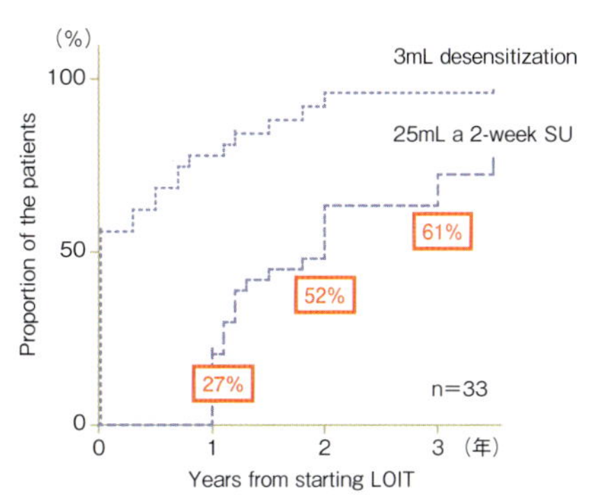

図 1　牛乳経口免疫療法の 3 年経過[1]

OIT を長期間継続するメリット　その 2

目標量を少量とした OIT は，日常摂取量を目標量としていた当初の OIT と比べ，安全性が向上し，より実施しやすくなっている[2]．少量の OIT では，多くの症例が少量の原因食物に対する脱感作状態に到達できる．小麦の少量 OIT では誤食によるアナフィラキシー発症リスクを抑制する効果が示唆されており，日常生活におけるアナフィラキシーへの不安を軽減化できる可能性もある[3]．

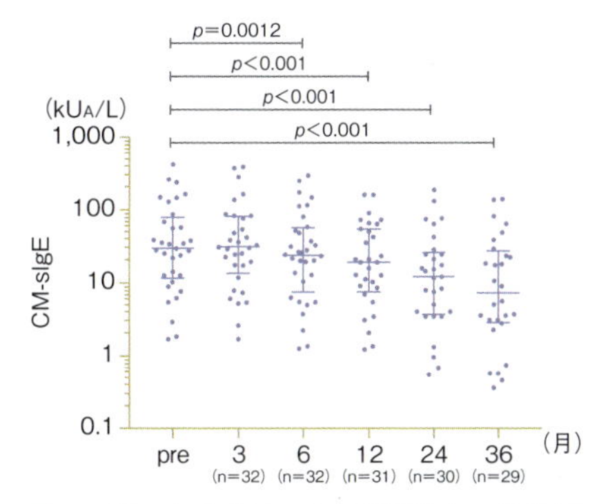

図 2　経口免疫療法による特異的 IgE 抗体価の変化[1]

食べ続けることの難しさ

OIT では基本的に症状が出る食べ物を毎日食べ続けなければならない．食物アレルギー児では耐性獲得後も除去解除となった原因食物を食べたがらないケースをしばしば経験するが，OIT においてもそれは同じである．経験上，毎日美味しく OIT 用の食べ物を食べている症例は非常に少ないと思う．好みでない食べ物を年余にわたり食べ続けることは，患者本人に負担になるだけでなく，家族の心理的な負担となることも多い．毎日の摂取に関して，母親と患児の口論が絶えなくなったケースや，患児がこっそりと摂取しなければならない食べ物を破棄していたケースなども経験した．

OIT 終了後のアレルギー症状の誘発リスク

OIT により持続的無反応に到達した症例でも，その後，運動などの増悪因子が加わるとにアレルギー症状が誘発されるケースがある．当院の検討では，OIT 終了後 2 年間で約 40％の症例がなんらかのアレルギー症状を経験していた[4]．なかには重篤なアレルギー症状を呈するケースや，数年後に症状が誘発されるケースもあり，OIT 終了後も長期的なフォローおよび，摂取後の運動制限やシックデイへの対応など配慮が必要である．特に，学校給食の解除は安全性を十分に確認した後に除去解除を検討すべきと考える．

以上より，OIT を継続することで一定の治療効果は得られるため，長期間治療を継続する意義はあると考える．一方で，原因食物を継続的に摂取することに伴う患者や家族の負担を考慮し，最終的な治療のゴール（いつまで継続するか，どこまで食べられるようになりたいかなど）を決めることが患者の真の QOL 向上につながると考える．

1) Miura Y, et al.：Pediatr Allergy Immunol, 32：734-741, 2021.
2) Yanagida N, et al.：Allergol Int, 65：135-140, 2016.
3) Nagakura K, et al.：J Allergy Clin Immunol Pract, 10：1117-1119.e2, 2022.
4) Manabe T, et al.：Allergol Int, 68：527-528, 2019.

15 学校での対応の問題例 給食

症例
6歳，男児

起始および経過

生後1ヵ月に顔面の湿疹が出現，生後4ヵ月に検査で卵白，ミルク，ゴマに反応していることが判明．生後8ヵ月に食パンを食べてアナフィラキシーとして食物アレルギーを発症．その後，近医にてザジテン®内服・インタール®内服等によりフォローされていた．検査所見の改善も認められず，除去食品（鶏卵・牛乳・小麦・ゴマ）も多いが，食物経口負荷試験（OFC）を一度もしたことがなく，日常生活に困難があるために4歳9ヵ月時に食物アレルギーに関する精査を希望し，当院を紹介された．

初診時，顔面・頸部・体幹・四肢にも湿疹が散在し，瘙痒を常に感じている様子であった．

スキンケアの指導，ステロイド外用療法を指導し皮膚症状の改善を図った．気管支喘息の症状も病歴上認められたので，吸入ステロイド（キュバール™ 100μg/日）をスペーサーにて開始．2回目の受診時には悩まされていたアレルギー症状はすべてコントロールされ生活の質が劇的に改善した．その後負荷試験等を繰り返すもなかなか食物除去の解除が進まず，小学校の入学を迎えた．牛乳でアナフィラキシーを起こす可能性があり，児も保護者も学校生活に不安を抱いていた．小学校入学前にエピペン®の処方を含めた緊急時の処方を行い，学校生活管理指導表を提出して学校に対応してもらうこととした．

検査データ

Total IgE：2,220 IU/mL，特異的IgE抗体（UA/mL）卵白：52.1，オボムコイド：77.4，ミルク：98.2，カゼイン：100，小麦：21.6，ゴマ：32.7.

学校給食でのアレルギー対応

入学前より保護者および学校側とで面談が行われ，本児に対しての学校給食は，鶏卵および牛乳を除去した代替食が提供されることになっていた．特に，牛乳は微量の摂取でもアナフィラキシーを起こす可能性があることが保護者から学校側へ伝えられていた．

給食における誤食事故の原因

① 誤配膳1回目：当日の通常のメニューはカレー（バター，脱脂粉乳入り）であったが，本児に対しては牛乳製品が入っていないアレルギー用のカレーが提供された．児は，アレルギー用のカレーを食べ切り，2杯目をおかわりするために給食室へ向かった．この学校ではおかわりの際には，児童が給食室へ1人で行き，クラスと氏名を調理員に告げると，調理員が該当児童の除去食物を確認し，除去食物があればアレルギー用のおかわりの食事が提供されることになっていた．しかし，調理員が児に食物アレルギーがあることを確認せず通常のカレーを提供し，これを児が摂取してアナフィラキシーを起こした．

② 誤配膳2回目：当日の通常メニューは“鮭のコーンマヨネーズ焼き（粉チーズがかかっているもの）”であった．本児の除去食物は，鶏卵および牛乳であるため，このメニューからはマヨネーズ（鶏卵）と粉チー

ズ（牛乳）が除去されるべきであった．しかし，調理員は児の除去食物を正確に把握しておらず（栄養士は児の除去食物を把握していたが，調理に携わる調理員への情報伝達が正確でなかった），鶏卵を含むマヨネーズのみを除去し，粉チーズをかけた状態で提供し，これを児が摂取してアナフィラキシーを起こした．

栄養食事指導

上記 2 回の誤食のあった数日後，当科を受診された際に，立て続けに給食での誤食（誤配膳）があったことが保護者から主治医に告げられた．保護者および児童の不安が強かったため，医師より栄養士に栄養食事指導の依頼があった．栄養食事指導の目的は，誤食事故の事情の聞き取り，および保護者の不安を聞き今後の対策を保護者とともに考えることにあった．保護者側の話だけでは状況が把握しきれなかったため，保護者に許可を得て該当学校の栄養士に連絡をとり，誤食事故の詳細と今後の対策を伺った．

誤食防止のための該当学校の対策

① 誤配膳 1 回目に対しての対策

・食物アレルギーのある児童の給食については最初から大盛にして，おかわりが発生しないようにする．
・おかわりをする場合には担任が児童に付き添って給食室に行き，児童のクラスと氏名を告げた上で，担任と調理員が該当児童の除去食物とメニュー（原材料）を確認しておかわりを配膳する．

② 誤配膳 2 回目に対しての対策

・児童の氏名および除去食物の記載されたリストを給食室に貼り，調理に携わるすべてのスタッフが児童のアレルギー情報を正確に把握する．
・本来の献立，代替献立，使用するすべての食品の原材料，作り方を明記したものを事前に学校側から児童の保護者に連絡ノートで伝え，保護者が確認をする．

解説

誤食事故を防ぐためには，管理指導票の運用，学校や保育所と保護者の連携，教職員や給食従事者などの食物アレルギーに関する知識，献立の内容，調理手順，調理施設や設備，給食を食べる場所や環境などについて整備する必要がある．各施設でマニュアルを作成し，食物アレルギー児が食べるまでの各段階で確認作業を行う．

食物アレルギー児に関わるすべての人が食物アレルギーに関する正しい知識をもつことは重要である．例えば，給食でのアレルギー対応は完全除去か解除の二極化で行うことが推奨されているが[1〜3]，これは安全性を重視するために行っていることを理解しておく．また，おかわりの際には確認が漏れやすいため，食物アレルギー児へのおかわりの実施は，慎重に考慮されるべきである．

給食の安全な食物アレルギー対応をするためには，「学校のアレルギー疾患に対する取り組みガイドライン」[1] および「保育所におけるアレルギー対応ガイドライン」[2]，「学校給食における食物アレルギー対応指針」[3] が全国の学校や保育所で適切に活用され，生活管理指導表が運用されることが基本となる．

参考文献

1) 学校のアレルギー疾患に対する取り組みガイドライン（令和元年度改訂）．（財）日本学校保健会，2020.
2) 保育所におけるアレルギー対応ガイドライン（2019 年改訂版）．厚生労働省，2019.
3) 学校給食における食物アレルギー対応指針．文部科学省，2015.

学童・思春期

16 学校での対応の問題例
食事・おやつ・食材との接触を伴う活動

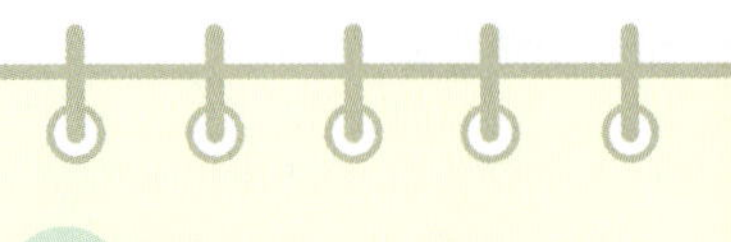

症例
14 歳，女児

起始および経過

幼児期より小麦アレルギー．少量の摂取は可能となってきたため，給食では完全除去を続けていたが，中学入学時からエピペン®の管理はしていなかった．

検査データ

Total IgE：540 IU/mL，特異的 IgE 抗体（UA/mL） 小麦：12.3，ω-5 グリアジン：1.2．

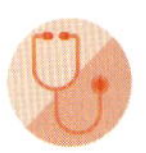
初診後の経過

家庭科の授業で，小麦粉とサツマイモを使った「鬼まんじゅう」作りをした．教科担任と保護者が打ち合わせをして，本人は小麦粉を使用せず，ほかの生徒とは別の調理台で大豆のホットケーキミックス粉を使って参加することとなった．

授業中，本人は喉の違和感を感じながらも続けて参加していたが，授業が終わっても息苦しさが続くため担任に報告した．学校から病院に救急搬送され，院内でアドレナリン筋肉注射を受けて改善した．

解説

学校給食以外にも，食事や食物に関連する学校行事は多い[1]．その場合，本人をよく把握している担任や栄養教諭の関与が少なくて，アレルギーに対する意識が薄れがちである．また，食物アレルゲンは摂取するだけでなく，接触や吸入によっても症状が誘発されることがある．

本事例は小麦アレルギーがあり，自宅では少量摂取可能となっていたが，学校では小麦アレルギー児として給食の完全除去など，適切な注意が払われていた．家庭科の授業に際しても，保護者・本人を含めてあらかじめ打ち合わせがされて，本人は小麦粉を使わないという配慮がされていた．

しかし，同じ室内で多くの子どもが小麦粉を使っており，本児は舞い上がった小麦粉を吸入することで気道症状を発症したと考えられる．室内で小麦粉を扱うと，気流がなくても 5m 四方までは飛散することが報告されている．家庭科の授業では，普通の調理場以上に部屋中で小麦粉が扱われるため，よりリスクが高まることが予想される．

少量のアレルゲン摂取が可能となっても，接触や吸入で局所症状が誘発されることは残存することが多い．小麦を含む料理の多くは加水・加熱によって高分子のグルテンを形成するため，摂取中に揮発したアレルゲンが問題になることは少ないが，粉が舞い上がる環境ではリスクとなる．牛乳は加熱しても凝固せず液体を保ち，揮発する可能性もあるため，子どもの活動中に接触・吸入による誘発を起こしやすい．鶏卵は，生卵を扱わなければ加熱凝固した状態が多いため，給食における接触事故は少ないが，調理実習として教室中で

表 1　食物や食材の関連する学校行事や行為の例

項　目	具体例
調理実習	目玉焼き，サンドイッチ作り
遠足，校外学習，体験学習	おやつ，弁当，工場見学，ソバ打ち体験，乳搾り，収穫体験，魚のつかみ取り
修学旅行，林間学校	食事，おやつ，飯盒炊飯
運動会，文化祭	おやつ，弁当，景品，記念品
季節行事	豆まき（落花生），特別食
栽培，実験，工作	食べられる植物栽培，牛乳パック工作，小麦粉粘土
プレゼント	旅行みやげ，誕生日プレゼント

表 2　学校行事での対応が困難な理由

1. 食物アレルギーへの意識が高い栄養教諭や養護教諭が関与しない．
2. 準備や計画の段階で，「食物を扱う」という意識をもちにくい．
3. 伝統的に行われている行事内容を変更しにくい．
4. 担任以外の教員が担当する場面がある．
5. ほかの児童生徒への教育内容にも直接影響する．
6. ほかの児童生徒の保護者にも理解と協力を求める必要がある．
7. 学外の関係者にも理解と配慮を求める必要がある．
8. 患児だけ不参加や特別扱いにすることで発生する疎外感が大きい．

目玉焼きや卵焼きを作れば，揮発した鶏卵アレルゲンも無視できない可能性がある．

学校の授業や行事で食事や食物との接触を伴う例をあげてみる（表 1）．恒例行事として行われている体験学習（ソバ打ち体験）や，落花生による豆まきなどを変更することは躊躇されることが多い．強いピーナッツアレルギーの子どもが在籍する学級で，落花生の栽培をするという事例もある．ピーナッツアレルゲンは種子の中に存在する貯蔵タンパクなので，理論的には落花生の茎や葉に触れて症状が誘発される可能性は考えにくいが，アナフィラキシーのリスクをもつ子どもの心情を考慮すると考えものである．むしろ，ひとりの子どものために安全な教材や行事の内容を工夫することが，クラス全員に対する絶好の食育のチャンスとも考えたい．

実際の授業や行事の中では，さまざまな事情からアレルギーへの配慮が困難な理由が存在する（表 2）．特に，運動会などの行事の中では，患児をよく知らない教員が子どもに物を配付する場面があり，誤配のリスクを生じやすい．

特別な行事に参加できないことは，患児にとって疎外感や劣等感をもちやすく，その気持ちは卒業してからも消えることがない．安全性を配慮しながら，できる限り自然な形で参加できることを考えたい．しかし一方で，その配慮がほかの児童生徒の活動に影響する可能性がある場合，クラスや学年全体の保護者から理解と協力を得る必要が生じることもある[2]．

学校行事や授業に際しては，こうした注意点をあらかじめ念頭に置いて準備を進めるとともに，それでも防ぎ得ない緊急事態への備えも同時に準備しておくことが大切である．

1）学校のアレルギー疾患に対する取り組みガイドライン〈令和元年度改訂〉，(財) 日本学校保健会，2020．
2）伊藤浩明編：食物アレルギーに関連する社会的諸問題．食物アレルギーのすべて　改訂第 2 版．p.269-336，診断と治療社，2022．

学童・思春期

17 学校での対応の問題例
宿泊を伴う活動

症例 1
15 歳，女児

起始および経過

乳児期より重症の鶏卵・牛乳アレルギー．クルミ，ピーナッツ，甲殻類，貝類にも即時型アレルギーの既往がある．特に牛乳は，ごく微量のコンタミネーションでもアナフィラキシーを誘発する．家族旅行でホテルに宿泊したとき，和食レストランでフロアスタッフや料理長に十分念を押したにもかかわらず，出された豆腐料理に牛乳が含まれていてアナフィラキシーを発症してエピペン®を使用，1 泊入院となった経験がある．また，別の和食店で食事をしたときにも同様のエピソードに見舞われたことがあり，保護者が直接安全性を確認できない場面で食事することを強く恐れている．

検査データ

特異的 IgE 抗体（UA/mL） 牛乳：10.6，カゼイン：11.7，卵白：16.6，オボムコイド：8.86，クルミ：35.5.

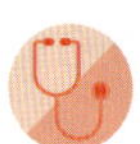

初診後の経過

中学校の修学旅行で沖縄（3 泊 4 日）に行くことになった．アレルギー児の受け入れ体制がしっかりできているホテルに宿泊する予定ではあるが，保護者は旅行会社と学校を通さないと食事内容の確認が直接できないことを不安に思っている．学校と話し合いの上，1 泊 2 日だけ修学旅行に参加して，その後は保護者と一緒に別のホテルに宿泊することになった．

症例 2
13 歳，女児

起始および経過

乳児期より重症の牛乳アレルギー．牛乳経口免疫療法にも挑戦したが，5mL でもアナフィラキシーを繰り返したため断念した．その後も，和菓子屋の表示ミスでアナフィラキシーを経験している．小学校の修学旅行（1 泊 2 日）は，すべてレトルトのアレルギー対応食品を持参して参加した．保護者も本人も，日常の安全管理と先行きの見えない状況に疲弊気味で過ごしている．

検査データ

特異的 IgE 抗体（UA/mL）　牛乳：100 <，カゼイン：100 <．

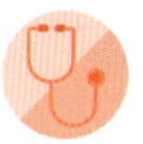

初診後の経過

中学 1 年生で，入学直後の 5 月に 4 泊 5 日の自然教室の行事がある．山間部の宿泊施設で，最寄りの病院まで車で 1 時間程度，昼間ならドクターヘリの対応となる．

入学前の時点では，本人も保護者もこの行事への参加を諦めることも考えていた．しかし，学校や宿泊施設と十分な話し合いの上，乳除去の特別メニューと一部は持参した食材を利用して，全日程無事に参加することができた．

解説

修学旅行や山の学習など宿泊を伴う行事では，食事に関する配慮と緊急時対応に関する事前の準備が特に求められる[1)]．

宿泊行事に参加するために患児と保護者がまず行うべきことは，食物アレルギーの正確な診断を受けて，不必要な除去食品を残しておかないことであろう（表 1）．鶏卵・牛乳・小麦など主要な食品はもとより，ピーナッツや木の実類・ソバといった学校給食ではあまり問題にならない食材も，宿泊や野外活動には影響する．血液検査が陽性というだけの根拠や，ピーナッツアレルギーのためにほかの木の実類も除去，という類推による除去食の指示も，行事に参加するために不必要な障害になる可能性がある．これらは，行事に参加する直前ではなく，日常診療の中で計画的に解決しておくべき事柄といえる．

表 1　宿泊を伴う行事に参加するために，保護者が行うこと

1. 食物アレルギーの正確な診断を受けて，不必要な除去食品を残さないこと．
2. アレルゲン食品の中でも，摂取できる許容量を把握して，日常的に除去レベルを必要最小限としておくこと．
3. 緊急時に必要な医薬品（エピペン®を含む）を普段から準備して，使い方をよく理解しておくこと．
4. 子ども自身が食べられないものをよく理解して，安全が確認されているもの以外は，食べないように教えておくこと．
5. できるだけ早めに学校と打ち合わせをして，宿泊先との確認を進めること．
6. 万一食事の提供が難しくなった場合に備えて，非常食を持参すること．
7. 行事に参加中は，いつでも連絡が取れるようにして，必要であれば現地に急行できる体制を整えておくこと．

アレルゲンと確定している食品についても，その病型や重症度を明らかにしておくことが大切である．微量のコンタミネーションまで注意が必要な食品，ある程度の安全許容量をもった食品，口腔アレルギー症候群のように自分の判断で対応可能な食品，と区別して対応を検討する．ただし，子どもにとって特別で非日常な活動であり，疲労も伴う行事なので，日常の学校給食よりもより慎重な対応方針をとることが望ましい．

表 2　宿泊行事を計画するために，学校が行うこと

1. 当該児童のアレルギーの診断をよく理解して，どのレベルのリスク管理が必要かを想定しておくこと．
2. 宿泊先の対応方針をよく把握すること．献立については原材料の選択まで配慮されているかどうかを確認すること．
3. 宿泊先との情報交換を旅行代理店任せにせず，食事内容に詳しい栄養教諭なども加わって献立の確認をすること．
4. 微量の混入でもリスクのある子どもについては，保護者と宿泊先が直接確認する機会を設けること．
5. 緊急時の現地の医療体制について，十分に情報収集をしておくこと．
6. 当日持参する医薬品や，代替食品の持参について，事前に本人および保護者と打ち合わせをすること．
7. 当日は，保護者と直ちに連絡がとれるように連絡方法を確認しておくこと．

食物アレルギーをもつ子どもの大部分は，学校と宿泊先の対応により，宿泊行事への参加が可能である (表 2)．ただし，微量の誤食でもアナフィラキシーの危険がある重症者と，多くの除去食品をもつ子どもについては，綿密な打ち合わせと準備が求められる．特に食事の対応については，教員や旅行代理店を介した間接的な確認では漏れが生じる可能性があり，保護者と宿泊先の調理場責任者が，献立内容や調理について直接確認しあうことが望ましい．その上で，何らかの事情で予定された食事が食べられなかった場合に備えて，代替可能な非常食を持参することも考慮したい．

団体を扱う旅館などでは，限られた予算と人員で一斉に大量調理を行うことが前提となるため，きめ細かい個別対応が難しい可能性がある．しかし，京都府の「京都おこしやす事業」[2)]や沖縄県の「アレルギー対応沖縄サポートデスク」[3)] のように，行政と旅館組合や旅行代理店が組織を作って，アレルギー児を受け入れる体制を整備する動きも進んでいる．

野外研修センターのような施設では，設備や人員の制約がさらに大きく，従業員一人一人の教育研修にも限界があることが予想される．しかし，年間を通して常に子どもの団体を受け入れる施設であれば，例外なく食物アレルギーをもつ子どもへの対応を迫られることになる．そのために，アレルゲンとなる食材を含まないハンバーグ，ソーセージ，ハムなどといった代替食品を常備して，シンプルな調理手順で個別メニューを提供できる準備を整えておくことが望ましい．受け入れ施設に対して，都道府県の教育委員会レベルで指導・監督できる体制がとれるとよい．

飯盒炊飯のように子どもたちが調理を行う場面では，比較的シンプルな料理が前提となるためにむしろ対応しやすいことが多い．鶏卵や牛乳を使用する料理を作ることは少ないが，調達する加工食品の原材料には注意する必要がある．代表的な料理であるカレーライスなどは，患児が普段安全に食べている銘柄を選ぶことが望ましい．しかし，小麦アレルギーでは商品の選択に限界があるため，本人だけはアレルゲンを含まないレトルトパウチのカレーなどを持参して代替する．

宿泊先での緊急時対応については，アレルギー以外の事故や急病に対する準備と同様に，現地の医療機関に関する情報を把握して準備することになる．緊急受診先は，アレルギー専門医が勤務する施設の必要はなく，子どもの救急を受け入れ可能な施設であればよい．ただし，山間部などでは救急車を要請しても医療機関までのアクセスに 1 時間以上を要する場合がある．必要であれば複数のエピペン®を持参することも含めて，事前の準備が求められる．

本例のように，宿泊先の近くまで同行することを希望する保護者がいる．それを敢えて否定する必要もないが，学校側からそれを要請することは保護者の大きな負担となる．本人の重症度に対して保護者が過剰な不安感をもっている場合もあるため，その根拠となる既往歴や食物経口負荷試験の結果などに基づいて，どこまでの安全策をとるか話し合いが必要である．

修学旅行やホームステイなどで，子どもが海外に出かける機会も増えている．現地の食糧事情や医療システムについてできるだけ情報を集め，非常食と医薬品を十分整えて参加することが求められる．

「参加しない」という選択肢は，よほどのことがない限りとりたくない．林間学校や修学旅行など，生涯１回しかない宿泊行事を失敗体験としないために，万全の準備を整えて積極的に参加できるよう，保護者と学校が精一杯の努力をすることが求められる．

1）学校のアレルギー疾患に対する取り組みガイドライン〈令和元年度改訂〉．（財）日本学校保健会，2020．
2）京都府「食物アレルギーの子　京都おこしやす事業」ホームページ
http://www.pref.kyoto.jp/kentai/kyoto-okosiyasu-jigyou.html
3）一般社団法人アレルギー対応沖縄サポートデスク　ホームページ　http://okialle.or.jp

移行期

1 遷延している鶏卵アレルギー

症例

11 歳，男児

起始および経過

乳児期よりアトピー性皮膚炎があり，血液検査で鶏卵，乳，大豆，ゴマ，ピーナッツ，ナッツ類など多抗原が陽性で除去を開始した．アトピー性皮膚炎は重症であり，スキンケア治療目的に教育入院をした．また，乳児期から喘鳴を繰り返しており，3 歳時に気管支喘息と診断された．6 歳時，小学校入学前に検査陽性，未摂取の抗原が多数であったことから近医から当院に紹介となった．卵や牛乳のアレルギー児では摂取可能なことが多い鶏肉や牛肉も除去されており，摂取可能な食物の解除を優先した．しかしながら，卵白・オボムコイドの抗原特異的 IgE specific IgE（sIgE）値が 100 以上と高値であり，保護者の鶏卵摂取による症状誘発への不安が強かったことから鶏卵の完全除去が続いており，通院も中断しがちであった．その間，アトピー性皮膚炎の症状は増悪と寛解を繰り返していた．11 歳時，中学校の入学前に鶏卵の摂取可否の食物経口負荷試験（OFC）の実施を希望し，2 年ぶりに当院に受診した．

検査データ（11 歳時）

Total IgE：5,950 IU/mL，特異的 IgE 抗体（UA/mL）卵白：87.5，オボムコイド：82.9，ヤケヒョウヒダニ：79.2，squamous cell carcinoma antigen（SCCA）2：5.7 ng/mL．

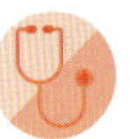

初診後の経過（図）

11 歳時に実施した全卵 1/32 個（卵黄つなぎ）の OFC が陰性だったため，同量の自宅摂取を開始した．アトピー性皮膚炎の悪化があったが，鶏卵の特異的 IgE 抗体価は徐々に低下を認めた．12 歳時の全卵 1/8 個の OFC は陽性であり，自宅では卵黄つなぎ 1 個の摂取を継続した．併せて保護者と本人に対してアトピー

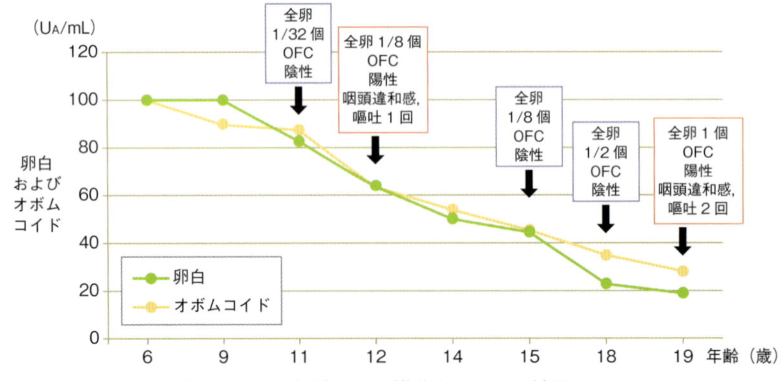

図 卵白およびオボムコイドの年齢ごとの推移と OFC の結果

性皮膚炎の治療の必要性を説明しスキンケアの指導を行った．その後，受験勉強や部活動，COVID-19の流行に伴い，通院が途切れがちになったが，15歳時に実施した全卵1/8個のOFCは陰性，18歳時に実施した全卵1/2個のOFCは陰性であった．19歳で実施した全卵1個の炒り卵OFCでは，咽頭違和感と嘔吐を2回認めたため陽性と判定した．その後は全卵1/2個のつなぎの摂取を継続している．現在，大学1年生であり，卒業前までに再度OFCを実施の予定としている．

解説

鶏卵は日本の食物アレルギーで最も多い原因食物である．乳児期発症の鶏卵アレルギーの自然歴に関する報告では，3歳までに30%，5歳までに59%，6歳までに73%が加熱鶏卵1/2個を摂取可能になることが報告されている[1]．また，アメリカのコホート研究でも，215人の鶏卵アレルギー患者で6歳までに耐性獲得したのは105人（49.3%）であった[2]．さらに，当院の報告では，6歳までに加熱鶏卵1/2個で症状を認める児でも，7歳，9歳，12歳までに加熱鶏卵1/2個の摂取が可能になる割合は，それぞれ14.6%，40.8%，60.5%であり，12歳までに徐々に耐性獲得した[3]．耐性獲得しにくい要素として，①アナフィラキシーの既往，②アトピー性皮膚炎や気管支喘息の合併，③卵白およびオボムコイドsIgE値の高値，④低閾値，⑤児の社会的状況が良好であることなどがあげられている[1～6]．OFCに関しては，総負荷量を少量からの段階的に実施することで，重篤な症状の誘発を避けながら，3/4の患者が完全除去を解除できることが報告されている[7]．本症例のように高年齢になっても，気管支喘息やアトピー性皮膚炎などの合併症のコントロールを良好に維持し，sIgE値の推移を確認しながら段階的にOFCを実施して継続的に摂取可能量を評価することが重要である．

鶏卵の即時型食物アレルギーが遷延する症例には，アレルギー疾患のコントロールと特異的IgE抗体価の評価をしながら，定期的にOFCを実施する．

移行期

参考文献

1) Ohtani K, et al. : Natural history of immediate-type hen's egg allergy in Japanese children. Allergol Int, 65 : 153-1572, 2016.
2) Sicherer SH, et al. : The natural history of egg allergy in an observational cohort. J Allergy Clin Immunol, 133 : 492-429, 2014.
3) Taniguchi H, et al. : Natural history of allergy to hen's egg : a prospective study in children aged 6 to 12 years. Int Arch Allergy Immunol, 183 : 14-24, 2022.
4) Okada Y, et al. : Heated egg yolk challenge predicts the natural course of hen's egg allergy : a retrospective study. World Allergy Organ J, 9 : 31, 2016.
5) 今井孝成，ほか：遷延する食物アレルギーの検討．アレルギー，56：1285-1292，2007.
6) Pyziak K, et al. : Natural history of IgE-dependent food allergy diagnosed in children during the first three years of life. Adv Med Sci, 56 : 48-55, 2011.
7) Yanagida N, et al. : A three-level stepwise oral food challenge for egg, milk, and wheat allergy. J Allergy Clin Immunol Pract, 6 : 658-660.e10. 2018.

移行期

2 遷延している牛乳アレルギー

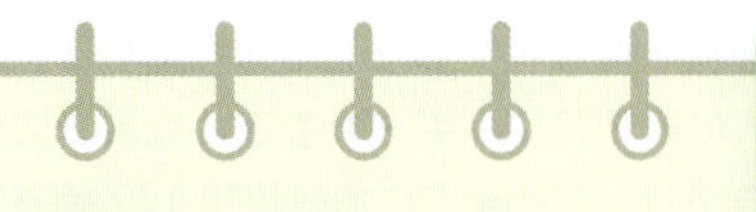

症例
17 歳，男性

起始および経過

乳児期は完全母乳栄養で，湿疹が目立ちアトピー性皮膚炎と診断されていた．生後 5ヵ月にミルク少量を摂取した際，全身性の蕁麻疹と複数回の嘔吐を認めた．近医にて即時型牛乳アレルギーと診断され，完全除去を指示された．1 歳時，4 歳時に誤食によるアナフィラキシーがあり，エピペン®を処方され完全除去の継続を指示された．12 歳以降も外食の際にたびたび誤食によるアレルギー症状を認めたが，軽症の症状のみであった．17 歳時にも乳成分含有のソーセージの誤食による軽度の腹痛と眼瞼浮腫があったことを契機に，治療を希望して当院を紹介受診した．

検査データ

	0 歳 5ヵ月	4 歳	6 歳	12 歳	17 歳	18 歳	19 歳
Total IgE（IU/mL）	567	1,563	1,856	2,015	2,589	2,455	2,513
牛乳特異的 IgE（UA/mL）	12.4	88.4	＞100	56.9	17.7	15.1	13.6
カゼイン特異的 IgE（UA/mL）	10.2	90.2	＞100	59.2	20.5	18.4	14.9
α-ラクトアルブミン特異的 IgE（UA/mL）	—	—	—	22.65	7.53	5.26	3.72
β-ラクトグロブリン特異的 IgE（UA/mL）	—	—	—	3.38	0.24	0.14	＜0.1

初診後の経過

初診時に中等度の湿疹が残存していたため，まず十分なステロイド軟膏の外用およびスキンケアの指導を行いアトピー性皮膚炎の寛解導入を行った．牛乳の特異的 IgE 値は低下傾向であった．アトピー性皮膚炎の改善を確認後に加熱牛乳つなぎ 0.75mL の食物経口負荷試験（OFC）を行った．陰性であったため週 2～3 回同量の自宅摂取を指導した．自宅での少量摂取開始後に，外食した際サラミに含まれる少量の乳を誤食したがアレルギー症状は認めなかった．6ヵ月後に加熱牛乳つなぎ 3mL の OFC を行い陰性であったため，自宅摂取量を加熱牛乳つなぎ 3mL に増量した．

解説

即時型牛乳アレルギーの学童期の自然経過の報告では，8 歳までに 42%，12 歳までに 64%，16 歳までに 79%が耐性を獲得するとされている[1]．年長児であっても長期の自然経過で耐性を獲得する患者も多く，定期的に OFC を実施して少量からの摂取が可能であるかを確認することが重要である．即時型牛乳アレルギーが持続するリスク因子として牛乳に対する特異的 IgE の高値や，皮膚プリックテストの膨疹径が大きいこと，牛乳に対するアナフィラキシーの既往，中等度以上のアトピー性皮膚炎・気管支喘息・アレルギー性鼻炎の合併が報告されている[2～6]．

定期的な特異的 IgE 抗体の測定や OFC により食物アレルギーの評価・管理を行うとともに，リスク因子となりうるアトピー性皮膚炎，気管支喘息，アレルギー性鼻炎についても総合的に治療を行うことが重要である．

1) Skripak JM, et al.：The natural history of IgE-mediated cow's milk allergy. J Allergy Clin Immunol, 120：1172-1177, 2007.
2) Wood RA, et al.：The natural history of milk allergy in an observational cohort. J Allergy Clin Immunol, 131：805-812, 2013.
3) Koike Y, et al.：Predictors of persistent milk allergy in children：a retrospective cohort study. Int Arch Allergy Immunol, 175：177-180, 2018.
4) Kaczmarski M, et al.：The natural history of cow's milk allergy in north-eastern Poland. Adv Med Sci, 58：22-30, 2013.
5) Petriz NA, et al.：Natural history of immunoglobulin E-mediated cow's milk allergy in a population of Argentine children. Ann Argent Pediatr, 115：331-335, 2017.
6) Foong RX, et al.：Biomarkers of diagnosis and resolution of food allergy. Pediatr Allergy Immunol, 32：223-233, 2021.

3 アルバイトでの経皮感作例

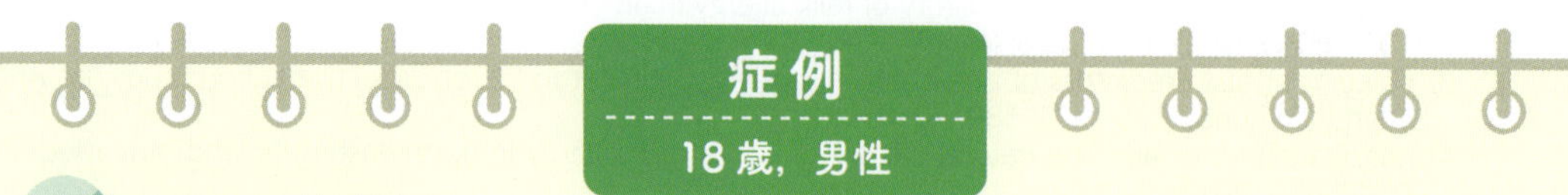

症例

18 歳，男性

起始および経過

乳児期にアトピー性皮膚炎と牛乳アレルギーを発症し，鶏卵関連の特異的 IgE 抗体価も高値であったことから完全除去の方針となった．2 歳時に当院を紹介受診し，5 歳時に加熱鶏卵に対する経口免疫療法（OIT）を開始された．OIT 開始後約 1 年で施行された全卵 1/2 個の食物経口負荷試験（OFC）で陰性を確認された後，加熱鶏卵は日常摂取量を制限なく摂取できるようになり，特異的 IgE 抗体価も徐々に低下していた．高校入学後に中華料理店でアルバイトを開始して以降，手洗いや手指消毒を頻回にするようになり，もともと加療されていた手湿疹が増悪した．加えて週 1 ～ 2 回，約 50 個の生卵を割る業務も担当するようになり，業務直後に手の瘙痒感を自覚するようになった．ステロイド外用薬で加療されるも改善に乏しく，経過中に卵白・卵黄特異的 IgE 抗体価の著明な再上昇が認められた．生卵への接触が原因と考えられ，業務中の消毒回数減少と手袋装着を指導されてから手湿疹は軽快した．なお，アルバイト開始前後で加熱鶏卵の摂取量や頻度に大きな変化はなく，摂取後の即時型全身症状や経気道感作を示唆する喘息症状も認めなかった．**合併症** アトピー性皮膚炎，気管支喘息．

検査データ（初診時）

Total IgE：1,021 IU/mL，特異的 IgE 抗体（UA/mL）卵白：70.0，卵黄：18.5，オボムコイド：46.7．経時的な数値の推移を臨床経過とともに図に示す．

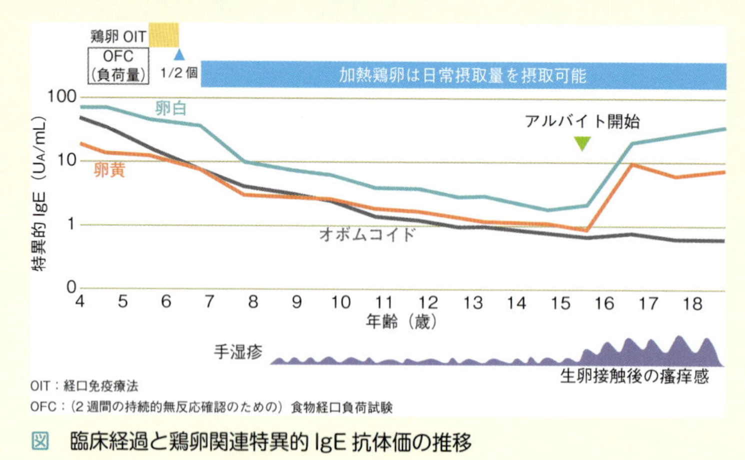

図 臨床経過と鶏卵関連特異的 IgE 抗体価の推移

解説

小児期に発症した鶏卵アレルギーに対する OIT 後に加熱鶏卵の耐性獲得を確認されていたものの，思春期に生卵を扱う職業に就いた後に手湿疹の増悪と卵白・卵黄特異的IgE抗体価の再上昇を認められた症例である．

乳幼児期発症の即時型鶏卵アレルギーは，多くが学童期までに耐性獲得し，再燃した症例の報告はまれである．一方，成人期発症の食物アレルギーは生活習慣の変化により発症することがあり，特に職業は重要な原因の一つとなっている．職業環境における食物関連アレルゲンへの経皮・経気道的曝露から感作や摂取後の即時型症状が誘発されることがあり，特に調理師などの食品を扱う職業でリスクが高い[1]．また，職業的厨房労働者は，主婦などの非職業的厨房労働者と比較して手湿疹の存在とその重症度が食物アレルギー発症の有意なリスク因子になるとの報告もある[2]．

職業性食物アレルギー発症と関連のある職業を表[1]に示す．調理師や食品加工業では魚介類の報告が多いが，パン屋や菓子製造業で鶏卵への経気道感作から職業性喘息を発症したケースの報告も散見された．

経皮感作に関連する疾患の一つとしてタンパク質接触皮膚炎 protein contact dermatitis (PCD) があり，食物を扱う職業で発症リスクが高いとされている[3]．この疾患はタンパク質への曝露と症状の関連性が明らかな，即時型過敏反応による慢性湿疹であり，手から前腕を好発部位として瘙痒感や灼熱感や刺すような痛みを伴う．IgE 依存性の感作が生じることがあるが，本症例のように大部分の患者が感作された食物を摂取することが可能である．本症例も PCD に矛盾しない特徴を有しており，アルバイトで頻回の手洗いや手指消毒により増悪した手湿疹を基礎に，大量の生卵に直接触れていたことで経皮的に卵白・卵黄への感作が再度進行したものと考えられた．

職業性食物アレルギーでは，食物アレルギーの既往のない者が食物に関連した職業に就いてから新規発症するケースが多いが，食物アレルギーの既往がある者で就業後にアレルゲンへの感作がさらに増悪して発症する場合もある[1]．

提示した症例では皮膚炎以外の自覚症状は認められなかったが，食物関連アレルゲンへの職業的曝露後に当該食物摂取による即時型症状を発症した報告もあり，この症例についても感作の進行から鶏卵摂取による全身症状の再発をきたすことがないよう，抗原への接触回避を継続的に指導していくことが重要である．

表　職業性食物アレルギー発症と関連のある職業

職業：主な曝露経路	感作物質	反応を引き起こす食物のタイプ
調理師・食品取扱者： 直接接触と蒸気吸入	魚類，エビ，カニ，イカ，タコ，果物，野菜類，肉類，穀類	感作された食物
医療従事者： 手の皮膚からの経皮と経気道	天然ゴムラテックス	果物・野菜類（バナナ，アボカド，クリ，キウイなど）
美容師・エステティシャン： 主に経皮，時に経気道	化粧品，スキンクリーム，ヘアトリートメント，ヘアコンディショナーに含まれる加水分解タンパク質（小麦，コラーゲン，乳）	食物中の関連加水分解タンパク質と食物タンパク質
	化粧品，スキンクリーム，ヘアトリートメント，ヘアコンディショナーに含まれる工業用食品タンパク質	感作された食物タンパク質
	ピーナッツオイルまたはゴマ油に混入した食物タンパク質	ピーナッツ・ゴマ製品
パン屋： 主に経気道，時に経皮	小麦と他の穀類	小麦，キウイ
主婦： 経皮または経気道	調理中に直接接触した食物	感作された食物
	天然ゴムラテックス	果物・野菜類（バナナ，アボカド，クリ，キウイなど）

職業性食物アレルギーはまだ十分に認識されていない状況にある．移行期の食物アレルギー患者を診療する際には，原疾患の再増悪や新規食物アレルギー発症をきたすことがないよう，その患者が就いた職業にも注意を払う必要がある．

1) Fukutomi Y, et al.：Occupational food allergy. Curr Opin Allergy Clin Immunol, 19：243-248, 2019.
2) Minami T, et al.：Hand eczema as a risk factor for food allergy among occupational kitchen workers. Allergol Int, 67：217-224, 2018.
3) Barbaud A, et al.：Mechanism and diagnosis of protein contact dermatitis. Curr Opin Allergy Clin Immunol, 20：117-121, 2020.

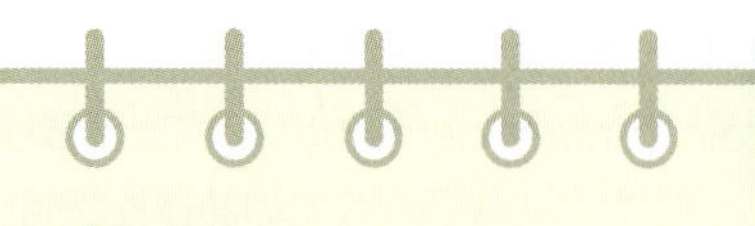

4 アドヒアランスの低下例

症例 1
16 歳，女性

起始および経過

1 歳時に鶏卵の初回摂取である卵黄 1 かけらで全身蕁麻疹，牛乳の初回摂取であるヨーグルト 1 口で口周囲の発赤を認めたため，除去を開始した．

3 歳時に当院を受診し，段階的な食物経口負荷試験（OFC）をすすめ，5 歳時には牛乳の耐性獲得を確認した．

7 歳時には加熱全卵 1/2 個相当の OFC が陰性となった．OFC 直後は加熱全卵 1/2 個相当を摂取していたが，軽度の咽頭違和感から徐々に摂取量が減り，少量の鶏卵を含む加工品のみを摂取するようになった．

15 歳時，店頭販売のカップケーキで強い咽頭痛を訴え，以降は患者の判断で，ほぼ完全除去となってしまった．また，高校受験を理由に患者本人の受診が途絶えがちとなっていた．

16 歳となり，高校受験が落ち着いたため，母・本人と今後の方針を相談することとなった．

診察時：本人はうつむき加減で言葉少なく，母が現在の状況を話す．本人に質問を投げかけても，母が回答する．母とは別室で，栄養士が本人から聞き取りをしたところ，本人の鶏卵摂取への恐怖心が非常に強いことが明らかになった．医師と栄養士の相談のうえ，その日は本人の考えのみ傾聴した．

その後の経過：診療には本人が来院することとし，現在の生活の状況や友人関係，将来的な希望などについて，本人から聞きとった．また，鶏卵を摂取することの意義について本人が理解できるよう説明した．17 歳時，本人が鶏卵摂取に対して前向きになったため，鶏卵 1/8 個の OFC を再度行い，陰性を確認した（表）．栄養士は摂取可能な鶏卵の加工品を，本人の嗜好や希望から具体的に商品名をあげて提案した．また，母には肉料理や揚げ物の衣など，鶏卵忌避の患者でも比較的受け入れられやすい調理方法を提示し，鶏卵 1/8 個相当以下の自宅での摂取を再開できた．

表　抗体価の推移

	3 歳	7 歳	15 歳	17 歳
卵白（UA/mL）	63.3	29.0	14.1	18.1
オボムコイド（UA/mL）	62.7	21.9	12.7	3.82

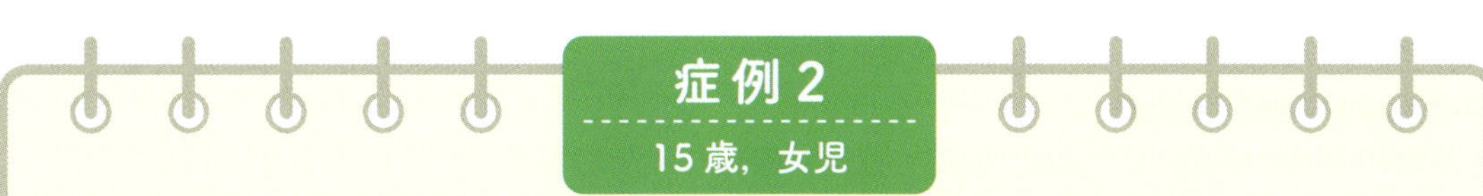

乳児期に発症した鶏卵アレルギーで通院中．全卵 1/25 個相当は摂取可能であり，自宅で摂取を継続していた．初めて友人宅に宿泊したところ，友人の母が調理をしてくれたサラダにカニかまぼこが使用されていた．不安を感じたが，友人には鶏卵アレルギーであることを以前伝えていたため，もう一度説明することに躊躇し，鶏卵が含まれているかを確認せずに摂取したところ，直後に口腔内に違和感を感じ，摂取 15 分後には全身に蕁麻疹が出現したため，抗ヒスタミン薬を内服し，改善した．

診察時：症状出現時の対応については，適切な対応ができたことを本人に対して褒めた．栄養士からは鶏卵を含む食品における抗原量の説明を行い，今後は確認してから摂取することを指導した．また，鶏卵がよく使用されている代表的な加工品についての知識を友人と共有することを提案した．

解説

症例 1 は，OFC により解除になった後は摂取できていたのにもかかわらず，軽度の症状をきっかけに恐怖心から摂取しなくなった症例である．

症例 2 は，友人や友人家族に気兼ねし，鶏卵含有の有無を尋ねることができず，症状を誘発してしまった症例である．

症例 1 は，本来は定期的に摂取すべき抗原摂取を拒否するアドヒアランス不良例，症例 2 は，アレルギー症状を回避するために必要な行動を行わなかったアドヒアランス不良例である．

移行期におけるアドヒアランス低下

移行期のプロセスの中で，移行期の患者は年齢とともに自律性が高まり，生活の範囲が，学校が主の親や周囲の大人の目の届く範囲から，友人との付き合いなどの目の届かない範囲へと広がっていく．社会的に自立する必要があるが，自己管理能力が不十分だと，アドヒアランス低下につながる[1]．

アドヒアランスとは，患者が積極的に治療方針の決定に参加し，その決定に従って治療を受けることを意味する．一般的に，小児および移行期の治療アドヒアランスは，先進国では約 58％と報告され，移行期でのアドヒアランスは小児よりもさらに低いと考えられており，移行期医療での重大な課題である[2]．

医療者は，自己管理の成功のために，家族が患者の自己管理のサポートに回ることで自立を促すように支援することが重要である．しかし，移行期の患者においては，患者のみが疾患の管理について責任を負うことは，むしろアドヒアランスを低下させることになる[2]．患者の成長に合わせて，徐々に診療の主体を親から患者本人に譲渡し（図）[3]，患者と保護者がチームとして良好な協力関係を築けるようサポートをする．

アドヒアランス向上にはほかに，患者が具体的に困っている部分に焦点を当てた助言を行うことが効果的である[1]．困っていることを聞き出すためには，患者との良好な関係を築くことが必須である．

自己効力感の低さはアドヒアランスを低下させる重要なリスク因子である[1, 2]．自己効力感は QOL 向上とも大きく関わっており（p.68 参照），非常に重要である．また，認知行動療法は，アドヒアランス向上に推奨されている．可能であれば心理士と連携をとりながら，認知行動療法を行う．次に，先に述べた代表的

0〜3 歳	3〜6 歳	7〜12 歳	13〜15 歳
主に保護者への説明	処置などについてできるだけ説明する	患児への病名告知，疾患の説明，治療内容の理解に努める	ヘルスリテラシーを獲得し，服薬管理などは自分でできるよう支援する

図　小児科診療における自立支援

（文献 3）より一部改変）

な食物アレルギー児におけるアドヒアランス低下症例について述べる．

不要な除去を継続する症例

食物アレルギーの患者において，OFC が陰性であった後も除去を継続することがしばしば経験され，小児では OFC 陰性後の約 15 ～ 30%，成人では約 40%が除去を継続していたという報告がある[4, 5]．除去を継続するリスク因子として，OFC 時の年齢が高い症例や，アナフィラキシーの既往のある重症例，QOL が低い症例，複数抗原の除去などが報告され，栄養指導を受けている患者は有意に除去継続が少なかった．

除去を継続する理由は軽微な症状のほか，恐怖心や嫌悪感がある．一方，OFC 陰性後に摂取を開始し継続できた理由を調査した，成人でのアンケート調査では，「寛解の維持のため」が最も多かった[4, 5]．

必要な除去を行わない症例

抗原含有の有無を十分に確認しない，周囲に食物アレルギーがあることを伝えないなどにより誤食する症例である．特に移行期の患者では，自分のアレルギーについて恥ずかしく感じるようになり，周囲から異なると思われることを恐れるようになる．

成人を対象にした除去指示に対するアドヒアランスの状況を調査したオランダの研究では，OFC の結果から厳密な除去を指示された患者の 82%が指示に従っていなかった．そのリスク因子としては，自身の症状誘発閾値についての理解の低さと，自己効力感を含む心理学的健康状態が低いことがあげられた[6]．また，13 ～ 19 歳の患者を対象にしたアメリカ・イギリスの研究では，アナフィラキシー時の対応計画をもつことと，アレルギー患者の家族会への参加が，セルフケア行動（アドレナリン自己注射の携帯，抗原の適切な除去，レストラン・友人宅で食事をする際に食材について尋ねる）の遵守に強く関連していた[7]．

食物アレルギー患者がアドヒアランスを良好に保つためには，自身の食物アレルギーに対する十分な知識（症状誘発閾値や摂取に関する意義，食品表示の見方や抗原を含有する加工品の種類，抗原の摂取方法など）をもつこと，症状出現時の対応計画は親だけでなく患者本人が十分に理解すること，親は子に診療の主体を徐々に譲渡し，サポートに回ることが大切である．また，医師は患者の自己効力感を高めるために，別項で述べたような 4 つの要素を意識した診療を心がけ，患者・患者家族に支援的に関わっていく（p.68 参照）．

1) Graham Roberts, et al.：EAACI Guidelines on the effective transition of adolescents and young adults with allergy and asthma. Allergy, 75：2734–2752, 2020.
2) World Health Organization.（2003）：Adherence to Long-term Therapies：evidence for action https://apps.who.int/iris/bitstream/handle/10665/42682/9241545992.pdf
3) 小児期発症慢性疾患を持つ移行患者が疾患の個別性を超えて成人診療へ移行するための診療体制の整備に向けた調査研究班，小児期発症慢性疾患を持つ患者のための成人移行支援コアガイド（ver1.1） https://mhlw-grants.go.jp/system/files/report_pdf/201911048B-sougou_0.pdf
4) Masumi H, et al.：Egg reintroduction following oral food challenge in Japanese children. Front Allergy, 2：618-713, 2021.
5) Versluis A, et al.：Reintroduction failure after negative food challenges in adults is common and mainly due to atypical symptoms. Clin Exp Allergy, 50：479-486, 2020.
6) Versluis A, et al.：Low dietary adherence after a positive food challenge in food allergic adults. Clin Transl Allergy, 12：e12119, 2022.
7) Jones CJ, et al.：Factors associated with good adherence to self-care behaviours amongst adolescents with food allergy. Pediatr Allergy Immunol, 26：111–118, 2015.

移行期

5 成人科への移行

症例 1

22 歳，男性

起始および経過

乳幼児期発症の多種食物アレルギーあり．生後 6ヵ月のときに乳製品の摂取でアナフィラキシーをきたし救急搬送された既往あり．1 歳時にも鶏卵摂取で即時型アレルギー症状誘発の既往あり．その他，ソバ，山芋，エビ，イカ，タコ，木の実類，ピーナッツに関しても血中特異的 IgE 抗体陽性を根拠に除去指導がなされていた．

8 歳のとき，アレルギーを専門とする小児科医により，鶏卵，牛乳に関しては入院経口負荷試験が施行された．その結果をもとに，経口免疫療法（OIT）の開始を提案されたが，自宅で安全量の食事を継続することに関しても親が過度に不安を感じ，OIT の導入はできなかった．その後も多種食物の除去を継続し，今回，成人診療科への移行を目的として紹介となる．

検査データ

Total IgE：2,525 IU/mL，特異的 IgE 抗体（U_A/mL）卵白：15.7，ミルク：20.2，小麦：8.72，エビ：23.4，Ara h 2：7.25，ソバ：2.72．

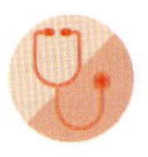

初診後の経過

食物アレルギーの再評価により，摂取可能な食物がある可能性や，鶏卵や牛乳に関しても一定量は摂取できる可能性を説明した．しかし，治療方針の決定に関して，患者本人からの積極的な意見はない．診察時に医師からの問いかけに対して，患者本人ではなく母親が回答し，患者本人の意思は確認しにくい．現在就業も就学もしておらず，自宅での食事摂取で誤食の可能性も低いという．母親の不安も依然として強く，現在でも患者の摂取再開は心配で継続していけないと言う．血中 IgE 抗体価測定以外のアレルギー検査に関して希望はなく，現在も食物除去を継続している．

解説

多種食物アレルギーのある児で，その親に不安が強い場合，児にその不安が移行し児も食事摂取に対して漠然と不安感が強くなり，それが自身の社会的自立の障壁の一つとなる場合がある．食事摂取に対する漠然とした不安は，「友人と外食に行けない」などの原因になりやすい．社会的自立でつまずくと，職業選択，進路選択でのつまずきにもつながりやすく，将来的に経済的自立も困難になることもある．著者の個人的な意見ではあるが，小児発症食物アレルギーの長期予後を考える際には，それによる好ましくないアウトカムの一つとして，社会的自立の失敗があると考える．このアウトカムが発生しないように小児期から成人期につながる支援が必要と考える．

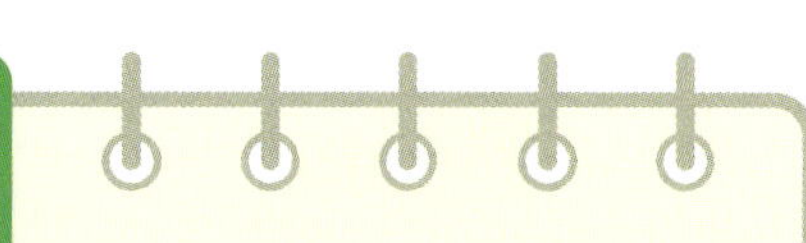

症例 2
18 歳，男性

起始および経過

乳幼児期発症の食物アレルギー．鶏卵摂取でアナフィラキシー歴を有する．9 歳時に小児科のアレルギー専門医により鶏卵の OIT が導入され，以後継続していた．18 歳になり大学進学を契機に，転居，一人暮らしを開始することになり，今後のアレルギー疾患の管理を目的に当院内科へ紹介となる．

大学生活が始まってから半年ほど経過したタイミングで当科の初診となった．初診時の問診で最近 6ヵ月，鶏卵の定期摂取を行っていないことが明らかになる．一人暮らしを始めてから多忙で，自身で調理して OIT のための食事を準備しそれを摂取継続することが困難であったとのこと．

検査データ

Total IgE：426 IU/mL，特異的 IgE 抗体（U_A/mL）卵白：14.5，ミルク：0.36，小麦：0.42．

初診後の経過

OIT を再度開始することも可能であることを患者に説明したが，再開の希望は強くなかった．大学生活が忙しいので，OIT は継続できないと言う．その後，鶏卵摂取を回避して生活を行っており，誤食などによる症状誘発もなく経過している．

解説

大学進学に伴う転居をきっかけに成人診療科への移行となる症例は多い．一人暮らしの開始に伴う生活習慣の変化や多忙，症状誘発時の救急受診に対する不安（特にこれまで受診できていた小児科医療機関に受診できなくなることに関連したもの），治療方針に関する判断の主体が親から子に完全にシフトすることに伴い，これまで継続してきた OIT を中止することになってしまうことも少なくない．OIT の中止が，患者の本意であれば，問題はないと思われる．しかし，他の要因が中止の主原因であれば，この部分は医療的サポートの向上によって解決できる可能性もある．今後の検討課題であると考える．

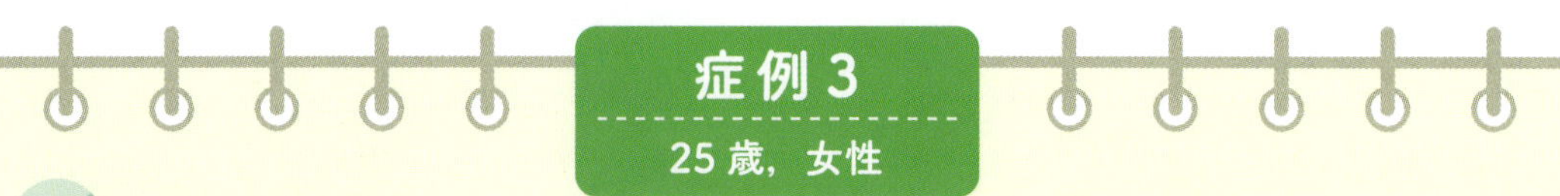

起始および経過

乳幼児期より，鶏卵，牛乳を含む多種の食物種に対する IgE 抗体陽性で，鶏卵，牛乳に関しては摂取後のアナフィラキシーの既往がある．8 歳のとき，小児アレルギー専門医により，OIT の開始を念頭に鶏卵，牛乳の食物経口負荷試験が施行されるも，非常に誘発閾値が低かったため，OIT は導入されず，除去が継続されていた．成長するにしたがって，患者本人の多忙のために，小児科専門医への通院回数は減少していき，20 歳以降通院はしていなかった．この度，乳製品の誤食で即時型症状が誘発されたことをきっかけに，5 年以上ぶりに以前通院していた小児科のアレルギー専門医の外来を受診し，成人科への移行を目的として，内科へ紹介となった．

既往歴 アトピー性皮膚炎，アレルギー性鼻炎．

身体所見

身長 155cm，体重 47kg，BMI 19.6.

現在明らかな皮疹はないが，上腕には軽微な擦過傷が数ヵ所あり．

検査データ

TP：8.1g/dL，Alb：4.6g/dL，Hb：11.2g/dL，MCV：82fl，フェリチン：5.3ng/mL，血清亜鉛：72μg/dL（基準値 80 ～ 130），ビタミン B_1：25ng/mL（基準値 24 ～ 66），25-OH ビタミン D：5.3ng/mL（20 未満で欠乏と判定）.

Total IgE：252 IU/mL，特異的 IgE 抗体（U_A/mL）卵白：5.32，牛乳：2.52，マグロ・エビ：2.62，ソバ：1.25.

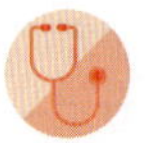

初診後の経過

初診時の診察では，明らかな身体的所見の異常所見は認めないものの，患者自身から日常的な倦怠感の訴えあり，診察時においても倦怠感を訴えていた．検査所見上，鉄欠乏性貧血，25-OH ビタミン D 低値，血清亜鉛低値などの栄養学的な異常所見が目立った．

普段の食事摂取状況に関して詳細に問診すると，特定の菓子を好んで多量に食べていたという．食事摂取量は少なめで，脂っこい肉類などを摂取すると下痢をするということ．食物アレルギーの再評価に先立って，現在摂取可能な食物から十分に栄養を摂ることが優先と考えた．食事からのタンパク質摂取量の目標値を具体的に指導し，菓子類は控えめにするように指導した．亜鉛やビタミン D などに関しては，サプリメントの内服なども同時に行うように指導した．数ヵ月すると，皮膚擦過傷の改善がこれまでよりも早い，肌の調子がよい，だるさがなくなった，食事摂取量が増えたなどの申告あり．栄養状態は徐々に改善している．

解説

実地臨床の経験では，小児期より多種食物アレルギーを有するものの一部は，おそらくなじみのない食品，製品を摂取することによる症状誘発のリスクを避けようとするためだと思われるが，症状が出ないと判明している製品を反復して摂取する傾向にある．特に，特定の菓子の製品など（グミや，清涼飲料水，チョコなど）を反復して摂取していることが多い．

このような食生活の影響が青年期になって栄養学的な問題に発展していくことがある．小児科通院時に栄養指導を受けていたようであるが，それから時間も経過し，成人してライフスタイルも大きく変化する中で，好ましくない食事摂取状況になってしまったものだと考えられる．

若年成人の偏食に伴う栄養の問題は，必ずしも食物アレルギー患者に特異的に起こるわけではないが，著者の臨床経験上，多種食物アレルギーの既往は成人期の質的栄養失調のリスク因子であるという印象がある．多種食物アレルギー患者に対する，血液検査では，ビタミンD低値，血清フェリチン低値（鉄欠乏性貧血），血清亜鉛低値，血清ビタミンB_1値低値などの所見に遭遇しやすい．

OITを実施していない場合であっても，多種食物除去中の患者に関しては，継続的な定期通院による栄養管理が必要であると思われる．数年に1度は適切な代替食を摂取できているか評価したほうがよい．

青年期になるにつれて，患者の好みで摂取する食事内容も変化していく．本症例のような，多種食物除去児の成人移行後の栄養学的な長期経過に関しては，十分に研究されておらず，今後の検討課題でもあると考えられる．

1 小麦アレルギー

起始および経過（図）

リンゴに対する口腔症状以外の食物アレルギーの既往はない．2〜3年前より，加水分解コムギ末（グルパール19S®）を含有する石鹸「(旧) 茶のしずく」（株式会社悠香）の使用を開始．その頃から顔の痒み，口の周りの痒み，眼の周りの痒みなど始まった．症状は次第に増悪傾向にあった．

半年前頃より，小麦製品を摂取した後，軽度の運動（5分程度の歩行や自転車など）をすると，眼瞼・眼周囲の腫脹，顔面の発赤腫脹をきたすようになり，反復している．症状が重篤な場合は腹痛・下痢，血圧低下，呼吸困難を伴った．

小麦アレルギー疑いで当科紹介受診となる．

検査所見

Total IgE：440 IU/mL，特異的IgE抗体（UA/mL）小麦：14.2，グルテン：15.4．ω-5グリアジン：0.43．

プリックテスト（膨疹径：単位）：小麦3，パン2，当該石鹸3，加水分解コムギ末（0.3%グルパール19S®）12．

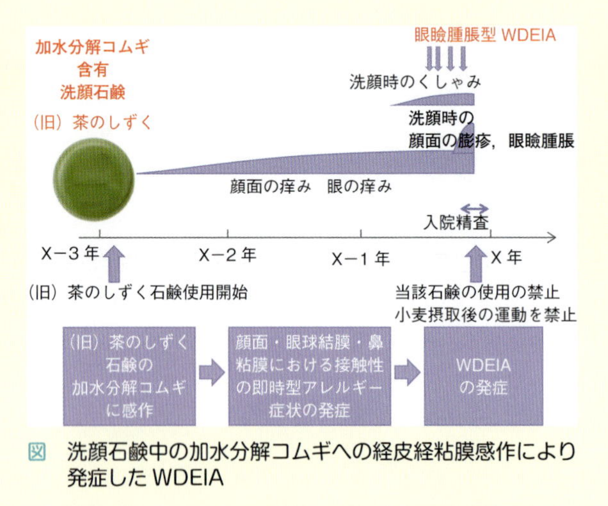

図 洗顔石鹸中の加水分解コムギへの経皮経粘膜感作により発症したWDEIA

初診後の経過

臨床経過から小麦依存性運動誘発アナフィラキシー wheat-dependent exercise-induced anaphylaxis（WDEIA）を疑い，入院管理下にて，負荷試験を行った．パン摂取のみでは症状が誘発されず，パンを摂取したのちに運動負荷を行うと，眼の痒みと腫脹から始まるアナフィラキシーが誘発され，WDEIA の診断が確定した．

WDEIA 発症 2 年前から，加水分解コムギ末を含有する洗顔石鹸の使用を開始し，それを使用時に接触蕁麻疹症状を自覚していた．また，加水分解コムギ末によるプリックテストで陽性の結果を得たため，当該石鹸中の加水分解コムギによる接触性蕁麻疹と診断できる状態にもあった．

石鹸による接触蕁麻疹症状が，徐々に増悪していく臨床経過の中で，WDEIA を発症していたため，当該患者における小麦アレルギーの感作源は，食事中の小麦抗原ではなく石鹸中の加水分解コムギであることが疑わしいと考えた．そのため，小麦摂取後の運動の中止のみならず，当該石鹸の使用を中止するように指示したところ，洗顔後の眼瞼腫脹，顔の痒みなどの症状は消失し，年余の経過でグルテン特異的 IgE 抗体価も減少した．小麦経口摂取時の症状も徐々に改善し，発症後 10 年を経過した時点で，小麦製品摂取後に激しい運動をしなければ小麦製品摂取は可能になっている．

解説

成人の食物アレルギーの原因として，小麦の頻度は極めて高い．成人発症の小麦アレルギーの大半がω-5 グリアジン優位感作型（ω-5 グリアジン特異的 IgE 抗体価がグルテン特異的 IgE 抗体価よりも高い）の WDEIA である．しかし，2011 年から当該症例のような石鹸中の小麦成分による経皮・経粘膜感作が原因となって発症した小麦アレルギー患者の発生が増えて社会問題になった[1, 2]．当時人気の洗顔石鹸「(旧)茶のしずく」に含有していた加水分解コムギが発症の原因であった．「(旧) 茶のしずく」以外の製品にも当該成分は含まれていたので，他の化粧品などの使用により発症したケースも少ないながら認めた．現在は問題の加水分解コムギ，グルパール 19S®を含有する石鹸や化粧品などは市販されていないため，基本的にこのようなメカニズムで新しく発症する小麦アレルギー症例はいないと考えてよい．

表 「(旧) 茶のしずく」石鹸により発症した小麦アレルギーと成人における通常の小麦アレルギーとの違い

	「(旧) 茶のしずく」石鹸により発症した小麦アレルギー	成人における通常の小麦アレルギー (conventional WDEIA)
男女比	女性＞＞＞男性	男性＞女性
年齢	20～60 歳代が多い	20 歳代～が多い
IgE 感作パターン	グルテン IgE ＞小麦 IgE ＞ω-5 グリアジン IgE	ω-5 グリアジン IgE ＞グルテン IgE ＞小麦 IgE
加水分解コムギ（グルパール 19S）によるプリックテスト	陽性	通常陰性
「(旧) 茶のしずく」石鹸の使用歴	＋	−
「(旧) 茶のしずく」石鹸使用時のアレルギー症状	眼の痒み，くしゃみ，鼻水，顔面皮膚の痒み	−
経口小麦アナフィラキシーの初期症状	眼・顔面の痒み・腫脹	全身の痒みと膨疹
重篤な経口小麦アナフィラキシー時に出現してくる症状	消化器・呼吸器症状 血圧低下	血圧低下
長期予後	当該石鹸使用の中止により小麦への反応性は年余の経過で寛解する事例が多い	ほとんどの症例が寛解しない[3]

当該疾患と，成人で多いタイプの小麦アレルギーとは，臨床症状，疫学的な特徴，IgE 感作パターンにおいて大きく異なる．成人で多いタイプの小麦アレルギー症例は，ω-5 グリアジン特異的 IgE 抗体価が，グルテン特異的 IgE 抗体価よりも高いという特徴をもち，小麦摂取時に誘発される症状も全身性の膨疹が主体である．これら 2 つの小麦アレルギーの違いについて表にまとめた．最も重要な点は，「(旧) 茶のしずく」石鹸の使用で発症した小麦アレルギーは，当該石鹸使用中止後に（全例ではないが）年余の経過の中で寛解していることである．本疾患は，感作源の回避により成人食物アレルギーの長期予後が改善することを示した教訓的な事例ともいえる．

1) Fukutomi Y, et al.：Rhinoconjunctival sensitization to hydrolyzed wheat protein in facial soap can induce wheat-dependent exercise-induced anaphylaxis. J Allergy Clin Immunol, 127：531-533. e1-3, 2011.
2) Yagami A, et al.：Outbreak of immediate-type hydrolyzed wheat protein allergy due to a facial soap in Japan. J Allergy Clin Immunol, 140：879-881. e7, 2017.
3) Hamada Y, et al.：Long-term dynamics of omega-5 gliadin-specific IgE levels in patients with adult-onset wheat allergy. J Allergy Clin Immunol Pract, 8：1149-1151. e3, 2020.

2 甲殻類アレルギー

起始および経過

食物アレルギーや薬物過敏の既往はなし．海外旅行中に日本食レストランでちらし寿司を食べ始めて15分後より咽頭違和感，口唇腫脹に続き，嗄声と呼吸困難，顔面皮疹が出現した．救急搬送され，アナフィラキシーとしての処置で症状は改善した．同じ寿司を食べた家族は無症状．ちらし寿司の内容は，マグロ，サケ，イカ，エビ，しめサバ，ウナギ，トビッコ，鶏卵など，普段から摂取しているものばかりであったが，入店時に以前から時々頭痛に使用していたロキソプロフェンを内服していた．帰国後，かかりつけ医から原因精査目的で紹介された．

検査データ

Total IgE 抗体価（ImmunoCAP®）：570 IU/mL，特異的 IgE 抗体価（ImmunoCAP®，UA/mL）マグロ：0.11，サケ：≦0.10，イカ：≦0.10，エビ：0.40（クラス 1），カニ：0.51（クラス 1），サバ：≦0.10，アニサキス：0.17，コムギ：≦0.10，グルテン：≦0.10，ω-5 グリアジン：≦0.10，ヤケヒョウヒダニ：0.20，ハウスダスト 1：0.31．

皮膚プリックテスト：生マグロ（－），生サケ（－），生イカ（－），エビ試薬エキス（－），生エビ（3+），生カニ（3+），生サバ（－），小麦粉試薬エキス（－），ダニ試薬エキス（－），ハウスダスト試薬エキス（－）（生食材は患者持参）．

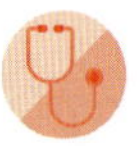

初診後の経過

生の魚介類を摂取した後に生じた成人のアナフィラキシー症例であり，原因としてエビおよびアニサキスが最も疑われたが，検査結果からアニサキスは否定的であり，皮膚プリックテスト skin prick test（SPT）が強陽性であったエビによるエピソードであったものと考えられた．エビは普段から食していたにもかかわらず今回のみ症状が発現したことから，内服したロキソプロフェンによる症状誘発が疑われ，最終的には直接経口負荷試験によりエビアレルギーの診断が確定した．日常生活管理として，① 甲殻類の完全除去，② 甲殻類の誤食が疑われたときは食後 4 時間の運動，入浴，NSAIDs 服用を禁止，③ アドレナリン自己注射薬の携帯および必要時の使用を指導した．

解説

全年齢での食物アレルギーでは，甲殻類は原因アレルゲンの 8 位だが，成人においては，甲殻類は小麦とともに最も主要な原因アレルゲンである（表）．皮膚症状や口腔内アレルギー症候群（OAS）のような粘膜症状が多いが，アナフィラキシーショックに至る頻度も高い[1]．また，本症例のように，甲殻類アレルギーは小麦の場合と同様，食後の運動や NSAIDs 服用との組み合わせによってアナフィラキシー症状が誘発されることが多い（食物依存性運動誘発アナフィラキシー：FDEIA）．ただし，FDEIAは運動などがなくても原因食物を大量に摂取すれば同様に症状が誘発される可能性がある．その他，甲殻類による過敏症状として，皮を剥く際に皮膚瘙痒などが生じる接触蕁麻疹やprotein contact dermatitis（PCD）も知られるが，詳細は他項を参照されたい．甲殻類の代表ともいえるエビとカニは消費者庁のアレルギー表示対象品目の特定原材料（7品目）として表示が義務づけられている[2]．

表　新規発症の食物アレルギーにおける原因食物[1]

	0歳 (1,356)	1，2歳 (676)	3～6歳 (369)	7～17歳 (246)	≧18歳 (117)
1	鶏卵 55.6%	鶏卵 34.5%	木の実類 32.5%	果物類 21.5%	甲殻類 17.1%
2	牛乳 27.3%	魚卵類 14.5%	魚卵類 14.9%	甲殻類 15.9%	小麦 16.2%
3	小麦 12.2%	木の実類 13.8%	落花生 12.7%	木の実類 14.6%	魚類 14.5%
4		牛乳 8.7%	果物類 9.8%	小麦 8.9%	果物類 12.8%
5		果物類 6.7%	鶏卵 6.0%	鶏卵 5.3%	大豆 9.4%

各年齢群ごとに5%以上を占めるものを上位5位表記．n=2,764

本症例では，エビ特異的IgE抗体価の上昇は軽度にとどまり，SPTでも市販のエビアレルゲンエキスでは陰性であったが，（実際のエピソード時に接種したエビの種類は不明であったものの）準備された生エビによるSPTの結果が（3+）であったことからほぼ診断に至った．*in vitro* 検査に使用されているアレルゲンタンパクや市販のSPT用エキスに含有されるアレルゲンタンパクと，患者自身が感作している原因アレルゲンタンパクとの一致率が低い場合もあり，SPTにおいては可能な限り症状を誘発した食材を使用することが望ましい[3]．

甲殻類アレルギーの原因アレルゲンとして数種類のタンパクがWHO/IUIS（International Union of Immunological Societies）のアレルゲン命名委員会に登録されているが，エビアレルギーの主要なコンポーネントとしては，筋原線維のタンパク質であるトロポミオシン（Pen a 1など）がよく知られる．カニ類，ロブスター類と90%以上の相同性があり交差性も高く，エビアレルギーの患者がカニを食べた場合には6割以上の患者がアレルギー症状を呈したと報告されている．同様に，イカ，タコなどの軟体類や貝類とも50～60%の相同性を示すため，これらの特異的IgE抗体も同時に陽性となることがある．一方，わが国の報告ではトロポミオシン特異的IgE抗体の陽性率は概して低く，日本人のエビアレルギーはトロポミオシン以外のアレルゲンが主要な原因と考えられている．最近の海外の報告でも，トロポミオシン以外のタンパク質であるアルギニンキナーゼ，ミオシン軽鎖，筋形質カルシウム結合タンパク質，ヘモシアニン，トリオースリン酸異性化酵素，トロポニンCなどの重要性が指摘されている[4]．

甲殻類アレルギーの診断に際しては，他の食物アレルギーと同様にアレルゲンへの曝露のルートやアレルゲン量，食材の加工による抗原性の減弱の程度などの情報が重要である．アトピー素因を有する個体でのトロポミオシンやアルギニンキナーゼなど安定性の高いアレルゲンへの経口感作は，比較的軽症のOASから激烈な全身症状（アナフィラキシー）までさまざまな症状が起こる．海産物を扱う業者や飲食業に従事する成人で，空気中の甲殻類の微粒子や調理時の蒸気に含まれるアレルゲンを吸入して感作が成立することもある．

甲殻類アレルギーは小児よりも成人に多くみられ，アナフィラキシーの頻度も高いことから，通常，経口免疫療法は実施されない．したがって，診断が確定すれば除去をするのが原則であるが，エビ，カニは，魚介類への捕食，混獲，共生による混入があることから，これらを原材料とした加工食品の表示には注意が必要である．

将来的な対策としては，低アレルゲンのエビ，カニの開発，DNAワクチン，T細胞エピトープを用いた免疫療法，プロバイオティクスなどが研究の途上である．

1) 今井孝成，ほか：アレルギー，69：701-705，2020.
2) 日本小児アレルギー学会食物アレルギー委員会編：食物アレルギー診療ガイドライン2021．協和企画，2021.
3) Ruethers T, et al.：Allergy, 74：1352-1363, 2019.
4) Grilo J, et al.：Allergy, 77：1921-1923, 2022.

3 軟体類・貝類アレルギー

起始および経過

軽度の蕁麻疹がある．一般事務職．3年前に1度だけイカの摂食で口腔瘙痒感を経験したことがあった．友人との飲み会で普段以上の過度な飲酒と，イカのシュウマイを摂取した．食後20分後から口腔瘙痒感が出現したが経過観察をしていた．食後2時間経過した帰宅後の入浴中に全身に膨疹が出現した．その後，吐き気と腹痛も加わり，救急搬送された．今までの摂取歴としては，エビやカニなどの甲殻類に加えて，イカも普段から非加熱も含めてときどき摂取している．

身体所見

意識清明，血圧110/65，脈拍85/分整，SpO_2 98%（室内気），体温36.7℃，咽頭圧迫感があるもStridorはなし，顔面・体幹・四肢に膨疹が著明，呼吸音正常，腹部所見は腸管蠕動音の亢進のみ．

検査データ

Total IgE：849 IU/mL，特異的IgE抗体（U_A/mL）アサリ：0.40，エビ：0.68，カニ：1.28，イカ：18.32，タコ：3.82，アニサキス：0.77，ヤケヒョウヒダニ：1.38，コナヒョウヒダニ：1.20，ゴキブリ：5.74，小麦：0.38，大豆：0.34以下，豚肉：0.34以下．

プリックプリックテスト（PPT）：イカ（3+），タコ（2+），エビ（−），アサリ（−），小麦（−）．

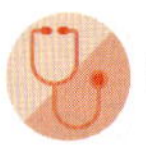

初診後の経過

アナフィラキシーの疑いでアドレナリン筋注，補液，酸素投与などの処置が実施され，症状は改善した．24時間の観察入院の後，当面の甲殻類・軟体類の除去指導とアドレナリン自己注射薬を処方して退院した．退院1ヵ月後に外来でイカ・タコをはじめとした実際の食物を使ったPPTを実施した．上記のように，イカ・タコが強陽性であり，病歴と合わせてイカによる食物依存性運動誘発アナフィラキシー（FDEIA）と診断した．PPTの結果からイカ・タコの除去を指導し，特に運動や飲酒などのCofactorに注意することを指示した．その他の甲殻類・軟体類（貝類含む）の摂取をする際も，摂取量に気を付けること，Cofactorに注意することを指示した．その後はイカ・タコ以外の甲殻類や軟体類（貝類含む）は問題なく摂取できた．イカ・タコの食物経口負荷試験（OFC）や食後の運動誘発試験を加えたOFCを提案したが，栄養面やQOLの負担が少ないことからOFCの希望はなく，除去後は症状の再発なく経過している．

解説

すべての食用の軟体類（貝類含む）は軟体類門に属する無脊椎動物であり，軟体類には貝類，イカ，タコ，アワビなどが含まれ，世界中で数百種類が食されている．同定されたアレルゲンのほとんどは，多様な種に共通する一連のタンパク質ファミリーに属しており，トロポミオシン，EF-ハンド，ホスホトランスフェラーゼ，トリオースリン酸アイソメラーゼ，脂肪酸結合タンパク質およびヘモシアニンなどが報告されている．中でもトロポミオシンがメジャーなアレルゲンと考えられている[1]．トロポミオシンは耐熱性・良好な水溶性の性質をもつことに加え，軟体類のほか，甲殻類，昆虫，寄生虫などの多様な種間で共有されており（図1），甲殻類アレルギー患者の約45%が軟体類アレルギーを，軟体類アレルギー患者の約70～80%が甲殻類アレルギーを併発するとされている[2, 3]．

	Pen a 1	Pen s 1	Cha f 1	Hel as 1	Oct v 1	Per v 1	Der p 10	Bla g 7	Asc l 3
Pen a 1									
Pen s 1	100%								
Cha f 1	100%	91%							
Hel as 1	71%	63%	63%						
Oct v 1	75%	63%	63%	83%					
Per v 1	55%	55%	55%	70%	70%				
Der p 10	71%	80%	82%	64%	63%	55%			
Bla g 7	76%	82%	84%	63%	63%	56%	80%		
Asc l 3	62%	72%	74%	64%	64%	57%	73%	70%	

図1　トロポミオシン亜型におけるアミノ酸配列の相同性
（文献4）より一部改変）

疫学 軟体類の疫学データは全世界的に乏しい．甲殻類・軟体類アレルギーを包括した疫学調査の結果では地域によって異なるが，世界の人口の約3%と推定されている[4]．日本においては就学期以上の小児から成人発症の食物アレルギーの原因の15～20%が甲殻類・軟体類アレルギーとされている[5]．単施設での結果ではあるが，成人食物アレルギーの誘因の約11%が甲殻類で約4%が軟体類（貝類含む）を占めており[6]，アナフィラキシーを生じた症例の調査では誘因の約10%が甲殻類で，1.6%が軟体類（貝類含む）を占めている（図2）．

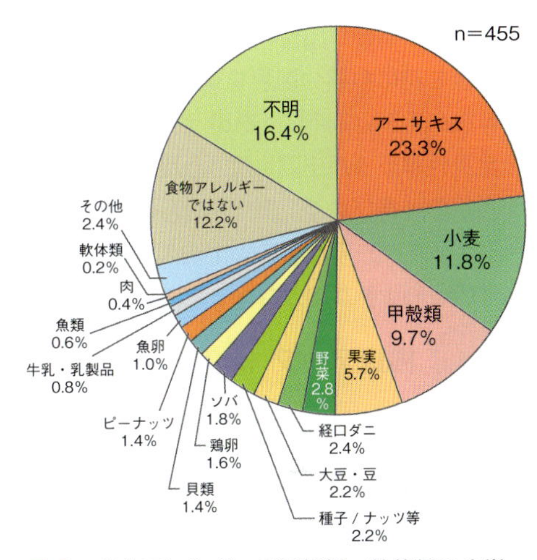

図2　成人アレルギーの甲殻類・軟体類の疫学
（昭和大学病院呼吸器アレルギー内科調べ）

診断 特異的IgE抗体価は，軟体類と節足動物（ダニ，ゴキブリなど）のアレルゲン間の高い交差反応性から，偽陽性率が高く診断精度は低い[7]．皮膚テストに関しても同様であり，診断の確定には運動誘発試験を含めたOFCなどを用いる必要性がある．保険適応外だがトロポミオシンは感度34%，特異度85.2%と優れた診断精度があり，診断の一助になるとされる[7]．

管理 トロポミオシンの種間保存性・耐熱性・水溶性の性質から，トロポミオシンを含むすべての甲殻類・軟体類を食品加工の程度にかかわらず完全除去を推奨する文献もある[8]．しかし，甲殻類アレルギーがあっても，軟体類が摂取できる症例や，特定の種の甲殻類／軟体類のみにアレルギーを示す症例も報告されており，個々の対応が求められる．

参考文献

1) Shanti KN, et al.：J Immunol, 151：5354-5363, 1993.
2) Wang HT, et al.：J Allergy Clin Immunol Pract, 8：1359-1370.e2, 2020.
3) Warren CM, et al.：J Allergy Clin Immunol, 144：1435-1438, 2019.
4) Davis CM, et al.：J Allergy Clin Immunol Pract, 8：37-44, 2020.
5) 海老澤元宏，ほか：食物アレルギーに関連する食品表示に関する調査研究事業報告書 - 即時型食物アレルギーによる健康被害に関する全国実態調査，2022，消費者庁．
https://www.caa.go.jp/policies/policy/food_labeling/food_sanitation/allergy/assets/food_labeling_cms204_220601_01.pdf
6) 中村陽一：日小ア誌，32：88-95，2018.
7) Thalayasingam M, et al.：Clin Exp Allergy, 45：687-697, 2015.
8) The European Academy of Allergy and Clinical Immunology. Molecular Allergology User's Guide 2.0, John Wiley & Sons Ltd, 2022.

4 アニサキスアレルギー

症例

53 歳，男性

起始および経過

既往歴は特記事項なし．生来健康であり，特に医療機関には通院していない．また幼い頃より魚が好物であり，普段から頻回に摂取していた．52 歳頃に自宅で刺身の盛り合わせを食べて，全身性蕁麻疹，心窩部痛，嘔吐が出現したことがあり，自宅近くの診療所を受診し，急性胃炎の診断にて治療を受けた．その後も特に食事の制限をすることなく，また同様の症状を再度認めることなく過ごしていた．しかし，1 年後の 53 歳の時に，寿司（サバ，サンマ，マグロ，イカなど）を食べた 4 時間後より心窩部の違和感と全身性蕁麻疹が出現した．心窩部の違和感は，徐々に痛みも伴い，その後，吐き気・嘔吐の症状を認めた．症状の改善がなく，また呼吸苦の出現も認めたため，近隣の総合病院に救急搬送となった．同院にてアナフィラキシーの診断にて 1 泊入院となった．後日，同院にて魚類による食物アレルギーを疑い，血液検査を行うも診断がつかなかったため，当院に紹介受診となった．身体所見上，明らかな異常所見なし．

検査データ（前医での採血結果）

Total IgE：330 IU/mL，特異的 IgE 抗体（UA/mL）エビ：< 0.34，イカ：< 0.34，サバ：< 0.34，サケ：< 0.34，アジ：< 0.34，イクラ：< 0.34，ホタテ：< 0.34．

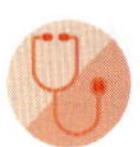

初診後の経過

臨床経過として，いずれの 2 回も食事摂取によって同様の臨床症状を呈しており，またそのほかの明らかな誘発となるような原因もなく，食物摂取に関連したアナフィラキシーと考えた．また原因の食物としては，いずれも魚類の摂取を認めており，魚の関与を疑った．鑑別疾患として魚類によるアレルギー，アニサキスアレルギー，ヒスタミン中毒を考慮し，当院外来の初診時に前医での血液検査結果に追加してアニサキスの特異的 IgE 抗体価を測定したところ，アニサキス：44.1UA/mL と高値を認めた．2 回目の外来の受診時に魚類に加えて甲殻類，貝類の診断用エキスを用いて，プリックテストを行うもいずれも陰性の結果であった．血液検査とプリックテストの結果から，魚アレルギーは否定的かつ摂取した時の魚類はいずれも新鮮であった可能性が高いことから，ヒスタミン中毒による反応も考えにくく，臨床経過と合わせて総合的にアニサキスアレルギーと診断した．今後，誤食などによるアナフィラキシーのリスクもあるため，エピペン®を処方した．その後も外来で経過観察としているが，適切な回避により特に症状の再燃の出現はなく，エピペン®も使用することなく経過している．

解説

魚類の摂取によるアレルギー様症状を呈する患者を診察する時には，魚アレルギー，アニサキスアレルギー，ヒスタミン中毒を鑑別疾患として考慮する必要がある（表）．魚類によるアレルギーは，即時型食物アレルギーの全国疫学調査で 18 歳以上の患者の新規発症食物アレルギーの原因食物の 14.2％を占め，第

3位[1]に位置づけられ頻度の高いものであるが，必ずしも真の魚アレルギーのみを反映していない可能性がある．アレルギー外来で魚類に関連した成人患者を診察する時には，アニサキスアレルギーに接する機会が多い．

表　魚類摂取によるアレルギー様症状出現時の鑑別診断

魚アレルギー	アニサキスアレルギー	ヒスタミン中毒
・成人の食物アレルギーでは頻度は低い ・原因となる主なアレルゲンは，パルブアルブミンとコラーゲン ・パルブアルブミンは，魚類におけるメジャーアレルゲンであり，加熱に対しても安定性がある ・コラーゲンは，マイナーアレルゲンだが，ヒトにおけるアレルゲンとしての作用がある．魚類と哺乳類とのコラーゲンにおける交差抗原性は認めない ・両アレルゲンとも魚類間での交差抗原性を広く認める ・診断には，血液検査による魚類の特異的 IgE 抗体価の測定と魚類でのプリックテストが有用 ・魚種間で交差反応性があり，多くの症例が多種の魚類を摂取できず，全般的な回避が必要なことが多い	・魚アレルギーよりも頻度が高い ・頻回に摂取する中高年に多い，沿岸地域に多い ・症状として，消化器症状を伴うことが多い ・診断にはアニサキスの特異的 IgE 抗体価の測定が有用 ・生食で症状が誘発されることが多く，大半の患者が加熱調理した魚介類での症状誘発歴を持たない	・主な原因となる魚種は，マグロやサンマ，サバなどのアミノ酸のヒスチジンを多く含む赤身魚 ・魚類の鮮度が落ちてくると細菌（*Morganella morganii* など）によるヒスチジン脱炭酸酵素の作用を受け，ヒスタミンが蓄積され，摂取によりアレルギー様症状を呈する ・有用な検査は乏しいため，摂取した魚類の詳細な情報が重要 ・症状出現時は抗ヒスタミン薬が有効 ・回避の方法としては，冷蔵保存することや鮮度の低下した魚類は摂取しない

アニサキス *Anisakis simplex* とは，回虫目アニサキス科に属する回虫の仲間の寄生虫である．それらの成虫は，クジラやイルカなどの海洋哺乳類の胃に寄生し，虫卵が糞便とともに海中へ放出され，それらをオキアミなどが捕食すると，宿主の体内で徐々に発育し第三期幼虫となる．さらにイカやタラ，サバなどの徐々に大きな魚類へ，最終的に海洋哺乳類に摂食されることで，アニサキスの生活環が完成する．しかしながら，この過程の中でヒトが魚介類を摂取することでアニサキスに感作され，再度の摂食により体内に侵入した幼虫が消化管内の胃壁に迷入し，I型アレルギーの機序により，激しい腹痛や嘔吐，蕁麻疹やさらにはアナフィラキシーを呈することもあり，これらはアニサキスアレルギーと呼ばれる．アニサキスの生活環において，ヒトは宿主ではないため，生きた成虫がヒトの体内に侵入しても発育や長期間の生存はしない．アニサキスアレルギーの正確なデータはないが，世界の中でも日本特有の食習慣により有病率は高いと考えられる．海外では，魚類の摂取が多いと思われるイタリアやスペインからの報告を多数認める．

原因となる食品としては，アニサキスの寄生率が高い魚介類のイカ，サバ，タラなどが多く，日本では刺身や寿司が食事の契機として多い．また摂取後から症状出現までの時間は，食直後から半日後までであり一般的な食物アレルギーよりも時間の幅があるため，問診上では時系列での食事摂取歴の聴取が重要である．臨床症状の特徴としては，消化器症状として激しい心窩部痛，吐き気・嘔吐，下痢とともに蕁麻疹や血管浮腫の症状を認めることが多い[2]．

診断としては，アニサキスの感作を確認するために，アニサキス特異的 IgE 抗体価を測定する．またプリックテストでは，現時点で国内での市販のアニサキスの診断用エキスはないため，摂取した魚介類でのプリックテストや特異的 IgE 抗体価の測定を行い，真の魚類のアレルギーを除外診断する必要がある．アニサキスアレルギー患者に対する食事指導の方法に関して，コンセンサスを得られたものは，現状ではない．一般的には，アニサキスが寄生している可能性が高い魚介類の摂取を控えるように指導することが多いが，寄生頻度が低いと考えられる魚類の生食でも，偶然の寄生により症状を起こしうる．加熱調理した魚介類でも症状を起こしうるが，症状を起こす頻度や重症度などの観点から，圧倒的に生食のほうが危険である．生魚や十分に調理されていない魚介類の摂取を控えることにより，アニサキスの特異的 IgE 抗体価が低下すると言われている[3]．

アニサキスアレルギーは，成人のアナフィラキシーの原因として極めて頻度が高い．魚介類摂取後に症状をきたした症例の診療では，当該疾患の可能性を常に考慮する．

成人期

1) 今井孝成，ほか：アレルギー，69：701-705，2020.
2) Daschner A, et al.：J Allergy Clin Immunol, 105：176-181, 2000.
3) Carballeda-Sangiao N, et al.：PLoS Negl Trop Dis, 10：e0004864, 2016.

5 食物依存性運動誘発アナフィラキシー

起始および経過

3 年前，昼食にラーメンを食べ，午後野外で作業をしていたら頸部が痒くなり，膨疹が出た．膨疹は安静にして 2 時間程度で自然消退した．1 年前，昼食にラーメンを食べ，1 時間ほど歩行していたら体幹・上肢に膨疹が出た．近医を受診し，蕁麻疹の診断でポララミン®を静注され 2 時間程度で消退した．その後，同医院にて血液検査を受けたが，小麦のアレルギーはないと説明された．1 週間前昼食にラーメンを食べて，1 時間後歯痛のためロルカム®1 錠を服用した．その後，全身に膨疹が出現し，近くの病院を受診した．診察時，気分不良となり，血圧 90/70mmHg と低下していた．アナフィラキシーショックの診断で加療を受け，回復した．食物アレルギーを疑われ，当院に紹介受診となった．

身体所見

初診時に異常所見は見られなかった．皮膚デルモグラフは陰性であった．

検査データ

Total IgE：750 IU/mL，特異的 IgE 抗体（U_A/mL）小麦：0.34 以下，大麦：0.34 以下，グルテン：0.96，ω-5 グリアジン：3.06．

皮膚プリックテスト（トリイアレルゲンエキス）では，小麦，パンが陽性であった（図 1）．

誘発試験にて，うどん 120g の摂取のみ，ロルカム®1 錠の服用のみでは症状がみられなかったが，うどん 120g 摂取後ロルカム®1 錠の服用で頸部・体に膨疹が誘発された（図 2）．

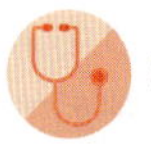

初診後の経過

病歴および検査結果から，小麦による食物依存性運動誘発アナフィラキシー（FDEIA）と診断した．ラーメンを含む小麦製品の摂取を原則禁止とした．醤油，味噌などの小麦加工製品は摂取可とした．また，小麦製品の摂取後の運動あるいは非ステロイド性抗炎症薬の服用は症状を誘発，増悪することを説明し，注意を促した．小麦製品の誤食による蕁麻疹の出現に際して抗ヒスタミン薬の服用，広範囲の蕁麻疹に際しては救急病院を受診するよう指示した．エピペン®の処方は希望されなかった．その後，症状の出現はみられていない．

解説

本症例は，ラーメン摂取後に蕁麻疹が出現するというエピソードを 2 回経験した後，ラーメン摂取後に非ステロイド性抗炎症薬を服用してアナフィラキシーをきたした小麦による FDEIA の症例である．2 回目のエピソードの後，食物アレルギーを疑われて血液検査を受けているが，小麦アレルギーはないと説明されている．このため継続してラーメンを摂取しアナフィラキシーを生じている．これは当院でのイムノキャップ®

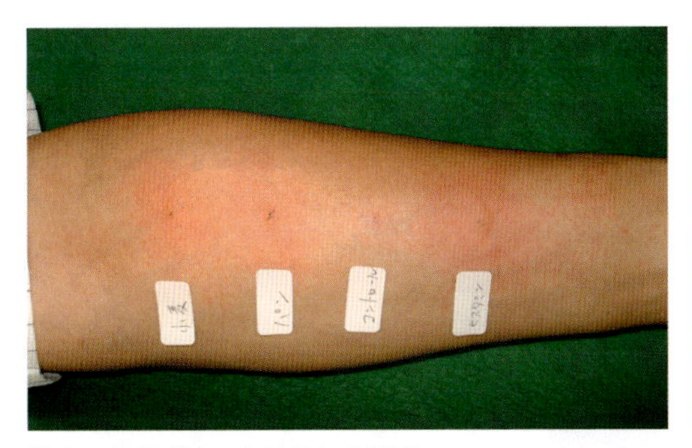

図 1　皮膚プリックテストの結果

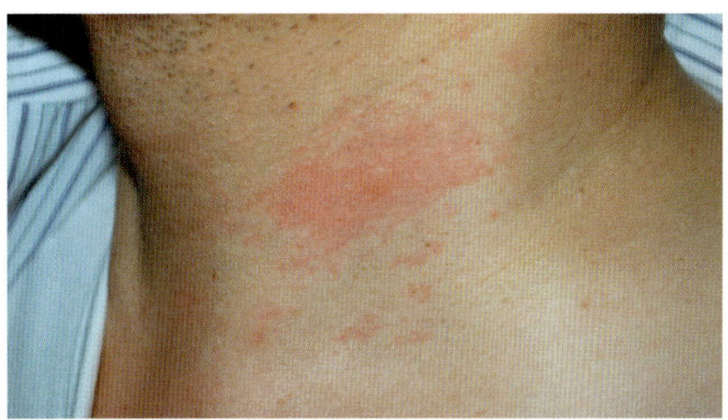

図 2　うどん 120g 摂取後ロルカム®1 錠の服用にて頸部に誘発された膨疹

による小麦特異的 IgE 検査結果が陰性を示しているように，近医で実施された小麦特異的 IgE が陰性を示したためと思われる．小麦特異的 IgE 検査には小麦可溶性タンパク質が使用されているが，小麦による FDEIA では陰性となる場合が多い．これは，小麦による FDEIA の原因抗原が小麦不溶性のグルテンタンパク質であるためである．

一方，グルテンタンパク質を使用しているイムノキャップ®グルテンはやや陽性率が高いが，イムノキャップ® ω-5 グリアジンは患者の 80％以上が陽性となる．表に小麦による FDEIA 患者におけるそれぞれの検査の陽性率を示す[1]．

表　小麦による FDEIA 患者における特異的 IgE 検査の陽性率[1]

イムノキャップ®*	WDEIA** (n=39) (%)	AD*** (n=16) (%)	健常人 (n=12) (%)
小麦	41.0	87.5	0
グルテン	43.5	18.7	0
小麦 and/or グルテン	51.3	87.5	0
ω-5 グリアジン	82.0	0.0	0
高分子量グルテニン	12.8	12.5	0
ω-5 グリアジン and/or 高分子量グルテニン	92.3	12.5	0

*：0.7U_A/mL 以上を陽性とした．
**：小麦による FDEIA 患者．
***：イムノキャップ®小麦による値が≧0.34（kU_A/L）以上を示すも即時型アレルギー症状を示さないアトピー性皮膚炎患者．

FDEIA は，原因食品を摂取しただけではアレルギー症状はみられず，食後に運動などの二次的要因が加わって発症する食物アレルギーである．本症例も，ラーメン摂取後の野外作業や 1 時間程度の歩行にて症状が誘発されている．小麦による FDEIA では，通常は問題なく小麦製品を摂取しているため，小麦が原因とは気づかず症状を繰り返している症例が多い．通常は原因食品を摂取しても原因抗原であるタンパク質が消化を受けるため発症しないが，食後に運動負荷が加わると消化管の透過性が亢進し，未消化な抗原が吸収されることによる[2]．また，本症例のように誘因が非ステロイド性抗炎症薬の服用のことも少なくない．これは，非ステロイド性抗炎症薬服用によっても消化管からの未消化抗原の吸収が亢進するためである[1, 2]．FDEIA の原因食物は小麦の場合が多く，症例全体の 60％以上を占め，次いでエビ・カニが多い[3]．

小麦による FDEIA は HLA-DPB1 * 02：01：02 と関連があることが明らかにされ，保有者の発症リスクは 4 倍以上である[4]．

参考文献

1) Morita E, et al.：Food-dependent exercise-induced anaphylaxis-importance of omega-5 gliadin and HMW-glutenin as causative antigens for wheat-dependent exercise-induced anaphylaxis-. Allergol Int, 58：493-498, 2009.
2) Matsuo H, et al.：Exercise and aspirin increase levels of circulating gliadin peptides in patients with wheat-dependent exercise-induced anaphylaxis. Clin Exp Allergy, 35：461-466, 2005.
3) 特殊型食物アレルギーの診療の手引き 2015. 厚生労働化学研究費補助金「生命予後に関わる重篤な食物アレルギーの実態調査・新規治療法の開発および治療指針の策定」手引き作成委員会編（代表　森田栄伸），p.5，2015.
4) Fukunaga K, et al.：Genome-wide association study reveals an association between the HLA-DPB1 * 02：01：02 allele and wheat-dependent exercise-induced anaphylaxis. Am J Hum Genet, 108：1540-1548, 2021.

成人期

6 花粉–食物アレルギー症候群（PFAS）

症例
42 歳，女性

起始および経過

東京在住．花粉症（春〜夏），アレルギー性鼻炎，アトピー性皮膚炎あり．

42 歳時，8 月に生のモモを摂取した直後に，口腔内に強い痒みが出現した．数日後にキウイを食べたところ，急激に口腔内に瘙痒が出現した．次第に喉の奥がつまる感じがして，唾液も飲み込みづらくなったため，近医耳鼻科を受診した．2ヵ月以内にモモやキウイのほかに，ビワや豆乳でも同様の症状が現れていたため，精査目的で紹介受診となった．顔面に，皮膚乾燥を軽度認めるのみであった．

検査データ（初診時）

Total IgE：553 IU/mL，特異的 IgE 抗体（U_A/mL）モモ：5.51，キウイ：< 0.35，大豆：< 0.35，イチゴ：0.64，リンゴ：2.01，スギ花粉：22.9，ハンノキ（属）花粉：14.6，シラカンバ属：17.2，カモガヤ花粉：2.60，ブタクサ花粉：< 0.35，ヨモギ花粉：< 0.35，Gly m 4（大豆の pathogenesis-related protein type 10：PR-10）：6.94，rBet v 1（シラカンバ花粉の PR-10）：52.7，rBet v 2（シラカンバ花粉のプロフィリン）：< 0.35．

皮膚プリックテスト 新鮮な果物を用いて皮膚プリックテスト（prick-to-prick test）を実施した．エピソードに出てきたモモやキウイ，ビワ，豆乳は陽性であったが，リンゴやイチゴのように摂取しても誘発された経験のない食品は陰性であった．また，モモの缶詰や醤油などの加工品も陰性であった．

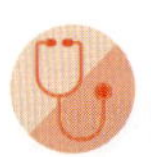

初診後の経過

臨床症状は摂取直後の口腔症状が主体であり，被疑食品の皮膚プリックテストが陽性であったこと，さらにカバノキ科花粉と Gly m 4 の感作がみられたことから，キウイ，モモ，ビワ，豆乳の花粉–食物アレルギー症候群〔pollen-food allergy syndrome（PFAS）または別名 pollen-food syndrome（PFS）〕と診断した．Gly m 4 が属す PR-10 というプロテインファミリーは，カバノキ科花粉により生じる PFAS の交差反応を引き起こす主要アレルゲンである．したがって，自験例はカバノキ科花粉の PR-10 感作により発症した PFAS と考えた．治療方針として，原因食品を避け，誤食時に備えて抗ヒスタミン薬とエピペン®を処方した．モモの缶詰や大豆発酵食品である醤油や味噌は，皮膚プリックテストが陰性なので，摂取を許可した．

解説

先行して感作された花粉抗原との交差反応によって生じる IgE 介在型食物アレルギーを，PFAS という．PFAS の交差抗原は，主に感染防御タンパク質の PR-10 と細胞骨格を司るプロフィリンである．いずれも植物の生存に欠かせない重要なタンパク質であり，植物学的近縁関係を超えて広く保存されているため，この感作によって交差反応も広範な植物性食品に及ぶ．また，これらの交差抗原は消化によって抗原性を失いやすく，摂取直後の口腔咽頭症状だけで終わることが多い．このような臨床的特徴から，口腔アレルギー症候群（OAS）とも呼ばれてきた．

PFAS の精査を進める上で，既知の交差反応（表）と原因アレルゲンの脆弱性を理解することが重要である．PFAS の交差反応の中で最も代表的なものは，カバノキ科花粉とバラ科果物の交差反応である．自験例でも，被疑食品はモモやビワなどのバラ科果物が含まれ，感作抗原としてカバノキ科花粉が疑われた．PFAS は一般に口腔内に症状が限局する軽症例であるが，まれながらアナフィラキシーに進展することがある（約 1～2%）．例えば，カバノキ科花粉と豆乳やモヤシ，ヨモギ花粉セリ科スパイスの組み合わせである[2]．

市販の粗抗原試薬では，作製する過程で抗原性が失活しやすく，それを用いる検査は偽陰性になりやすい．そのため，生の果物を使った prick-to-prick test が診断に有用である（図）．自験例でも，イムノキャップ®ではキウイ，大豆ともに陰性であったが，生のキウイや豆乳を用いた皮膚プリックテストは陽性であった．また，大豆 PR-10 である Gly m 4 の特異的 IgE 抗体測定（イムノキャップ®，Thermo Fisher Scientific）が保険収載されており，豆乳アレルギーのみならず，それ以外の PR-10 による PFAS の推定にも役立つ．近年，PFAS の新しい原因抗原として gibberellin-regulated protein（GRP）に注目が集まっている[3]．

表　花粉と交差反応を示す植物性食品

花粉が飛ぶ季節	花粉		交差反応しうる植物性食品	
春	ブナ目 カバノキ科 シラカバ属・ハンノキ属	シラカンバ ハンノキ オオバヤシャブシ	バラ科	リンゴ，モモ，サクランボ，イチゴ，ナシ，ウメ，ビワ，アーモンド
			マタタビ科	キウイ
			セリ科	ニンジン，セロリ，フェンネル，クミン，コリアンダー
			ナス科	トマト，ジャガイモ
			クルミ科	クルミ
			そのほか	マメ科：大豆（豆乳）・もやし ピーナッツ，ヘーゼルナッツ，ブラジルナッツ，ココナッツ
	裸子植物	スギ ヒノキ	ナス科	トマト
夏	イネ科	カモガヤ オオアワガエリ マグサ	ウリ科	メロン，スイカ
			ナス科	トマト，ジャガイモ
			そのほか	バナナ，オレンジ，セロリ
秋	キク科 ブタクサ属	ブタクサ	ウリ科	メロン，スイカ，ズッキーニ，キュウリ
			バショウ科	バナナ
	キク科 ヨモギ属	ヨモギ	セリ科	セロリ，クミン・フェンネル・コリアンダーなどのスパイス，ニンジン
			そのほか	キウイ，ピーナッツ

（文献 1）より一部改変）

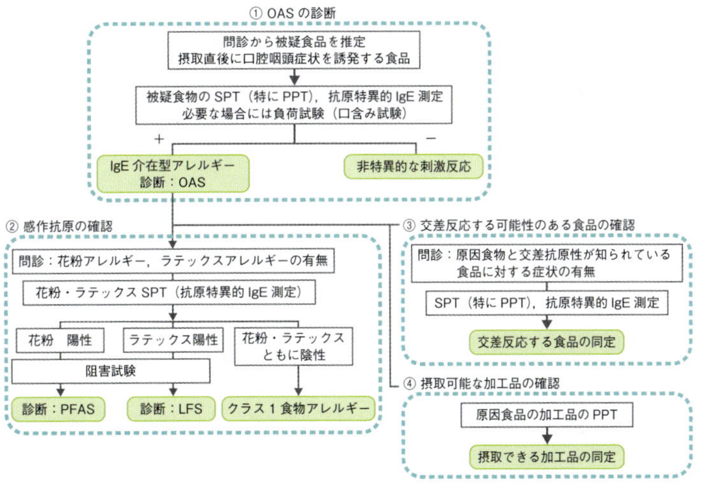

図　花粉-食物アレルギー症候群の診断フローチャート（案）
OAS：oral allergy syndrome，SPT：Skin prick test，PPT：prick-to-prick test，
PFAS：pollen-food allergy syndrome，LFS：latex-fruit syndrome.
（文献 1）より一部改変）

PFAS の治療の原則は，原因食物の除去である．ただし，PFAS では，原因食物が多種に及ぶことが多いため，すべての食品を厳格に除去することによって QOL が著しく損なわれる．食物は，PFAS の感作相には関与しないものと推定されるので，重篤なアナフィラキシーの既往例でなければ，症状が誘発されない程度の少量の摂取を検討する．また，ジャムや缶詰などの加工品も摂取できることが多く，検査で摂取できるものをみつけることも大切である．症状出現時に備え，抗ヒスタミン薬を処方し，アナフィラキシーの既往例はアドレナリン自己注射薬を携帯させる．

PFAS の根治療法として，感作抗原である花粉を標的とした免疫療法が期待されているが，現時点ではその有効性について一定の見解が得られていない．

1) 猪又直子：口腔アレルギー症候群．J Environ Dermatol Cutan Allergol, 4：125-136, 2010.
2) 猪又直子：花粉・食物アレルギー症候群．喘息・アレルギー，29：127-133, 2016.
3) Inomata N, et al.：Allergol Int, 69：11-18, 2020.

成人期

即時型果物アレルギー（GRP）

症例
54 歳，女性

起始および経過

53 歳時，モモ，梅，サクランボなどの果物を摂取後，眼瞼浮腫や喉頭違和感，鼻閉感が出現するようになった．食後約 1 時間して犬の散歩中に，眼瞼浮腫と喉頭閉塞感が出現することもあった．その後，自家製梅ジュースを飲んでも 1 時間後に鼻閉感が出現したため，紹介受診となった．既往歴に花粉症がある．

検査データ（初診時）

特異的 IgE 抗体（UA/mL）ではモモ，リンゴ，キウイ，大豆はすべて陰性（< 0.35UA/mL），花粉は，スギが 11.6UA/mL（クラス 3），ハンノキ，シラカンバ属，カモガヤ，ブタクサ，ヨモギはすべて陰性であった．

皮膚プリックテスト 皮膚プリックテスト（prick-to-prick test）では，エピソードに出てきたモモは果肉（生，加熱），果皮（生）は陽性，モモの缶詰，ネクター，ヤマモモも陽性．梅も，梅酒や梅ジュース，梅砂糖煮，梅干しが陽性で，検査 15 分後に眼瞼に違和感が出現した．

食物経口負荷試験（OFC） 食物と運動，アスピリン内服を組み合わせた OFC を施行した．モモ 1/2 個摂取で顔のほてり感や軽度の鼻閉感は出現したが，モモ 1 個単独摂取，およびモモ 1/2 個摂取後トレッドミル負荷では症状は現れなかった．アスピリン 500mg 内服 30 分後にモモを 1/2 個摂取したところ，眼瞼浮腫と喉頭違和感が出現し，その後，顔面腫脹と頸部の発赤，鼻汁が出現した．

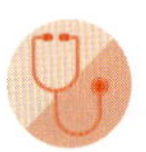

初診後の経過

精査結果から，モモや梅による食物依存性運動誘発アナフィラキシーと診断した[1]．皮膚プリックテストで陽性となったバラ科の果物は交差反応によると考え，すべて避けるように指導した．モモのアレルゲンコンポーネント検査では Pru p 7 のみ陽性であったことから，原因アレルゲンはジベレリン制御タンパク gibberellin-regulated protein（GRP）と考えた（表）．

解説

GRP は，抗菌ペプチドの一種であり，またジベレリンという植物ホルモンの作用を受けて植物の成長・発達に関与する，植物にとって重要なタンパクである．GRP は 7kDa 程の小さい分子であるが，6 つのジスルフィド結合を有し，熱や消化に対して安定であることから，重症のアレルギーを誘発しやすいと考えられている[2]．

以前から日本の重症モモアレルギーではモモ特異的 IgE 抗体検査が偽陰性になる例が存在し，さらに欧州の重症マーカーといわれる LTP についても特異的 IgE 抗体が陽性になる例が少なく，市販検査によるスクリーニングに限界があった．近年，その解決のために研究が進み，GRP がモモアレルギーの重症化を予測するアレルゲンとして同定され，報告が増えてきている[3]．

GRPは重症化を予測するアレルゲンであるとともに，食物依存性運動誘発アナフィラキシー（FDEIA）や花粉‐食物アレルギー症候群（PFAS）など複数の臨床型をとりうるまれなアレルゲンである[2]．これまでに，モモ Pru p 7，ウメ Pru m 7，サクランボ Pru av 7などのバラ科果物のほか，オレンジ Cit s 7，ザクロ Pun g 7，トウガラシ Cap a 7，そのほかにもプラム，リンゴ，イチゴなどのGRPの報告がある[2]．

表　モモのアレルゲンコンポーネント検査

アレルゲン名	プロテイン名	特徴	自験例
Pru p 1	Pathogenesis-related protein type 10（PR-10）	・口腔咽頭症状に限局することが多い． ・消化や熱に不安定． ・シラカンバ花粉，ハンノキ花粉などカバノキ科花粉との交差反応による．	陰性（ImmunoCAP）
Pru p 4	Profilin	・口腔咽頭症状に限局することが多い． ・消化や熱に不安定． ・カモガヤなどの雑草のほか樹木の花粉，多くの種類の果物や野菜に含まれ panallergen と呼ばれる．	陰性（ImmunoCAP）
Pru p 3	Lipid transfer protein（LTP）	・全身症状を生じやすい． ・果皮に多く含まれる． ・消化や熱に安定． ・ヨーロッパ，特に地中海側に多い．	陰性（ImmunoCAP）
Pru p 7	Gibbrellin-regulated protein（GRP）	・全身症状を誘発しやすい． ・果肉に多く含まれる． ・消化や熱に安定． ・日本や欧州から報告されている．	陽性（ELISA，好塩基球活性化試験，皮膚プリックテスト）

果物のGRPアレルギーは小児から成人まで幅広い年齢層に生じる．GRP感作率について，果物アレルギー100例の解析では，果物アレルギー全体の13%がGRP感作による可能性が示唆された[4]．詳細な内訳は全体の80%はPR-10ないしプロフィリンに感作され，いずれにも感作がない20例のうち1例はLTP単独感作，13例がGRP単独感作であった．GRPの単独感作例13例のうち，12例（約92%）はアナフィラキシーを，4例（30%）はショック症状を経験しており，アナフィラキシーのリスクが高いことがわかる．臨床症状では顔面浮腫や喉頭絞扼感が特徴的で，多くの症例は2つ以上の原因果物をもち，果物の種類はバラ科果物が多い[4]．食後の運動時に誘発されたケースが77%におよび，FDEIAの臨床型にも注意が必要である[4]．

また，2018年以降，ヒノキ花粉やスギ花粉由来のGRP感作によるPFASについて関心が高まっている．ヒノキ花粉GRP，Cup s 7と，Pru p 7やPun g 7の間での交差反応が証明された．ただし，著者はこの交差反応の臨床的意義はそれほど高くないのではないかと考察している．その理由は，Pru p 7とPun g 7のアミノ酸の相同性は90%と高いが，Pru p 7アレルギー患者にPun g 7感作がみられることは少なく，Pun g 7よりも相同性の低いCup s 7（68%）ではその確率は一層低いと考えられるからと述べられている．わが国のスギ花粉GRP，Cry j 7感作率は，Iizukaらによると，スギ花粉と果物の両方にアレルギーがある小児22例の46%であった[4]．また，Moriらの報告では，スギ花粉症の52例中11例にPru p 7特異的IgE抗体が検出されている[5]．

自験例は，GRPアレルギーの典型的な特徴を示した．即時型アレルギーの経過をとること，眼瞼浮腫や喉頭違和感，鼻閉感が出現すること，モモ特異的IgE抗体測定が偽陰性になるが皮膚プリックテストは陽性になること，時にFDEIAの臨床型をとること，複数のバラ科果物が原因になっていたことなどである．

Pru p 7に対するアレルギー検査が保険収載されていない現時点では，モモや梅によるアナフィラキシーが疑われる症例では，アレルゲン特異的IgE抗体測定が陰性であっても，皮膚プリックテストを実施し見逃さないように気をつけることが大切である．

成人期

1) Hotta A, et al. : Case of food-dependent exercise-induced anaphylaxis due to peach with Pru p 7 sensitization. J Dermatol, 43 : 222-223, 2016.
2) Inomata N : Gibberellin-regulated protein allergy : Clinical features and cross-reactivity. Allergol Int, 69 : 11-18, 2020.
3) Inomata N, et al. : Identification of peamaclein as a marker allergen related to systemic reactions in peach allergy. Ann Allergy Asthma Immunol, 112 : 175-177, 2014.
4) Inomata N : High prevalence of sensitization to gibberellin-regulated protein (peamaclein) in fruit allergies with negative immunoglobulin E reactivity to Bet v 1 homologs and profilin : Clinical pattern, causative fruits and cofactor effect of gibberellin-regulated protein allergy. J Dermatol, 44, 735-741, 2017.
5) Iizuka T, et al. : Gibberellin-regulated protein sensitization in Japanese cedar (Cryptomeria japonica) pollen allergic Japanese cohorts. Allergy, 76 : 2297-2302, 2021.

8 豆乳アレルギー

起始および経過

転居（愛知県名古屋市から東海市）に伴い花粉症を発症．その頃から多種類の食物を摂取すると口腔アレルギー症状が出現するようになり，慢性的な原因不明の掻破性湿疹（特に花粉飛散時期）が全身に出現するようになった．職業は医療従事者．食物アレルギー症状は以下の通りである．

- 口腔症状・咽頭症状のみ：リンゴ，キウイ，ナシ，スイカ，モモ，メロン，パイナップル，トマト，イチゴ．
- 口腔・咽頭症状，意識消失：豆乳．
- 手（接触部位）の痒み：豆腐の入った水．

既往歴 小児期に食物アレルギー，アトピー性皮膚炎，花粉症（27歳以降，1月下旬～6月の間）．

検査データ

Total IgE：119（～173 IU/mL），特異的IgE抗体（UA/mL）大豆：陰性，リンゴ：5.53，モモ：0.94，洋ナシ：2.17，シラカンバ:31.9，ハンノキ:29.6，スギ:11.7，ヒノキ：1.03，ラテックス陰性．

プリックテスト	豆乳	陽性
	rBet v 1（Biomay）	陽性
	rBet v 2（Biomay）	弱陽性
	そのほかの野菜や果物	イチゴ，リンゴ，キウイ
	花粉抗原（鳥居）	スギ
特異的IgE抗体	Gly m 4（大豆由来）	9.3
	Bet v 1（PR-10）	47.1
	rBet v 2（プロフィリン）	<0.35
	大豆	<0.35
	シラカンバ	31.9
	ハンノキ	29.6

r：recombinant　Biomay（https://www.biomay.com）

解説

豆乳による pollen-food allergy syndrome

臨床症状および検査結果より，豆乳をはじめ，複数の野菜や果物による口腔アレルギー症状が生じていた本症例を“豆乳による pollen-food allergy syndrome（PFAS）”と診断した[1]．また，その原因抗原は“Gly m 4（Bet v 1ホモログ）”であることを確認した．患者は，Bet v 1関連抗原，すなわちシラカンバやハンノキによる花粉抗原に感作をされたことにより，野菜や果物との幅広い交差反応性が生じたと推察した．患者には，交差反応が予想される果物の範囲を伝え，花粉症や湿疹の治療を継続して行ったところ，食物アレルギーも花粉症や皮膚症状もよい状態を維持できている．

近年わが国では，PFASの中でも“豆乳によるPFAS”の報告が増えている．通常の口腔アレルギー症候群やPFASは症状が口腔内に限定されるが，豆乳（Gly m 4）の場合は重篤な症状が誘発される傾向があるため注意が必要である（図）．

原因アレルゲン

"豆乳によるPFAS"の原因抗原としては，Gly m 4（Bet v 1 ホモログ）（17kDa）やオレオシン（23kDa）などが報告されている[2)].

本症例では，シラカンバ，ハンノキの特異的IgE抗体が陽性であり，プリックテストで豆乳が陽性であった．さらに，rBet v 1 IgEやrGly m 4 IgEに陽性反応を呈していたことから，シラカンバ花粉関連抗原が関与したPFASと診断した．Bet v 1はシラカンバの主要抗原のひとつであり，シラカンバ花粉症の80％以上の患者がBet v 1に対するIgE抗体を保有する．一方，近年，果物や野菜，花粉，天然ゴムラテックスなどに含まれる交差反応性抗原が，植物の生体防御に関与するタンパク質群であることが明らかとされている．幅広い交差反応性を示すタンパク質群として感染特異的タンパク質 pathogenesis-related protein（PRタンパク）がある．PRタンパクとは，病原菌に感染した植物細胞が産生するタンパク質であり，抗菌作用のあるものが多く生体防御の機能を有する．本症例に関与していたBet v 1やハンノキ花粉の主要抗原（Aln g 1など）はPR-10タンパクに属する．一方，果実では，リンゴ（Mal d 1），サクランボ（Pru av 1），アプリコット（Pru ar 1），洋ナシ（Pyc c 1），セロリ（Api g 1），ニンジン（Dac c 1），そして，豆乳に含まれる大豆抗原であるGly m 4などがPR-10タンパクに属する．広範な交差性を示すPR-10タンパクでも分類上近縁なものほど相同性が高く，交差性も強くなる傾向があるとされる（表）．

図 花粉抗原との交差反応性に基づく豆乳アレルギー

表 おもな生体防御タンパク質・PRタンパク質

① PR-10タンパク
シラカンバ花粉の主要抗原（Bet v 1）が属する．
リンゴ，サクランボ，アプリコット，洋ナシ，セロリ，ニンジン，大豆など．

② プロフィリン profilin
シラカンバ花粉の別の主要抗原（Bet v 2）が属する．
細胞骨格に関連したすべての真核生物に存在するアクチン重合タンパク．
植物において広範な交差性を示す．

③ 脂質輸送タンパク lipid transfer protein（LTP）
熱や消化酵素に強い抗原タンパク：モモ，サクランボ，リンゴ，イチゴなど．

代表的な交差反応性抗原をあげた．PR-10，プロフィリンと異なり，脂質輸送タンパクは熱や消化酵素に安定しているためアナフィラキシーなどを誘発しうる．

なお，シラカンバとハンノキは共にブナ目，カバノキ科に属し，共通抗原性があり[3)]，口腔アレルギー症候群の合併が報告されている．シラカンバは北海道や長野県など本州高地にしかみられないが，ハンノキは全国的には湿地や沼沢に生育している．猪又らの報告では，PFASの発症頻度は，ハンノキ花粉アレルギーの約12％であるとされ，年齢は10～30歳代に集中していた[4)].

豆乳アレルギー患者でも豆腐は摂取できる

Gly m 4などのアレルゲンは，豆乳と同様に豆腐にも存在している．しかし花粉抗原との交差反応性に基づく豆乳アレルギーである本症例のような場合には，豆腐は摂取可能なことも多い．その理由として，豆腐は豆乳ににがりを加えてゲル化することによって凝固性が増強しているため，口腔粘膜からのアレルゲンが吸収されにくいが，豆乳は液体のため口腔や咽頭粘膜に接する時間が長く，アレルゲンが吸収されやすいためと考えられている．しかしながら，豆腐でも症状を呈する場合があるため，個々の症例ごとに指導を行う必要がある．

参考文献

1) Yagami A, et al.：Two cases of pollen-food allergy syndrome to soy milk diagnosed by skin prick test, specific serum immunoglobulin E and microarray analysis. J Dermatol, 36：50-55, 2009.
2) 足立厚子，ほか：豆乳アレルギーにおける Gly m4，Gly m3 特異的IgEの重要性について．J Environ Dermatol Cutan Allergol，5：431-438，2011.
3) Eriksson NE, et al.：Tree pollen allergy. Ⅲ. Cross reactions based on results from skin prick tests and the RAST in hay fever patients. A multi-centre study. Allergy, 42：205-214, 1987.
4) 猪又直子，ほか：植物由来食物による口腔アレルギー症候群63例の検討：原因食物ごとの皮膚試験と特異的IgE測定における陽性率の比較及び花粉感作状況について．アレルギー，56：1276-1284，2007.

成人期

9 納豆アナフィラキシー

症例

37 歳，男性

起始および経過

36 歳時，午前 10 時に突然，全身に膨疹が多発し，意識を失い倒れた．救急受診時，血圧低下を認め点滴加療を受けた．数ヵ月後にも午前 10 時頃に発症し全身の膨疹や呼吸苦が出現し，救急搬送された．さらに別の日には午前 8 時頃に同症が出現したため，精査目的にて紹介受診となった．食物日誌によれば（図），初めの 2 回は，2 時間前にパンなどの朝食を摂取していたが，朝食の内容は毎日ほぼ同様であり，激しい運動や解熱鎮痛薬などの付加的要因の関与もなかった．3 回目のエピソードでは，起床時に発症しており，最後に摂取したのは，13 時間前の夕食であった．1 回目と 2 回目のエピソードの 2 時間前に摂取した朝食と，念のため 3 回目のエピソードの半日前に摂取した夕食についても精査を行った．初診時には皮疹はなし．

検査データ

Total IgE：4,219 IU/mL，特異的 IgE 抗体（U_A/mL）大豆：0.51，小麦，米，ゴマ，牛乳：＜ 0.35，卵白：＜ 0.35．

皮膚プリックテスト エピソードの前に摂取した食品を持参してもらい，皮膚プリックテストを実施した．納豆のみ陽性を示し，そのほかの食品（ネギ，茹でた枝豆，サンマ，ゴマ，米，小麦粉など）は陰性であった．さらに，納豆の原材料や成分について検査したところ，茹で大豆，納豆菌溶解液は陰性であったが，納豆粘稠成分であるポリガンマグルタミン酸 poly γ-glutamic acid（PGA）が陽性であった．

食物経口負荷試験（OFC） 納豆 10g（納豆パック 1/5 相当）は陰性であったが，50g（1 パック）で摂取後 13 時間後に陽性となった．全身に潮紅が出現し，次第に膨疹が多数みられ，喉頭違和感，呼吸困難，胸部圧迫感，腹痛，SpO_2 低下（room air 96%）を伴った．その際に，血液中のヒスタミンやトリプターゼの一過性の上昇を認めた．急速輸液や酸素吸入を開始し，アドレナリン筋肉注射，抗ヒスタミン薬とステロイド薬を静注したところ，1 時間程で症状の改善がみられたが，その 2 時間後より症状が再熱し，発症後約 6 時間後まで遷延がみられたため，治療を追加した．

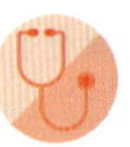

初診後の経過

納豆による遅発性アナフィラキシーと診断し，納豆の除去および PGA 含有食品の摂取や使用を避けるように指導した[1]．醤油や味噌，豆腐などのほかの大豆食品の除去は不要であることを伝えた．また，誤食時に備え，抗ヒスタミン薬とエピペン®を処方した．

解説

納豆アレルギーの主要アレルゲンは PGA という高分子ポリマーであり，その場合，従来の IgE 介在性食

時間経過	1回目	2回目	3回目
−13h	夕食：納豆？ 詳細不明	夕食：納豆？ 詳細不明	7 p.m. 夕食 納豆, 枝豆, 長ネギ サンマ, ゴマ, 白米
−10h	0 a.m.	0 a.m.	0 a.m.
	睡眠	睡眠	睡眠
−2h	8 a.m. 朝食 パン, ハム, キュウリ, 卵, コーヒー牛乳	8 a.m. 朝食 パン, ハム, キュウリ, レタス, コーヒー牛乳	
0 発症	10 a.m. 発症	10 a.m. 発症	8 a.m. 発症
納豆摂取から症状出現までの時間	?	?	12 時間

図　食物日誌

物アレルギーとは異なる特有な臨床的特徴を示す[2)]．第 1 に，遅発性に発症する．IgE 介在性食物アレルギーでは一般に摂取後 2 時間以内に症状が現れるが，PGA アレルギーでは摂取後約半日（5 ～ 14 時間）経ってはじめて症状が現れる[3)]．例えば，夕食に納豆を摂取した場合，深夜から早朝の睡眠中に発症するため，原因から食物を除外してしまう恐れがある．第 2 に，多くはアナフィラキシーに進展し，ショックに至る重篤なアレルギーである．蕁麻疹や呼吸困難はほぼ必発である．第 3 に，検査において納豆を抗原としたⅠ型アレルギー検査（皮膚プリックテスト，ELISA，好塩基球活性化試験など）は陽性になるが，大豆やほかの大豆食品（醤油，味噌，豆腐）は通常陰性となる．なお，PGA の検査は市販化されていない．第 4 に，患者の多く（約 80％）は，サーフィンなどのマリン・スポーツ歴がある[4)]．そのため，問診の際マリン・スポーツ歴の聴取が診断の手掛かりになる．

PGA は納豆の粘稠物質で，100 ～ 1,000kDa 以上もある高分子ポリマーであり，微生物により自然界で分解される．納豆アレルギーが遅発性に発症する理由は，高分子の PGA が腸管内で分解，吸収されるまでに時間を要するためと推察している．PGA の感作機序として「クラゲなどの刺胞刺傷による経皮感作」説が提唱されている．その根拠は，刺胞動物は PGA を産生して刺傷を引き起こすこと，患者の多くはマリン・スポーツ歴があること，クラゲによる食物アレルギーを合併することがあることなどである．サーファーは年間を通じて長時間海に浸っており，クラゲに繰り返し刺されるうちに，クラゲの PGA に経皮感作された可能性が考えられる．

PGA は食品の保存剤・増粘剤・旨味成分，化粧品用の保湿剤，健康補助食品用のミネラル吸収促進剤，医薬品の DDS 担体など多岐に応用されている．納豆と PGA 含有製品のすべてを避ける必要がある．成分表示は統一されておらず「ポリガンマグルタミン酸，ポリグルタミン酸，γ-PGA」などと表記されている．

PGA 以外のアレルゲンとして，納豆の発酵過程で納豆菌が産出する酵素ナットウキナーゼの症例が散見される．ナットウキナーゼアレルギーでは，PGA と異なり，即時相に症状が現れる．

1) Inomata N, et al : Late-onset anaphylaxis to fermented soybeans : the first confirmation of food-induced, late-onset anaphylaxis by provocation test. Ann Allergy Asthma Immunol, 94, 402-406, 2005.
2) Inomata N, et al. : Involvement of poly（γ-glutamic acid）as an allergen in late-onset anaphylaxis due to fermented soybeans（natto）. J Dermatol, 39 : 409-412, 2012.
3) Inomata N, et al. : Late-onset anaphylaxis to Bacillus natto-fermented soybeans（natto）. J Allergy Clin Immunol, 113 : 998-1000, 2004.
4) Inomata N, et al. : Surfing as a risk factor for sensitization to poly（γ-glutamic acid）in fermented soybeans, natto, allergy. Allergol Int, S1323-8930（17）30162-4, 2017.
5) Awatani-Yoshidome K,et al. : Anaphylaxis from nattokinase in a patient with fermented soybean（natto）allergy. Allergol Int, 71 : 153-154, 2022.

10 甘味料アレルギー

症例
21 歳，女性

起始および経過

16 歳時，市販のダイエット薬を内服した 10 分後に蕁麻疹，悪寒が出現．その後，清涼飲料水，アメ，ガム，低カロリー黒酢飲料，パンを摂取時にも同様の症状が出現したことがある．症状を繰り返すため，精査目的にて受診した．

既往歴 イチゴ，リンゴ，モモの口腔アレルギー症候群．　**家族歴** 特記すべきものなし．

検査データ

Total IgE：103 IU/mL，特異的 IgE 抗体（UA/mL）シラカンバ：5.43，ハンノキ：5.38，イチゴ：0.65，モモ：3.51，リンゴ：0.56，スギ：29.90，オオアワガエリ：0.70．

初診後の経過

過去に摂取後蕁麻疹が出現した既往のあるガム，ダイエット飲料を使用しての prick-to-prick test はどちらも陰性．プリックテストで使用したものと同じガムを咀嚼した 10 分後顔面に膨疹が出現，45 分後には腹部にも出現した．呼吸器症状はなく，1 時間半で消失した．

過去に摂取し症状が出現した食品に共通して含まれる成分は，甘味料のエリスリトールのみであることがわかり，エリスリトール 99.68％含有ダイエット甘味料を用いて皮膚プリックテストを行ったところ 0.01g/mL 以上の濃度で陽性となった（図）．食物経口負荷試験（OFC）を行ったところ，エリスリトール約 1g 摂取 45 分後に顔面の発赤，体幹の膨疹が出現した．

エリスリトールと似た構造をもつ糖アルコールであるグリセロール，D-トレイトール，キシリトール，ソルビトール，D-マンニトールをそれぞれ飽和濃度で皮膚プリックテストを行ったがすべて陰性であった．

解説

糖アルコールの一種であるエリスリトールは非う蝕性でカロリーがほとんどないことから，低カロリー化やう歯予防を目的としてわが国においては広く食品添加物として使用されている．

天然ではメロン，ブドウ，ナシなどの果実やマッシュルーム，また醤油，味噌，清酒などの発酵食品に含まれている．ブドウ糖を発酵させることにより作ることが可能で，わが国以外にも現在では 100ヵ国以上で使用が許可されている．ショ糖の約 75％の甘みを示すが，厚

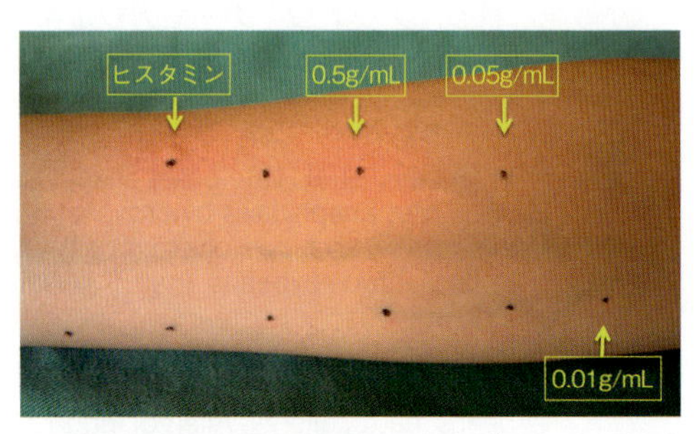

図　エリスリトール 99.68％含有ダイエット甘味料による皮膚プリックテスト

生労働省のエネルギー評価法により，糖類の中でエネルギー値がスクラロースと共に0kcal/gであると認められている[1]．そのため，低カロリーをうたった食品，飲料に使用されていることが多い．一般的に食品などに含まれる量は明確に公表されてはいないが，一度に大量摂取すると緩下作用がみられる上限量は

表　エリスリトールアレルギーの過去の報告

	年齢，性別	原因食品	症状	診断方法（ERT：エリスリトール）			
				プリックテスト	皮内テスト	BAT	経口負荷
2000 日野ら[2]	24歳，女性	缶入りミルクティー	蕁麻疹 悪寒	現物（+）			ミルクティー（+）
2001 Yungingerら[3]	28歳，女性	エリスリトール含有食品数種	蕁麻疹	現物（−）	ERT（+）		ERT（+）
	50歳，男性	エリスリトール含有食品	蕁麻疹 血圧低下	ERT（+）			
2010 自験例	21歳，女性	エリスリトール含有食品（5種類）	蕁麻疹 呼吸苦	現物（+） ERT（+）			ガム（+） ERT（+）
2011 杉浦ら[4]	8歳，女児	ガム，コーヒー牛乳，ダイエット甘味料	アナフィラキシー	（+）		（+）	ERT（+）
2013 栗原ら[5]	5歳，男児	低カロリーゼリー	アナフィラキシー	現物（+） ERT（−）	ERT（+）		
2013 原田ら[6]	26歳，女性	低カロリー飲料，ダイエットあんぱん，栄養ドリンク	アナフィラキシー	現物（+） ERT（+）			ERT（+）
2013 白尾ら[7]	11歳，男児	低カロリーゼリー	蕁麻疹 喘鳴	（+）		（+）	（+）
2013 萬木ら[8]	13歳，女児	ダイエット飲料，ガム，低カロリーゼリー，コーヒー	アナフィラキシー	現物（−）			ERT（+）
2013 松村ら[9]	17歳，女性	ノンカロリーゼリー，こんにゃくゼリー，ジュース，自家製ケーキ	蕁麻疹，呼吸苦，顔面腫脹	現物（+） ERT（+）			
2014 大下ら[10]	21歳，女性		アナフィラキシーショック	（+）			
2014 横山ら[11]	33歳，女性	ゼロカロリーゼリー，美容ドリンク	顔面浮腫，咽頭違和感，全身瘙痒，潮紅	（+）	（+）	（+）	
2015 原田ら[12]	18歳，女性	エリスリトール含有ゼリー	アナフィラキシー	（−）		（+）	（+）
2016 日置ら[13]	45歳，女性	ゼロカロリーくずもち	アナフィラキシーショック	現物（−） ERT（+）		（−）	ERT（+）
2016 田代ら[14]	9歳，女児	低カロリーゼリー，ガム，アイスクリーム，タミフルドライシロップ	眼瞼浮腫，蕁麻疹，呼吸困難	ERT（−）			ERT（+）
2016 野澤ら[15]	11歳，女児	こんにゃくゼリー，市販鼻炎内服薬	頭皮瘙痒感，眼瞼充血，呼吸困難，全身蕁麻疹	ERT（+）			ERT（+）
2016 坂井ら[16]	5歳，女児	こんにゃくゼリー	顔面発赤・腫脹，喘鳴，膨疹	現物（−） ERT（−）	（+）	（−）	現物（−） ERT（+）
2016 三橋ら[17]	19歳，女性	ゼリー飲料，炭酸飲料水	咽頭違和感，眼瞼腫脹，膨疹，鼻閉・鼻汁	（−）		（−）	ERT（+）
2017 益海ら[18]	10歳，女児	アイスクリーム	アナフィラキシー	現物（−）	（+）	（−）	ERT（+）
2017 松村ら[19]	17歳，女性	ゼリー，梨ジュース，サツマイモケーキ	蕁麻疹，浮腫，呼吸困難，意識消失	現物（+） ERT（+）			
2018 藤原ら[20]	6歳，女児	アイスクリーム，ガム	全身蕁麻疹，呼吸困難，眼瞼腫脹，咳嗽，喘鳴，口唇の瘙痒感・腫脹	現物（−） ERT（−）	ERT（+）		ERT（+）
2018 田代ら[21]	9歳，女児	ソフトクリーム，ゼリー，ガム，タミフルドライシロップ®	咳，くしゃみ，鼻汁，目の瘙痒，眼瞼浮腫，蕁麻疹	ERT（−）			ERT（+）
2022 Kimら[22]	36歳，女性	ダイエット飲料	呼吸苦，顔面浮腫，蕁麻疹，全身瘙痒感	現物（+） ERT（+）			
2022 Moriら[23]	6歳，男児	ガム，ゼリー飲料	眼瞼浮腫，喘鳴，嘔吐，咳，蕁麻疹	現物（−） ERT（+）		（−）	ERT（+）

0.66g/kg 体重程度とされていることから推測すると，添加量は食品重量の 2 ～ 3%程度以下ではないかと考えられる．

エリスリトールによる即時型アレルギーの報告は近年増加しており，これまでに小児から成人まで幅広い年代において，自験例を含む 24 症例の論文報告[2～23]があり，論文化されていない学会報告も含めると相当数の報告がある．アナフィラキシーの例も多く，注意すべきアレルゲンといえる．それらの特徴を表に示すが，ほぼ全例が日本人での報告であり，海外では 2022 年初めて韓国で報告された 1 例にとどまる．これは，現在までエリスリトールが食品添加物として広く用いられているのは日本，アメリカが多く，徐々に承認国が増えているもののほかの国での使用年数が浅いため，日本人での報告に限定されているものと考えられた．

各報告について診断に係る検査についてみてみる．自験例を含む 24 例すべてで摂取食品現物もしくはエリスリトールの皮膚プリックテストを行っているが，半数以上の症例で陰性なのに対し，皮内テストを実施された症例すべてで陽性であったことは注目すべき点である．製品現物もしくはエリスリトールを用いた OFC を行った例ではすべて陽性，2013 年以降は BAT（basophil activation test）を行い，陽性を確認している報告がみられる．一方，皮膚プリックテスト陽性ながら BAT 陰性の報告[23]もあり，エリスリトールによるアレルギー検査の反応は症例ごとに異なり一定しない．皮内テストや BAT は陽性率が高く診断の手助けとなりうるが，確定診断にあたってはエリスリトールを用いた OFC が必須であると考えられる．以上のことから，症状経過からエリスリトールアレルギーを疑った場合，皮膚プリックテストや皮内テスト，BAT を参考に，エリスリトール OFC を行うのが望ましいと考えられる．

わが国でいわゆるダイエット甘味料として使用されているキシリトール[24]，ステビア[25]，アセスルファムカリウム[26]，スクラロース[27, 28]，アスパルテーム[29]による即時型アレルギーの報告も少数であるがみられるものの，現在までの報告例でみると，甘味料による即時型アレルギーの報告はエリスリトールによるものがほとんどである．糖アルコールはアルドースを還元して精製される．D ─エリスロースを還元しエリスリトールが精製されるが，D ─エリスロースは大部分がフラノース型と呼ばれる環状構造で存在しており，ほかのアルドース（キシロース，マンノースなど）とは 4.2%しか交差反応は起こさないとされている[30]．そのためそれぞれ還元されてできる糖アルコールであるキシリトール，マンニトール，ソルビトールなどとは交差反応を起こしにくく，自験例でもほかの糖アルコールの皮膚プリックテストでは反応がみられなかった．

またエリスリトールは食品だけではなく，小児用薬をはじめとし，糖尿病治療薬，高血圧治療薬，抗アレルギー薬などの先発，後発処方薬に加え，多くの市販薬にも含まれており，タミフル®ドライシロップや市販の鼻炎内服薬に対する過敏症状の小児例も報告されている．自験例を含め報告例の多くで患者は複数回のアナフィラキシーを含むアレルギー症状を経験しており，アレルゲンの早期の同定とその後の回避が求められる．また逆にいうと，原因不明のアナフィラキシーあるいは即時型反応を複数回経験している患者ではエリスリトールを原因物質の候補として検討すべきであるともいえる．

エリスリトールなどの人工甘味料がアレルギーの原因となりうることを理解し，確定診断後は，再発しないように以降の摂取を避けるため，食品表示などに十分注意を払う必要がある．ただし甘味料の中でもキシリトール，アスパルテーム，アセスルファムカリウム，スクラロース，ステビア，ソルビトールなどは食品添加物として扱われ表示が義務付けられているのと比べ，エリスリトールは「食品」に分類されており，複合原材料（2 種類以上の原材料からなる原材料）の一つとして使用された場合，占める割合，順位が低い場合は表示されないことがある．

エリスリトールアレルギーと判明しても食品表示に対する注意だけでは完全に避けられない可能性があり，エリスリトールアレルギーの報告が増加している中，今後の対応について検討が必要と考える．

1) 厚生省生活衛生局食品保健課新開発食品保健対策室長通知：栄養表示基準における栄養成分等の分析方法等について（平成 11 年 4 月 26 日衛新第 13 号）.
2) Hino H, et al.：A case of allergic urticaria caused by erythritol. J Dermatol, 27：163-165, 2000.
3) Yunginger J W, et al.：Allergic reaction after ingestion of erythritol-containing foods and bevarages. J Allergy Clin Immunol, 108：650, 2001.
4) 杉浦至郎，ほか：エリスリトール摂取によりアナフィラキシーショックを認めた 1 症例．日小児アレルギー会誌，25：488，2011.
5) 栗原和幸，ほか：プリックテスト陰性 皮内テスト陽性のエリスリトールアレルギー男子例．アレルギー，62：428，2013.
6) 原田 晋，ほか：プリックテストで診断をなしえなかった，甘味料エリスリトールによるアナフィラキシーの 1 例．アレルギー，62：428，2013.
7) Shirao K, et al.："Bitter sweet" a child case of erythritol-induced anaphylaxis. Allergol Int, 62：269-271, 2013.
8) 萬木 晋，ほか：天然甘味料 エリスリトールアレルギーの 1 例．小児科，54：1555-1559，2013.
9) 松村泰宏，ほか：エリスリトールによる即時型アレルギーの 1 例．J Environ Dermatol Cutan Allergol, 7：496，2013.
10) 大下彰史，ほか：エリスリトールによるアナフィラキシーショックの 1 例．皮膚の科学，13：127，2014.
11) 横山洋子，ほか：エリスリトールによるアナフィラキシーの 1 例．西日本皮膚科，76：511，2014.
12) 原田直江，ほか：負荷試験，好塩基球活性化試験で陽性であったエリスリトールアレルギーの 1 例．日皮会誌，125：900，2015.
13) 日置智之，ほか：エリスリトールアレルギーの 1 例．日皮会誌，126：1151，2016.
14) 田代香澄，ほか：タミフルドライシロップにも過敏症状を呈したエリスリトールアレルギーの 1 女児例．日小児アレルギー会誌，30：484，2016.
15) 野澤麻子，ほか：エリスリトールによる即時型アレルギー反応を繰り返した 11 歳女児例．日小児アレルギー会誌，30：484，2016.
16) 坂井 聡，ほか：プリックテスト陰性であったエリスリトールアレルギーの 1 幼児例．アレルギー，65：665，2016.
17) 三橋正季，ほか：甘味料（エリスリトール）によりアナフィラキシーを発症した 1 例．日本内科学会第 628 回関東地方会，2016.
18) 益海大樹，ほか：菓子摂取後にアナフィラキシーを呈したエリスリトールアレルギーの 10 歳女児例．日小児アレルギー会誌，31：262-267，2017.
19) 松村泰宏，ほか：エリスリトールによる即時型アレルギーの 1 例．皮膚の科学，16：133-138，2017.
20) 藤原倫昌，ほか：アイスクリームに含まれる甘味料エリスリトールによりアナフィラキシーを反復した 6 歳女児の 1 例．日皮免疫アレルギー会誌，1：183-187，2018.
21) 田代香澄，ほか：タミフルドライシロップにも過敏症状を呈したエリスリトールアレルギーの一女児例．日小児アレルギー会誌，32：236-240，2018.
22) Kim S, et al.：The First Case of Erythritol-Induced Anaphylaxis in Korea. J Korean Med Sci, 37；e83, 2022.
23) Mori S, et al.：Case of a 6-year-old boy with anaphylaxis induced by erythritol with positive skin prick test and negative basophil activation test. Allergy Asthma Clin Immunol, 24：28, 2022.
24) 岡本 薫，ほか：キシリトールによるアナフィラキシーを呈した一例．日小児アレルギー会誌，29：567，2015.
25) 池嶋文子，ほか：ステビアによるアナフィラキシーの 1 例．日皮会誌，110：190，2000.
26) 勝江浩未，ほか：アセスルファムカリウムによる蕁麻疹の 1 例．日皮会誌，124：784，2014.
27) 高橋亨平，ほか：スクラロース含有ダイエットゼリーによるアナフィラキシーの 1 例．日小児アレルギー会誌，30：485，2016.
28) 洪 真紀，ほか：スクラロースによるアナフィラキシーが疑われた女児例．アレルギー，65：567，2016.
29) 平口雪子，ほか：食品添加物アスパルテームが原因と考えられたアナフィラキシーの男児例．アレルギー，65：577，2016.
30) Sreenath K, et al.：Generation of an antibody specific to erythritol, a non-immunogenic food additive, Food Addit Contam, 23：861-869, 2006.

11 肉アレルギー（α-gal）

起始および経過

初診の 10 年前，焼肉を食べて 2 時間後に蕁麻疹が出現して治療を受けた．その 3ヵ月後，ビビンバ弁当を食べて 2 時間後に蕁麻疹が出現し治療を受けた．初診の 2 年前，焼肉を食べて 4 時間半後に蕁麻疹が出現して治療を受けた．初診の半年前，焼肉を食べて 4 時間半後に蕁麻疹が出現して治療を受けた．同月，狸の煮込みを食べて 1 時間半後に蕁麻疹が出現して治療を受けた．初診の 4ヵ月前，夕食に子持ちカレイの煮付けを食べてアナフィラキシーを発症し入院治療を受けた．初診の 4 日前，夕食に子持ちカレイの煮付けを食べてアナフィラキシーショックを発症し入院治療を受けた．退院後，精査目的で当科を紹介された．当科初診時には特に症状はみられなかった．

検査データ

Total IgE：192.9 IU/mL，特異的 IgE 抗体（UA/mL）牛肉：2.70，豚肉：1.69，鶏肉：< 0.35，カレイ：< 0.35，患者血清 IgE を用いたウェスタンブロット法にて牛肉，豚肉，カレイ魚卵タンパク質への結合を認めた．

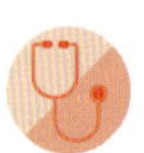

初診後の経過

肉（四つ足の哺乳類）アレルギー，カレイ魚卵アレルギーと診断し，これらの摂取制限を指導した結果，その後症状の再燃はみられていない．

解説

これまで，わが国には牛肉アレルギー患者は少ないとされてきたが，著者らは 2005 年 2 月～ 2017 年 1 月までの 12 年間に 70 名以上の牛肉アレルギー患者を経験した．表に，このうち 15 名の患者の背景と検査結果を示す[1]．図 1 に，これらの患者の延べ 28 回のアレルギーエピソードにおける獣肉摂取からアレルギー症状発症までの時間経過の集計結果を示す[1]．60％以上が獣肉摂取後 3 時間以上経過してから発症しており，最も長いものでは 10 時間 30 分後に発症していた．

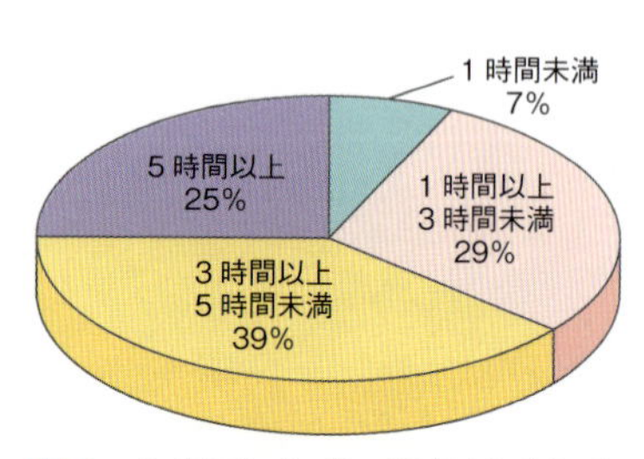

図 1　牛肉アレルギー患者 15 名における獣肉摂取からアレルギー発症までの時間経過の集計結果

2008 年，Chung らは，抗癌剤のセツキシマブによるアナフィラキシーが，アメリカの一部の地域に多く発生していること，セツキシマブ特異的 IgE はセツキシマブに含まれる糖鎖 galactose-α-1, 3-galactose（α-gal）と特異的に結合することを報告した[2]．セツキシマブは上皮細胞増殖因子受容体 Epidermal Growth Factor Receptor（EGFR）を標的とする IgG1 サブクラスのヒト／マウスキメラ型モノクローナル抗体で，わが国では頭頸部癌と EGFR 陽性の治癒切除不能な進行・再発の結腸・直腸癌に対して使用されている．セツキシマブ重鎖のFab 領域のマウス由来の可変部にα-gal が存在する．2009 年，Commins らは，獣肉摂取 3～6 時間後に発症する遅発性の蕁麻疹やアナフィラキシーの原因が，糖鎖α-gal を認識する特異的IgEであることを報告した[3]．これらの患者血清中 IgE はウシ，ブタ，ヒツジ，牛乳，ネコ，イヌには反応するが，七面鳥，鶏，魚には反応しない．つまり，四つ足の哺乳類はα-gal を豊富に有するために，これらを認識する IgE が遅発性の獣肉アレルギーを起こしたのである．このことから，セツキシマブアレルギーの原因と牛肉アレルギーの原因は，α-gal という同一の糖鎖であることが判明した．

われわれが経験した牛肉アレルギー患者でも，全例で豚肉特異的 IgE が検出された．さらに，ビオチン化したセツキシマブをストレプトアビジンイムノキャップに固相化したものを用いてセツキシマブ特異的 IgE を測定したところ，全例が過去にセツキシマブを投与されたことがないにも関わらずセツキシマブ特異的 IgE 陽性で，また牛肉特異的 IgE 抗体価とセツキシマブ特異的 IgE 抗体価に正の相関関係が認められた（図 2）．ウェスタンブロット法にて患者血清中 IgE が牛肉タンパク質，豚肉タンパク質とセツキシマブに結合すること，この結合が過ヨウ素酸処理によって減弱することより，牛肉タンパク質，豚肉タンパク質やセツキシマブに結合した糖鎖が，患者血清中 IgE によって認識されることが示唆された．また，牛肉タンパク質，豚肉タンパク質とセツキシマブは抗α-gal 抗体と反応することから，これらのタンパク質にα-gal 糖鎖が結合していることが確認された．つまり，わが国の症例でも成人牛肉アレルギーの主要な原因抗原はα-gal であり，豚肉，セツキシマブとも交差反応し得ることが示された．さらに，われわれは牛肉アレルギー患者がカレイ魚卵に対しても交差反応することを確認している[4]．そして，フタトゲチマダニの唾液腺中にα-gal の存在を証明したことにより，わが国におけるこれらのアレルギーの感作原因がマダニ咬傷であろうことが判明し[5]，マダニ咬傷回避の生活指導によって治癒しうることがわかってきた[6]．

表　島根大学病院皮膚科における牛肉アレルギー患者の背景と検査結果

症例	年齢	性別	獣肉摂取後の症状	子持ちカレイ摂取後の症状	牛肉特異的 IgE*	豚肉特異的 IgE*	セツキシマブ特異的 IgE*
1	72	男	蕁麻疹，腹痛	蕁麻疹	4.81	3.27	48.8
2	76	女	蕁麻疹	蕁麻疹，アナフィラキシーショック	3.29	0.77	26.3
3	58	女	蕁麻疹	蕁麻疹，アナフィラキシーショック	1.83	1.28	16.8
4	47	女	蕁麻疹	蕁麻疹，呼吸困難	3.35	3.65	8.07
5	70	男	蕁麻疹	蕁麻疹	20.7	15.3	75.5
6	65	男	蕁麻疹	蕁麻疹，アナフィラキシーショック	30.0	20.2	122
7	66	男	蕁麻疹	蕁麻疹，アナフィラキシーショック	2.7	1.69	30.0
8	68	男	蕁麻疹	蕁麻疹	8.49	8.17	13.8
9	76	男	蕁麻疹，下痢	蕁麻疹，下痢，呼吸困難	6.41	3.72	20.3
10	64	女	蕁麻疹，吐き気，下痢，めまい	蕁麻疹，吐き気，下痢，めまい	0.94	0.69	18.1
11	82	男	蕁麻疹，血管性浮腫	蕁麻疹，アナフィラキシーショック	6.37	5.32	10.0
12	79	男	蕁麻疹	なし	6.38	3.16	12.6
13	61	男	蕁麻疹，アナフィラキシーショック	なし	0.54	0.51	6.13
14	59	男	蕁麻疹，呼吸困難	なし	26.9	23.7	86.4
15	37	男	蕁麻疹	なし	16.5	13.9	26.2

＊：単位 UA/mL

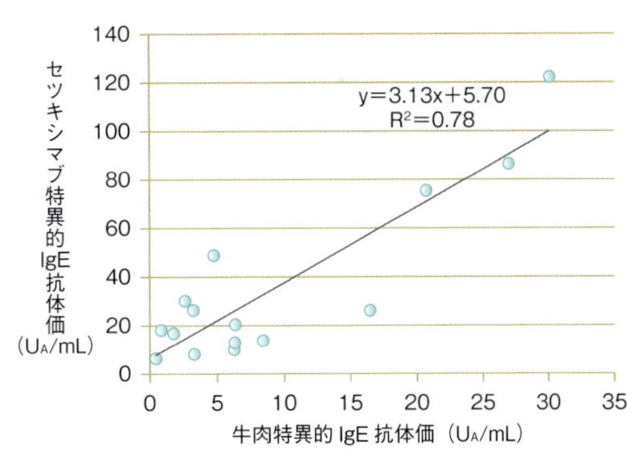

図 2　牛肉アレルギー患者 15 名における牛肉特異的 IgE 抗体価とセツキシマブ特異的 IgE 抗体価の相関
（$p<0.05$，Spearman の相関係数）

参考文献

1) 千貫祐子，ほか：静脈経腸栄養，28：615-618，2013.
2) Chung CH, et al.：N Engl J Med, 358：1109-1117, 2008.
3) Commins SP, et al.：J Allergy Clin Immunol, 123：426-433, 2009.
4) Chinuki Y, et al.：J Investig Allergol Clin Immunol, 32：324-326, 2022.
5) Chinuki Y, et al.：Allergy, 71：421-425, 2016.
6) 上野彩夏，ほか：西日本皮膚科，84：407-409，2022.

12 食物に混入するダニの経口摂取によるアナフィラキシー

起始および経過

今までに食事の摂取によりアレルギー症状が出現したことはなかった．夕食の準備のため，夕方頃に購入してきた豚肉，キャベツ，卵と自宅にあった市販のお好み焼き粉（3ヵ月前に購入・使用し，その後は輪ゴムで封をし，ガスコンロの下にある戸棚に保存していた）を用いてお好み焼きを調理し，19時頃より食事を開始した．摂取開始5分後くらいから咳嗽の症状が出現し，喉が詰まるような感覚を認め，徐々に喘鳴を伴う呼吸苦の症状となった．同時に眼の周囲の腫脹や顔全体の紅斑や鼻汁の症状も伴っていた．その後も呼吸苦の症状が持続していたため，自宅で安静にしていたところ，同日の23時頃にようやく呼吸器症状は軽減し始め，翌日の朝には呼吸苦の症状はなくなり，眼の周囲の腫脹を軽度認めるのみであった．3ヵ月前に同製品を開封・調理し，摂取したが特に症状は誘発されなかった．また普段からパンやラーメンなどの小麦製品は問題なく摂取できていた．症状が出現した後は，豚肉，キャベツ，卵，お好み焼き粉を食べないように生活していたが，はっきりとした原因が不明でもあったため，食物アレルギーの精査希望目的にて受診した．初診時には特に症状はみられなかった．

既往歴 小児喘息，アレルギー性結膜炎，アスピリン不耐症（−）．**内服歴** 特記事項なし．
家族歴 父親：食物アレルギー（甲殻類）．

検査データ

Total IgE：322 IU/mL，特異的IgE抗体（UA/mL）小麦：＜0.34，グルテン：＜0.34，ω-5グリアジン：＜0.34，ヤケヒョウヒダニ：68.30，豚肉：＜0.34．

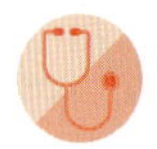

初診後の経過

食事摂取に関連したアナフィラキシーと考え，初診時に症状を誘発した可能性のある食品に関して血液検査で各種の特異的IgE抗体価を評価した．食物に関する特異的IgE抗体価はいずれも陰性であり，ダニのみが陽性であったことから，臨床経過と合わせて，お好み焼き粉へのダニの混入によるアナフィラキシーを疑った．2回目の外来受診時に，症状が出現した時に使用したお好み焼き粉，同じ製品の未使用・未開封のお好み焼き粉を患者に持参してもらい，生理食塩水を用いて溶解した．それらと合わせてダニと小麦の診断用エキスを用いてプリックテストを行った．結果は，症状出現時に使用したお好み焼き粉：3+，未開封のお好み焼き粉：0，ダニ：3+，小麦：0であった．また症状を誘発したと思われる開封後のお好み焼き粉を顕微鏡で観察したところ，活発に活動するダニを確認した．

これらの結果より，お好み焼き粉に混入したダニによるアナフィラキシーと診断し，その後は，特に症状が再度出現することなく経過している．

解説

お好み焼き粉に混入したダニによる経口ダニアナフィラキシー oral mite anaphylaxis の一例である．表で示したように食物に混入したダニの経口摂取によるアナフィラキシーは多数の報告があり，日本では30例程の報告があるが，実際にはそれ以上の症例が潜在的に存在すると思われる．

表　食物に混入するダニの経口摂取によるアナフィラキシーの主な報告

著　者	症例数	年齢（歳）	性別（男性／女性）	地域（国別）	原因食物	ダニの種類
Erben ほか（1993）	1	48	1/0	アメリカ	ベニエ	コナヒョウヒダニ
Spiegel ほか（1994）	1	17	0/1	アメリカ	ベニエ	コナヒョウヒダニ
Matsumoto ほか（1996）	2	11，14	1/1	日本	お好み焼き	ケナガコナダニ
Blanco ほか（1997）[1]	16	13～38	4/12	スペイン	多種	コナヒョウヒダニ，ネダニ
Sánchez-Borges ほか（1997）[2]	31	13～45	14/17	ベネズエラ	多種	コナヒョウヒダニなど
Tay ほか（2008）	2	15，30	0/2	シンガポール	スコーン	コナヒョウヒダニ
Sánchez-Machin ほか（2010）	42	11～57	21/21	スペイン	パンケーキ	ネダニ
Takahashi ほか（2011）	30	NA	NA	日本	お好み焼き たこ焼き	ケナガコナダニ，コナヒョウヒダニ，ヤケヒョウヒダニ

NA：not available　　（文献3）より改変）

食物に混入したダニによるアナフィラキシーでの原因となる食物としては，日本では，お好み焼き粉やたこ焼き粉が多く，それらの製品を開封後，台所の棚やガスコンロの下のスペースなどに室温で保存されているケースが多い．一方で，小麦粉のみの製品によるダニ混入によるアナフィラキシーは少なく，また海外では，パンケーキ粉が原因であることが多く，パンケーキ症候群 pancake syndrome とも呼ばれる．原因となるダニとしては，生息する地域差があると考えられるが，日本では，同定された中ではチリダニ科のコナヒョウヒダニやヤケヒョウヒダニが多く，一般家庭で多数生息する室内塵ダニとしても矛盾しない．

患者背景としては，基礎疾患のアレルギー疾患として気管支喘息やアレルギー性鼻炎を有する患者が多い．現在までの海外からの報告では，基礎疾患としてアスピリン不耐症を有する特徴が指摘されているが，当院で経験した症例では，その割合は少なく，本症例も小児喘息の既往があったが，アスピリン不耐症の明らかな既往はなかった．

症状が誘発されるまでの時間としては，食事摂取後から30分以内に認めることが多く，また臨床症状の特徴としては，呼吸苦や喘鳴などの呼吸器症状と血管浮腫，膨疹があげられる．診断方法としては，ほかの食物アレルギー疾患を除外するとともに血液検査で特異的IgE抗体価によるダニの感作を確認する必要がある．また，症状を誘発したと考えられる製品，未開封の同製品，小麦粉とダニの診断用エキスによるプリックテストを行い，原因の製品とダニで陽性であること，また新品の製品と小麦で陰性であることを確認する．また可能であれば，顕微鏡によりダニの存在を同定することも有用である．

治療の基本は原因の回避である．一度開封し，室温にて管理された小麦粉・お好み焼き粉などの製品は，1～2ヵ月の短期間の保存であっても，また厳重な包装であってもわずかな隙間があればダニの混入・繁殖のリスクがあるため，使用しないように指導する．これらの製品を開封後保存する場合は必ず冷蔵保存するようにも指導する．また加熱調理を行っても抗原性が失われにくいと考えられ，注意が必要である．

参考文献

1) Blanco C, et al.：Anaphlaxis after ingestion of wheat flour contaminated with mites. J Allergy Clin Immunol, 99：308-313, 1997.
2) Sánchez-Borges M, et al.：Mite-contaminated foods as a cause of anaphylaxis. J Allergy Clin Immunol, 99：738-743, 1997.
3) Sánchez-Borges M, et al.：Anaphylaxis from ingestion of mites：Pancake anaphylaxis. J Allergy Clin Immunol, 131：31-35, 2013.

13 食品中の色素・添加物への反応例

起始および経過

季節性アレルギー性鼻炎あり．数年前からときどき原因不明の眼の痒み・眼瞼腫脹あり．当初は原因がわからなかったが，症状を繰り返しているうちに特定のアイシャドーを使用すると症状が出現することに気付き，3ヵ月前に使用を中止した．同時期ごろから，お菓子や弁当などの食物を摂取後，眼瞼腫脹，全身の痒み・発赤などの食物アレルギー症状が出現するようになり，これまでに食物アナフィラキシーと思われる発作を5回以上経験している．精査加療目的で受診．

身体所見

初診時（非発作時）には身体所見に異常所見なし．

検査データ

Total IgE：72 IU/mL，特異的IgE抗体（UA/mL）ダニ：6.72，スギ：12.3．主な食物アレルゲンに対する特異的IgE抗体価は陰性．

皮膚プリックテスト：主な食物アレルゲンにて陰性，症状を自覚していた赤色のアイシャドーの抽出液（1：5 weight/volumeで調整）にて陽性．

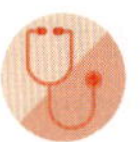

初診後の経過

食物アナフィラキシーをきたした時に摂取していた食品はさまざまであり，食材としては共通するものはなかった．しかしながら，わかる範囲内で摂取した食品の成分を調べていくと，コチニール色素（赤色の食品用着色料）が含まれている頻度が高いことが明らかになった．また，眼の痒みなどの原因となったアイシャドーの成分を調べると，カルミン（≒コチニール色素）が含有されていた．

アイシャドーでの接触蕁麻疹症状の既往に加えて，アイシャドーの抽出液で皮膚プリックテスト陽性の所見を得たので，アイシャドーの成分による接触蕁麻疹の診断となり，その原因成分としては，報告頻度の高いカルミン（≒コチニール色素）がまずは疑われた．さらに，食物アナフィラキシーに関しても，コチニール色素含有食品摂取後に症状をきたしており，食品中のコチニール色素の経口摂取で誘発された食物アナフィラキシーであると考えられた．以上より，コチニール色素（≒化粧品原材料としてはカルミン）による即時型アレルギーの診断となった．感作の進行と即時型症状の誘発予防のために，コチニール色素（カルミン）を含有するすべての化粧品の使用を禁止し，コチニールを含有する食品の摂取を禁止した．誤食に備えてアドレナリン自己注射薬（エピペン®）の携行を指導した．

経過中，コチニール色素含有食品を誤って摂取し，アナフィラキシーが誘発されたことが1回のみあったが，その後は症状の誘発なく経過している．

解説

成人のアレルギー外来の実地臨床では，食品添加物や色素に対する過敏症状を主訴に来院する患者は少なくない．一方，本症例のように原因不明のアナフィラキシーを精査する過程で，食品添加物や色素によるIgE機序の即時型症状を疑うことがある．

本症例はコチニール色素によるIgE機序の即時型アレルギーの症例であるが，この病態は食品中の色素による即時型アレルギーの中では最も古くから知られた病態である[1, 2]．コチニール色素（カルミン）は，南米産のサボテンに寄生する昆虫であるコチニールカイガラムシから抽出される分子量492の赤色色素であり，化粧品・食品の赤色染料として頻用される．即時型アレルギーの原因は，多くの症例で，色素の成分（カルミン酸）そのものではなく，虫体由来の夾雑タンパク質アレルゲンであると考えられており[3]，タンパク成分の濃度を低くすれば抗原性は低下すると考えられている．通常，食品中に使用されるコチニール中のアレルゲンタンパクへの経腸管的な曝露によって感作されるわけではなく，化粧品として使用される色素中の夾雑アレルゲンタンパクへの経皮経粘膜曝露によって感作が生じると考えられているため，コチニールアレルギーの症例報告は圧倒的に化粧品使用頻度が高い年齢層の女性に多い．現在わが国で使用されている食品用コチニール色素は低アレルゲン化が進んでおり，近年ではわが国で製造されたコチニール色素含有食品で症状が引き起こされることは少なくなってきたが，海外で生産された食品用コチニール色素によるアレルギー症例の報告は現在でも多くなされている．

一方，実地臨床では，皮膚プリックテスト陰性の非IgE型の食品色素・添加物過敏症も少なくない．このような症例では誘発される症状もさまざまであり，呼吸困難，気分不良といった非特異的な症状であったり，下痢，吐き気，口内炎，動悸，咳嗽，喉頭閉塞感，ふらつきなどであったりで，多彩な臨床症状を取り得る．誘発症状は，ある程度IgE機序の食物アレルギー症状とも類似しているので症状のみではIgE型か非IgE型かの鑑別は困難であるが，非IgE機序の症状の場合は他覚的所見に乏しい傾向がある．皮膚プリックテスト陰性であるため，個々の患者がどの添加物・色素に対して臨床症状を示し，どの添加物・色素に対して臨床症状を示さないか，検査で客観的に示すことは難しい．内服負荷試験を行うことも実際は困難なことが多く，内服負荷試験による再現性がどの程度担保されているのかも明らかになっていない．

表に食品中の色素・添加物などへの即時型過敏症状の鑑別診断を示した．

ほとんどの症例では臨床的に多種の食品添加成分に過敏反応を有し，添加成分の種類を限定して除去するのではなく，食品添加物全般を除去せざるを得ないことが多い．

成人期

表　食物中の色素・添加物などへの即時型過敏症状の鑑別診断

1. IgE機序の即時型アレルギー
   ① 狭義の色素・添加物アレルギー
   食品・化粧品中の添加成分に曝露され感作が生じ，食品中の当該成分で症状が引き起こされる場合で，IgE機序の反応がプリックテストや皮内テストで確認できた場合にのみこのカテゴリーに入る．理論的にすべての添加物が即時型アレルギーを起こしうるが，実際にはこのカテゴリーに入る色素・添加物アレルギー症例は多く経験するものではない．以下の成分に関しては文献的に報告が多いので，銘記しておく必要がある．
   頻度の高いもの（報告が多いもの）…コチニール色素（カルミン），エリスリトール，加水分解小麦，コラーゲン（ゼラチン）
   ② 続発性の色素・添加物アレルギー
   もともとIgE機序の食物アレルギーを有するものが，食品中の食品由来添加物で症状が引き起こされた場合がこのカテゴリーに入る．臨床的には時折経験するが，文献的報告は限られており，実態は十分に明らかになっていない．
   例）カゼインNa，加水分解小麦など
2. 非IgE機序の即時型過敏症状
   臨床的に症状は有しているが，IgE機序の反応が証明できないものがこのカテゴリーに入る．実地臨床では比較的頻度が高い．多くの症例が多種の添加物に過敏症状をきたし，症状も他覚的所見に乏しいことが多い．薬剤過敏症を合併することも多く，多種化学物質過敏症の部分症状として食品添加物過敏をきたすこともある．

参考文献

1) Kägi MK, et al.：Campari-Orange anaphylaxis due to carmine allergy. Lancet, 344：60-61, 1994.
2) DiCello MC, et al.：Anaphylaxis after ingestion of carmine colored foods：two case reports and a review of the literature. Allergy Asthma Proc, 20：377-382, 1999.
3) Ohgiya Y, et al.：Molecular cloning, expression, and characterization of a major 38-kd cochineal allergen. J Allergy Clin Immunol, 123：1157-1162, 2009. Erratum in：J Allergy Clin Immunol, 126：885, 2010.

14 心因反応との鑑別（多種化学物質過敏症）

症例
50 歳，女性

起始および経過

50 歳時，昼食にうどんと大福を摂取した 15 分後に，顔面に瘙痒を伴う発赤や腫脹が出現し，翌朝には症状は消失した．次週にも同じ大福を食べて同症状が出現した．その後，朝食に毎日のように摂取していたトーストを食べても，瘙痒を伴う顔面の発赤が出現したため，小麦を避けるようになった．さらに，翌日には茹でたサツマイモを摂取して舌の違和感が出現し，翌々日には朝食で味付けのり，夕食でブロッコリーを摂取しても同症が出現．その後もチーズ，ちらしずしなどで同症状が出現し，2 時間程度で症状は消失した．また，枝豆やバナナ，プリンを食べても口腔内違和感が現れるため，近医皮膚科を受診した．フェキソフェナジンを処方されるも，その後も症状をくり返すため，食物アレルギー疑いで当科紹介受診となった．初診時には皮疹はなし．

既往歴 花粉症，抗セントロメア抗体陽性のため他院で経過観察中．

家族歴 妹：小児喘息，娘：アトピー性皮膚炎．　**生活背景** 約 20 年の受動喫煙歴（夫が愛煙家）．

検査データ

WBC：5,200/μL，好酸球：4.1%，LDH：227 IU/L，TARC：294pg/mL．

Total IgE：119 IU/mL，特異的 IgE 抗体（UA/mL）小麦：0.76，バナナ：0.72，キウイ：0.49，卵白・牛乳・米・大豆・グルテン・ω-5 グリアジン：< 0.35，スギ：20.90，カモガヤ：2.62，ハンノキ：1.29．

皮膚プリックテスト 被疑食品を持参してもらい，prick-to-prick test を施行した．茹でたうどん，大福，プリン，茹でたサツマイモ，ブロッコリーはすべて陰性．トリイ抗原試薬でも小麦粉，卵白，ソバ，米は陰性であった．

初診後の経過

被疑食品に関するアレルギー検査は陰性であった．しかし，短期間に生物学的分類と関連性の低いさまざまな食品を摂取して，アレルギーに類似した症状が誘発されていることから，多種化学物質過敏症〔multiple chemical sensitivity（MCS），別名 idiopathic environmental intolerances〕を疑い，さらに病歴を聴取した．その結果，香水をつけた人に近づいたり，ステンシルや習字などの傍に近寄ると同様の皮膚症状が出現すること，また，夫のオーデコロンやタバコの煙で気分不良になることから，MCS の精査を専門機関に依頼した．神経眼科学的検査に異常が認められ，MCS と診断された．

その後は，タバコや洗剤，消毒剤，香水，農薬などの化学物質を回避するように指導した．また，ビタミン B・C，グルタチオン，ビオチンなどの処方を追加した．自己判断で除去していた食品については，アレルギー検査はすべて陰性であるが，MCS による症状の誘発と考え，除去を継続している．

解説

短期間に，関連性を見出せない複数の食品に対してアレルギーと類似の症状が現れる場合，心因反応に加えMCSの鑑別を要する．MCS患者の場合，病歴からは食物アレルギーが疑われるが，被疑食品の多くはⅠ型アレルギー検査が陰性になる．そのため，さまざまな自覚症状とあわせて神経症や更年期障害などと診断されたり，医療者に「気のせいではないか」，「気にしすぎだ」などと言われ，病気の存在すら否定されることがあり，医療機関を彷徨うケースも少なくない．

MCSは，化学物質に大量あるいは長期にわたって曝露後，微量の化学物質への曝露により生じる非特異的多臓器症状を有し，病態生理からみても従来の中毒やアレルギーとは異なる概念の疾患である（図）[1]．1999年のコンセンサスでは，次の6項目を満たすことが必要とされている．① 再現性をもって現れる症状を有する，② 微量な化学物質に反応する，③ 関連性のない多種類の化学物質に反応する，④ 原因物質の除去で改善，または治癒する，⑤ 慢性疾患である，⑥ 症状が多くの器官・臓器にわたる，である．

化学物質Aに対する過敏症が進み，多種類の化学物質に対しても過敏に反応するようになる

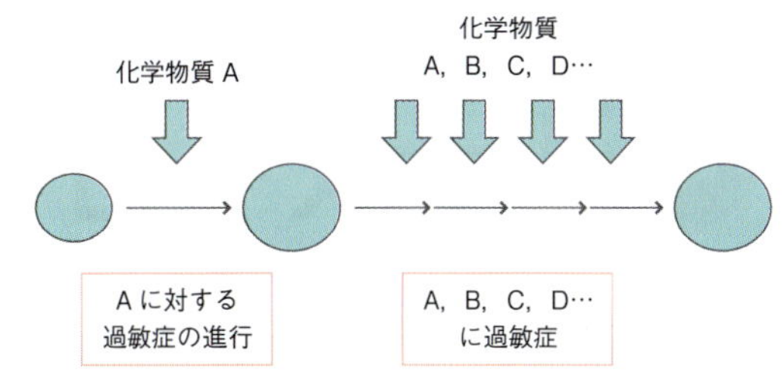

図　多種化学物質過敏症[1]

表　化学物質過敏症の診断基準[3]

主症状	検査所見
1. 持続あるいは反復する頭痛 2. 筋肉痛あるいは筋肉の不快感 3. 持続する倦怠感・疲労感 4. 関節痛 **副症状** 1. 咽頭痛 2. 微熱 3. 下痢・腹痛・便秘 4. 羞明・一過性の暗点 5. 集中力・思考力の低下，健忘 6. 興奮，精神の不安定，不眠 7. 皮膚のかゆみ，感覚異常 8. 月経過多などの異常	1. 副交感神経刺激型の瞳孔異常 2. 視覚空間周波数特性の明らかな閾値低下 3. 眼球運動の典型的な異常 4. SPECTによる大脳皮質の明らかな機能低下 5. 誘発試験の陽性反応 **診断基準** 1）主症状2項目＋副症状4項目 2）主症状1項目＋副症状6項目＋検査所見2項目

MCSの発症メカニズムは，免疫学的異常，呼吸・神経原性炎症，大脳辺縁系神経感作，N－メチル-Dアスパラギン酸（NMDA）受容体活性の上昇，代謝酵素変化，行動学的条件付け，心理的・精神的障害（心因性）など，諸説唱えられているが，単一の機序というよりは多要因性と推察されている．

MCSは30～50歳代の中年女性で，比較的経済状況に恵まれた人に多く，有病率は約0.2～4％といわれている．アレルギー疾患の合併，特にアレルギー性鼻炎の合併率が高い．MCSの可能性が指摘された症例の約80％は何らかのアレルギー疾患を合併する[2]．食物アレルギーに関しては，被疑食品すべてがアレルギー検査で陰性になることもあるが，症例によっては，その一部は陽性になり真の食物アレルギーが混在することもある．したがって，MCSが強く疑われても被疑食品についてⅠ型アレルギーの検査を実施し，真のアレルギーがないか確認する．症状を誘発しやすいものに，家庭用殺虫剤，殺菌・防虫剤類，香水などの化粧関連用品類，衣料用洗剤類，防臭・消臭剤，芳香剤類，タバコの煙，シャンプーなどボディーケア用品類，灯油などの燃料類，ペンなど筆記用具類，印刷物類，新建材・塗料から放散される化学物質，排気ガス，電磁波，においが強い天然素材などがある．

わが国の診断基準は，神経眼科学的検査が重視され一般医療施設で通常施行できない（表）[3]．そのため，診断上重要なことは，症状発現と化学物質曝露の関連性を確認することである．10項目の自覚症状を0から10点で点数化するquick environmental exposure and sensitivity inventory（QEESI）検査の有用性も報告されている[4]．なお化学物質過敏症は2009年に保険病名として登録（ICD10：T659）されている．

治療は標準化されていないが，症状誘発に関わる原因物質を避けることが基本となる．化学物質の発生源を身の回りから排除するとともに，日頃から空気清浄機などの利用も含め室内換気を行う．基本的な体調管理も大切で，バランスのとれた食事，特にビタミン類（B類，C，E）を規則正しく摂るようにする．症状誘発に関わる食品は避ける．除去食品が多種におよぶ場合は栄養指導も併せて行う．ただし，明らかなトリガーでなければ，MCS全般の症状改善とともに，摂取できるものが少しずつ増えてくることもある．

1）吹角隆之，ほか：第11回　日本外来臨床精神医学学術大会，2011．
2）長谷川眞紀：化学物質過敏症の診療．医事新報，4490：55-60，2010．
3）厚生省長期慢性疾患総合研究事業アレルギー研究班：化学物質過敏症パンフレット，p.8．
4）Hojo S, et al.：Toxicol Ind Health, 19：41-49, 2003.

成人期

15 基礎疾患を有する食物アレルギー患者への対応
非ステロイド性抗炎症薬

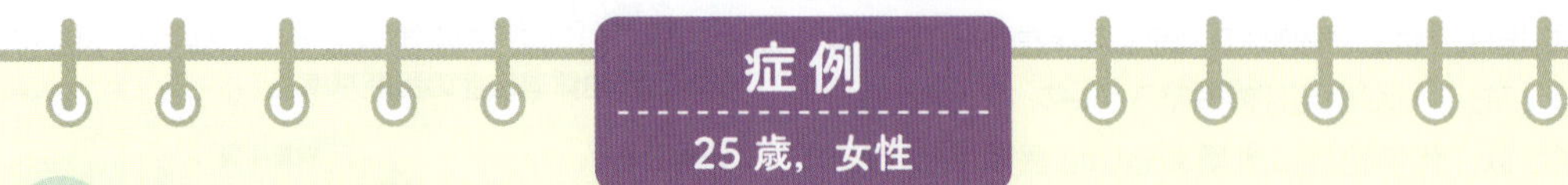

症例
25 歳，女性

起始および経過

食物アレルギーなどの既往はない．通年性アレルギー性鼻炎あり．片頭痛でときどき市販の非ステロイド性抗炎症薬 non-steroidal anti-inflammatory drugs（NSAIDs）を内服していた．

3ヵ月前，片頭痛の発作のため市販の NSAIDs を内服した 30 分後，自宅でエビチリを摂取したところ，摂取 10 分後より顔面の血管浮腫，喉頭狭窄感が出現し，軽度の呼吸困難感も出現した．NSAIDs の副作用と自己判断し，その後同薬剤を内服しないようにしており，以後同様の症状は出現していない．精査加療目的で当院紹介受診．甲殻類は以前と同様に摂取している．

身体所見

初診時，特記すべき所見なし．

検査データ

Total IgE：112 IU/mL，特異的 IgE 抗体（UA/mL）ダニ：26.3，スギ：6.23，エビ：3.12．
prick-to-prick test（エビ：陽性）．

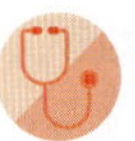

初診後の経過

病歴からは NSAIDs の副反応（アレルギー，不耐症含む），もしくはエビによる食物アレルギー症状，のいずれかがまずは疑われたが，患者の症状誘発のエピソードは 1 回のみでありエピソードからではどちらか判別ができなかった．患者同意のもと入院負荷試験を行った．モニター管理下で，アスピリン，インドメタシンなどの NSAIDs の内服負荷試験（1 回摂取量の 10 分の 1 量，3 分の 1 量，1 回摂取量を 2 時間以上間隔を空けて内服）を行ったがいずれの場合も症状の誘発はなく，自宅で内服した市販の NSAIDs の内服負荷をしても症状は誘発されず，NSAIDs 不耐症や NSAIDs による 1 型アレルギーは否定された．次に，アスピリン 500mg 内服 30 分後にエビを経口負荷したところ，顔面の血管浮腫が誘発された．エビによる prick-to-prick test 陽性の所見も含め，NSAIDs により誘発された甲殻類アレルギーと診断された．

自宅で NSAIDs 非内服下の甲殻類摂取では一度も症状が誘発されていないため，NSAIDs 非内服下の甲殻類摂取は可能であると判断された．これまで甲殻類摂取後に運動したときに症状が誘発された（運動誘発アナフィラキシー）エピソードはないが，念のため，甲殻類摂取後 2 時間の激しい運動は禁止した．甲殻類を摂取しなければ NSAIDs 内服自体は可能であると判断された．NSAIDs を内服するときは NSAIDs の効果が持続している期間（多くは内服後 2 ～ 12 時間程度）は甲殻類を摂取しないように指導した．

解説

NSAIDs 内服は，食物アレルギーの発作誘発閾値を下げる因子，すなわち，食物アレルギーの症状を引き起こす誘因としてよく知られている．その機序に関しては議論が多いが，NSAIDs の cyclooxygenase（COX）の阻害によるプロスタグランジン産生抑制作用により tight junction の透過性亢進が起こり，アレルゲンの腸管からの吸収量増加が関与しているためとする考え方が最も一般的である[1]．腸管からのアレルゲン吸収量の増加は運動誘発アナフィラキシーの病態と類似しており，NSAIDs で症状が引き起こされたと思われる症例の長期管理では，原因食物摂取後の運動にも同時に注意を促す必要がある．

実地臨床では，本症例のように，片頭痛などで非定期的に NSAIDs を内服する患者が，偶然に NSAIDs 内服のタイミングと原因食物摂取のタイミングが一致して症状が誘発される場合と，低用量アスピリン療法やそのほかの治療目的での NSAIDs を継続的に内服している患者が，原因食物を摂取して症状が誘発される場合との大きく 2 通りがある．前者の場合は，NSAIDs 内服時に原因食物の摂取をしないように指導する．後者の場合は，常時 NSAIDs を内服しているので NSAIDs を内服している限りは，原因食物を一切摂取しないように指導せざるを得ない．しかし，NSAIDs の内服を中止できる場合もあるので，NSAIDs を処方している主治医に連絡し，可能であれば他剤に切り替えることが可能かどうか相談をしてみる価値はある．NSAIDs によるアレルギー反応誘発作用は主に COX の阻害によるプロスタグランジン産生抑制作用が関与していると考えられるため，NSAIDs 以外の鎮痛剤（アセトアミノフェン，ペンタゾシンなど）は安全に使用できると理論的には考えられる（ただし臨床データでの裏付けはないので注意が必要）．COX-2 選択性の高い NSAIDs のほうが腸管 tight junction の透過性亢進作用が比較的弱い可能性が示唆されているため，このような患者に NSAIDs を使用するのならアスピリンやジクロフェナクなど COX-1 阻害作用を有している薬剤よりも，セレコキシブ，メロキシカム，エトドラクなど COX-2 選択性の高い薬剤のほうが無難である．

一般に NSAIDs 内服に関連する過敏症状は，さまざまな機序によって起こり得るためその鑑別は容易ではない．本症例のように① 食物アレルギーが NSAIDs によって引き起こされるような場合（厳密にはこれは食物アレルギーであり NSAIDs 過敏症ではない）や，② NSAIDs による 1 型アレルギー，③ NSAIDs 不耐症，④ 非特異的な薬剤過敏症の患者が NSAIDs でも症状を引き起こされる場合など，さまざまな機序によって類似の症状をきたしうる．誘発時の臨床症状も，② や ③ も顔面の血管浮腫が主要症状になることも多いため，顔面の血管浮腫が主体の症例の場合は，その病態の鑑別は病歴聴取のみでは難しい．本症例のように食物アレルギーの評価のみならず，NSAIDs の内服負荷試験によって ② ③ の評価も同時に必要なことがある．

NSAIDs 内服は誘因であり，アレルギー症状の直接の原因ではない．すなわち，食物摂取との組み合わせがなければ NSAIDs の内服のみでは決して症状が誘発されないし，安全に内服できる．

NSAIDs による食物アレルギー誘発作用について当該患者に説明したとき，NSAIDs の内服自体を禁止されたものと誤解をされることがある．基本的に病態としては食物アレルギーであり，症状の原因は食物で NSAIDs 内服は症状誘発の誘因に過ぎないこと，NSAIDs 内服自体は行ってもよいことは強調して説明する必要がある．一方，体調不良時，特に急性胃腸炎時などには，NSAIDs の内服や運動などの組み合わせがなくても食物アレルギー症状が引き起こされることがあり得ることも銘記する必要がある．

1) 森田栄伸：アスピリンによるアレルゲンの吸収促進．臨床免疫・アレルギー科，55：676-680，2011．

16 基礎疾患を有する食物アレルギー患者への対応 βブロッカー

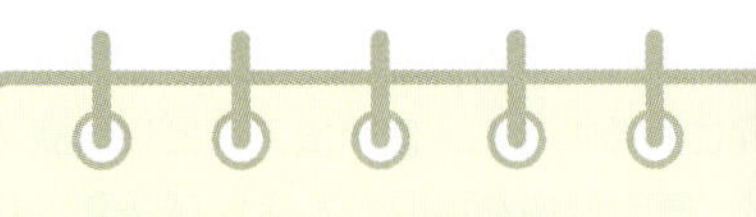

症例1

50歳，男性

起始および経過

3年前から春の花粉症を発症．昨年からリンゴ摂取時にのどの痒みなどの口腔内の軽いアレルギー症状が出現するようになった．高血圧にてカルベジロール（α・βブロッカー）を内服中．

本日，生まれて初めて豆乳を摂取した．200mL程度摂取した15分後，顔面の血管浮腫，くしゃみ，鼻水，鼻閉，呼吸困難などの症状が出現し，その後気分不良，脱力，失神を認め，救急車にて当院搬送．

身体所見（来院時）

血圧90/60mmHg，心拍数74bpm，SpO_2 99%（O_2：10L）．

来院時は意識清明．全身に発赤腫脹を認める．胸部聴診上異常所見を認めない．

検査データ（非急性期）

Total IgE：212 IU/mL，特異的IgE抗体（U_A/mL）スギ：17.8，ハンノキ：33.7，大豆：< 0.35，Bet v 1：46.8，Gly m 4：5.72．

prick-to-prick test（リンゴ：陽性，豆乳：陽性）．

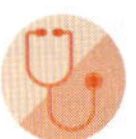

初診後の経過

来院時，アナフィラキシーショックの診断でアドレナリン0.3mg筋注，酸素投与，急速な補液を行った．血圧は治療に反応し即座に110/70mmHgまで回復．経過観察目的で1日のみ入院し，翌日退院となる．

退院後のアレルギー検査で豆乳によるprick-to-prick testが陽性であり，豆乳摂取により食物アナフィラキシーが誘発されたものと考えられた．もともとリンゴで口腔アレルギー症状があり，さらにBet v 1〔シラカンバ由来pathogenesis-related protein-10（PR-10）〕-IgE陽性，Gly m 4（大豆由来PR-10）-IgE陽性であることから，カバノキ科（ハンノキ・シラカンバ）花粉症に起因する花粉–食物アレルギー症候群（Pollen-food allergy syndrome）と考えられた（p.226参照）．豆乳のアレルギー症状の原因となったアレルゲンは，大豆のPR-10であるGly m 4であると考えられた．

一般にPR-10は熱や消化酵素に不安定なタンパクであるために，誘発される食物アレルギー症状も口腔や咽頭に限局されることが多く，症状も比較的重症化しにくいと考えられている．しかしながら，本症例では大豆中のPR-10，Gly m 4でアナフィラキシーショックまでに至ったものと考えられた．Gly m 4はリンゴやモモのPR-10に比べ，比較的熱耐性があるタンパクであると考えられており，ほかのPR-10によるアレルギー症状よりは重篤な症状をきたしやすいとされている．さらに本症例では，アナフィラキシーの重症化因子として知られるβブロッカー（カルベジロール）を内服中であったために，より症状の重篤化のリスクが高かったものと考えられた．

βブロッカーは降圧目的以外でも，心不全治療薬としてなどさまざまな目的で処方される薬剤であり，基礎疾患によってはほかの薬剤への変更が難しい．本例では，降圧目的でカルベジロールを内服中であり，ほかの降圧薬への変更も可能と考えられたため，かかりつけの内科主治医に連絡し降圧薬をカルベジロールからCaブロッカーへ変更することとなった．その後，豆乳の摂取を禁止し，経過良好である．

症例2

68歳，男性

起始および経過

これまでアレルギー疾患の既往はない．3ヵ月前に急性心筋梗塞を発症し，経皮的冠動脈形成術を行いその後冠動脈にステントを留置され，低用量アスピリン（抗血小板療法），クロピドグレル（抗血小板療法），カルベジロール（降圧，心不全治療目的，α・βブロッカー），バルサルタン（降圧，心不全治療目的，アンギオテンシンⅡ受容体拮抗薬）を内服している．

2ヵ月前に，朝食後に運動をしたときに全身性蕁麻疹が初めて出現した．その後，平均して週に1回程度の頻度で，食後の全身性蕁麻疹（運動はなし）を反復している．

1ヵ月前，パン摂取後に自宅で安静にしていたところ，全身性蕁麻疹ののちにショックとなり救急受診した．その時の採血で特異的IgE抗体価検査で小麦に対して陽性反応を認め，その後小麦を摂取しないようにしていた．その後，蕁麻疹は誤食時に軽度に誘発されるのみとなっている．精査加療目的で紹介受診．

身体所見

来院時，特記すべき所見なし．

検査データ

Total IgE：428 IU/mL，特異的IgE抗体（U_A/mL）小麦：0.45，グルテン：1.62，ω-5グリアジン：3.65．

皮膚プリックテスト（パン：陽性，小麦：陽性）．

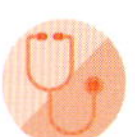

初診後の経過

小麦摂取後の反復した全身性蕁麻疹の出現，特異的IgE抗体価検査と皮膚プリックテストで小麦とグルテンに対して陽性反応を得たため，小麦アレルギーの診断となる．ω-5グリアジン特異的IgEが陽性であるため，運動により誘発されたエピソードは1回しかなかったものの，小麦依存性運動誘発アナフィラキシーと同一の病態であると考えられた（p.224参照）．

本症例は，経過中一度のみであるが，小麦摂取後運動もしていないのにアナフィラキシーショックにまで至る重篤な症状をきたしていた．通常，小麦依存性運動誘発アナフィラキシー症例は，小麦摂取後運動もしていないのに，アナフィラキシーショックに至るまでの重篤な症状が誘発されることはまれである．本例の症状が重篤化した原因としては，食物アナフィラキシー誘発因子として知られる低用量アスピリン療法と，アナフィラキシー重症化因子として知られるβブロッカー内服の影響があると考えられた．食物アナフィラキシーの観点からすればこれらの2薬剤は他剤へ変更をしたほうがよいと考えられたが，これら2剤は同時に心筋梗塞後にカテーテル治療・ステント留置されている患者においては，治療上の重要性が高い薬剤でもある．循環器科主治医と連絡をとり，今後の処方内容に関してこれらの薬剤を継続の是非に関して相談し，リスクとベネフィットを考慮した上で，心臓治療のほうを優先しこれらの2薬剤は継続内服することとし，一切の小麦製品の摂取を禁止して経過を追うこととした．また，アナフィラキシー誘発時にアドレナリン投与により循環器副作用が出現しやすいため，さらに抗ヒスタミン薬の予防的内服をしていただき，誤食による症状誘発を極力予防するようにした．誤食による食物アナフィラキシー誘発時には，その心臓副作用のリスクの高さを考慮してもアドレナリン筋肉注射を早期に行ったほうがベネフィットが大きいと判断されたため，アドレナリン自己注射薬を携行するように指導した．その後，誤食なく経過し症状の再燃はない．

解説

降圧薬として使用されるβブロッカーの内服は，内因性のアドレナリンや，治療により投与されるアドレナリンへの反応性の低下のために，重篤なアナフィラキシーの危険因子となることが以前から知られている[1, 2]．症例 1, 2 はβブロッカー内服中に生じた重篤なアナフィラキシーの例を示している．両症例ともに，通常の豆乳アレルギーや小麦依存性運動誘発アナフィラキシーに比べて，βブロッカー内服の影響により誘発時の症状が重篤化したと考えられた．著者は食物アレルギー患者の長期管理において，基礎疾患の影響でβブロッカーを内服している場合は，原則，内科かかりつけ医，主治医に連絡してほかの薬剤に変更を考慮していただくように一度相談するべきであると考えている．

一方，βブロッカー以外でも ACE 阻害薬，ARB，αブロッカーの内服も重篤なアナフィラキシーの危険因子であるとする報告が近年多くなされるようになっている[3]．特に ACE 阻害薬とアナフィラキシー重症化の関係を示す報告が多い．ARB は ACE 阻害薬に比べてリスクが低いのではないかという議論もある．表に食物アナフィラキシー患者の長期管理の際に注意すべき薬剤と基礎疾患についてまとめた．

なお，βブロッカー内服中の重症アナフィラキシーの急性期治療で，初期のアドレナリン筋肉注射に十分に反応しない場合は，βレセプターを介さずに心機能亢進作用を発揮するグルカゴンを投与することを考慮するべきとされている．投与方法は 1 ～ 2mg（小児の場合は 20 ～ 30μg/kg，最大 1mg）を 5 分以上かけて DIV 後，必要に応じて反復，もしくは 5 ～ 15μg/ 分で DIV．急速静注は嘔吐を誘発することが知られており，意識レベルの低下した患者に使用する場合は側臥位にするなどして気道を確保しておく必要がある．症例 1 の場合は，グルカゴンの使用がなくても初期療法に反応した．

表　食物アナフィラキシー患者の長期管理で注意を要する薬剤と基礎疾患

1．投薬内容
① NSAIDs：食物アレルギーの発作誘発閾値を下げる
② 降圧薬（特にβブロッカー，ACE 阻害薬）：アナフィラキシー重症化の危険因子
2．基礎疾患
① 心疾患：致死性アナフィラキシーの危険因子
② 気管支喘息：コントロールの悪い喘息は致死性アナフィラキシーの危険因子

1) Lieberman P, et al.：The diagnosis and management of anaphylaxis practice parameter：2010 update. J Allergy Clin Immunol, 126：477-480, 2010.
2) Simons FE, et al.：World allergy organization guidelines for the assessment and management of anaphylaxis. World Allergy Organ J, 4：13-37, 2011.
3) Lee JK, et al.：Anaphylaxis：mechanisms and management. Clin Exp Allergy, 41：923-938, 2011.

巻末資料

アレルゲンのまとめ

表1　動物由来の食物アレルゲン

アレルゲン	タンパク質の性質と分類
鶏卵	
Gal d 1	**オボムコイド**（卵白タンパク質）
Gal d 2	**オボアルブミン**（卵白タンパク質）
Gal d 3	オボトランスフェリン（卵白タンパク質）
Gal d 4	リゾチーム（卵白タンパク質）
Gal d 5	αリベチン（卵黄タンパク質）
Gal d 6	YGP42（卵黄タンパク質）
牛乳	
Bos d 4	α-ラクトグロブリン（乳清タンパク質）
Bos d 5	**β-ラクトグロブリン**（乳清タンパク質）
Bos d 6	血清アルブミン（乳清タンパク質）
Bos d 7	免疫グロブリン（乳清タンパク質）
Bos d 8	**カゼイン**（カゼイン画分タンパク質）
鳥肉	
Gal d 7	ミオシン軽鎖（筋原線維タンパク質）
Gal d 8	αパルブアルブミン（筋形質タンパク質）
Gal d 9	βエノラーゼ（解糖系酵素）
Gal d 10	アルドラーゼ（解糖系酵素）
豚肉	
Sus s 1	血清アルブミン（血清タンパク質）
牛肉	
Bos d 7	免疫グロブリン（IgG 抗体）
Bos d 13	ミオシン軽鎖（筋原線維タンパク質）
魚（さけ，さばなど）	
βパルブアルブミン	筋形質タンパク質
βエノラーゼ	解糖系酵素
アルドラーゼ	解糖系酵素
トロポミオシン	筋収縮調節タンパク質
コラーゲン	筋基質タンパク質
クレアチンキナーゼ	骨格筋発現酵素
トリオースリン酸イソメラーゼ	解糖系酵素
ピルビン酸キナーゼ	解糖系酵素
乳酸デヒドロゲナーゼ	解糖系酵素
グルコースリン酸イソメラーゼ	解糖系酵素
グリセルアルデヒド-3-リン酸デヒドロゲナーゼ	解糖系酵素
甲殻類（えび，かになど）	
トロポミオシン	筋収縮調節タンパク質
アルギニンキナーゼ	アルギニンリン酸化酵素
ミオシン軽鎖	筋原線維タンパク質
筋形質カルシウム結合タンパク質	筋形質タンパク質
トロポニン	筋収縮調節タンパク質
ヘモシアニン	銅イオン結合性タンパク質
トリオースリン酸イソメラーゼ	解糖系酵素
フィラミンC	アクチン架橋タンパク質
脂肪酸結合タンパク質（FABP）	細胞内キャリアータンパク質
グリコーゲンホスホリラーゼ	グリコーゲン加リン酸分解酵素
軟体動物（いかなど）	
トロポミオシン	筋収縮調節タンパク質
貝類（あわび，牡蠣など）	
トロポミオシン	筋収縮調節タンパク質
魚卵（いくら）	
β'-コンポーネント	魚卵黄タンパク質

特定原材料において特に重要な主要アレルゲンは太字で示した.

表2　植物由来の食物アレルゲン

アレルゲン	タンパク質の性質と分類
穀類	
小麦（イネ科：*Triticum aestivum*）	
Tri a 12	プロフィリン
Tri a 14	nsLTP（PR-14／脂質輸送タンパク質）
Tri a 17	βアミラーゼ
Tri a 19	ω-5 グリアジン
Tri a 20	γグリアジン
Tri a 21	α/βグリアジン
Tri a 25	チオレドキシン
Tri a 26	HMW グルテニン
Tri a 36	LMW グルテニン
Tri a 37	αプロチオニン
Tri a 41	ミトコンドリアユビキチンリガーゼ活性化タンパク質
Tri a 44	胚乳輸送細胞特異的 PR60 プレカーサ
Tri a 45	翻訳伸長因子（Elongation factor 1）
ソバ（タデ科：*Fagopyrum esculentum*）	
Fag e 2	2S アルブミン（コングルチン／貯蔵タンパク質）
Fag e 3	ビシリン様タンパク質（貯蔵タンパク質：αヘアピニン）

Fag e 4	ヘベイン様抗菌ペプチド
Fag e 5	ビシリン様タンパク質
豆類	
落花生（マメ科：*Arachis hypogaea*）	
Ara h 1	7S グロブリン(ビシリン／貯蔵タンパク質)
Ara h 2, Ara h 6	2S アルブミン（コングルチン／貯蔵タンパク質）
Ara h 7	2S アルブミン（コングルチン／貯蔵タンパク質）
Ara h 3	11S グロブリン（グリシニン／貯蔵タンパク質）
Ara h 5	プロフィリン（アクチン結合タンパク質）
Ara h 8	Bet v 1 類似タンパク質（PR-10／リボヌクレアーゼ）
Ara h 9, Ara h 17	nsLTP1（PR-14／脂質輸送タンパク質）
Ara h 10, Ara h 11	オレオシン（オイルボディ結合タンパク質）
Ara h 14, Ara h 15	オレオシン（オイルボディ結合タンパク質）
Ara h 12, Ara h 13	ディフェンシン（抗菌タンパク質）
Ara h 16	nsLTP2（PR-14／脂質輸送タンパク質）
Ara h 18	シクロフィリン（シス－トランス異性化反応触媒タンパク質）
大豆（マメ科：*Glycine max*）	
Gly m 1	nsLTP1（PR-14／脂質輸送タンパク質）
Gly m 2	ディフェンシン（PR-12／抗菌タンパク質）
Gly m 3	プロフィリン（アクチン結合タンパク質）
Gly m 4	Bet v 1 類似タンパク質（PR-10／リボヌクレアーゼ）
Gly m 5	7S グロブリン（βコングリシニン／貯蔵タンパク質）
Gly m 6	11S グロブリン（グリシニン／貯蔵タンパク質）
Gly m 7	ビオチン化種子タンパク質
Gly m 8	2S アルブミン（貯蔵タンパク質）
ナッツ類	
カシューナッツ（ウルシ科：*Anacardium occidentale*）	
Ana o 1	ビシリン様タンパク質（貯蔵タンパク質）
Ana o 2	レグミン様タンパク質（貯蔵タンパク質）
Ana o 3	2S アルブミン（貯蔵タンパク質）
ブラジルナッツ（サガリバナ科：*Bertholletia excelsa*）	
Ber e 1	2S アルブミン（コングルチン／貯蔵タンパク質）
Ber e 2	11S グロブリン(レグミン／貯蔵タンパク質)
ヘーゼルナッツ（カバノキ科：*Corylus avellana*）	
Cor a 1	Bet v 1 類似タンパク質（PR-10／リボヌクレアーゼ）
Cor a 2	プロフィリン（アクチン結合タンパク質）
Cor a 8	nsLTP1（PR-14／脂質輸送タンパク質）
Cor a 9	11S グロブリン(レグミン／貯蔵タンパク質)
Cor a 11	7S グロブリン(ビシリン／貯蔵タンパク質)
Cor a 12, Cor a 13	オレオシン（オイルボディ結合タンパク質）
Cor a 14	2S アルブミン（コングルチン／貯蔵タンパク質）
クルミ（クルミ科：*Juglans regia*）	
Jug r 1	2S アルブミン（コングルチン／貯蔵タンパク質）
Jug r 2	7S グロブリン(ビシリン／貯蔵タンパク質)
Jug r 3	nsLTP1（PR-14／脂質輸送タンパク質）
Jug r 4	11S グロブリン(レグミン／貯蔵タンパク質)
Jug r 5	Bet v 1 類似タンパク質（PR-10／リボヌクレアーゼ）
Jug r 6	ビシリン様クピン
Jug r 7	プロフィリン（アクチン結合タンパク質）
Jug r 8	nsLTP2（PR-14／脂質輸送タンパク質）
アーモンド（バラ科：*Prunus dulcis*）	
Pru du 1	Bet v 1 類似タンパク質（PR-10／リボヌクレアーゼ）
Pru du 3	nsLTP1（PR-14／脂質輸送タンパク質）
Pru du 4	プロフィリン（アクチン結合タンパク質）
Pru du 6	11S グロブリン(レグミン／貯蔵タンパク質)
Pru du 8	抗菌性貯蔵タンパク質
Pru du 10	マンデロニトリルリアーゼ(酵素タンパク質)
ゴマ（ゴマ科：*Sesamum indicum*）	
Ses i 1, Ses i 2	2S アルブミン（コングルチン／貯蔵タンパク質）
Ses i 3	7S グロブリン(ビシリン／貯蔵タンパク質)
Ses i 4, Ses i 5	オレオシン（オイルボディ結合タンパク質）
Ses i 6, Ses i 7	11S グロブリン(レグミン／貯蔵タンパク質)
果実類	
キウイフルーツ（マタタビ科：*Actinidia deliciosa*）	
Act d 1	アクチニジン(PR-5／タンパク質分解酵素)
Act d 2	タウマチン様タンパク質（PR-5／乾燥抵抗性，防カビ活性）
Act d 4	フィトシスタチン（システインプロテアーゼインヒビター）
Act d 5	キウェリン（防御タンパク質）
Act d 6	ペクチンメチルエステラーゼ
Act d 8	Bet v 1 類似タンパク質（PR-10／リボヌクレアーゼ）
Act d 9	プロフィリン（アクチン結合タンパク質）
Act d 10	nsLTP（PR-14／脂質輸送タンパク質）
Act d 11	主要ラテックス様・熟成関連タンパク質
Act d 12	11S グロブリン(キュピン／貯蔵タンパク質)
Act d 13	2S アルブミン（貯蔵タンパク質）
パイナップル（パイナップル科：*Ananas comosus*）	
Ana c 1	プロフィリン（アクチン結合タンパク質）
Ana c 2	ブロメライン（タンパク質分解酵素）
オレンジ（ミカン科：*Citrus sinensis*）	
Cit s 1	ガーミン様タンパク質（シュウ酸酸化酵素）
Cit s 2	プロフィリン（アクチン結合タンパク質）
Cit s 3	nsLTP1（PR-14／脂質輸送タンパク質）
Cit s 7	ジベレリン調節タンパク質
メロン（ウリ科：*Cucumis melo*）	
Cuc m 1	ククミシン（セリンプロテアーゼ）
Cuc m 2	プロフィリン（アクチン結合タンパク質）
Cuc m 3	PR-1 タンパク質
イチゴ（バラ科：*Fragaria ananassa*）	
Fra a 1	Bet v 1 類似タンパク質（PR-10／リボヌクレアーゼ）
Fra a 3	nsLTP1（PR-14／脂質輸送タンパク質）

Fra a 4	プロフィリン（アクチン結合タンパク質）
リンゴ（バラ科：*Malus domestica*）	
Mal d 1	Bet v 1 類似タンパク質（PR-10／リボヌクレアーゼ）
Mal d 2	タウマチン様タンパク質（PR-5／乾燥抵抗性，防カビ活性）
Mal d 3	nsLTP1（PR-14／脂質輸送タンパク質）
Mal d 4	プロフィリン（アクチン結合タンパク質）
バナナ（バショウ科：*Musa acuminata*）	
Mus xp 1	プロフィリン（アクチン結合タンパク質）
Mus xp 2	キチナーゼ（PR-3／抗菌タンパク質）
Mus xp 3	nsLTP1（PR-14／脂質輸送タンパク質）
Mus xp 4	タウマチン様タンパク質（PR-5／乾燥抵抗性，防カビ活性）
Mus xp 5	β-1,3-グルカナーゼ（PR-2／抗菌タンパク質）
Mus xp 6	アスコルビン酸ペルオキシダーゼ
サクランボ（バラ科：*Prunus avium*）	
Pru av 1	Bet v 1 類似タンパク質（PR-10／リボヌクレアーゼ）
Pru av 2	タウマチン様タンパク質（PR-5／防カビタンパク質）
Pru av 3	nsLTP1（PR-14／脂質輸送タンパク質）
Pru av 4	プロフィリン（アクチン結合タンパク質）
Pru av 7	ジベレリン様タンパク質
ナシ（バラ科：*Pyrus communis*）	
Pyr c 1	Bet v 1 類似タンパク質（PR-10／リボヌクレアーゼ）
Pyr c 3	nsLTP1（PR-14／脂質輸送タンパク質）
Pyr c 4	プロフィリン（アクチン結合タンパク質）
モモ（バラ科：*Prunus persica*）	
Pru p 1	Bet v 1 類似タンパク質（PR-10／リボヌクレアーゼ）
Pru p 2	タウマチン様タンパク質（PR-5／防カビタンパク質）
Pru p 3	nsLTP1（PR-14／脂質輸送タンパク質）
Pru p 4	プロフィリン（アクチン結合タンパク質）
Pru p 7	ジベレリン調節タンパク質
野菜類	
セロリ（セリ科：*Apium graveolens*）	
Api g 1	Bet v 1 類似タンパク質（PR-10／リボヌクレアーゼ）
Api g 2	nsLTP1（PR-14／脂質輸送タンパク質）
Api g 4	プロフィリン（アクチン結合タンパク質）
Api g 6	nsLTP2（PR-14／脂質輸送タンパク質）
Api g 7	ディフェンシン様タンパク質
アスパラガス（クサスギカズラ科：*Asparagus officinalis*）	
Asp a o 1	nsLTP1（PR-14／脂質輸送タンパク質）
キャベツ（アブラナ科：*Brassica oleracea*）	
Bra o 3	nsLTP1（PR-14／脂質輸送タンパク質）
ニンジン（セリ科：*Daucus carota*）	
Dau c 1	Bet v 1 類似タンパク質（PR-10／リボヌクレアーゼ）
Dau c 4	プロフィリン（アクチン結合タンパク質）
Dau c 5	イソフラボン還元酵素様タンパク質
レタス（キク科：*Lactuca sativa*）	
Lac s 1	nsLTP1（PR-14／脂質輸送タンパク質）
アボカド（クスノキ科：*Persea americana*）	
Pers a 1	キチナーゼ（PR-3／抗菌タンパク質）
トマト（ナス科：*Solanum lycopersicum*）	
Sola l 1	プロフィリン（アクチン結合タンパク質）
Sola l 2	β-フルクトフラノシダーゼ（抗菌タンパク質）
Sola l 3, Sola l 7	nsLTP1（PR-14／脂質輸送タンパク質）
Sola l 4	Bet v 1 類似タンパク質（PR-10／リボヌクレアーゼ）
Sola l 5	シクロフィリン（シス−トランス異性化反応触媒タンパク）
Sola l 6	nsLTP2（PR-14／脂質輸送タンパク質）
イモ類	
ジャガイモ（ナス科：*Solanum tuberosum*）	
Sol t 1	パタチン（Bet v 1 類似タンパク質）
Sol t 2	カテプシン D プロテアーゼインヒビター
Sol t 3	システインプロテアーゼインヒビター
Sol t 4	セリンプロテアーゼインヒビター

nsLTP：nonspecific lipid transfer protein. PR-：Pathogen-related protein.
World Health Organization（WHO）/International Union of Immunological Societies（IUIS）の Allergen Nomenclature Sub-committee により承認されたアレルゲンを記した（参照リンク：http://allergen.org/index.php）．特定原材料において特に重要な主要アレルゲンは太字で示した．やまいも（*Dioscorea japonica*）とまつたけ（*Tricholoma matsutake*）のアレルゲンについては上記のリンクに登録されていない（2023年3月現在）．

表3　Bet v 1 類似タンパク質 superfamily に属する代表的な花粉アレルゲンと食物アレルゲン

花粉アレルゲン	食物アレルゲン
ハンノキ（*Alnus glutinosa*）	セロリ（*Apium graveolens*）
Aln g 1	Api g 1
カバノキ（*Betula verrucosa*）	落花生（*Arachis hypogaea*）
Bet v 1	Ara h 8
シデ（*Carpinus betulus*）	ヘーゼルナッツ（*Corylus avellana*）
Car b 1	Cor a 1
クリ（*Castanea sativa*）	ニンジン（*Daucus carota*）
Cas s 1	Dau c 1
ハシバミ（*Corylus avellana*）	イチゴ（*Fragaria ananassa*）
Car a 1	Fra a 1
	大豆（*Glycine max*）
	Gly m 4
	クルミ（*Juglans regia*）
	Jug r 5
	リンゴ（*Malus domestica*）
	Mal d 1
	サクランボ（*Prunus avium*）
	Pru av 1
	モモ（*Prunus persica*）
	Pru p 1

表4　ジベレリン調節タンパク質である代表的な花粉アレルゲンと食物アレルゲン

花粉アレルゲン	食物アレルゲン
スギ（*Cryptomeria japonica*） Cry j 7 セイヨウイトスギ（*Cupressus sempervirens*） Cup s 7 テキサスシダーウッド（*Juniperus ashei*） Jun a 7	オレンジ（*Citrus sinensis*） Cit s 7 サクランボ（*Prunus avium*） Pru av 7 アンズ（*Prunus mume*） Pru m 7 モモ（*Prunus persica*） Pru p 7 ザクロ（*Punica granatum*） Pun g 7

表5　プロフィリンに属する代表的な花粉アレルゲンと食物アレルゲン

花粉アレルゲン	食物アレルゲン
ブタクサ（*Ambrosia artemisiifolia*） Amb a 8 ヨモギ（*Artemisia vulgaris*） Art v 4 カバノキ（*Betula verrucosa*） Bet v 2 ギョウギシバ（*Cynodon dactylon*） Cyn d 12 ヒマワリ（*Helianthus annuus*） Hel a 2 ラテックス（*Hevea brasiliensis*） Hev b 8 オリーブ（*Olea europea*） Oli e 2 イネ（*Oryza sativa*） Ory s 12 カベイラクサ（*Parietaria judaica*） Par j 3 オオアワガエリ（*Phleum pratense*） Phl p 12	キウイフルーツ（*Actinidia deliciosa*） Act d 9 パイナップル（*Anas comosus*） Ana c 1 落花生（*Arachis hypogaea*） Ara h 5 セロリ（*Apium graveolens*） Api g 4 トウガラシ（*Capsicum annuum*） Cas p 2 オレンジ（*Citrus sinensis*） Cit s 2 ヘーゼルナッツ（*Corylus avellana*） Cor a 2 メロン（*Cucumis melo*） Cuc m 2 ニンジン（*Daucus carota*） Dau c 4 大豆（*Glycine max*） Gly m 3 トマト（*solamun lycopersicum*） Sola l 1 リンゴ（*Malus domestica*） Mal d 4 バナナ（*Musa acuminata*） Mus xp 1 サクランボ（*Prunus avium*） Pru av 4 モモ（*Prunus persica*） Pru p 4

表6　ラテックスアレルゲンと相同性の高い食物アレルゲン

ラテックスアレルゲン		食物アレルゲン		
Hev b 2	（グルカナーゼ：PR-2）	バナナアレルゲン	Mus xp 5	（グルカナーゼ：PR-2）
Hev b 6	（へベイン：キチナーゼ類似構造をもつ）	バナナアレルゲン	Mus xp 2	（キチナーゼ：PR-3）
Hev b 11*	（キチナーゼ：PR-3）	アボカドアレルゲン	Pers a 1	（キチナーゼ：PR-3）
		クリアレルゲン	Cas s 5	（キチナーゼ：PR-3）
Hev b 7	（パタチン類似構造体）	ジャガイモアレルゲン	Sol t 1	（パタチン）

＊：キウイフルーツやトマトに含まれるキチナーゼも，ラテックス・フルーツ症候群に関与するといわれている．

アレルゲン検査項目一覧

イムノキャップ® 特異的 IgE アレルゲンキャップ

保険適用

花粉アレルゲン

イネ科植物

カモガヤ	g3
ハルガヤ	g1
オオアワガエリ	g6
ギョウギシバ	g2
ナガハグサ	g8
オオスズメノテッポウ	g16
ヒロハウシノケグサ	g4
ホソムギ	g5
アシ	g7
コヌカグサ（属）	g9
セイバンモロコシ	g10
小麦（属）	g15
スズメノヒエ（属）	g17

雑草

ブタクサ s	w1
ヨモギ	w6
カナムグラ	w22
アキノキリンソウ	w12
タンポポ（属）	w8
ブタクサモドキ	w2
オオブタクサ	w3
ニガヨモギ	w5
フランスギク	w7
ヘラオオバコ	w9
シロザ	w10
ヒメスイバ	w18
イラクサ（属）	w20

樹木

スギ	t17
ヒノキ s	t24
ハンノキ（属）	t2
シラカンバ（属）	t3
ビャクシン（属）	t6
マツ（属）	t16
カエデ（属）	t1
ブナ（属）	t5
コナラ（属）	t7
ニレ（属）	t8
オリーブ	t9
クルミ（属）	t10
ヤナギ（属）	t12
アカシア（属）	t19
クワ（属）	t70

食物アレルゲン

卵

卵白	f1
卵黄	f75
・オボムコイド	f233

牛乳

ミルク	f2
チーズ	f81
・カゼイン	f78
・α-ラクトアルブミン	f76
・β-ラクトグロブリン	f77
モールドチーズ	f82

魚／魚卵

サバ	f50
アジ	f60
イワシ	f61
マグロ	f40
サケ	f41
タラ	f3
カレイ	f254
イクラ	f349
タラコ	f350

甲殻類／軟体動物

カニ	f23
エビ	f24
ロブスター	f80
イカ	f58
タコ	f59
アサリ	f207
カキ（貝）	f290
ホタテ	f338
ムラサキイガイ［ムール貝］	f37

穀類（小麦）

小麦	f4
・ω-5 グリアジン（小麦由来）	f416
グルテン	f79

穀類

米	f9
ソバ	f11
ライ麦	f5
大麦	f6
オート麦	f7
トウモロコシ	f8
キビ	f55
アワ	f56
麦芽	f90

肉

豚肉	f26
牛肉	f27
鶏肉	f83
羊肉	f88

豆類／ナッツ

大豆	f14
・Gly m 4（大豆由来）	f353
ピーナッツ	f13
・Ara h 2（ピーナッツ由来）	f423
クルミ	f256
・Jug r 1（クルミ由来）	f441
カシューナッツ	f202
・Ana o 3（カシューナッツ由来）	f443
ハシバミ［ヘーゼルナッツ］	f17
カカオ	f93
エンドウ	f12
インゲン	f15
ブラジルナッツ	f18
アーモンド	f20
ココナッツ	f36

果物

リンゴ	f49
バナナ	f92
オレンジ	f33
モモ	f95
キウイ	f84
スイカ	f329
イチゴ	f44
メロン	f87
アボカド	f96
グレープフルーツ	f209
マンゴ	f91
洋ナシ	f94

野菜

ヤマイモ	f97
トマト	f25
ニンジン	f31
ジャガイモ	f35
ホウレンソウ	f214
タマネギ	f48
ニンニク	f47
タケノコ	f51
カボチャ	f225
サツマイモ	f54
セロリ	f85
パセリ	f86

その他

ゴマ	f10
マスタード	f89
ゼラチン	c74
ビール酵母［パン酵母］	f45

その他のアレルゲン

室内塵

ハウスダスト 1	h1
ハウスダスト 2	h2

ダニ

家庭ダニ	
ヤケヒョウヒダニ	d1
コナヒョウヒダニ	d2
貯蔵庫ダニ	
アシブトコナダニ	d70
サヤアシニクダニ	d71
ケナガコナダニ	d72

昆虫

ガ	i8
ゴキブリ	i6
ユスリカ（成虫）	i7
ヤブカ（属）	i71
ミツバチ	i1
スズメバチ	i3
アシナガバチ	i4

寄生虫

アニサキス	p4
カイチュウ	p1

真菌／細菌

カンジダ	m5
マラセチア（属）	m227
ビール酵母［パン酵母］	f45
ペニシリウム	m1
クラドスポリウム	m2
アスペルギルス	m3
Asp f 1（アスペルギルス由来）	m218
ムコール	m4
アルテルナリア	m6
ヘルミントスポリウム	m8
トリコフィトン［白癬菌］	m205
黄色ブドウ球菌 A	m80
黄色ブドウ球菌 B	m81

動物

ネコ皮屑	e1
イヌ皮屑	e5
ハムスター上皮	e84
モルモット上皮	e6
家兎上皮	e82
ラット	e87
マウス	e88
セキセイインコ羽毛	e78
セキセイインコのふん	e77
ニワトリ羽毛	e85
ガチョウ羽毛	e70
アヒル羽毛	e86
ウマ皮屑	e3
ウシ皮屑	e4
ヤギ上皮	e80
羊上皮	e81
豚上皮	e83

職業性

ホルマリン	k80
ラテックス	k82
・Hev b 6.02（ラテックス由来）	k220
オオバコ種子	k72
イソシアネート TDI	k75
イソシアネート MDI	k76
イソシアネート HDI	k77
エチレンオキサイド	k78
無水フタル酸	k79

薬物

ヒトインシュリン	c73
ゼラチン	c74

その他

綿	o1

アレルゲンコンポーネント

オボムコイド（卵由来）	f233	Jug r 1（クルミ由来）	f441
ω-5 グリアジン（小麦由来）	f416	Ana o 3（カシューナッツ由来）	f443
カゼイン（牛乳由来）	f78	Gly m 4（大豆由来）	f353
α-ラクトアルブミン（牛乳由来）	f76	Hev b 6.02（ラテックス由来）	k220
β-ラクトグロブリン（牛乳由来）	f77	Asp f 1（アスペルギルス由来）	m218
Ara h 2（ピーナッツ由来）	f423		

マルチアレルゲン

イネ科	gx5	ハルガヤ，ギョウギシバ，カモガヤ，オオアワガエリ，アシ
雑草	wx5	ブタクサ，ヨモギ，フランスギク，タンポポ（属），アキノキリンソウ
カビ	mx2	ペニシリウム，クラドスポリウム，アスペルギルス，カンジダ，アルテルナリア，ヘルミントスポリウム
動物上皮	ex2	ネコ皮屑，イヌ皮屑，モルモット上皮，ラット，マウス
食物	fx5	卵白，ミルク，小麦，ピーナッツ，大豆
穀物	fx6	小麦，トウモロコシ，米，ゴマ，ソバ

保険適用外（研究用）

	製品コード	項目コード	製品名	原料または由来生物（和名／学名*） *和名のない項目については学名を記載しています.
ダニ	14-4241-01	d3	Dermatophagoides microceras	*Dermatophagoides microceras*
	14-4342-01	d74	Euroglyphus maynei	*Euroglyphus maynei*
	14-4896-01	d201	Blomia tropicalis	*Blomia tropicalis*
動物由来上皮およびタンパク質	哺乳類			
	14-4395-01	e72	Mouse urine proteins	マウス尿蛋白
	14-4397-01	e74	Rat urine proteins	ラット尿蛋白
	14-4399-01	e76	Mouse serum proteins	マウス血清蛋白
	14-5030-01	e203	Mink epithelium	ミンク上皮
	14-5033-01	e206	Rabbit, serum proteins	ウサギ血清蛋白
	14-5011-01	e208	Chinchila epithelium	チンチラ上皮
	14-5015-01	e209	Gerbil epithelium	スナネズミ上皮
	14-5034-01	e211	Rabbit, urine proteins	ウサギ尿蛋白
	14-5157-01	e217	Ferret epithelium	フェレット上皮
	14-5039-10	Re212	Swine, urine proteins	ブタ尿蛋白
	鳥類			
	14-4356-01	e89	Turkey feathers	七面鳥羽毛
	14-4913-01	e200	Canary bird droppings	カナリアのふん
	14-4824-01	e201	Canary bird feathers	カナリア羽毛
	14-4832-01	e213	Parrot feathers	オウム羽毛
	14-5013-01	e214	Finch feathers	フィンチ羽毛
	14-5032-01	e215	Pigeon feathers	ハト羽毛
	14-5229-01	e218	Chicken droppings	ニワトリのふん
	14-5230-01	e219	Chicken, serum proteins	ニワトリ血清蛋白
イネ科花粉	14-4238-01	g11	Brome grass	コスズメノチャヒキ
	14-4101-01	g12	Cultivated rye	ライ麦
	14-4139-01	g13	Velvet grass	シラゲガヤ
	14-4239-01	g14	Cultivated oat	エンバク
	14-4344-01	g70	Wild rye grass	エゾムギ
	14-4360-01	g71	Canary grass	クサヨシ
	14-4821-01	g201	Barley	大麦
	14-4822-01	g202	Maize, Corn	トウモロコシ
雑草花粉	14-4249-01	w11	Saltwort（prickly）, Russian thistle	オカヒジキ
	14-4251-01	w13	Cocklebur	オナモミ（属）
	14-4252-01	w14	Common pigweed	アオゲイトウ
	14-4253-01	w15	Scale, Lenscale	ハマアカザ（属）
	14-4254-01	w16	Rough marshelder	*Iva ciliata*
	14-4255-01	w17	Firebush（Kochia）	ホウキギ
	14-4186-01	w19	Wall pellitory（officinalis）	ヒカゲミズ（属）
	14-4104-01	w21	Wall pellitory（judaica）	カベイラクサ
	14-4950-01	w23	Yellow dock	ナガバギシギシ
	14-4951-01	w45	Alfalfa	アルファルファ
	14-4952-01	w46	Dog fennel	イトバヒヨドリ
	14-4953-01	w82	Careless weed	オオホナガアオゲイトウ
	14-5024-01	w203	Rape	セイヨウアブラナ
	14-5025-01	w204	Sunflower	ヒマワリ
	14-5020-01	w206	Camomile	カモミール
	14-5022-01	w207	Lupin	ルピナス
樹木花粉	14-4147-01	t4	Hazel	セイヨウハシバミ
	14-4228-01	t11	Maple leaf sycamore, London plane	モミジバスズカケノキ
	14-4229-01	t14	Cottonwood	ヒロハハコヤナギ
	14-4230-01	t15	White ash	アメリカトネリコ
	14-4232-01	t18	Eucalyptus, Gum-tree	ユーカリ
	14-4234-01	t20	Mesquite	メスキート
	14-4235-01	t21	Melaleuca, Cajeput-tree	カユプテ
	14-4236-01	t22	Pecan, Hickory	ペカン
	14-4924-01	t25	European ash	セイヨウトネリコ
	14-4941-01	t37	Bald cypress	ラクウショウ
	14-4942-01	t41	White hickory	ペカンヒッコリー
	14-4943-01	t44	Hackberry	アメリカエノキ
	14-4944-01	t45	Cedar elm	ニレ
	14-4946-01	t55	Scotch broom	エニシダ
	14-4947-01	t56	Bayberry	シロヤマモモ
	14-4948-01	t57	Red cedar	エンピツビャクシン
	14-4949-01	t71	Red mulberry	レッドマルベリー
	14-4373-01	t72	Queen palm	ジョオウヤシ
	14-4374-01	t73	Australian pine	トクサバモクマオウ
	14-5005-01	t201	Spruce	ヨーロピアンスプルース
	14-5003-01	t203	Horse chestnut	マロニエ
	14-5002-01	t205	Elder	セイヨウニワトコ
	14-5140-01	t206	Chestnut	クリ
	14-4823-01	t208	Linden	フユボダイジュ
	14-5148-01	t209	Horn beam	セイヨウシデ
	14-4834-01	t210	Privet	ヨウシュイボタ

分類	製品コード	項目コード	製品名	原料または由来生物（和名／学名*） ＊和名のない項目については学名を記載しています．
樹木花粉	14-5155-01	t211	Sweet gum	モミジバフウ
	14-5185-01	t212	Cedar	インセンスシダー
	14-5208-01	t213	Pine	ラジアータパイン
	14-5218-01	t214	Date	フェニックス
	14-5167-01	t217	Peppertree	コショウボク
	14-5252-01	t218	Virginia live oak	サザンライブオーク
	14-5309-01	t222	Cypress	アリゾナイトスギ
	14-5308-01	t223	Oil Palm	ギニアアブラヤシ
昆虫および昆虫毒	14-4343-01	i70	Fire ant	ヒアリ
	14-4328-01	i73	Bloom worm	ユスリカ（幼虫）
	14-4340-01	i75	European hornet	モンスズメバチ
	14-4362-01	i76	Berlin beetle	Trogoderma angustum（Solier）
	14-4527-01	i77	European paper wasp	ヨーロッパアシナガバチ
	14-5151-01	i203	Mediterranean flour moth	スジコナマダラメイガ
	14-5207-01	i204	Horse fly	アブ（属）
	14-5270-01	i205	Bumblebee	セイヨウオオマルハナバチ
	14-5274-01	i206	Cockroach, American	ワモンゴキブリ
微生物・真菌	14-4258-01	m7	Botrytis cinerea	ボトリチス・シネレア
	14-4260-01	m9	Fusarium proliferatum（F. moniliforme）	フザリウム・モニリフォルメ
	14-4266-01	m15	Trichoderma viride	トリコデルマ・ビリデ
	14-4920-01	m36	Aspergillus terreus	アスペルギルス・テレウス
	14-5029-01	m201	Tilletia tritici	ティレティア・トリティシ
	14-4830-01	m202	Acremonium kiliense	アクレモニウム・キリエンセ
	14-5028-01	m204	Ulocladium chartarum	ウロクラディウム・チャータラム
	14-4831-01	m207	Aspergillus niger	アスペルギルス・ニガー
	14-5202-01	m208	Chaetomium globosum	ケトミウム・グロボーサム
	14-5203-01	m209	Penicillium glabrum	ペニシリウム・グラブレム
	14-5224-01	m211	Trichophyton ment. var interdigitale	トリコフィトン（毛瘡菌，趾間菌）
	14-5298-01	m223	Staphylococcal enterotoxin C	黄色ブドウ球菌エンテロトキシンC
	14-5301-01	m226	Staphylococcal enterotoxin TSST	黄色ブドウ球菌毒素性ショック症候群毒素
	14-5342-01	m228	Aspergillus flavus	アスペルギルス・フラブス
薬剤	14-4164-01	c1	Penicilloyl G	ペニシリンG
	14-4165-01	c2	Penicilloyl V	ペニシリンV
	14-4450-01	c5	Ampicilloyl	アンピシリン
	14-4451-01	c6	Amoxicilloyl	アモキシシリン
	14-4926-01	c8	Chlorhexidine	クロルヘキシジン
	14-5266-01	c202	Suxamethonium（succinylcholine）	スキサメトニウム
	14-4974-01	c260	Morphine	モルヒネ
	14-4975-01	c261	Pholcodine	フォルコジン
職業性	14-4365-01	k81	Ficus	イチジク
	14-4366-01	k83	Cotton seed	綿の実
	14-4367-01	k84	Sunflower seed	ヒマワリの種
食物	牛乳・卵			
	14-4806-01	f231	Milk, boiled	加熱牛乳
	14-5114-01	f236	Cow's whey	ウシの乳清
	14-4826-01	f245	Egg	鶏卵
	14-5109-01	f286	Mare's milk	ウマの乳
	14-5144-01	f300	Goat milk	ヤギの乳
	14-5237-01	f325	Sheep milk	ヒツジの乳
	14-5238-01	f326	Sheep whey	ヒツジの乳清
	穀物			
	14-5752-01	f98	Gliadin	グリアジン（小麦）
	14-4914-01	f124	Spelt wheat	スペルト小麦
	14-5284-01	f347	Quinoa	キヌア
	豆類・ナッツ類・種子類			
	14-4929-01	f182	Lima bean	ライマメ
	14-4836-01	f203	Pistachio	ピスタチオ
	14-5065-01	f221	Coffee	コーヒー
	14-5097-01	f224	Poppy seed	ケシの実
	14-5098-01	f226	Pumpkin seed	カボチャの種
	14-5102-01	f227	Sugar-beet seed	ビートの種
	14-4815-01	f235	Lentil	レンズマメ
	14-5076-01	f246	Guar, guar gum（E412）	クラスタマメ
	14-5093-01	f253	Pine nut, pignoles	松の実
	14-5083-01	f266	Mace	メース（ナツメグの仮種皮）
	14-5100-01	f287	Red kidney bean	赤インゲンマメ
	14-5137-01	f296	Carob（E410）	イナゴマメ
	14-4843-01	f299	Sweet chestnut	栗
	14-5196-01	f309	Chick pea	ヒヨコマメ
	14-5211-01	f315	Green bean	インゲンマメ
	14-5213-01	f316	Rape seed	アブラナの種
	14-5254-01	f335	Lupine seed	ハウチワマメ
	14-5282-01	f345	Macadamia nut	マカダミアナッツ

製品コード	項目コード	製品名	原料または由来生物（和名／学名*） ＊和名のない項目については学名を記載しています.
果物			
14-4829-01	f208	Lemon	レモン
14-4810-01	f210	Pineapple	パイナップル
14-5051-01	f211	Blackberry	ブラックベリー
14-4812-01	f237	Apricot	アンズ
14-4811-01	f242	Cherry	サクランボ
14-4840-01	f255	Plum	プラム（スモモ）
14-4809-01	f259	Grape	ブドウ
14-5052-01	f288	Blueberry	ブルーベリー
14-5068-01	f289	Date	デーツ
14-5089-01	f293	Papaya	パパイヤ
14-5091-01	f294	Passion fruit	パッションフルーツ
14-5161-01	f301	Persimon（kaki fruit, sharon)	柿
14-5160-01	f302	Mandarin（tangerine, clementine, satsumas)	マンダリンオレンジ
14-5188-01	f306	Lime	ライム
14-5244-01	f328	Fig	イチジク
14-5279-01	f342	Olive（black, fresh)	オリーブ
14-5280-01	f343	Raspberry	ラズベリー
14-5269-10	Rf341	Cranberry	クランベリー
野菜			
14-4814-01	f216	Cabbage	キャベツ
14-5054-01	f217	Brussel sprouts	メキャベツ
14-4839-01	f244	Cucumber	キュウリ
14-4841-01	f260	Broccoli	ブロッコリー
14-5046-01	f261	Asparagus	アスパラガス
14-5047-01	f262	Aubergine, eggplant	ナス
14-5060-01	f291	Cauliflower	カリフラワー
14-5216-01	f319	Beetroot	ビート
スパイス・ハーブ			
14-4816-01	f218	Paprika, Sweet pepper	パプリカ
14-5106-01	f234	Vanilla	バニラ
14-5075-01	f263	Green pepper（unripe seed)	アオコショウ
14-5057-01	f265	Caraway	キャラウェイ
14-5064-01	f268	Clove	クローブ
14-5048-01	f269	Basil	バジル（バジリコ）
14-5072-01	f270	Ginger	ショウガ
14-5044-01	f271	Anise	アニス
14-5103-01	f272	Tarragon	タラゴン
14-5105-01	f273	Thyme	タイム
14-5084-01	f274	Marjoram	マジョラム
14-5082-01	f275	Lovage	ラベージ
14-5071-01	f276	Fennel, fresh	フェンネル
14-5069-01	f277	Dill	ディル
14-5049-01	f278	Bay leaf	ローリエ
14-5062-01	f279	Chilipepper	トウガラシ
14-4817-01	f280	Black pepper	コショウ
14-5088-01	f283	Oregano	オレガノ
14-5187-01	f305	Fenugreek	フェヌグリーク
14-5214-01	f317	Coriander	コリアンダー
14-5249-01	f332	Mint	ミント
14-5063-10	Rf220	Cinnamon	シナモン
14-5087-10	Rf282	Nutmeg	ナツメグ
魚介類			
14-4939-01	f42	Haddock	コダラ
14-4928-01	f147	Gulf flounder	ヒラメ属
14-4819-01	f204	Trout	ニジマス
14-4837-01	f205	Herring	ニシン
14-5019-01	f206	Mackerel	タイセイヨウサバ
14-5142-01	f258	Squid	ヤリイカ
14-5158-01	f303	Halibut	オヒョウ
14-5159-01	f304	Langust（spiny lobster)	イセエビ
14-5194-01	f307	Hake	メルルーサ
14-5195-01	f308	Sardine（Pilchard)	ニシイワシ
14-5204-01	f311	Megrim	メグリム
14-5205-01	f312	Swordfish	メカジキ
14-5209-01	f313	Anchovy	アンチョビー
14-5219-01	f320	Crayfish	ザリガニ
14-5256-01	f337	Sole	カレイ
14-5283-01	f346	Abalone	アワビ
14-4930-01	f369	Cat fish	ナマズ
14-4931-01	f381	Red snapper	フエダイ
14-4932-01	f384	Whitefish（Inconnu)	*Stenodus spp.*
14-4936-01	f413	Pollock	シロイトダラ
14-4937-01	f414	Tilapia	ティラピア
14-4938-01	f415	Walleye pike	ウォールアイ

食物

	製品コード	項目コード	製品名	原料または由来生物（和名／学名*） *和名のない項目については学名を記載しています.
食物	肉類			
	14-4838-01	f213	Rabbit	ウサギ肉
	14-4818-01	f284	Turkey meat	七面鳥（肉）
	その他食物			
	14-5086-01	f212	Mushroom（champignon）	マッシュルーム
	14-5104-01	f222	Tea	チャノキ
	14-5138-01	f297	Gum arabic（E414）	アラビアゴム
	14-5210-01	f314	Snail	ヒメリンゴマイマイ
	14-5250-01	f333	Linseed	アマ
	14-5268-01	f340	Cochineal extract（Carmine red）（E120）	コチニール
その他	14-4371-01	o70	Seminal fluid	精液
	14-5251-01	o211	Mealworm	ミールワーム
	14-5334-10	Ro213	MBP（maltose binding protein）	マルトース（麦芽糖）結合蛋白

イムノキャップ® アレルゲン コンポーネント

	製品コード	項目コード	アレルゲン名	原料または由来生物（学名）	原料または由来生物（和名）
動物由来上皮およびタンパク質	14-4905-01	e94	rFel d 1, Cat, ウテログロビン	*Felis domesticus*	ネコ
	14-5240-01	e220	rFel d 2, Cat, 血清アルブミン	*Felis domesticus*	ネコ
	14-5702-01	e228	rFel d 4, Cat, リポカリン	*Felis domesticus*	ネコ
	14-6082-01	e231	rFel d 7, Cat, リポカリン	*Felis domesticus*	ネコ
	14-4955-01	e101	rCan f 1, Dog, リポカリン	*Canis familiaris*	イヌ
	14-4956-01	e102	rCan f 2, Dog, リポカリン	*Canis familiaris*	イヌ
	14-5241-01	e221	rCan f 3, Dog, 血清アルブミン	*Canis familiaris*	イヌ
	14-4998-01	e226	rCan f 5, Dog, アルギニンエステラーゼ	*Canis familiaris*	イヌ
	14-5755-01	e229	rCan f 4, Dog, リポカリン	*Canis familiaris*	イヌ
	14-6081-01	e230	rCan f 6, Dog, リポカリン	*Canis familiaris*	イヌ
	14-5009-01	e204	nBos d 6, Cow, BSA	*Bos spp.*	ウシ
	14-5242-01	e222	nSus s, Pig serum albmin, Swine, 血清アルブミン	*Sus scrofa*	ブタ
	14-5700-01	e227	rEqu c 1, Horse, リポカリン	*Equus cabalus*	ウマ
イネ科花粉	14-5234-01	g205	rPhl p 1, Timothy, イネ科 Group 1	*Phleum pratense*	オオアワガエリ
	14-5235-01	g206	rPhl p 2, Timothy, イネ科 Group 2	*Phleum pratense*	オオアワガエリ
	14-5288-01	g208	nPhl p 4, Timothy, ベルベリン架橋酵素	*Phleum pratense*	オオアワガエリ
	14-5338-01	g215	rPhl p 5b, Timothy, イネ科 Group 5	*Phleum pratense*	オオアワガエリ
	14-5289-01	g209	rPhl p 6, Timothy, イネ科 Group 6	*Phleum pratense*	オオアワガエリ
	14-5290-01	g210	rPhl p 7, Timothy, ポルカルシン	*Phleum pratense*	オオアワガエリ
	14-5291-01	g211	rPhl p 11, Timothy, Ole e 1 関連タンパク	*Phleum pratense*	オオアワガエリ
	14-5292-01	g212	rPhl p 12, Timothy, プロフィリン	*Phleum pratense*	オオアワガエリ
	14-5312-01	g213	rPhl p 1, rPhl p 5b, Timothy	*Phleum pratense*	オオアワガエリ
	14-5313-01	g214	rPhl p 7, rPhl p 12, Timothy	*Phleum pratense*	オオアワガエリ
	14-4972-01	g216	nCyn d 1, Bermuda grass	*Cynodon dactylon*	ギョウギシバ
雑草花粉	14-4970-01	w231	nArt v 1, Mugwort, ディフェンシン	*Artemisia vulgaris*	ヨモギ
	14-4983-01	w233	nArt v 3, Mugwort, LTP	*Artemisia vulgaris*	ヨモギ
	14-4969-01	w230	nAmb a 1, Ragweed, ペクチン酸リアーゼ	*Ambrosia artemisiifolia (A. elatior)*	ブタクサ
	14-4978-01	w232	nSal k 1, Saltwort, ペクチンメチルエステラーゼ	*Salsola kai*	オカヒジキ
	14-5311-01	w211	rPar j 2, Wall Pellitory, LTP	*Parietaria judaica*	カベイラクサ
	14-5751-01	w234	rPla l 1, Plantain, Ole e 1 様タンパク	*Plantago lanceolata*	ヘラオオバコ
樹木花粉	14-5225-01	t215	rBet v 1, Birch, PR-10	*Betula verrucosa*	シラカンバ
	14-5226-01	t216	rBet v 2, Birch, プロフィリン	*Betula verrucosa*	シラカンバ
	14-5287-01	t220	rBet v 4, Birch, ポルカルシン	*Betula verrucosa*	シラカンバ
	14-5345-01	t225	rBet v 6, Birch, イソフラボンリダクターゼ	*Betula verrucosa*	シラカンバ
	14-5310-01	t221	rBet v 2, rBet v 4 Birch	*Betula verrucosa*	シラカンバ
	14-5705-01	t224	rOle e 1, Olive, オリーブ Group 1	*Olea europaea*	オリーブ
	14-4993-01	t227	nOle e 7, Olive, LTP	*Olea europaea*	オリーブ
	14-4999-01	t240	rOle e 9, Olive, グルカナーゼ	*Olea europaea*	オリーブ
	14-4977-01	t226	nCup a 1, Cypress, ペクチン酸リアーゼ	*Cupressus arizonica*	アリゾナイトスギ
	14-5957-01	t241	rPa a 1, Maple leaf sycarmore, インベルターゼインヒビター	*Platanus acerifolia*	モミジバスズカケノキ
昆虫および昆虫毒	14-4987-01	i208	rApi m 1, Honey bee, ホスホリパーゼ	*Apis mellifera*	ミツバチ
	14-6014-01	i214	rApi m 2, Honey bee, ヒアルロニダーゼ	*Apis mellifera*	ミツバチ
	14-6015-01	i215	rApi m 3, Honey bee, 酸性ホスファターゼ	*Apis mellifera*	ミツバチ
	14-6016-01	i216	rApi m 5, Honey bee, ジペプチジルペプチダーゼ	*Apis mellifera*	ミツバチ
	14-6004-01	i217	rApi m 10, Honey bee, イカラビン	*Apis mellifera*	ミツバチ
	14-4995-01	i211	rVes v 1, Common wasp, ホスホリパーゼ	*Vespula*	スズメバチ
	14-4992-01	i209	rVes v 5, Vespula, Common wasp	*Vespula vulgaris*	スズメバチ
	14-4994-01	i210	rPol d 5, European Paper Wasp	*Polistes dominulus*	アシナガバチ
微生物・真菌	14-5294-01	m219	rAsp f 2	*Aspergillus fumigatus*	アスペルギルス・フミガーツス
	14-5295-01	m220	rAsp f 3	*Aspergillus fumigatus*	アスペルギルス・フミガーツス
	14-5296-01	m221	rAsp f 4	*Aspergillus fumigatus*	アスペルギルス・フミガーツス
	14-5297-01	m222	rAsp f 6	*Aspergillus fumigatus*	アスペルギルス・フミガーツス
	14-5346-01	m229	rAlt a 1	*Alternaria alternata*	アルテルナリア・アルテルナータ

	製品コード	項目コード	アレルゲン名	原料または由来生物（学名）	原料または由来生物（和名）
食物	鶏卵・小麦				
	14-4804-01	f232	nGal d 2, Egg, オボアルブミン	*Gallus spp.*	鶏卵（卵白）
	14-5222-01	f323	nGal d 3, Egg, コンアルブミン	*Gallus spp.*	鶏卵（卵白）
	14-5128-01	k208	nGal d 4, Egg, リゾチーム	*Gallus spp.*	鶏卵（卵白）
	14-5752-01	f98	Gliadin	*Triticum aestivum*	小麦
	14-5701-01	f433	rTri a 14, Wheat, LTP	*Triticum aestivum*	小麦
	豆類・ナッツ類				
	14-4963-01	f422	rAra h 1, Peanut, 7S グロブリン	*Arachis hypogaea*	ピーナッツ
	14-4965-01	f424	rAra h 3, Peanut, 11S グロブリン	*Arachis hypogaea*	ピーナッツ
	14-6041-01	f447	rAra h 6, Peanut, 2S アルブミン	*Arachis hypogaea*	ピーナッツ
	14-5341-01	f352	rAra h 8, Peanut, PR-10	*Arachis hypogaea*	ピーナッツ
	14-4980-01	f427	rAra h 9, Peanut, LTP	*Arachis hypogaea*	ピーナッツ
	14-4990-01	f431	nGly m 5, Soy, 7S グロブリン（βコングリシニン）	*Glycine max*	大豆
	14-4991-01	f432	nGly m 6, Soy, 11S グロブリン（グリシニン）	*Glycine max*	大豆
	14-5954-01	f442	rJug r 3, Walnut, LTP	*Juglans regia*	クルミ
	14-5343-01	f354	rBer e 1, Brazil nut, 2S アルブミン	*Bertholletia excelsa*	ブラジルナッツ
	14-4981-01	f428	rCor a 1, Hazel nut, PR-10	*Corylus avellana*	ハシバミの実（ヘーゼルナッツ）
	14-4968-01	f425	rCor a 8, Hazel nut, LTP	*Corylus avellana*	ハシバミの実（ヘーゼルナッツ）
	14-5758-01	f440	nCor a 9, Hazel nut, 11S グロブリン	*Corylus avellana*	ハシバミの実（ヘーゼルナッツ）
	14-5754-01	f439	rCor a 14, Hazel nut, 2S アルブミン	*Corylus avellana*	ハシバミの実（ヘーゼルナッツ）
	果物・野菜				
	14-4957-01	f417	rApi g 1.01, Celery, PR-10	*Apium graveolens*	セロリ
	14-5703-01	f434	rMal d 1, Apple, PR-10	*Malus domestica*	リンゴ
	14-5704-01	f435	rMal d 3, Apple, LTP	*Malus domestica*	リンゴ
	14-4984-01	f430	rAct d 8, Kiwi, PR-10	*Actinidia deliciosa*	キウイ
	魚介類				
	14-5344-01	f355	rCyp c 1, Carp, パルブアルブミン	*Cyprinus carpio*	コイ
	14-4971-01	f426	rGad c 1, Cod, パルブアルブミン	*Gadus morhua*	タラ
	14-5335-01	f351	rPen a 1, Shrimp, トロポミオシン	*Penaeus aztecus*	エビ
その他	14-5127-01	k202	nAna c 2, Pineapple, ブロメライン	*Ananas comosus*	パイナップル
	14-4370-01	k87	nAsp o 21, αアミラーゼ	*Aspergillus oryzae*	アスペルギルス・オリゼ
	14-5339-01	o214	MUXF3, Bromelain, CCD		ブロメライン
	ラテックス				
	14-5324-01	k215	rHev b 1, Latex, ラバーエロンゲーションファクター	*Hevea brasiliensis*	ラテックス
	14-5326-01	k217	rHev b 3, Latex, スモールラバーパーティクルプロテイン	*Hevea brasiliensis*	ラテックス
	14-5327-01	k218	rHev b 5, Latex, 酸性ラテックスタンパク	*Hevea brasiliensis*	ラテックス
	14-5330-01	k221	rHev b 8, Latex, プロフィリン	*Hevea brasiliensis*	ラテックス
	14-5333-01	k224	rHev b 11, Latex, クラス 1 エンドキナーゼ	*Hevea brasiliensis*	ラテックス

アラスタット3gAllergyアレルゲンリスト（シーメンス）

コード	アレルゲン	コード	アレルゲン
薬物アレルゲン			
C74	ゼラチン		
吸入性アレルゲン　ダニ			
D1	ヤケヒョウヒダニ	D2	コナヒョウヒダニ
D70	アシブトコナダニ	D71	サヤアシニクダニ
D72	ケナガコナダニ	D73	イエニクダニ
動物アレルゲン			
E1	ネコ上皮・皮屑	E2	イヌ上皮
E3	ウマ皮屑	E4	ウシ皮屑
E5	イヌ皮屑	E6	モルモット上皮
E7	ハトのフン	E70	ガチョウ羽毛
E71	マウス上皮	E73	ラット上皮
E75	ラット血清蛋白	E78	セキセイインコ羽毛
E80	ヤギ上皮	E81	羊上皮
E82	家兎上皮	E83	豚上皮
E84	ハムスター上皮	E86	アヒル羽毛
E87	ラット	E88	マウス
食餌性アレルゲン			
F1	卵白	F2	牛乳
F3	タラ	F4	小麦
F5	ライ麦	F6	大麦
F7	オート麦	F8	トウモロコシ
F9	米	F10	ゴマ
F11	ソバ	F12	エンドウ
F13	ピーナッツ	F14	大豆
F15	インゲン	F17	ハシバミの実（ヘーゼルナッツ）
F18	ブラジルナッツ	F20	アーモンド
F23	カニ	F24	エビ
F25	トマト	F26	豚肉
F27	牛肉	F31	ニンジン
F33	オレンジ	F35	ジャガイモ
F36	ココナッツ	F37	ムラサキイガイ
F40	マグロ	F41	サケ
F44	イチゴ	F45	ビール酵母
F47	ニンニク	F48	タマネギ
F49	リンゴ	F50	サバ
F51	タケノコ	F54	サツマイモ
F58	イカ	F59	タコ
F60	アジ	F61	イワシ
F75	卵黄	F76	α-ラクトアルブミン
F77	β-ラクトグロブリン	F78	カゼイン
F79	グルテン	F80	ロブスター
F81	チェダーチーズ	F82	モールドチーズ
F83	鶏肉	F84	キウイ
F85	セロリ	F86	パセリ
F87	メロン	F88	羊肉
F89	マスタード	F90	麦芽
F91	マンゴー	F92	バナナ
F93	カカオ	F94	洋ナシ
F95	モモ	F96	アボカド

コード	アレルゲン	コード	アレルゲン
F97	ヤマイモ	F201	ペカンナッツ
F202	カシューナッツ	F207	アサリ
F209	グレープフルーツ	F214	ホウレン草
F215	レタス	F225	カボチャ
F233	オボムコイド	F254	カレイ
F256	クルミ	F290	カキ（貝）
F329	スイカ	F338	ホタテ
F349	イクラ	F350	タラコ
吸入性アレルゲン　イネ科植物花粉			
G1	ハルガヤ	G2	ギョウギシバ
G3	カモガヤ	G4	ヒロハウシノケグサ
G5	ホソムギ	G6	オオアワガエリ
G7	アシ	G8	ナガハグサ
G9	コヌカグサ（属）	G10	セイバンモロコシ
G15	小麦（属）（花粉）	G16	オオスズメノテッポウ
G17	スズメノヒエ（属）		
吸入性アレルゲン　室内塵			
H1	ハウスダスト1	H2	ハウスダスト2
H6	ハウスダスト6		
昆虫アレルゲン			
I1	ミツバチ	I2	スズメバチ（ホワイトフェイス）
I3	スズメバチ	I4	アシナガバチ
I5	スズメバチ（イエローフェイス）	I6	ゴキブリ
I8	ガ	I71	ヤブカ
I73	ユスリカ（属）		
職業性アレルゲン			
O1	綿	K82	ラテックス
吸入性アレルゲン　真菌／細菌			
M1	ペニシリウム	M2	クラドスポリウム
M3	アスペルギルス	M4	ムコール
M5	カンジダ	M6	アルテルナリア
M8	ヘルミントスポリウム	M9	フザリウム
M10	ステムフィリウム	M11	リゾプス
M12	オーレオバシジウム	M13	フォーマ
M14	エピコッカム	M16	カーブラリア
M70	マラセチア	M205	トリコフィトン（白癬菌）
O72	黄色ブドウ球菌・エンテロトキシンA	O73	黄色ブドウ球菌・エンテロトキシンB
寄生虫アレルゲン			
P4	アニサキス		
吸入性アレルゲン　樹木花粉			
T1	カエデ（属）	T2	ハンノキ（属）
T3	シラカンバ（属）	T5	ブナ（属）
T6	ビャクシン（属）	T7	コナラ（属）
T8	ニレ（属）	T9	オリーブ
T10	クルミ（属）	T12	ヤナギ（属）
T16	マツ（属）	T19	アカシア（属）
T23	ホソイトスギ	T70	クワ（属）
T80	ヒノキ		

アレルゲンコンポーネント

食物	ピーナッツ	JF447	rAra h 6　2S アルブミン
	クルミ	JF441	rJug r 1　2S アルブミン
		JF442	rJug r 3　LTP
	カシューナッツ	JF443	rAna o 3　2S アルブミン
ハチ毒	ミツバチ	JI214	rApi m 2　ヒアルロニダーゼ
		JI215	rApi m 3　酸性ホスファターゼ
		JI216	rApi m 5　ジペプチジルペプチダーゼ
ダニ	ヤケヒョウヒダニ	JD209	rDer p 23　peritrophin-like protein
イネ科	オオアワガエリ	JG213	rPhl p 1, rPhl p 5b
	オオアワガエリ	JG214	rPhl p 7, rPhl p 12
雑草	ヘラオオバコ	JW234	rPla l 1　Ole e 1 様タンパク
樹木	プラタナス	JT241	rPla a 1　インベルターゼインヒビター
	シラカンバ	JT221	rBet v 2, rBet v 4
その他		JO213	MBP（maltose-binding protein）
		JO215	αGal　サイログロブリン（ウシ）

View アレルギー 39 アレルゲンリスト

吸入系・その他アレルゲン			
室内塵	ヤケヒョウヒダニ ハウスダスト 1	イネ科 植　物	カモガヤ オオアワガエリ
動　物	ネコ皮屑 イヌ皮屑	雑　草	ブタクサ ヨモギ
昆　虫	ガ ゴキブリ	真　菌	アルテルナリア(ススカビ) アスペルギルス(コウジカビ) カンジダ，マラセチア(属)
樹　木	スギ，ヒノキ ハンノキ(属) シラカンバ(属)	職業性	ラテックス

食物系アレルゲン			
卵	卵白 オボムコイド	豆　類	大豆 ピーナッツ
		肉　類	鶏肉 牛肉 豚肉
牛　乳	ミルク	魚　類	マグロ サケ サバ
穀　物	小麦 ソバ 米	果　物	キウイ リンゴ バナナ
甲殻類	エビ カニ	その他	ゴマ

マストイムノシステムズVアレルゲンリスト

No.	項目
1	トマト
2	モモ
3	キウイ
4	バナナ
5	卵白
6	オボムコイド
7	鶏肉
8	豚肉
9	牛肉
10	ミルク
11	カニ
12	エビ
13	サケ
14	マグロ
15	コメ

No.	項目
16	ダイズ
17	ピーナッツ
18	コムギ
19	ソバ
20	ゴマ
21	ラテックス
22	アスペルギルス
23	カンジダ
24	シラカンバ
25	ハンノキ
26	ヒノキ
27	スギ
28	ヨモギ
29	ハウスダストⅠ
30	サバ

No.	項目
31　木の実ミックス	1　アーモンド
	2　ヘーゼルナッツ
	3　クルミ
32　カビミックス	4　アルテルナリア
	5　ペニシリウム
	6　クラドスポリウム
33　ブタクサミックス	7　ブタクサ
	8　オオブタクサ
	9　ブタクサモドキ
34　イネ科ミックス	10　オオアワガエリ
	11　カモガヤ
	12　ナガハグサ
	13　ハルガヤ
	14　ギョウギシバ
35　イヌ・ネコ皮屑ミックス	15　イヌ皮屑
	16　ネコ皮屑
36　ダニミックス	17　コナヒョウヒダニ
	18　ヤケヒョウヒダニ
36 項目	48 種類

赤字は新たに追加された項目

巻末資料

市販されている食物経口負荷試験用粉末の詳細

製品名	主要な原材料	アレルゲン	負荷量	抗原タンパク量注1	粉末重量	保存	賞味期限	食事指導での利用	水溶性	味	溶解方法
たまこな25	加熱全卵	全卵0.2g	微量注2	25mg	2g/包	室温	1年	○	○	弱い甘み	約10mL～15mLの水やリンゴジュース等を加え，かき混ぜて摂取
たまこな250	加熱全卵	全卵2g	少量	250mg	1g/包	室温	2年	○	△注3	スイートポテト	リンゴジュース20mL～40mLやおかゆ，ゼリー，ジャム等に混ぜて摂取
たまこな750	加熱全卵	全卵6g	中等量	750mg	4g/包	室温	2年	○	○	ミックスフルーツ	約25mLの水を加え，かき混ぜて摂取
みるこな100	脱脂粉乳	牛乳3mL	少量	100mg	2g/包	室温	1年	×	○	バニラアイス	約10mL～15mLの水を加え，かき混ぜて摂取

注1：ケルダール法による測定.
注2：食物アレルギー診療ガイドライン2021では，本項目に該当する表現はないため，今回新たに「微量」とした.
注3：ほかの製品のように，直ちに懸濁されないが，液体内で数分放置するとほかと同様に懸濁するため，△と判断した.

(榎本真宏，ほか：食物経口負荷試験用食品の標準化に向けて．日小臨ア誌，21：1-8，2023)

代替食品一覧

鶏卵・牛乳・小麦不使用の食品例です（2023 年 9 月のデータ）.
こちらに掲載している食品は，必ずしも食物アレルギーに配慮された専用の施設などで製造された食品とは限らないため，個人の原因食物や重症度に応じて利用をご検討ください．利用する際は食品の原材料表示を必ず確認しましょう．

ベビーフード

食物アレルギーがあっても，除去食物を使っていないベビーフードであれば利用できます．

①

②

③

④

⑤

① 野菜入りチキンライス，② すまいるカップ まぐろと野菜の彩りピラフ（キユーピー株式会社）③ 栄養マルシェ 鶏と野菜のリゾット弁当（アサヒグループ食品株式会社）④ 鉄分入りソフトおせんべい（キユーピー株式会社）⑤ 野菜ハイハイン（亀田製菓株式会社）

アレルギー用ミルク（加水分解乳，アミノ酸乳，調製粉末大豆乳）

加水分解乳は牛乳タンパク質の分解度などが異なります．アレルギー用ミルクの利用については医師に相談しましょう．

①

②

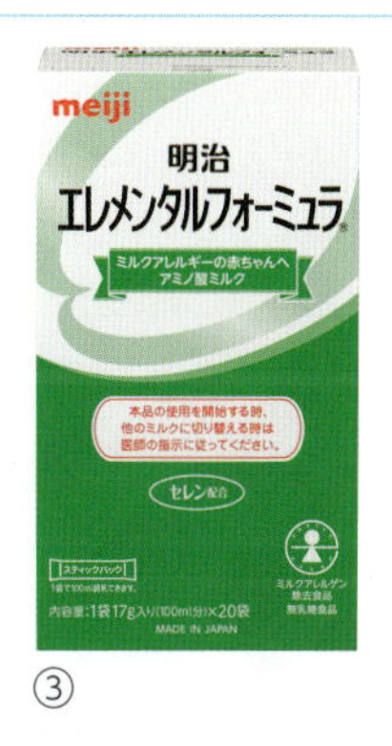

③

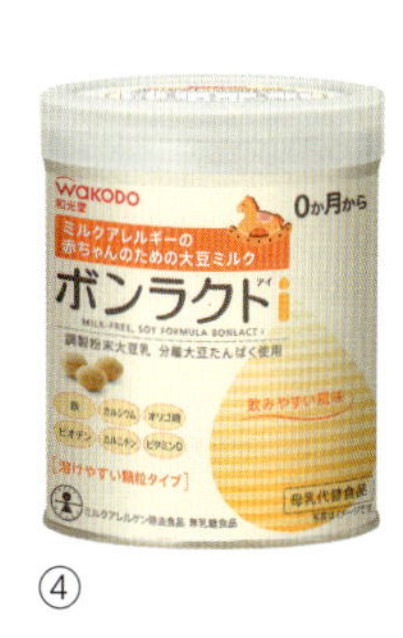

④

① 森永ニュー MA-1（森永乳業株式会社）② 明治ミルフィー HP，③ 明治エレメンタルフォーミュラ（株式会社 明治）④ ボンラクト i（アサヒグループ食品株式会社）

米粉，米粉製品

お菓子作りやパン作りに向いている米粉や米粉ミックスが市販されています．

①

②

③

④

⑤

⑥

① 米の粉（共立食品株式会社）② 大豆粉と米粉のパンケーキミックス（みたけ食品工業株式会社）③ 1 歳からのお好み焼粉 米粉（オタフクソース株式会社）④ グルテンフリー習慣 小麦を使わないパンケーキミックス粉（株式会社大潟村あきたこまち生産者協会）⑤ DHC 発芽玄米入り 米粉パンケーキミックス（株式会社ディーエイチシー）⑥ こめの香（グルテンフリー）（グリコ栄養食品株式会社）

米　麺

お米から作られた麺にも，ビーフン，フォー，パスタなどいくつか種類があります．

① お米 100%ビーフン，② ライスパスタ（ケンミン食品株式会社）③ グルテンフリーフジッリ（株式会社大潟村あきたこまち生産者協会）④ フォー（ベトナムビーフン／平麺），⑤ ブン（ベトナムビーフン／丸麺）（ユウキ食品株式会社）

①

②

③

④

⑤

コーン

小麦不使用のシリアルもあります．コーンでできた粉はパンやパンケーキの生地に入れることもできます．

①

②

③

① コーンフレーク（日本ケロッグ合同会社）② コーングリッツ，③ コーンフラワー（株式会社パイオニア企画）

米パン，米パンケーキ

米粉で作られたパンやパンケーキもあります．お弁当として持参できるように小分けされているものもあります．

①

②

③

④

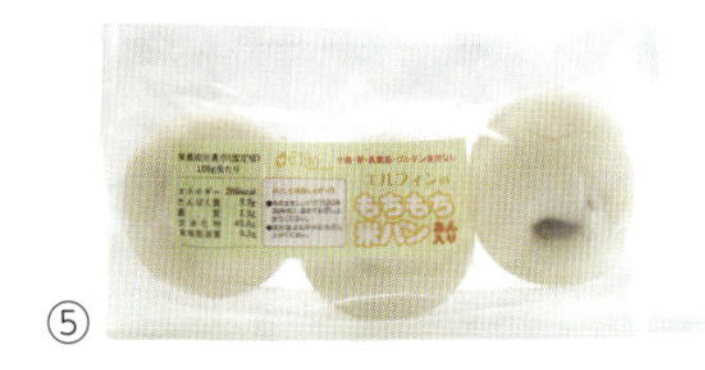

⑤

① みんなの食卓® 米粉食パン，② みんなの食卓® お米で作ったまあるいパン，③ みんなの食卓® 米粉のパンケーキ（日本ハム株式会社）④ もちもち米パン野菜入り，⑤ もちもち米パンあん入り（有限会社エルフィン・インターナショナル）

ハム，ウィンナー，ベーコン

卵，牛乳，小麦を使用していない肉加工品は多数市販されています．カルシウムが添加されているものもあります．

①

②

③

① みんなの食卓® 上級ロースハム，② みんなの食卓® 上級ハーフベーコン，③ みんなの食卓® ポーク ウイニー®（日本ハム株式会社）

乳製品の代替品

牛乳相当量のカルシウムをプラスした大豆飲料もあります．大豆で作られたホイップクリームやヨーグルトもあります．クリーム系の料理にはココナッツミルクやコーンクリームを利用できます．

①

②

③

④

⑤

① ミルクのようにやさしいダイズ（大塚食品株式会社）② スジャータ乳製品を使っていない豆乳入りホイップ（スジャータ めいらくグループ）③ ソヤファーム 豆乳で作ったヨーグルト（ポッカサッポロフード＆ビバレッジ株式会社）④ ココナッツミルク（ユウキ食品株式会社）⑤ サラダクラブ 北海道コーン（クリーム）（キユーピー株式会社）⑥ 豆乳グルト（マルサンアイ株式会社）

⑥

調味料

鶏卵，牛乳，小麦を使用していない調味料は数多く市販されています．

①

②

③

④

⑤

⑥

⑦

⑧

⑨

⑩

① マギー ブイヨン 無添加 アレルギー特定原材料等 28 品目不使用 7 本入り（ネスレ日本株式会社）② 毎日カルシウム・ほんだし®，③ 味の素 KK 中華あじ，④ 丸鶏がらスープ™（味の素株式会社）⑤ 日清 マヨドレ®（日清オイリオグループ株式会社）⑥ ミツカン米酢（株式会社 Mizkan）⑦ カゴメトマトケチャップ，⑧ カゴメ基本のトマトソース，⑨ カゴメ醸熟ソース 中濃（カゴメ株式会社）⑩ キユーピーエッグケア（卵不使用）（キユーピー株式会社）

カレールウ，シチュールウ，レトルトカレー　など

食物アレルギーに配慮されたカレーやシチューのルウは便利です．

①

②

③

④　⑤

⑥

⑦

① カレーの王子さま　顆粒，② シチューの王子さま　顆粒，③ スープの王子さま　顆粒（エスビー食品株式会社）④ アンパンマンミニパックカレー　ポークあまくち，⑤ アンパンマンミニパック　野菜とけこむひき肉カレー（株式会社永谷園）⑥ 特定原材料 7 品目不使用 シチューミクス クリーム，⑦ 特定原材料 7 品目不使用 はじめて食べるバーモントカレー（ハウス食品株式会社）

食物アレルギー対応食 1週間サイクルメニュー（例）

（鶏卵，牛乳，小麦，ソバ，落花生，エビ，カニ，大豆，ヤマイモ，ゴマの10品目除去メニュー）

	日曜日 料理名	日曜日 材料
朝食	飯	精白米 水
	みそ汁	大根 人参 米味噌 昆布だし 水
	ウインナー	●皮なしウインナー 菜種油
	南瓜煮	冷凍南瓜 砂糖 醤油
	ふりかけ	●ふりかけ
昼食	飯	精白米 水
	トマト煮	鶏胸肉 玉ねぎ カリフラワー トマトダイス缶 菜種油 ●コンソメスープ トマトケチャップ 食塩 水
	そぼろ煮	大根 豚ひき肉 醤油 砂糖
	ほうれん草ソテー	ほうれん草 コーン缶 ●ベーコン 食塩 こしょう（白） 菜種油
	果物	メロン
夕食	飯	精白米 水
	みそ汁	玉ねぎ 米味噌 昆布だし 水
	焼き魚	骨なし鯖 食塩
	温野菜サラダ	キャベツミックス ●マヨネーズ風調味料
	ひじき煮	芽ひじき 糸コンニャク 人参 菜種油 砂糖 醤油

	月曜日 料理名	月曜日 材料
朝食	飯	精白米 水
	みそ汁	じゃが芋 長ネギ 米味噌 昆布だし 水
	炒り煮	鶏もも肉 なす 菜種油 醤油 砂糖
	焼きのり	焼きのり
昼食	飯	精白米 水
	シチュー	豚肉 玉ねぎ 人参 ブロッコリー 菜種油 ●ホワイトシチュールゥ
	そぼろ煮	じゃが芋 豚ひき肉 砂糖 醤油 でん粉
	かぶ・ケチャップ煮	かぶ トマトケチャップ ●コンソメ 乾燥パセリ
	リンゴコンポート	リンゴ 砂糖
夕食	飯	精白米 水
	みそ汁	白菜 水菜 米味噌 昆布だし 水
	煮魚	骨なし金目鯛 砂糖 醤油 根生姜
	きんぴら	大根 人参 菜種油 醤油 砂糖
	オクラとろろ	オクラ 醤油

	火曜日 料理名	火曜日 材料
朝食	飯	精白米 水
	みそ汁	菜の花 米味噌 昆布だし 水
	ハンバーグ	●ハンバーグ
	ポトフ	●ロースハム キャベツ しいたけ 人参 菜種油 食塩 こしょう
	ふりかけ	●ふりかけ
昼食	飯	精白米 水
	煮物	鶏ひき肉 ●焼きちくわ 大根 さつまいも 昆布だし 砂糖 醤油
	ポテト・ミートソースがけ	冷凍ダイスポテト ●ミートソース
	ゆで野菜 オーロラソースがけ	ブロッコリー ●マヨネーズ風調味料 トマトケチャップ
	果物	オレンジ
夕食	飯	精白米 水
	みそ汁	キャベツ 長ネギ 米味噌 昆布だし 水
	照り焼き	カラスガレイ 醤油 砂糖 水
	炒めビーフン	ビーフン 人参 ●ロースハム ピーマン 玉ねぎ 菜種油 ●コンソメ 醤油
	トマト	トマト ●マヨネーズ風調味料

●の付いている食材は，アレルギーに配慮された食品を利用

水曜日	
料理名	材料
飯	精白米 水
みそ汁	かぶ 米味噌 昆布だし 水
鯖・味噌煮 野菜柔らか煮	●鯖・味噌煮 白菜 えのきだけ 人参 ●コンソメ 水
焼きのり	焼きのり
飯	精白米 水
カレー	豚肉 じゃが芋 玉ねぎ 人参 ●カレールゥ 菜種油
コールスロー	キャベツ 人参 ●マヨネーズ風調味料
果物	メロン
飯	精白米 水
根菜汁	鶏もも肉 さつま芋 大根 人参 ごぼう 菜種油 昆布だし 醤油 水
牛丼風煮	牛バラスライス 玉ねぎ 醤油 砂糖
お浸し	ほうれん草 もやし 人参 醤油
ソテー	グリーンアスパラ コーン缶 ●ロースハム 食塩 こしょう（白） 菜種油

木曜日	
料理名	材料
飯	精白米 水
みそ汁	玉ねぎ 米味噌 昆布だし 水
肉団子 コンソメ煮	●和風肉団子 キャベツ 長ネギ 人参 ●コンソメ 食塩
ふりかけ	●ふりかけ
飯	精白米 水
鱈の煮物 炊き合わせ	骨なし真鱈 人参 いんげん 昆布だし 砂糖 醤油
南瓜サラダ	南瓜 ●ロースハム 玉ねぎ きゅうり ●マヨネーズ風調味料 食塩 プチトマト
煮物	かぶ 醤油 砂糖 水
リンゴコンポート	リンゴ 砂糖
三色丼	精白米 水 鶏ひき肉 醤油 砂糖 生鮭 ブロッコリー
ビーフンサラダ	ビーフン キャベツ ●ロースハム ●マヨネーズ風調味料
ポトフ	人参 カリフラワー グリーンアスパラ ●コンソメ

金曜日	
料理名	材料
飯	精白米 水
みそ汁	白菜 米味噌 昆布だし 水
さつま揚げ煮	●さつま揚げ きざみ昆布 砂糖 醤油
炒り煮	大根 人参 冷凍さやえんどう 菜種油 醤油 砂糖
焼きのり	焼きのり
飯	精白米 水
豚アスパラ 炒め煮	豚もも肉 グリーンアスパラ 玉ねぎ 赤ピーマン 菜種油 ●焼き肉のたれ
ポテトサラダ	じゃが芋 ミックスベジタブル ●マヨネーズ風調味料
トマト	トマト
果物	オレンジ
飯	精白米 水
みそ汁	玉ねぎ 米味噌 昆布だし 水
味噌焼き	カジキ ●米味噌 砂糖
炒り煮	シーチキン 大根 人参 菜種油 醤油 砂糖
果物	メロン

土曜日	
料理名	材料
飯	精白米 水
みそ汁	大根 米味噌 昆布だし 水
肉じゃが おひたし	●肉じゃが 菜の花 醤油
ふりかけ	●ふりかけ
飯	精白米 水
豚しゃぶ肉の おろしあんかけ	豚ロース かぶ なめこ えのき 小ネギ 醤油 砂糖 水 でん粉
冬瓜含め煮	冬瓜 鶏ひき肉 昆布だし 醤油 水 でん粉
果物	バナナ
飯	精白米 水
コーンスープ	●コーンスープ 水
ホイル焼き	カラスガレイ 食塩 こしょう 玉ねぎ しめじ
ゆで野菜サラダ	大根 人参 ●マヨネーズ風調味料
揚げ煮	なす 菜種油 ●めんつゆ 水

（仙台医療センター定型サイクルメニューより引用一部改変）

アレルギー物質を含む食品表示のまとめ

特定原材料と特定原材料に準ずるもの

特定原材料 8 品目（表示義務）	えび，かに，くるみ※，小麦，そば，卵，乳，落花生（ピーナッツ）
特定原材料に準ずるもの 20 品目（表示推奨）	アーモンド，あわび，いか，いくら，オレンジ，カシューナッツ，キウイフルーツ，牛肉，ごま，さけ，さば，大豆，鶏肉，バナナ，豚肉，まつたけ，もも，やまいも，りんご，ゼラチン

※ 2025 年 3 月 31 日まで経過措置期間

食品表示法（新法）による特定原材料の『代替表記』，『拡大表記』[1)]

特定原材料	代替表示	拡大表示（例示）
えび	海老，エビ	えび天ぷら，サクラエビ
かに	蟹，カニ	上海がに，カニシューマイ，マツバガニ
くるみ	クルミ	くるみパン，くるみケーキ
小麦	こむぎ，コムギ	小麦粉，こむぎ胚芽
そば	ソバ	そばがき，そば粉
卵	玉子，たまご，タマゴ，エッグ，鶏卵，あひる卵，うずら卵	厚焼玉子，ハムエッグ
乳	ミルク，バター，バターオイル，チーズ，アイスクリーム	アイスミルク，ガーリックバター，プロセスチーズ，牛乳，生乳，濃縮乳，乳糖，加糖れん乳，乳たんぱく，調製粉乳
落花生	ピーナッツ	ピーナッツバター，ピーナッツクリーム

紛らわしい表示：除去不要の原材料および添加物 [2)]

これらの表記は誤解されやすいが，鶏卵，牛乳，小麦のアレルギーであってもそれぞれ除去の必要はない．

特定原材料	除去が不要な原材料・食品添加物
鶏卵	卵殻カルシウム
牛乳	乳酸菌，乳酸カルシウム，乳酸ナトリウム，乳化剤（一部乳由来あり），カカオバター，ココナッツミルク　など
小麦	麦芽糖，麦芽（一部小麦由来あり）

・卵殻カルシウム：鶏卵の殻を原料として作られたカルシウム．高温で処理された焼成卵殻カルシウムには鶏卵のタンパク質（鶏卵のアレルゲン）は残存していない．未焼成卵殻カルシウムも鶏卵のタンパク質をほとんど含まないため除去不要である．
・乳酸菌：発酵によって糖から乳酸を作る微生物のこと．牛乳を乳酸菌で発酵した「乳酸菌飲料」は牛乳アレルギーの場合には除去が必要である．
・乳酸カルシウム，乳酸ナトリウム：化学物質の一種．
・乳化剤：水と油を混合してクリーム状にするもの．主に卵黄，大豆，牛脂などから作られる．
・カカオバター：カカオ豆に含まれる油脂．
・ココナッツミルク：成熟したココナッツの種子の固形胚乳から作られる．
・麦芽糖：糖類の一種でマルトースともいう．大麦やとうもろこしが原料となる．
・麦芽：発芽した麦（通常は大麦）であり，基本的に小麦アレルギーの場合には除去不要である．大麦アレルギーの場合には除去が必要なこともあるため，医師の指示に従う．

＊アレルギー表示に関する詳細な情報は，消費者庁の web サイト（http://www.caa.go.jp/foods/index8.html）から得ることができる.

1）消費者庁：加工食品の食物アレルギー表示ハンドブック．令和 5 年 3 月.
2）厚生労働科学研究班による食物アレルギーの栄養食事指導の手引き 2022.
3）環境再生保全機構：食物アレルギー物質の食品表示「アレルギー物質別 紛らわしい食品・添加物
4）海老澤元宏，ほか：卵殻末焼成カルシウムのアレルゲン性について．アレルギー，54：471-477，2005.

アレルギー症状の重症度評価と対応マニュアル

アレルギー症状の重症度評価と対処法

重症度	軽症 （下記の１つでもあてはまる）	中等症 （下記の１つでもあてはまる）	重症 （下記の１つでもあてはまる）
皮膚	□部分的な赤み，ぼつぼつ □軽いかゆみ □くちびる・まぶたの腫れ	□全身性の赤み，ぼつぼつ □強いかゆみ □顔全体の腫れ 	
消化器	□口やのどのかゆみ・違和感 □弱い腹痛 □吐き気 □嘔吐・下痢（1 回）	□のどの痛み □強い腹痛 □嘔吐・下痢（2 回） 	□持続する強い（がまんできない）おなかの痛み □繰り返し吐き続ける 
呼吸器	□鼻水，くしゃみ 	□咳が出る（2 回以上） 	□のどや胸が締め付けられる □声がかすれる □犬が吠えるような咳 □持続する強い咳き込み □ゼーゼーする呼吸 □息がしにくい 
全身		□顔色が悪い 	□唇や爪が青白い □脈を触れにくい・不規則 □意識がもうろうとしている □ぐったりしている □尿や便を漏らす  
エピペン®	□エピペン®を準備 （悪化→）	□治療後も咳が続く・重症と迷うときはエピペン®を使用 （悪化→）	□すぐにエピペン®を使用 
薬	□30 分続けば薬を飲ませる	□薬を飲ませる □呼吸器の症状があれば気管支拡張薬を吸入する（処方がある場合） 	
受診対応	□5 分ごとに症状を観察 □1 時間続けば医療機関を受診	□5 分ごとに症状を観察 □医療機関を受診 	□あおむけの姿勢にする □救急車で医療機関を受診 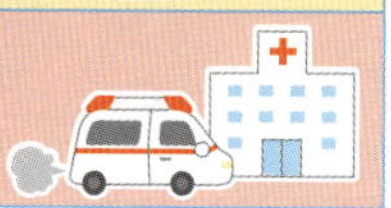

アナフィラキシーへの対応

① 状況把握と連絡

仰向けにして呼吸・循環の確認

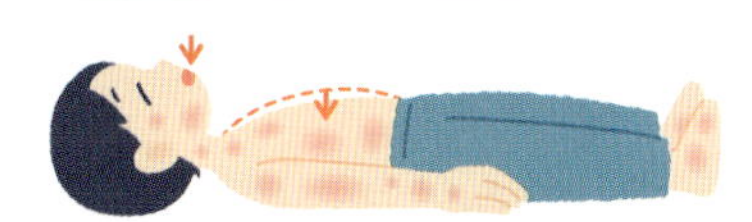

息をしているか確認
心臓が動いているか確認

助けを呼ぶ

エピペン®の準備や救急車の要請を依頼する
なるべくその場を離れない

役割分担する

- 観察 / 記録 / 管理
- 準備（内服薬・エピペン®）
- 連絡（救急車・家族・病院）
- 誘導（周囲の人や救急車）など

② エピペン®注射

利き腕でペンの中央を持ち，青色の安全キャップを外す

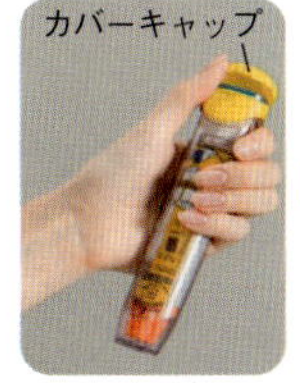

カバーキャップをあける

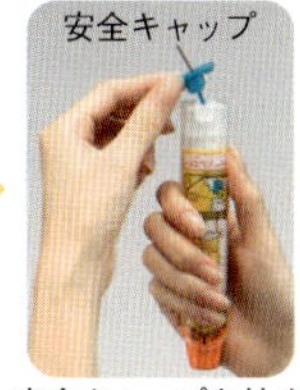

安全キャップを外す

太ももの付け根と膝の中央のやや外側に垂直に，オレンジ色の先端をゆっくり強く押しつけ注射する

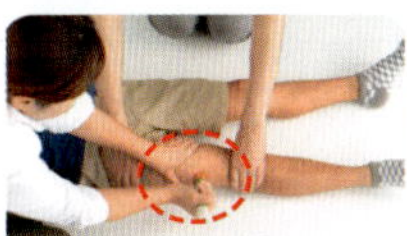

「カチッ」と音がしてから数秒間押しつける

服の上からでも可

エピペン®を太ももから抜き取り，オレンジ色のカバーが伸びているのを確認

伸びていない場合，再度押しつける

③ 救急受診

仰向けにして救急車を待つ

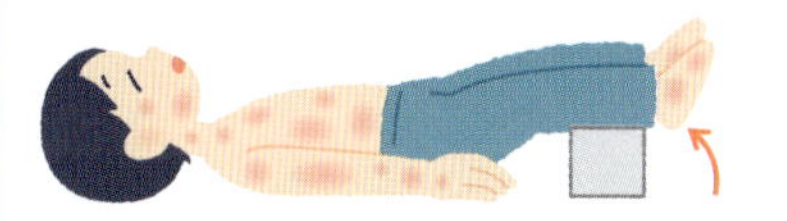

仰向けにして 30cm 程度足を高くする
呼吸が苦しいときは少し上体を起こす
吐いている時は顔を横向きにする

救急車で医療機関を受診

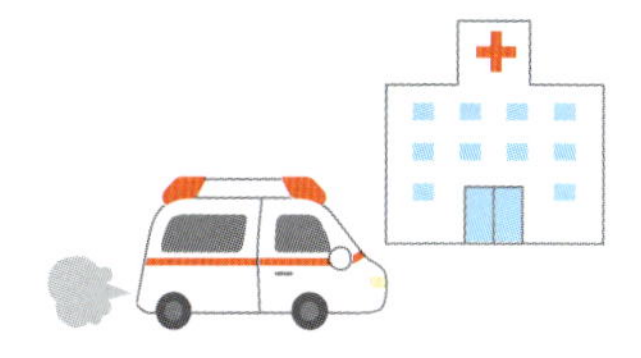

必ず救急車で医療機関を受診する

SAGAMIHARA NATIONAL HOSPITAL

アレルギー症状の重症度評価と対応マニュアル
作成：国立病院機構相模原病院　小児科

注意点：本マニュアルは一般の方に対してアレルギー症状への対応の理解を助ける目的で作成し，内容に関しては責任を負うが，個々の対応の結果に関して責任を負うものではない．

食物経口負荷試験食の作り方と栄養指導

食物経口負荷試験に関する患児および保護者への同意説明文

患者 ID：　　　　患者氏名：　　　　　　　　　　　　　　　　　　　　＜入院負荷試験＞

食物経口負荷試験の意義

食物アレルギーが疑われたとき，血液検査や皮膚テストだけでは，特定の食品が食べられるかどうか，どのくらいの量で症状が誘発されるか，重症な症状が誘発されるかどうかはまったく予測できません．そのため，食物経口負荷試験が食物アレルギーの正確な診断のために必須の検査法と考えられています．

方法

食品 1 項目につき 1 日の入院を原則とします．入院前に外来で健康状態を確認し，発熱，嘔吐，下痢，咳き込みなど体調不良の際には入院を中止することがあります．対象とする食品を少量から食べ始め，一定時間ごとに食べる量を増やし，1 ～ 3 回に分けて食べます．明らかなアレルギー反応が出現した時点で試験は中止します．

食物経口負荷試験による誘発症状と危険性

食物経口負荷試験を受けた方の約 3 割に何らかの症状が出ます．蕁麻疹などの皮膚症状だけのこともあれば，嘔吐・下痢などの消化器症状や咳・喘鳴などの呼吸器症状を伴うこともあります（アナフィラキシー）．1,000 名中 5 名程度に血圧低下などの循環器症状（アナフィラキシーショック）が出ます．特に呼吸器症状や循環器症状は命に係わることがあり，十分な準備をして試験を行います．当院では現在まで 2 万件以上の負荷試験を行っており，死亡事故や後遺症を残した例はありません．しかし，海外では負荷試験で亡くなられた事例が報告されています．検査にご心配やご不安があれば，遠慮なく医師にご相談してください．

今回行う食物経口負荷試験の確認

□鶏卵 STEP 0　□鶏卵 STEP 1（全卵 1/32 個相当のジュース）□鶏卵 STEP 2（全卵 1/2 個相当のジュース）
□牛乳 STEP 0（牛乳 3mL 相当のカボチャケーキ）□牛乳 STEP 1（牛乳 25mL 相当のジュース）□牛乳 STEP 2（牛乳 50mL 相当）
□小麦 STEP 0（うどん 2g）□小麦 STEP 1（うどん 15g）□小麦 STEP 2（うどん 50g）□小麦 STEP 3（うどん 200g）
□その他（　　　　　　　　　　　　　　　　　　　　　　　　　　　　）

入院日／日帰り・宿泊の確認

入院日：平成　　　年　　　月　　　日　　□個室 B：（シャワーあり）
□日帰り　　□　　泊　　日

年　　月　　日　独立行政法人国立病院機構相模原病院　小児科

説明医師名

同意書

今回，食物経口負荷試験を受けるにあたり，意義，方法，危険性について十分に医師から説明を受け，理解しました．

年　　月　　日

患者氏名

保護者氏名

鶏卵負荷試験　STEP 0～3

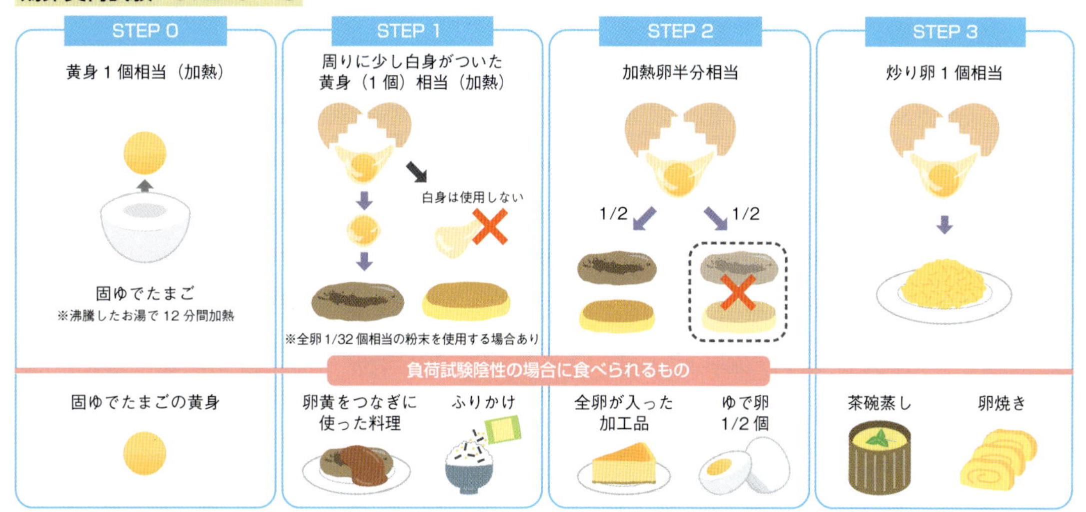

牛乳負荷試験　STEP 0～3

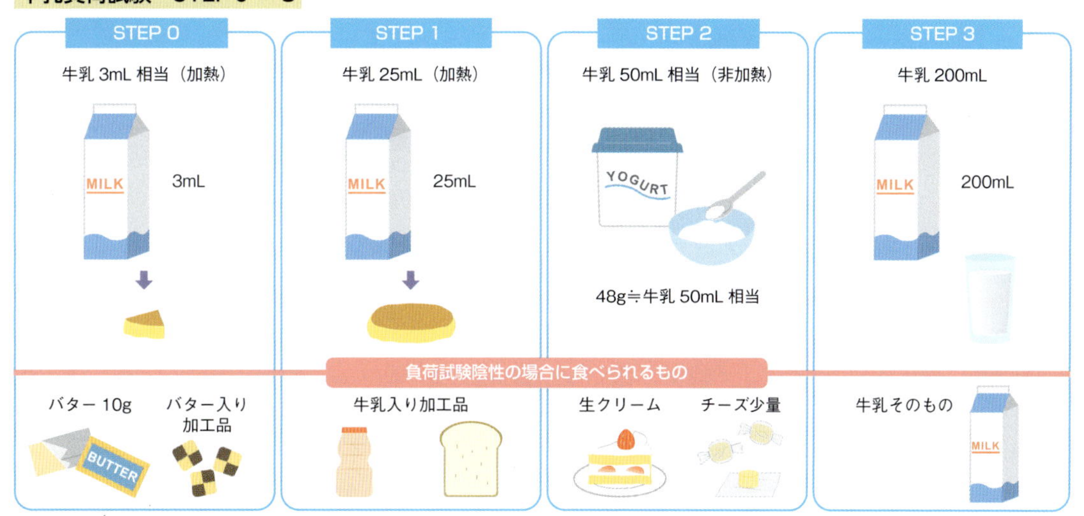

小麦負荷試験　STEP 0～3

相模原病院小児科　2015

巻末資料

食物経口負荷試験食の作り方

卵

食品	STEP 0	STEP 1	STEP 2	STEP 3
卵	卵黄（ゆで） 1個	蒸しケーキ（卵黄）	蒸しケーキ（全卵）	炒り卵（そぼろ） 45g
	卵黄 1個	かぼちゃまたはさつまいも 50g	かぼちゃまたはさつまいも 40g	全卵（M） 1個
	アレルギー対応マヨネーズ 10g	卵黄 1個	全卵（M） 1/2個	砂糖 3g
		砂糖 4g	砂糖 5g	食塩 0.1g
	水からゆで，沸騰後12分間加熱する．すぐに卵黄と卵白を分ける．			なたね油 3g
				袋ケチャップ 1袋

小麦

食品	STEP 0	STEP 1	STEP 2	STEP 3
小麦	うどん 2g	うどん 15g	うどん 50g	うどん 200g
	ゆでうどん 2g	ゆでうどん 15g	ゆでうどん 50g	ゆでうどん 200g
	砂糖 1g	砂糖 1g	砂糖 2g	砂糖 5g
	アレルギー対応しょうゆ 3g	アレルギー対応しょうゆ 3g	アレルギー対応しょうゆ 6g	アレルギー対応しょうゆ 15g
	アレルギー対応つゆ 7g	アレルギー対応つゆ 7g	アレルギー対応つゆ 14g	アレルギー対応つゆ 35g
	水（湯冷まし） 60g	水（湯冷まし） 60g	水（湯冷まし） 120g	水（湯冷まし） 300g

牛乳

食品	STEP 0	STEP 1	STEP 2	STEP 3
牛乳	蒸しケーキ（牛乳） 3mL	蒸しケーキ（牛乳） 25mL	ヨーグルト 48g	牛乳 200mL
	牛乳STEP①の蒸しケーキ1/8切れ	ホワイトソルガム粉 15g	ヨーグルト（例） 48g	牛乳 200mL
		砂糖 7g	牛乳50mLに相当するヨーグルトを使用	
		重曹 0.2g		
		かぼちゃ 25g		
		牛乳25mL 26g		
		水 10g		

ピーナッツ or ゴマ

食品	STEP 0	STEP 1	STEP 2	STEP 3
ピーナッツ or ゴマ		ピーナッツ・ナッツ類・ゴマ 3g（ハンバーグ）	ピーナッツ・ナッツ類・ゴマ 10g（蒸しケーキ）	
		豚ひき肉 50g	ホワイトソルガム粉 30g	
		塩 0.5g	砂糖 20g	
		ピーナッツ・ナッツ類粉末またはすりゴマ 3g	ピーナッツ・ナッツ類粉末またはすりゴマ 10g	
		なたね油 4g	重曹 0.5g	
		袋ケチャップ 1袋	かぼちゃ 30g	
			水 40g	

加熱全卵 1/8 個が摂取可の場合に食べられる可能性の高い食品の量（例）

＊一般的な加工食品に含まれる鶏卵の量から換算

鶏卵を含む食品	量
ロールパン	2 個まで
ウインナー	2 本まで
竹輪	1 ～ 2 本
クッキー	2 枚まで
ドーナッツ	1/2 個まで

（厚生労働科学研究班による食物アレルギーの栄養食事指導の手引き 2022. p.20）

牛乳 50mL に相当するタンパク質を含む乳製品（例）

※量の換算は「日本食品標準成分表 2020 年版（八訂）」に基づく

乳製品	量
有塩バター	270g
ホイップクリーム（乳脂肪）	90g
ヨーグルト（全脂無糖）	45g
プロセスチーズ	7g
パルメザンチーズ	3g
脱脂粉乳	4g
加糖練乳	20g

（厚生労働科学研究班による食物アレルギーの栄養食事指導の手引き 2022. p.24）

うどん（ゆで）50g に相当するタンパク質を含む小麦製品（例）

※量の換算は「日本食品標準成分表 2020 年版（八訂）」に基づく

小麦製品	量
薄力粉	13g
強力粉	9g
食パン	14g（8 枚切の場合は 1/4 枚）
スパゲッティ，マカロニ（ゆで）	20g
スパゲッティ，マカロニ（乾）	9g
素麺（ゆで）	35g
素麺（乾）	12g
餃子の皮	10g（1 枚 5g の場合は 2 枚）
焼きふ（車ふ）	4g

（厚生労働科学研究班による食物アレルギーの栄養食事指導の手引き 2022. p.27）

生活管理指導表：保育所

保育所におけるアレルギー疾患管理指導表は，保育所等において特別なアレルギー疾患管理を保護者が施設に求める場合に提出することが必須となっている．指導表は主治医が作成し，また食物アレルギーとアナフィラキシーに関する記述に関しては，保険診療で発行される（診療情報提供書 I）．本項では，その特徴を抜粋して解説する．

病型・治療　C．原因食品・除去根拠

指導表の特徴の一つが，原因食物を除去根拠と併記する点である．除去根拠を示すことで，保育所側がその診断の正確性を評価することができ，また医師にはより正しい診断を促す意図がある．

“食物負荷試験陽性”が診断根拠としての位置づけが最も高く，医師は“IgE 抗体等検査結果陽性”や“未摂取”だけを除去根拠とすることをできるだけ避けるべきである．また“未摂取”は，単に児が食べたことのない食品をチェックするためではなく，児が当該食品を未摂取であるが，摂取すれば症状誘発リスクが高いと医師が判断した場合に選択する．

“保護者と相談”から“管理必要”へ

改定前の指導表は給食・離乳食の管理などの選択肢が，“管理不要”と“保護者と相談”の二者択一であった．この“保護者と相談”が用いられていた意図は，保育所がガイドラインの方針に準拠しつつも，患児ごとに多様なアレルギー対応を，保護者と面談をする中で，よりきめの細かい対応を促すためであった．しかし保育現場では，保護者のアレルギー対応の意向を保育所はその通りに対応することが求められていると誤解されることが多かった．このため，今回の改訂で単純に“管理必要”に変更され，あくまで保育所におけるアレルギー対応の方針は，ガイドラインに則った保育所側の視点で行うべきであることが強調された．

保育所での生活上の留意点　C．除去食品においてより厳しい除去が必要なもの

指導表を必須で運用するいくつかの目的の一つが，保育所給食対応をできるだけシンプルにし，現場負担を最小限にすることにある．また微量の抗原で症状が誘発されてしまう重症児の対応は，集団給食の場では困難であり，かつ間違いが起きたときの健康被害も拡大する可能性がある．この 2 点を加味して，重症児に給食対応はせず，弁当対応を求めるべきであることがガイドラインに記述されている．

この重症児の定義の一つは本項が基準とされる．すなわち，例えば鶏卵アレルギー児で，卵殻カルシウムの除去，小麦アレルギーで醤油，酢，麦茶のいずれかの除去が必要であると診断されている児は，極めて微量の当該抗原であっても症状が誘発されるので，保育所は児が重症児であると判断してよいとされる．このため，本項に医師が○印をつけることは，児の給食提供が大きく制限されることを承知して，慎重に検討されなければならない．

（参考様式） ※「保育所におけるアレルギー対応ガイドライン」（2019年改訂版）

保育所におけるアレルギー疾患生活管理指導表 （食物アレルギー・アナフィラキシー・気管支ぜん息）

提出日 ＿＿＿年＿＿月＿＿日

名前＿＿＿＿＿＿ 男・女 ＿＿＿年＿＿月＿＿日生（＿＿歳＿＿ヶ月）＿＿＿組

※この生活管理指導表は，保育所の生活において特別な配慮や管理が必要となった子どもに限って，医師が作成するものです．

緊急連絡先
★保護者
電話：
★連絡医療機関
医療機関名：
電話：

食物アレルギー（あり・なし） アナフィラキシー（あり・なし）

病型・治療

A. 食物アレルギー病型
1. 食物アレルギーの関与する乳児アトピー性皮膚炎
2. 即時型
3. その他（新生児・乳児消化管アレルギー・口腔アレルギー症候群・食物依存性運動誘発アナフィラキシー・その他：　　　　）

B. アナフィラキシー病型
1. 食物（原因：　　　　）
2. その他（医薬品・食物依存性運動誘発アナフィラキシー・ラテックスアレルギー・昆虫・動物のフケや毛）

C. 原因食品・除去根拠
該当する食品の番号に〇をし，かつ《　》内に除去根拠を記載

1. 鶏卵 《　》
2. 牛乳・乳製品 《　》
3. 小麦 《　》
4. ソバ 《　》
5. ピーナッツ 《　》
6. 大豆 《　》
7. ゴマ 《　》
8. ナッツ類＊ 《　》（すべて・クルミ・カシューナッツ・アーモンド・　　）
9. 甲殻類＊ 《　》（すべて・エビ・カニ・　　）
10. 軟体類・貝類＊ 《　》（すべて・イカ・タコ・ホタテ・アサリ・　　）
11. 魚卵 《　》（すべて・イクラ・タラコ・　　）
12. 魚類＊ 《　》（すべて・サバ・サケ・　　）
13. 肉類＊ 《　》（鶏肉・牛肉・豚肉・　　）
14. 果物類＊ 《　》（キウイ・バナナ・　　）
15. その他 （　　）

［除去根拠］該当するもの全てを《》内に番号を記載
① 明らかな症状の既往
② 食物負荷試験陽性
③ IgE 抗体等検査結果陽性
④ 未摂取

「＊は（　）の中の該当する項目に〇をするか具体的に記載すること」

D. 緊急時に備えた処方薬
1. 内服薬（抗ヒスタミン薬，ステロイド薬）
2. アドレナリン自己注射薬「エピペン®」
3. その他（　　　　）

保育所での生活上の留意点

A. 給食・離乳食
1. 管理不要
2. 管理必要（管理内容については，病型・治療のC. 欄及び下記C. E欄を参照）

B. アレルギー用調整粉乳
1. 不要
2. 必要　下記該当ミルクに〇，又は（　）内に記入
ミルフィーHP・ニューMA-1・MA-mi・ペプディエット・エレメンタルフォーミュラ
その他（　　　　）

C. 除去食品においてより厳しい除去が必要なもの
病型・治療のC. 欄で除去の際に，より厳しい除去が必要となるもののみに〇をつける
※本欄に〇がついた場合，該当する食品を使用した料理については，給食対応が困難となる場合があります．

1. 鶏卵：	卵殻カルシウム
2. 牛乳・乳製品：	乳糖
3. 小麦：	醤油・酢・麦茶
6. 大豆：	大豆油・醤油・味噌
7. ゴマ：	ゴマ油
12. 魚類：	かつおだし・いりこだし
13. 肉類：	エキス

D. 食物・食材を扱う活動
1. 管理不要
2. 原因食材を教材とする活動の制限（　　）
3. 調理活動時の制限（　　）
4. その他（　　）

E. 特記事項
（その他に特別な配慮や管理が必要な事項がある場合には，医師が保護者と相談のうえ記載．対応内容は保育所が保護者と相談のうえ決定）

記載日　年　月　日
医師名
医療機関名
電話

気管支ぜん息（あり・なし）

病型・治療

A. 症状のコントロール状態
1. 良好
2. 比較的良好
3. 不良

B. 長期管理薬 （短期追加治療薬を含む）
1. ステロイド吸入薬
剤形：
投与量（日）：
2. ロイコトリエン受容体拮抗薬
3. DSCG 吸入薬
4. ベータ刺激薬（内服・貼付薬）
5. その他（　　　　）

C. 急性増悪（発作）治療薬
1. ベータ刺激薬吸入
2. ベータ刺激薬内服
3. その他

D. 急性増悪（発作）時の対応 （自由記載）

保育所での生活上の留意点

A. 寝具に関して
1. 管理不要
2. 防ダニシーツ等の使用
3. その他の管理が必要（　　）

B. 動物との接触
1. 管理不要
2. 動物への反応が強いため不可
動物名（　　）
3. 飼育活動等の制限（　　）

C. 外遊び，運動に対する配慮
1. 管理不要
2. 管理必要
（管理内容：　　）

D. 特記事項
（その他に特別な配慮や管理が必要な事項がある場合には，医師が保護者と相談のうえ記載．対応内容は保育所が保護者と相談のうえ決定）

記載日　年　月　日
医師名
医療機関名
電話

●保育所における日常の取り組み及び緊急時の対応に活用するため，本表に記載された内容を保育所の職員及び消防機関・医療機関等と共有することに同意しますか．
・同意する
・同意しない

保護者氏名＿＿＿＿＿＿＿＿＿＿

生活管理指導表：学校

学校生活管理指導表（表）

令和元年度に「学校のアレルギー疾患に対する取り組みガイドライン」が改訂されたので，学校生活管理指導表における改訂のポイントを以下に記載する．

病型・治療

C「原因食物・除去根拠」欄

原因食物に関しても甲殻類や木の実類の増加を受けて記載しやすく配慮した．平成 20 年版では「診断根拠」となっていたが，小学校入学時点でも木の実類などは診断がついていないことも多いので保育所と合わせて「除去根拠」とした．

学校生活上の留意点

平成 20 年版では「管理不要」と「保護者と相談し決定」であったが，後者が保護者の言いなりになることを防ぐ観点から「管理必要」に変更された．

E「原因食物を除去する場合により厳しい除去が必要なもの」欄

保育所の生活管理指導表で設けられていたこの欄には食物アレルギーの原因食物に関連するものであっても症状誘発の原因となりにくく，ほとんどの児童生徒などで除去が不要な食品が示されている．これらのものまでも除去が必要であると給食の提供が難しくなるので，医師に管理指導表を記載してもらう際には摂取不可能な場合にのみ記載してもらう．

2012 年に発生した調布市での死亡事故を受けて学校生活管理指導表の提出は全国に広まった．しかし，検査だけを根拠とした複数の食物の除去を指示した学校生活管理指導表が学校現場を混乱させており問題となっている．令和 4 年度の全国調査でそのような学校生活管理指導表を教育委員会と医師会とで是正する活動が行われていた市区町村は 8%にとどまっていた．今後の課題として学校生活管理指導表の精度の向上が求められている．

表　学校生活管理指導表（アレルギー疾患用）

名前＿＿＿＿＿＿＿＿＿＿＿（男・女）　＿＿年＿＿月＿＿日生　＿＿年＿＿組　　提出日＿＿＿年＿＿月＿＿日

※この生活管理指導表は，学校の生活において特別な配慮や管理が必要となった場合に医師が作成するものです．

アナフィラキシー（あり・なし）／食物アレルギー（あり・なし）

病型・治療

A 食物アレルギー病型（食物アレルギーありの場合のみ記載）
1．即時型
2．口腔アレルギー症候群
3．食物依存性運動誘発アナフィラキシー

B アナフィラキシー病型（アナフィラキシーの既往ありの場合のみ記載）
1．食物（原因　　　　　　）
2．食物依存性運動誘発アナフィラキシー
3．運動誘発アナフィラキシー
4．昆虫（　　　　　　）
5．医薬品（　　　　　　）
6．その他（　　　　　　）

C 原因食物・除去根拠　該当する食品の番号に○をし，かつ《　》内に除去根拠を記載
1．鶏卵《　　》
2．牛乳・乳製品《　　》
3．小麦《　　》
4．ソバ《　　》
5．ピーナッツ《　　》
6．甲殻類《　　》（すべて・エビ・カニ　　）
7．木の実類《　　》（すべて・クルミ・カシュー・アーモンド　　）
8．果物類《　　》（　　）
9．魚類《　　》（　　）
10．肉類《　　》（　　）
11．その他1《　　》（　　）
12．その他2《　　》（　　）

［除去根拠］該当するもの全てを《　》内に記載
①明らかな症状の既往　②食物経口負荷試験陽性
③IgE 抗体等検査結果陽性　④未摂取

（　）に具体的な食品名を記載

D 緊急時に備えた処方薬
1．内服薬（抗ヒスタミン薬，ステロイド薬）
2．アドレナリン自己注射薬（「エピペン®」）
3．その他（　　　　　　）

学校生活上の留意点

A 給食
1．管理不要　2．管理必要

B 食物・食材を扱う授業・活動
1．管理不要　2．管理必要

C 運動（体育・部活動等）
1．管理不要　2．管理必要

D 宿泊を伴う校外活動
1．管理不要　2．管理必要

E 原因食物を除去する場合により厳しい除去が必要なもの
※本欄に○がついた場合，該当する食品を使用した料理については，給食対応が困難となる場合があります．
鶏卵：卵殻カルシウム
牛乳：乳糖・乳清焼成カルシウム
小麦：醤油・酢・味噌
大豆：大豆油・醤油・味噌
ゴマ：ゴマ油
魚類：かつおだし・いりこだし・魚醤
肉類：エキス

F その他の配慮・管理事項（自由記述）

【緊急時連絡先】
★保護者
電話：
★連絡医療機関
医療機関名：
電話：

記載日　　年　月　日
医師名　　㊞
医療機関名

気管支ぜん息（あり・なし）

病型・治療

A 症状のコントロール状態
1．良好　2．比較的良好　3．不良

B-1．長期管理薬（吸入）　薬剤名　投与量／日
1．ステロイド吸入薬（　　）（　　）
2．ステロイド吸入薬／長時間作用性吸入ベータ刺激薬配合剤（　　）（　　）
3．その他（　　）（　　）

B-2．長期管理薬（内服）　薬剤名
1．ロイコトリエン受容体拮抗薬（　　）
2．その他（　　）

B-3．長期管理薬（注射）　薬剤名
1．生物学的製剤（　　）

C 発作時の対応　薬剤名　投与量／日
1．ベータ刺激薬吸入（　　）（　　）
2．ベータ刺激薬内服（　　）（　　）

学校生活上の留意点

A 運動（体育・部活動等）
1．管理不要　2．管理必要

B 動物との接触やホコリ等の舞う環境での活動
1．管理不要　2．管理必要

C 宿泊を伴う校外活動
1．管理不要　2．管理必要

D その他の配慮・管理事項（自由記述）

【緊急時連絡先】
★保護者
電話：
★連絡医療機関
医療機関名：
電話：

記載日　　年　月　日
医師名　　㊞
医療機関名

（公財）日本学校保健会 作成

（公益財団法人日本学校保健会「学校のアレルギー疾患に対する取り組みガイドライン」より）

索引

数字

外国語

日本語

す

せ

そ

た

ち

て

と

な

に

は

ひ

ふ

へ

ほ

ま

め

や

ゆ

よ

ら

り

【編者略歴】

海老澤元宏（えびさわもとひろ）

1985 年　東京慈恵会医科大学 医学部卒業

1988 年　国立小児医療研究センター アレルギー研究室レジデント

1991 年　米国ジョンズ・ホプキンス大学医学部 内科臨床免疫学教室ポストドクトラルフェローシップ

1995 年　国立相模原病院 小児科医員

2000 年　同 医長

2001 年　同 臨床研究センター 病態総合研究部長

2003 年　同 臨床研究センター アレルギー性疾患研究部長

2012 年　東京慈恵会医科大学小児科学教室客員教授

2020 年　国立病院機構相模原病院臨床研究センターセンター長
　　　　世界アレルギー機構理事長（2022 年末まで）

2021 年　日本アレルギー学会理事長，アジア小児アレルギー学会理事長

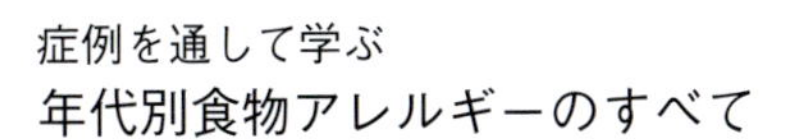

症例を通して学ぶ
年代別食物アレルギーのすべて

2013 年 11 月 1 日　1 版 1 刷
2018 年 8 月 1 日　2 版 1 刷
2020 年 6 月 15 日　　 3 刷
2023 年 12 月 1 日　3 版 1 刷

編　者
海老澤元宏（えびさわもとひろ）

発行者
株式会社 南山堂　代表者 鈴木幹太
〒113-0034　東京都文京区湯島 4-1-11
TEL 代表 03-5689-7850　　www.nanzando.com

ISBN 978-4-525-28483-1